Dzieje sztuki polskiej

Dzieje sztuki polskiej

panorama zjawisk

od zarania do współczesności

Janusz Kębłowski

Wydawnictwo·Arkady

Opracowanie graficzne
Henryk Białoskórski

Spis treści

Wiedza o dziejach sztuki polskiej wzrosła w ostatnich dziesiątkach lat niebywale. Poszerzyła się znajomość źródeł artystycznych, w części tylko do dziś przetrwałych, powiększyła się wielostronność ich interpretacji – w aspektach tak artystycznych, jak i ideowych, w ramach zamkniętych środowisk społeczno-topograficznych i w rozległej perspektywie europejskiej i światowej, w powiązaniu z całością historii narodu czy państwa i ze skomplikowaną stratygrafią społeczną.

Każda próba stworzenia obrazu całokształtu tych zjawisk stawia nas przed koniecznością ustalenia i wyboru właściwych perspektyw oraz kryteriów, które dopiero podpowiedzą odpowiednią selekcję historycznej materii; ich wielorakość pozwoli na osiągnięcie pożądanej wielostronności.

W zamierzeniu niniejszego opracowania, które nie jest ani podręcznikiem dla studiujących, ani też albumem ilustracji, opatrzonych pouczającym komentarzem, leżała chęć stworzenia panoramicznego obrazu artystycznych dokonań – z różnych powodów uznanych za ważne: prezentujących główne kierunki rozwojowe i tendencje artystyczne, związanych z doniosłymi ideami – religijnymi czy społeczno--politycznymi – wyrażających i formujących świadomość społeczną i narodową, służących ideologii, a czasem konkretnej działalności politycznej, kształtujących stosunek człowieka do otaczającego go świata. Były to procesy i dzieła ukazujące powiązania powstających i rozwijających się w Polsce środowisk fundatorów, artystów i odbiorców z zagranicznymi, bliższymi i dalszymi centrami kulturowymi, mówiące o sposobach korzystania z ich osiągnięć. Penetracja taka ma podstawowe znaczenie dla uchwycenia odrębności sztuki polskiej, rozpatrywanej zarówno w płaszczyźnie twórczej, jako wynik zdolności odkrywania nowych środków artystycznych, nie stosowanych dotychczas sposobów ich wykorzystania, tworzenia nowych kombinacji, służących stawianym przed sztuką celom, jak też umiejętności oryginalnego wykorzystywania środków artystycznych wypracowanych w innych centrach sztuki. Mam na myśli odrębność będącą także wynikiem powiązań z charakterem tutejszego krajobrazu i społeczeństwa, wynikiem specyfiki jego dziejów, mentalności, obyczaju, cech narodowych i klasowych.

Oznacza to po części przyznanie sztuce ważnej roli składnika obrazu osobowości naszego kraju – obrazu z wielu części i poprzez wieki składanego, dynamicznie zmiennego, czasem związanego z realną rzeczywistością, stanowiącego jej odbicie, to znów przesuwającego się w stronę mitu, pełniącego funkcje kompensacyjne w sferze ideologii.

Obok właściwego doboru kryteriów i stanowisk obserwacyjnych, ważny okazał się także wybór materiału historycznego w ten sposób prezentowanego. Nie istnieje przecież w ramach jednego opracowania możliwość pełnego ukazania dziejów sztuki rozległego kraju w okresie przekraczającym historyczne millenium, zwłaszcza gdy zamierzeniem autora było nie tylko wymienienie uporządkowanych wedle dobranych kryteriów zjawisk, lecz także bliższe ich omówienie – w przekonaniu, że każde dzieło sztuki, stanowiąc składnik większej struktury historycznej, jako element artystycznego makrokosmosu, ma równocześnie byt autonomiczny, stanowi swoisty mikrokosmos. Spojrzenie na dzieło sztuki w perspektywie takiego zbliżenia nie jest tylko równie właściwe, ale nawet szczególnie pożądane i konieczne – także z tego powodu, że przybliża owe dzieło dzisiejszemu odbiorcy.

Wewnętrzny układ niniejszego opracowania ukształtowany został z myślą o pogodzeniu tych perspektyw. Materiał historyczny podzielono na uświęcone tradycją naukową rozdziały obejmujące większe odcinki chronologiczne, przy czym na wstępie każdego z tych rozdziałów znalazł się przedstawiony w wielkim skrócie przegląd głównych zjawisk, dzieł i procesów w układzie rzeczowo-chronologicznym, w dalszej zaś części szersze omówienie wybranych zjawisk, dzieł, procesów, rozpatrywanych w różnych aspektach. Czasem zwrócono uwagę na wielorakość sposobów dochodzenia do wiedzy czy też na nie zawsze spójną różnorodność jej wyników.

Przedstawiając pracę stanowiącą propozycję sumującego i wartościującego widzenia całokształtu sztuki polskiej nie zamierzam podtrzymywać, a tym bardziej wzbudzać w Czytelniku przekonania, że obserwatorowi i badaczowi dana jest możliwość totalnego poznania dziejów artystycznych i odpowiednio do tego stworzenia pełnego ich obrazu w nauce. Sądzę nawet, że podjęcie takiej próby byłoby dowodem nie tylko braku krytycyzmu w stosunku do własnych możliwości, ale także braku rozeznania w możliwościach naukowego poznania.

Niezależnie od wszelkich ograniczeń, jakie zostały podyktowane przez ramy edycji, książka ta jest po prostu jednym z możliwych spojrzeń na sztukę polską. Autor opracowania, zdając sobie sprawę z jego licznych niedoskonałości, nie traci przecież nadziei, że próba ta będzie przydatna dla określenia stanowiska każdego Czytelnika wobec dziejów polskiej artystycznej twórczości.

Sztuka pradziejowa. Symbol i ornament

Dowody egzystencji człowieka na ziemiach, które z czasami weszły w skład państwa polskiego, sięgają chronologicznie dwustu pięćdziesięciu tysięcy lat przed naszą erą; jest to granica wytyczona aktualnym stanem badań. Materialnych pozostałości życia owych odległych grup społecznych mamy wiele, choć ich egzystencja nie miała charakteru nieprzerwanej ewolucji: przez ziemie te przecież przesunęły się wielokrotnie różne grupy gatunku praczłowieka, a następnie *homo sapiens*.

Ślady działalności człowieka neandertalskiego pochodzą ze środkowego paleolitu (przed 35 000 lat p.n.e.). Najstarsze ślady obecności człowieka stwierdzono między drugim i trzecim glacjałem – głównie na terenie południowej Polski, w jaskiniach i pozostałościach szałasów – zgodnie z łowiecko-zbierackim trybem życia. W epoce mezolitu (10 000 do 4000 p.n.e.) koczujące grupy myśliwych, rybołowców i zbieraczy sięgały aż po brzegi morza.

W neolicie (4000–1800 p.n.e.) formuje się społeczeństwo rolnicze, wywodzące się z terenów południowych. Znamienne dla tego okresu jest regionalne zróżnicowanie kultur, wynikające z odrębności etnicznych, genetycznych, „historycznych”, społecznych.

W epoce brązu (1800–700 p.n.e.) dokonał się m.in. wielki proces integracji etnicznej i kulturowej w oparciu o kult słońca i ognia; powstała wówczas kultura łużycka – zapewne wytwór ludności prasłowiańskiej. Jej apogeum przypada na wczesny okres żelaza, na okres halsztacki (700–400 p.n.e.).

W okresie lateńskim (400–1 p.n.e.) rozwija się kultura przeworska. W okresie rzymskim (1–450) charakterystyczne są powiązania istniejących tu, silnie rozdrobnionych i zróżnicowanych wspólnot terytorialnych z prowincjami rzymskimi; na terenie obecnej południowej Polski powstają zaczątki organizmów państwowych. Procesy te przerwał zapewne najazd ludów koczowniczych. Pojawienie się na przełomie V i VI w. osad obronnych i grodzisk – po tysiącletniej niemal przerwie – zdaje się świadczyć o ponowieniu prób organizacji państwowej; organizmy takie istniały już w w. VIII. Po przejściu państwa Wiślan – na terenie późniejszej Małopolski – we władanie państwa wielkomorawskiego, ośrodkiem samodzielnej polityki państwowej stał się obszar wielkopolsko-kujawski, państwo Polan: panująca tu dynastia Piastów doprowadziła w w. X do powstania pierwszego państwa polskiego.

Formowanie się kultury artystycznej ludów zamieszkujących przez dłuższy lub krótszy czas teren późniejszych ziem polskich miało przebieg złożony, zróżnicowany w czasie i przestrzeni. Wielokrotnie okresy względnej stabilizacji i rozkwitu przerywane były we wczesnych stadiach kataklizmami przyrodniczymi, a później głównie napływem obcej ludności. Historia ta – to właściwie wiele odrębnych historii, w części tylko poznanych. Nie ułatwia to retrospektywnego spojrzenia na artystyczne i paraartystyczne procesy, na „ikonosferyczne" wytwory tych historii.

Jeśli przyjmiemy, że dzieło sztuki jest przedmiotem humanistycznym, którego główną cechą jest sens, wykraczający poza funkcje bezpośredniej użyteczności i odkrywany w procesie interpretacji, opartej na określonych regułach, to jednym z podstawowych pytań historycznych będzie – kiedy pojawiły się znaczące w ten sposób przedmioty na naszych ziemiach? A następnie – jakie były rodzaje ich znaczenia? W jaki kontekst społeczny sztuka prezentująca je była uwikłana? I wreszcie pytanie najważniejsze – w jaki sposób znaczenia te były w sztuce realizowane?

Przyjmuje się zwykle, że warunkiem wytworzenia się sztuki była zdolność myślenia abstrakcyjnego i związana z tym mowa artykułowana – co jest właściwością gatunku *homo sapiens*. W ten sposób zbliżyłyby się do siebie te dwa rodzaje wypowiedzi – poprzez znak językowy i znak plastyczny. Biorąc jednak pod uwagę istnienie śladów np. obyczajów grzebalnych u człowieka neandertalskiego, można spodziewać się zaistnienia już wówczas „sztuki", choć brak specjalnych przedmiotów artystycznych; ich funkcje mogły być spełniane przez czynności grzebalne, których śladem był sam grób, jeśli czynności te wiązały się z pierwocinami religii i nie miały tylko użytkowego charakteru.

Wydaje się, że najbardziej pierwotną funkcją sztuki była funkcja magiczna, a jej podstawową formą – forma abstrakcyjna, gdyż jej głównym zadaniem nie było opisywanie – poznanie rzeczywistości, lecz oddziaływanie na tę rzeczywistość. Pojawiające się niegdyś próby ujęcia sztuki prehistorycznej w kategoriach opisowego realizmu pozbawione są większego sensu. Symbol – z jednej strony odnoszący się do zwykle niejasnych sił i mechanizmów rzeczywistości, a więc tylko w pewnym przybliżeniu je charakteryzujący, z drugiej – stanowiący środek porozumiewania się ludzi, z m y ś l ą   o   d z i a ł a n i u, charakteryzował najpełniej ówczesną sztukę.

Zastanawiając się nad kształtem sztuki tego czasu, należy wziąć pod uwagę to, że będąc ideowym narzędziem w procesie opanowywania świata, wiązała się z jednej strony z kolejnymi przemianami ideologicznymi – z kultami lunarnymi i solarnymi, z opozycją matriarchatu i patriarchatu, z drugiej – ze stanem techniki i tworzywem artystycznym, gdyż w owym czasie wykonanie przedmiotu ze świadomie wybranego tworzywa – a nieposłużenie się przedmiotem znalezionym – było już zwykle aktem twórczym, połączonym z wielkim wysiłkiem i nakładem pracy. W aspekcie społecznym istotna jest dystynktywna (wyróżniająca) funkcja sztuki, jej znaczenie jako wyróżnika jednostek i grup uprzywilejowanych. W dalszej konsekwencji tego procesu sztuka stała się przedmiotem zbytku, a następnie środkiem wywoływania ułudy – stwarzania pozorów czegoś, co nie było rzeczywiste i co było nieosiągalne. Z czasem coraz większego znaczenia nabierała wymiana między poszczególnymi ośrodkami społecznymi i państwowymi, handlowymi i artystycznymi – a zatem pojawił się import i naśladownictwo, mające w pewnych okresach znaczenie dominujące. Było to nowe zjawisko kulturowe: wymiana gotowych przedmiotów użytkowo-ideowych. Zapładniające działanie obcych idei i form artystycznych, łatwość korzystania z gotowego wytworu wiązały się z niezbyt ścisłym dostosowaniem do konkretnych potrzeb; nie zawsze importowany przedmiot był adekwatny do istniejących oczekiwań.

Czy pochodzące z paleolitu, z okresu mustierskiego, nacięte karbami żebro niedźwiedzia z Dziadowej Skały koło Skarżysk (50 000–38 000 p.n.e.), tak zwane paschale, należy uznać za dzieło ornamentalne, czy też raczej za rodzaj zapisu – pozostanie zapewne w sferze dyskusji. Zwłaszcza gdy pod uwagę weźmiemy z tego samego okresu pochodzące żebra znalezione w Jaskini Maszyckiej: czy był to rodzaj kalendarium lunarnego, czy także linearnie rytmizowana ozdoba? Przy tym od razu powstaje podstawowe pytanie – co właściwie należy określić jako „ozdobę"? Jest to termin często niejasno stosowany. Nie należy nadawać mu znaczenia późniejszego („upiększanie"), nie biorąc pod uwagę podstawowego sensu ornamentu czy ozdoby – funkcji symbolicznej i dystynktywnej.

Interpretowanie znalezionego w Jaskini Mamutowej (22000–21000 p.n.e.) naszyjnika z zębów zwierzęcych oraz ciosów mamuta w kategoriach ozdobności byłoby równie bezsensowne, jak zastanawianie się nad urodą pukla włosów przechowywanego w romantycznym medalionie: dobór składników, ich porządek i sposób „użytkowania" – noszenie na szyi – nie służyło ku „ozdobie", lecz pełniło określone funkcje magiczne i apotropeiczne (ochronne) w nie znanym nam bliżej rytuale kultu myśliwych.

Rozwiązanie problemu ornamentu, w tym szczególnie jego złożonych funkcji ideowych, ma znaczenie ogromne ze względu na jego popularność i niemal wyłączność w sztuce doby paleolitu. Nie znane są nam bowiem z naszego terenu zabytki w rodzaju „Wenus z Willendorfu", choć tamte powstały w obrębie znanej przecież i u nas kultury wschodniograweckiej.

Dopiero w mezolicie, w 8 i 7 tysiącleciu p.n.e., pojawiają się pierwsze wyobrażenia człowieka i zwierzęcia (łani?), w rycie na kości z Podjuch i Szczecina-Grabowa. Zapewne w tym czasie powstały drobne figurki zwierząt z bursztynu: z Dobiegniewa, Słupska i Gdańska. W obydwu jednak wypadkach nie został rozpoznany ich sens – jak również użytkowa funkcja przedmiotów, na których przedstawienia te występują – zapewne związany z magicznymi kultami myśliwskimi. [2]

Wielki rozwój ornamentyki, głównie zresztą występującej na wytworach ceramicznych, przypada na epokę neolitu, okres kształtowania się i rozwoju osiadłej kultury rolniczej. W kolejnych sekwencjach tzw. „kultury wstęgowej", „pucharów lejkowatych", pochodzenia zresztą północno-zachodniego, i następującej po nich „kultury amfor kulistych" itd. rozwija się niezwykle bogaty zasób form i kombinacji ornamentalnych, niemal wyłącznie geometrycznych. Jak się wydaje – można tu mówić o dekoracyjności, ozdobności i bogactwie ornamentalnych motywów jako pewnej formie dystynktywnej, estetycznie określającej pozycję w hierarchii wartości – zgodnie z zaznaczającym się wówczas zróżnicowaniem społecznym. Można równocześnie sądzić, że te formy „ornamentalne", które początkowo mogły być wyrazem artykułowanych, szczegółowych informacji, później utraciły znaczenie na rzecz ogólniejszych wartości dystynktywnych; powstanie kategorii ornamentyki nie jest wynikiem tylko desemantyzacji (odchodzenia od nasycenia przedmiotów określonym znaczeniem), lecz także pewnego rodzaju transformacji semantycznej – gdy znaki przekształcają się w oznaki. Można też przypuszczać, że w tym czasie, tzn. w epoce neolitu (4000–1800 p.n.e.), a zwłaszcza w dziełach „kultury pucharów lejkowatych" sformułowane zostały – albo też asymilowane – ważne szczegółowe kategorie estetyczne ornamentu: symetria, rytm, regularność, zgodność z funkcjonalną w założeniu strukturą naczynia, respektowanie kształtu jego [3, 5] podstawowych składników morfologicznych. Ważny jest semantyczny charakter naczyń „kultury pucharów lejkowatych". Dotyczy to podstawowego kształtu naczynia lub jego elementu.

Stwierdzając w zakresie dekoracji pewien rodzaj transformacji semantycznej, należy równocześnie odnotować pojawienie się równolegle do niemal atektonicznych dekoracji „ceramiki wstęgowej" stosunkowo licznych 1 przykładów plastyki figuralnej: figurek kobiecych, niewielkich rozmiarów, z wypalonej gliny, oraz figurek zwierzęcych, zwłaszcza byków czy wołów.

Pierwsze, pierwotnie zapewne związane z modelami domostw, łączyły się z kultem Matki-Ziemi w stabilizującej się kulturze rolniczych szczepów. Dość rozpowszechnione, przeznaczone były także do noszenia. Uderza dość dobrze wykształcona stylizacja, ograniczenie formy do głównego zarysu, ze schematycznym, plastycznym lub graficznym zaznaczeniem szczegółów anatomicznych. Zupełnie brak tu owej ekspresyjnej steatopygii (nadmiernego podkreślania cech płciowych), tak bardzo charakterystycznej dla figur kobiecych kultury wschodniograweckiej. W miejsce ekspresji uzyskanej wyolbrzymieniem szczegółu, służącej określonym treściom symbolicznym, mamy do czynienia z daleko posuniętym skonwencjonalizowaniem i uogólnieniem przedstawienia, apelującym do odbiorcy może bardziej poprzez przypomnienie niż unaocznienie.

Figurki zwierzęce natomiast, zwłaszcza tak znamienne pary wołów, których genezę da się wywieść z dawnych kultów lunarnych, jako symbolu żeńskiego, tu łączą się z kulturą rolniczą, z pojawieniem się orki sprzężajnej, z rozwojem hodowli zwierząt. Nie należy oczywiście dopatrywać się w tych figurkach ilustracji prac polnych – były one zapewne fragmentami większych kompozycji kultowych związanych z działalnością rolną, co nie wyklucza zawarcia w nich nawet znacznej dozy obserwacji rzeczywistych zwierząt i pewnych elementów „technologii" rolniczej.

Nie jest jasna sprawa autentyczności rysunków na ścianach kopalni w Krzemionkach Opatowskich, których program obejmuje bardzo interesujące symbole minojskie, nawiązujące do idei Mater Magna, co wskazuje na ciekawe powiązania z kulturą śródziemnomorską. W związku z tym uwagę naszą zwraca przede wszystkim istnienie monumentalnych założeń, różniących się nie tylko wielkością od przedmiotów artystyczno-kultowych czy też artystyczno-użytkowych, ale przede wszystkim charakterem przestrzennym: tworzeniem czy organizowaniem miejsca dla kultowych czynności człowieka. Na naszym terenie reprezentują je także monumentalne założenia grobów megalitycznych z epoki neolitu, np. w Wietrzychowicach, w pobliżu Koła. 6 Przypuszcza się, że są one wyrazem łączności z monumentalnymi założeniami starożytnych cywilizacji, oddziaływujących na tereny nadmorskie, od Hiszpanii po Szwecję. Założenia te, zwykle w planie zbliżone do bardzo wysmukłego trójkąta, sięgające do 110 m długości, 15 m u podstawy oraz do 4 m wysokości, mieściły zwykle tylko jeden grób. Niestety, pytanie o szczegółowe funkcje kultowe tak znacznej, zorganizowanej przestrzeni pozostaje dotychczas bez odpowiedzi; spostrzeżenie, że groby te pozostają w pewnej analogii do tak zwanych „wielkich domów kujawskich" kultury ceramiki wstęgowej, w kształcie trapezu, liczących do 40 m długości, 15 m szerokości i 5 m wysokości, mogłoby świadczyć o pewnych analogiach między światem żywych i umarłych.

Pojawienie się brązu jako surowca powszechnego użycia (ok. 1800 p.n.e.) miało dla spraw sztuki znaczenie bodajże większe niż zastosowanie tworzywa ceramicznego – przede wszystkim ze względu na uniwersalność tego materiału, z którego można było wykonywać broń, narzędzia, naczynia, ozdoby, przedmioty figuralne, sprzęty domowe itp. Był to surowiec twardy, poddający się obróbce na zimno i na gorąco, przez kucie lub odlewanie, i zawsze nadający się do powtórnego przetworzenia.

Dominujące znaczenie kultu solarnego, skojarzonego być może z ogniem i technikami opartymi na zastosowaniu ognia, przejawiło się nie tylko w gruntownej przemianie pewnych obyczajów kultowych – przede wszystkim we wprowadzeniu obrzędu całopalenia – lecz przyniosło też inne rozliczne konsekwencje, także artystyczne. Wyraziło się m.in. w ograniczeniu repertuaru form, w uderzającej jednolitości znaków artystycznych. Podstawową staje się forma słoneczna, uzyskiwana często z wygiętego dośrodkowo drutu, czasem formowanego płasko, czasem zaś stożkowato, występująca w ozdobach stroju czy w osobnych przedmiotach kultowych, jakimi były zwłaszcza wózki słoneczne, a także pojawiająca się na naczyniach brązowych. We wszystkich przypadkach formy i znaczenia solarne łączyły się z innymi znaczeniami i funkcjami przedmiotów. Jeśli chodzi o różnego rodzaju ozdoby – zwłaszcza fibule i naramienniki – istotne znaczenie miał ich ciężar i liczba; w ten sposób pełniły one funkcje dystynktywne (wyróżniające). Natomiast niezwykła regularność form linearnych i geometrycznych, rytmicznie formowane zespoły spiral dwu- i trójwymiarowych, zestawianych według zasad określających stosunek ornamentu do dekorowanego pola, wreszcie techniczną doskonałość – wszystko to wchodziło w zakres ustalonych wartości estetycznych, odwołujących się do sfery szczególnego rodzaju emocji: zróżnicowanie wartości estetycznych związane było ze zróżnicowaniem hierarchii ideowej czy wręcz społeczno-politycznej.

Do przedmiotów specjalnie dla kultu solarnego tworzonych należą przede wszystkim 7 wspomniane już wózki kultowe, pojawiające się w okresie halsztackim – tj. 700–400 p.n.e. (Kałowice w woj. wrocławskim, Sobiejuchy w woj. bydgoskim). Symbole słoneczne występują w nich m.in. w szprychowych, promienistych kołach – nie stosowanych, jak nam wiadomo, w technice kołowej tego czasu. Symbolom tym towarzyszą ptaki, znane także jako osobne wyroby plastyczne; są to zapewne łabędzie, związane z symboliką solarną.

Kultowa funkcja wózków nie jest, niestety, dokładnie rozpoznana. Warto jednak zwrócić uwagę na solarny kult w starożytnym Egipcie; być może i w naszym wypadku owe wózki słoneczne łączyły się z wierzeniami w pośmiertną wędrówkę zmarłego ku słońcu. Symbole solarne i wózki pojawiają się nie tylko jako osobne przedmioty, ale także w przedstawieniach. Wózki słoneczne funkcjonowały zatem nie tylko jako instrumenty kultowe, ale także jako przedstawienia kultowe – zawierające symbole solarne – i w dwojaki sposób oddziaływały na wyobraźnię widza. Jest to świadectwo dość daleko rozwiniętej kultury ikonicznej, w której obraz zastępuje często przedmiot; mamy tu zatem do czynienia z przedmiotem drugiego niejako rzędu.

Powiązanie symboliki solarnej z ideologią eschatologiczną (dotyczącą pośmiertnych losów człowieka) zdaje się przejawiać – choć wyjątkowo – w przedstawieniach na urnach twarzowych z późnego okresu halsztackiego. Antropomorficzna forma urny domaga się wyjaśnienia: bardziej prawdopodobny wydaje się tu pośredni choćby wpływ Etrurii niż występowanie zjawiska swoistej asocjacji, wynikającej z analogii postaci ludzkiej i naczynia. Według Hensla – pojawienie się na 9 urnie z Grabowa Bobowskiego (woj. gdańskie) wózka kultowego i symbolu tarczy słonecznej, wraz z woźnicą i w otoczeniu postaci ludzkich, upewnia nas o możliwości powiązania kultu solarnego z wierzeniami eschatologicznymi w płaszczyźnie tych właśnie przedstawień. Zresztą także wyjątkowo pojawiające się urny typu domkowego, które przedmiotowo dają się odnieść do typów domostw np. bisku-

pińskich, można interpretować w relacji do kultury śródziemnomorskiej, gdzie stanowią one, w formie sarkofagów, nader znamienne zjawisko. Zdaje się, że należy przyjąć wymagającą jeszcze dokładnego ustalenia formę kontaktów środowisk naszych ziem z kulturą basenu śródziemnomorskiego w epoce poprzedzającej okres rzymski.

Zwrócić wreszcie należy uwagę na samodzielnie występujące figurki ptaków, wypalane z gliny, ozdabiane z reguły ornamentem geometrycznym, puste i wypełniane grzechoczącymi ziarnami. Uznanie tych „grzechotek" za zabawki dziecięce, pozbawione treści magicznych, wydaje się wątpliwe. Klasyczna bowiem zabawka, której użycie antycypuje funkcje normalnego życia dorosłych, to coś zupełnie innego. Grzechotki te, spełniając zapewne bezpośrednio użytkowe funkcje – jako przedmioty zajmujące uwagę dziecka czy sprzyjające jego uśpieniu – przede wszystkim miały znaczenie apotropeiczne, pełniły funkcje amuletów, znajdujących się w nieświadomym użytkowaniu dziecka. Osobne zagadnienie stanowi nadawany im figuralny kształt; być może jest to związane z rolniczym życiem, w którym dzikie ptactwo stanowiło realne zagrożenie dla zasiewów.

Przedstawienia figuralne pojawiają się w tym czasie często na naczyniach glinianych. Zwróćmy uwagę na formułę plastyczną przedstawień ludzi, zwykle jeźdźców, i zwierząt: jeleni, wyjątkowo tworzących sceny kultowe – jak w przypadku wspomnianego już wózka słonecznego. Jest to bowiem nader konsekwentny system linearny, w którym niemal każda forma plastyczna, ściślej – plastyczny człon ciała określony jest pojedynczą, wyjątkowo podwójną linią, prowadzoną często zupełnie prosto, połączoną z punktem czy małym kołem. Liniom tym towarzyszy często jodełka, a czasem punkty. Nie ma tu oczywiście dążenia do odtworzenia plastyczności formy czy porządku przestrzennego, do modelunku czy iluzji. Przy tak daleko posuniętym uproszczeniu formy naturalnej znaczące jest wszystko: długość odcinka, jego połączenie czy przecięcie z innym, kąt tego przecięcia itd. Nic nie jest improwizowane, lecz należy do dającej się dość ściśle określić, dostrzegalnej gramatycznej struktury wypowiedzi. Jest to niemal abstrakcyjny język plastyczny. Stwierdzamy wykształcenie się kilku podstawowych cech estetycznej twórczości i percepcji: posługiwanie się przedstawieniem przedmiotu symbolicznego, uformowanie się języka plastycznego, wykształcenie wartości estetycznej jako osobnej wartości znaczącej. A biorąc pod uwagę ważny aspekt historyczny, należy dodać stwierdzenie zjawiska korzystania z dość odległych doświadczeń ideowo-artystycznych. Wszystko to świadczy o wysokim poziomie kultury estetycznej i artystycznej zamieszkujących ziemie polskie grup ludzkich.

Plastyczne przedstawienia postaci człowieka raczej nie występują, a wyjątkowe zjawisko, jakie stanowi figurka z Deszczna (woj. gorzowskie) – stojąca postać z ptakopodobną głową, trzymająca w rękach naczynie – należy rozpatrywać w kontekście urn twarzowych.

Monumentalna sztuka z tego okresu reprezentowana jest wyjątkowo przez sanktuaria, których zgrupowanie odkryto na szczytach Sobótki, w postaci nieregularnych terenów otoczonych wałami z usypanych kamieni. Nie znaleziono w tych sanktuariach żadnych przedmiotów, które by ich funkcję bliżej określiły. Często pojawiają się monumentalne założenia urbanistyczne, stwierdzone zwłaszcza na Kujawach i Pomorzu. Najlepiej zbadana została osada na wyspie w Biskupinie. Założenie to, oparte na jednolitej koncepcji planistycznej, uderza ścisłą regularnością, pełną standaryzacją domów, budowanych techniką sumikowo-łątkową, także ich wyposażenia, składającego się z paleniska, warsztatu tkackiego i łoża. Wyłożenie ulic drewnem, obronny wał ze zrębowych izbic, wypełnionych ziemią i kamieniami, założenie falochronu, wzniesienie stałego mostu poprzedzonego obronną bramą i wieżą – są tego pełnym dowodem. Co jednak szczególnie charakterystyczne – ten tak precyzyjnie zaplanowany twór przestrzenny, starannie według tego planu wykonany, zakładający scentralizowanie prac i sugerujący podobny ustrój – nie zdradza swym rozplanowaniem najmniejszego śladu struktury hierarchicznej.

O stabilizacji kultury łużyckiej świadczy m.in. brak wpływów scytyjskich – choć znajdujemy na naszych ziemiach skarby scytyjskie z tego czasu, świadczące o kontaktach z tym plemieniem. Bardziej znaczące były kontakty z Celtami, których ekspansja sięgnęła od zachodnich Alp aż po Brytanię, Bałkany, Azję Mniejszą, także po Śląsk i Małopolskę (w IV i III w. p.n.e.), a może i Kujawy oraz Mazowsze. Silne związki Celtów z kulturą hellenistyczną, znajomość technologii obróbki żelaza, sprawna organizacja państwowa i militarna zapewniły im bardzo szerokie oddziaływanie w całej Europie, choć nie nastąpiło to szybko.

Wpływy celtyckie zaznaczyły się silnie w geometrycznej dekoracji ceramiki grupy przeworskiej, w częstym stosowaniu w różnych wersjach śródziemnomorskiego motywu meandra. Jednak dopiero z chwilą przesunięcia się granic państwa rzymskiego na tereny celtyckie przybierają na sile wpływy rzymskie; nasuwa się pytanie – czego dotyczyły i jak głęboko sięgały? Znane nam naczynia srebrne starszego okresu rzymskiego służyły luksusowym potrzebom wyższych warstw – były to jednak przypadki sporadyczne i dotyczące zewnętrznej strony życia; w większym stopniu świadczyły o zaspokajaniu potrzeb konsumpcji niż przyczyniały się do jej kształtowania. Znajdywane amulety i figurki bóstw antycznych pojawiły się na naszych terenach raczej przypadkowo i nie dowodzą przyjęcia się tutaj owych kultów. Przede wszystkim jednak nie stwierdzamy żadnego – poza od dawna znaną ornamentyką – wpływu formuł artystycznych: w dalszym ciągu przecież utrzymuje się tradycja schematycznego linearyzmu, na przykład w interesującym naczyniu z Białej k. Łodzi, w którego formie przedstawiono, jak się sądzi, procesję bogów. Charakterystyczne jest zwłaszcza, że przy rozpowszechnieniu się ornamentyki o motywach śródziemnomorskich nie zauważamy bynajmniej wzmożonej antropomorfizacji w sztuce (posługiwania się wyobrażeniem postaci ludzkiej), co być może wskazuje na docieranie wpływów rzymskich na nasze ziemie raczej poprzez kultury germańskie niż bezpośrednio ze środowisk rzymskich.

Radykalne przemiany następują dopiero w przededniu nowej ery, jaką stanowi włączenie się państwa polskiego do kultury Zachodu w wieku X, czego jednym z ważnych przejawów było przyjęcie chrześcijaństwa. Najdobitniejszym świadectwem tych przemian jest z jednej strony powstanie instytucji grodu – jako elitarnego w założeniu punktu obronnego – oraz, ważniejsze dla nas, pojawienie się plastyki monumentalnej. Największy jej zespół znajduje się w znanym nam już ośrodku kultowym w masywie Sobótki. Są to: postacie ludzkie, postacie zwierząt oraz dzieła abstrakcyjne. Wszystkie one opatrzone są skośnym krzyżem, zapewne znakiem solarnym, umieszczonym czasem na niewidocznym miejscu.

Do pierwszych należy pozbawiona głowy „Postać z rybą". Czy jest to dzieło lateńskiego kręgu sztuki celtyckiej, czy wynik wpływów bizantyjskich – trudno rozstrzygnąć; obydwa sądy nie wydają się przekonywające. Zwierzęta – to przede wszystkim postacie podobne do niedźwiedzi, co mogłoby wskazywać na wpływ wyobrażeń germańskich. Wreszcie trzeci rodzaj dzieła najlepiej reprezentuje zbliżona do kręgla rzeźba w Garncarsku k. Ślęży, tzw. „Mnich" lub „Grzyb" koło kościoła w Sobótce.

Sens tych dzieł nie jest nam znany; najważniejsze jest stwierdzenie obecności rzeźby

monumentalnej w okresie, gdy jest ona rzadkością w korzystającej ze spuścizny rzymskiej
kulturze chrześcijańskiej zachodniej Europy,
oraz występowanie różnych formuł artystycznych: obok mimetycznej napotykamy bowiem także abstrakcyjną.
Nie są to zresztą dzieła odosobnione. Figury
mężczyzn i kobiet, datowane na VIII i IX
wiek, zwane ,,babami'', wywodzące się
zapewne z Azji środkowej, za pośrednictwem
Kaukazu i Ukrainy, znane są w Polsce z
15 szeregu przykładów. Postacie mężczyzn, często z rogami do picia, mieczami, laskami lub
berłami, a także z zaznaczonymi szczegółami
stroju, przedstawione są na ogół w formie
reliefu na frontalnej stronie prostego słupa
kamiennego. Czasem jednak jest to ujęcie
16 wielostronne, jak np. w zabytku z Leźna k.
Kartuz, na którym pojawia się postać konia w
galopie. Przy wszystkich błędach anatomicznych tego przedstawienia nie ulega wątpliwości znakomita sugestia ruchu. Wyjaśnienie
znaczenia wymienionych dzieł nie jest proste.
Wystarczy przypomnieć problemy interpretacji tzw. ,,Jeźdźca z Hornhausen''. W przypadku Leźna – może dzieło to powstało pod

wpływem ikonografii Mitry? Czy są to przedstawienia bóstw, o których obalaniu mówią
przecież źródła późniejsze, czy też grodowe
pomniki władców, niekoniecznie związane z
grobami? Czasem bowiem znajdywano je na
terenie grodów, a nie na cmentarzyskach.

Znamy także rzeźby w drewnie, które reprezentują bardziej naturalistyczną orientację.
Należy jednak zwrócić uwagę, że datowanie
niektórych z nich, np. szczególnie ważnej
głowy z Jankowa, wydobytej z dna jeziora,
wydaje się niepewne. Nie jest także jasne
znaczenie znalezionego na Lednicy ,,kozioł- 35
ka'', uderzającego dojrzałością, swobodą, a
równocześnie stylizacją opracowania.
Ówczesna rzeźba monumentalna zyskuje na
sile na tle słabo rozwiniętej ceramiki, powta-
rzającej dawne, proste ornamenty: zdaje się,
że formy te utraciły swoje pierwotne znaczenie, stały się konwencjonalne i obiegowe.
W momencie pojawienia się organizmu pierwszego państwa i związanej z nim ideologii
chrześcijańskiej następują radykalne przemiany. Jest to pierwszy dowód, jak głęboko
ideowo zaangażowana była dawna sztuka.

Wiek X–XII. Sztuka przedromańska i romańska

W naszej nauce przyjął się podział dziejów sztuki w Polsce od czasu przyjęcia chrześcijaństwa do początków sztuki gotyckiej, a więc od drugiej połowy X w. do ok. połowy w. XIII, na dwa okresy, z cezurą ok. 1038 r., związaną z ważnym wydarzeniem politycznym – upadkiem pierwszego państwa polskiego. Okres pierwszy obejmuje sztukę przedromańską, okres drugi – romańską; różnią się one, jeśli chodzi o cele i sposoby artystycznych realizacji, choć równocześnie stwierdzić należy, że w obydwu tych okresach mamy do czynienia z powstawaniem nowej sztuki chrześcijańskiej w kraju pogańskim, o tradycjach kulturowych różnych od zachodnio- i południowoeuropejskich środowisk.

Sztuka tego czasu była nośnikiem treści ideowych, głównie chrześcijańskich; odnajdujemy w niej przecież także ślady wątków antycznych, a przede wszystkim pogańskich, wywodzących się z ideologii plemion zamieszkujących nasze ziemie. Dominacja treści chrześcijańskich jest oczywista; wątki antyczne pojawiają się wyłącznie w interpretacji chrześcijańskiej. Natomiast miejscowe treści pogańskie zajmują pozycję samodzielną, związane głównie z odrębną grupą przedmiotów artystycznych.

Na czoło wysuwa się idea Kościoła, wyrażona bezpośrednio w dziełach architektury sakralnej; użyte do ich wzniesienia ciosy kamienne, *quadro lapide*, symbolizują chrześcijan, wspólnie tworzących Kościół, którego doskonałość gwarantuje jego struktura, oparta na „doskonałych" figurach geometrycznych: kwadracie i kole – wątek wywodzący się z antyku.

Z powstającymi budowlami sakralnymi, palatiami, a także z grodami, wiązała się symbolika środka, poprzez którą przeciwstawiano kształt i porządek tego, co wewnątrz – chaosowi i bezkształtowi tego, co na zewnątrz. Na granicy tych światów panowały demony i widma, złe moce, symbolicznie przedstawiane np. jako lwy portalowe czy głowy zwierzęce umieszczane od zewnątrz wałów grodowych. Chrześcijańska symbolika środka nakłada się tu na znane od dawna w świecie pogańskim struktury hierofaniczne (wprowadzające w tajniki kultu), takie jak przede wszystkim ośrodki kultowe, na przykład na Sobótce, czy kopce grobowe, na przykład Krakusa koło Krakowa.

Istotna dla chrześcijaństwa idea doskonalenia świata, która dokonuje się na drodze przekształcania *profanum* przez *sacrum*, ujawniła się m.in., w traktowaniu władcy jako osoby świeckiej i duchowej zarazem, o naturze i ludzkiej, i boskiej, a władzy jako pochodnej władzy boskiej. Wyraziło się to w symbolice regaliów, ale także, i to niemal od początku, w znamiennym złączeniu palatium z kaplicą. Z powyższym wiąże się sakralizacja przysługującej władcy mocy sądzenia, wyrażająca się m.in. w częstym przedstawianiu Chrystusa jako sędziego, także w rzeźbie portalowej, a więc w miejscu odbywania sądów.

Tradycje antyczne, oprócz stwierdzonych importów rzymskich, oddziaływały przede wszystkim za pośrednictwem chrześcijańskiej sztuki Europy Zachodniej i Południowej – jak w przypadku palatium, poprzez epokę karolińską sięgającego tradycji antycznej wilii, a także w przypadku bazyliki czy powszechnie występującego „antykizującego" detalu architektonicznego.

Oddziaływania te zaznaczyły się zarówno w przejmowanych typach ikonograficznych, np. w przedstawieniu „Venus pudica" na kolumnie w Strzelnie, w licznych centaurach, syrenach i gryfach – którym jednak z reguły nadawano nowe, chrześcijańskie treści – jak i w wątkach ideowych, np. dziejach Gilgamesza, uzyskujących zwykle nowe kształty plastyczne. Genezę antyczną – choć także pośrednio – miały ważkie struktury myślowe, jak np. charakterystyczna dla kultury basenu Morza Śródziemnego personifikacja, czy niektóre tematy ramowe, jak np. fundator prezentujący model fundowanego kościoła, dla którego prototypem były zwyczaje rzymskich pochodów.

Ideowe treści pogańskie, nieantyczne, nie są jasne, m.in. wskutek braku przekazów pisanych i olbrzymich zniszczeń materiału zabytkowego. Nie ulega przecież wątpliwości obecność wierzeń magicznych i różnych kultów, związanych między innymi z ideą nieśmiertelności, płodności, z wiarą w siły przyrody, kultów, o których świadczy istnienie odrębnej kategorii przedmiotów, wyodrębnionych miejsc, obrzędów.

Obserwujemy zjawisko nachodzenia na siebie wzajem idei pogańskich i chrześcijańskich; wiara w siły przedmiotów naturalnych, jak kamienie czy woda, obecna jest w sztuce chrześcijańskiej – choć zyskuje tu inne znaczenie. Darzone przez pogan kultem święte drzewo występuje w sztuce chrześcijańskiej jako Drzewo Życia. Na kaptorgach, będących przekształconymi z relikwiarzy merowińskich i karolińskich torebkami o magicznej zawartości, pojawia się czasem chrześcijańska symbolika.

Epoka sztuki przedromańskiej i romańskiej – to okres chrystianizacji, polegającej po części na nadawaniu chrześcijańskiego sensu dawnym wierzeniom, włączenia ich we wspólne łożysko szeroko pojętej kultury religijnej.

W aspekcie historii politycznej i społeczno-gospodarczej możemy wyróżnić w czasie od X do XIII w. trzy etapy. Pierwszy, przerwany dość nagle ok. r. 1038, wypełniony był formowaniem się scentralizowanego, monarchicznego państwa Mieszka I i Bolesława Chrobrego, w którym to państwie chrześcijaństwo pełniło funkcje ideowej nadbudowy; dokonał się wówczas zasadniczy przełom w plemiennej strukturze jako formie współżycia tutejszej ludności i zasadnicze przeciwstawienie się tradycji ideowej. Obydwa te procesy miały charakter siłą dokonywanej rewolucji.

Istotne znaczenie miały w tym okresie zmiany wzajemnych stosunków państwa polskiego z Czechami i cesarstwem, stabilizacja Kościoła jako nadrzędnej, podległej królowi instytucji ideowej, osiągnięta poprzez utworzenie arcybiskupstwa w Gnieźnie, biskupstw w Krakowie, Wrocławiu i Kołobrzegu oraz stabilizacja państwowa w płaszczyźnie europejskiej – poprzez koronację Bolesława Chrobrego i wejście w orbitę cesarstwa (r. 1025).

Słabość pierwszego państwa polskiego ujawniła się w momencie śmierci Chrobrego: wewnętrzna rewolucja, nazywana zwykle reakcją pogańską, oznaczająca przede wszystkim próbę powrotu do dawnego, plemiennego systemu społecznego, zniszczyła nową strukturę władzy politycznej i ośrodki jej ideologii, czyli kultu chrześcijańskiego. Dołączył się do tego najazd wojsk czeskich pod wodzą Brzetysława, grabież i spustoszenie Wielkopolski oraz zajęcie – na krótki okres – Śląska.

Drugi etap trwał ok. stu lat i wypełniony był odbudową zniszczonego systemu politycznego oraz materialnego potencjału państwa. W tym właśnie okresie ważyły się koncepcje poliarchii i monarchii, zakończone kompromisem – poprzez ustanowienie na mocy testamentu Bolesława Krzywoustego z r. 1138 instytucji senioratu – a w konsekwencji ponownym rozpadem królestwa, tzw. rozbiciem dzielnicowym, usamodzielnienie się poszczególnych dzielnic, a następnie daleko posuniętym rozdrobnieniem, zwłaszcza na Śląsku. Pozostawało to w pewnej analogii z ogólnoeuropejskim procesem feudalizacji, przybrało jednak formy odmienne i wielce niekorzystne dla samodzielności państwa polskiego.

Trzeci etap – to właśnie okres rozbicia dzielnicowego. Okres ten zostaje zakończony przez ponowne zjednoczenie: w r. 1320 odbywa się koronacja Władysława Łokietka i następuje fundacja katedry krakowskiej, już w dobie gotyku. Jednakże procesy zjednoczeniowe – dążenie do podporządkowania, w strukturze feudalnej, całości ziem królestwa jednemu z władców – rozpoczęły się jeszcze w w. XII i trwały przez cały w. XIII.

Okres sztuki przedromańskiej związany jest ściśle z kształtowaniem się nowej struktury państwa, a przede wszystkim z chrystianizacją kraju, co oznacza tworzenie instytucji i propagowanie nowej ideologii. Pojawiają się w związku z tym nie znane dotychczas formy architektury, przede wszystkim prowizoryczne baptysteria – proste sadzawki chrzcielne (Poznań, Wiślica), służące do obrzędu chrztu przez zanurzenie. Również prostą formą architektury sakralnej są rotundy, o różnych rozwiązaniach szczegółowych, zwykle powiązane z palatiami, charakterystyczne dla grodów tego czasu (Ostrów Lednicki, Giecz, Przemyśl, Kraków, przypuszczalnie także Gniezno). Palatia były najpewniej siedzibami władców, co nie wyklucza obecności w nich duchowieństwa. Powstają pierwsze budowle katedralne (Poznań, Gniezno, Kraków) oraz, wyjątkowo, zakonne (Trzemeszno). Dzieła monumentalnej architektury związane były przede wszystkim z głównymi ośrodkami władzy książęcej, a równocześnie z centrami chrystianizacji, przede wszystkim w stolicy Polan – Gnieźnie, w Krakowie, Wiślicy, a także na terenach anektowanych, jak np. w Przemyślu. W okresie tym istnieją silne powiązania ze środowiskami sztuki ottońskiej oraz czeskiej.

Ze źródeł pisanych wiadomo o wielkim bogactwie wyposażenia tych wczesnych budowli: kosztowności zagrabione przez wojska czeskie wypełniły 100 wozów, według relacji Kosmasa. Do naszych czasów przetrwała tylko ornamentalna dekoracja kapiteli przegrody chórowej katedry wawelskiej, zależna od sztuki karolińskiej w Italii. Charakterystyczny jest zupełny brak rzeźby figuralnej. Nie oznacza to zresztą braku przedstawień figuralnych w ogóle; występowały one w malarstwie książkowym oraz w dziełach rzemiosła artystycznego. Pierwsze zdobiły karty nieodzownych ksiąg liturgicznych, bez wyjątku importowanych, np. z Italii, jak *Praedicationes* biblioteki kapituły krakowskiej (kon. VIII – pocz. IX w.), czy ze środowisk ottońskich, jak *Psałterz Egberta* (ok. 983 r.), przywieziony przez Rychezę, od roku 1013 żonę Mieszka II, czy wreszcie *Ordo romanus* Mieszka II.

Z kroniki czeskiej Kosmasa wiemy o złotych płytach ołtarzowych z Gniezna, fundacji

33

34

Ottona III (ok r. 1000) – być może z dekoracją figuralną – o złotym krucyfiksie znad grobu św. Wojciecha, wagi ok. 400 funtów.

Niewiele złotych przedmiotów uniknęło grabieży wojów Brzetysława; należy do nich m.in. tzw. czara włocławska – pierwotnie kielich – zdobiona scenami z dziejów Gedeona, pochodząca zapewne ze Szwabii. Były to dzieła importowane, głównie z centrów sztuki ottońskiej, choć znamy także importy skandynawskie, o typowej dla tego środowiska geometrycznej oraz stylizowanej zoomorficznej i roślinnej dekoracji, jak np. relikwiarz św. Korduli (X/XI w.). Z zespołu regaliów zachowała się tylko włócznia św. Maurycego (kon. X w.), ofiarowana Bolesławowi Chrobremu wraz z koroną przez Ottona III w r. 1000 jako wyraz nawiązania i regulacji stosunków między cesarzem i księciem nowo powstałego państwa.

Trwają jeszcze przecież tradycje sztuki pogańskiej, odrodzonej w dobie rewolucji i noszącej znamiona prób przystosowania jej do nowej sytuacji kulturowej. Znane są z XI i XII w. kątyny – świątynie Słowian Połabskich – z figuralnymi przedstawieniami bóstw Światowida (na Wolinie) i Trygława czy kultowe kręgi Słowian lechickich (najważniejszy na śląskiej Ślęży, z zespołem posągów kultowych: tzw. „Panna z rybą", „Dzik", „Mnich", datowane jednak często wcześniej, a nawet wiązane z kulturą celtycką III–I w. p.n.e.).

Z kręgiem wierzeń pogańskich, z kultem sił biologicznych, sił przyrody, wiążą się zachowane drobne figurki koni, koziołków, przedstawienia falliczne. Do najbardziej fascynujących – ale i zupełnie nie wyjaśnionych – należą przedstawienia postaci ludzkich: figur stojących, jeźdźców; być może są to dzieła pomnikowe. Reprezentowane są także ozdoby ciała i stroju, wykazujące charakterystyczne wpływy ornamentyki skandynawskiej.

Ponowna restytucja monarchii wiąże się przede wszystkim z odbudową instytucji państwowych; stolicą drugiego państwa staje się Kraków. Odbudowa kościołów katedralnych następuje w nowej już technice – *opus emplectum** – w Gnieźnie (konsekracja 1064) i w Poznaniu (1058); powstaje nowa dwuchórowa katedra w Krakowie (konsekracja 1142). Na znaczeniu zyskuje budownictwo klasztorne: dla benedyktynów powstają kościoły w Tyńcu (do 1071) i Mogilnie (1065) – z najstar-

szym sklepieniem krzyżowym w krypcie zachodniej. Wówczas powstaje także najstarszy kościół kolegiacki: św. Andrzeja w Krakowie (1079–1098).

Wiek XII przyniósł liczebny wzrost budownictwa, głównie klasztornego, nawiązującego do wzorów niemieckich, wyjątkowo także włoskich. Tradycyjne rozwiązania reprezentuje kościół Benedyktynów w Czerwińsku (przed 1155), powiązany z północną Italią. Konsekrowana w r. 1144 katedra płocka w swym treflowym ukształtowaniu partii wschodniej zbliża się do rozwiązań nadreńskich, natomiast jej bezwieżowa fasada ma genezę włoską; tu znajdowały się brązowe drzwi, przeniesione później do Nowogrodu. Niemal klasycznie konwencjonalne są: kościół kolegiacki w Opatowie (ok. 1150) oraz kolegiata w Tumie pod Łęczycą (konsekracja w 1161) – o złożonym planie. Powstaje coraz więcej prostych kościołów na planie podłużnym (Siewierz, Kijów, Krobia, Inowłódz, Żarnów, Prandocin, kolegiata wiślicka, kościół Joannitów w Zagości), a także – choć rzadziej – na planie centralnym (Płock, Cieszyn, Strzelno).

Bardziej nowoczesne rozwiązania zastosowano w kościołach związanych z reformą klasztorną, np. w kolegiacie kruszwickiej (1120–1140) – z pięcioma apsydami od wschodu (tzw. chór benedyktyński), kościele Benedyktynów na Ołbinie koło Wrocławia, Panny Marii we Wrocławiu, Kanoników Regularnych w Trzemesznie (poł. XII w.), Norbertanek (Św. Trójcy) w Strzelnie (1175–1190) – o wyjątkowo bogatym wyposażeniu rzeźbiarskim.

Architektura romańska trwała jeszcze w pierwszej połowie XIII w.; obok pierwszych budowli gotyckich powstawały zapóźnione kościoły cysterskie (grupa małopolska), wnoszące przecież rozwiązania techniczne przydatne w budownictwie gotyckim. Powstawały też liczne proste budowle jednonawowe w wielu odmianach. Szczególne miejsce zajmuje zbudowany w tradycyjnych formach, monumentalny kościół w Kościelcu Proszowickim (po r. 1231).

Zgodnie z europejskim rytmem sztuki romańskiej, także w Polsce dość długo utrzymuje się wyłączność ornamentalnej dekoracji architektonicznej. Pojawiające się w niej motywy zwierzęce i roślinne – choć zwykle włączone w rytm ornamentacji – nie służyły wyłącznie ozdobie, lecz przede wszystkim były symbolami często złożonych i zawsze ważnych treści teologicznych (np. motyw Drzewa Życia z rajskimi ptakami na kapitelach opactwa tynieckiego, ok. r. 1000, czy w kolegiacie wiślickiej, z poł. XII w.). Często pojawiają się

---

* Opus emplectum (łac.) – zewnętrzne warstwy regularnych ciosów, wnętrze zaś wypełnione odłamkami kamieni zalanymi zaprawą.

fantastyczne zwierzęta, zazwyczaj symbolizujące złe moce – np. uskrzydlony smok z krypty św. Leonarda (ok. 1118) w Krakowie. Decydujące znaczenie dla formy tej rzeźby miały wzory włoskie, dochodzące czasami pośrednio, poprzez Pragę czy Nadrenię. Wpływy włoskie zaznaczyły się dobitnie w założeniach portalowych, z których do dziś zachowały się często tylko liczne figury lwów z XII i XIII wieku, zwłaszcza na Śląsku (Sobótka, Wrocław) i w Krakowie.

Wiek XII był „złotym wiekiem" monumentalnej rzeźby figuralnej w Polsce. Najwcześniejsze utwory są dziełem obcych warsztatów: np. włoskiego – portal kościoła Kanoników Regularnych w Czerwińsku (ok. 1140), portal w Tumie (ok. 1161); langwedockiego – fragment figury z opactwa benedyktyńskiego na Ołbinie (2. ćw. XII w.); burgundzkiego – fra-
24 gment z figurą Chrystusa w Tumie (ok. 1161).

Bardziej samodzielnie ukształtował się typ
61 62 tympanonu fundacyjnego we Wrocławiu i
63, 64 Strzelnie – niezależnie od wykorzystania wzorów sięgających sztuki bizantyjskiej – interesujący także ze względu na przedstawienie konkretnych, współczesnych zwykle osób fundatorów. Wyjątkowo tylko zachowały się większe partie portali romańskich, np. z opac-
60 twa ołbińskiego, z końca XII w., z bogatym programem figuralnym w tympanonie, na archiwoltach i kapitelach, o proweniencji francuskiej i włoskiej (B. Antelami).

Z monumentalnych drzwi romańskich dotrwały do naszych czasów dwie pary: przezna-
50, 51 czone do katedry płockiej (1152–1154) oraz
52–55 gnieźnieńskie (ost. ćw. XII wieku). W obydwu przypadkach są to dzieła wybitne, o ważkiej zawartości treści ideowych i interesującym kontekście powstania – pod każdym względem oryginalne dzieła, wysokiej klasy artystycznej. Oryginalnością i rzadkością prze-
68 wyższa je figuralna dekoracja kolumn koś-
70 cioła Norbertanek w Strzelnie (ok. r. 1190), z przedstawieniami o treści moralizator-
skiej – alegoriami cnót i przywar, w redak-
cji – ogólnie rzecz biorąc – włoskiej, choć dys-
kusyjne jest pochodzenie warsztatu: północno-
nowłoskie czy saskie. Równie oryginalne i odosobnione dzieło stanowi rytowane w gipsowej posadzce krypty kolegiaty wiślickiej
57 przedstawienie sceny adoracji, fundowane zapewne przez Kazimierza Sprawiedliwego (pochodzące z l. 1166–1177).

Powstająca w pierwszej połowie XIII w. rzeźba nie przekracza ram stylu romańskiego. Dopiero w drugiej ćwierci XIII w. kształtują się w niej cechy, które rozwiną się w dobie gotyku. Do najcenniejszych dzieł należą: tympanon północny portalu bazyliki strzelneń-

skiej i przede wszystkim bogaty wystrój kaplicy palatium legnickiego i trzebnickiego kościoła Cysterek (oba ostatnie obiekty z fundacji Henryka I Brodatego).

Wyjątkowo tylko zachowały się monumentalne dzieła figuralne w malarstwie ścien-
nym – choć zapewne pierwotnie dzieł tego rodzaju było więcej niż znacznie przecież kosztowniejszych rzeźb. W bazylice tumskiej (ok 1161), w apsydzie zachodniej zachowało
się przedstawienie Maiestas Domini – Deesis 59 w otoczeniu czterech cherubinów, o oryginalnej redakcji ikonograficznej i formule wykazującej wysoki poziom warsztatowy. W Czerwińsku zachowały się z pierwszej połowy XIII w. malowidła przedstawiające sceny z Księgi Rodzaju i Nowego Testamentu, uderzające daleko posuniętym uproszczeniem formy malarskiej, przy interesującej próbie stworzenia pewnej narracyjności.

Charakterystyczną cechą sztuki romańskiej w Polsce jest ogromna rola niemonumentalnej sztuki figuratywnej i ornamentalnej, pojawiającej się głównie w dwu dziedzinach twórczości, w dekoracji kodeksów oraz w złotnictwie. Obydwa te rodzaje przedmiotów, związane z podstawowymi czynnościami liturgicznymi, przeznaczone były dla ówczesnej elity, użytkowane przez wąską grupę kapłanów, praktycznie niedostępne dla ogółu wiernych.

Ilustracyjny głównie sens malarstwa książkowego automatycznie określał tematykę przedstawień. Były to dzieła początkowo wyłącznie importowane: Sakramentarz tyniecki (ok. 1070) przywieziony został z Kolonii; Ewangeliarz emmeramski z katedry wawelskiej (koniec w. XI) – z Ratyzbony; Ewangelista- 19 rium gnieźnieńskie i płockie (kon. w. XI) – związane z Ratyzboną zapewne poprzez Czechy. Były to często tzw. kodeksy purpurowe lub złote – pisane złotem na purpurze albo złotem bądź srebrem na pergaminie.

W w. XII następuje popularyzacja rękopisów, z czym łączy się uproszczenie ich dekoracji; powstają też skryptoria miejscowe. Decydujące znaczenie mają jednak ciągle jeszcze dzieła importowane: z terenów nadmozańskich, np. Biblia płocka (1. ćw. XII w.), uderzająca swobodą rysunku; płockie Pericopae evangelicae (2. poł. XII w.) czy reprezentująca najwyższy poziom i złożone programy Biblia czerwińska (1160–1170).

Pojawiają się także znacznie prostsze dzieła z południowych Niemiec; czołowe miejsce zajmuje tu Ewangeliarz kruszwicki (1160–1175), wykonany zapewne w opactwie benedyktyńskim w Helmershausen, bogato zdobiony i ilustrowany, o dość tradycyjnych formach. W pierwszej połowie XIII w. osłabł napływ iluminowanych kodeksów; rozwija się

produkcja dzieł miejscowych, nie najwyższego zresztą lotu. Znane jest skryptorium w Lubiążu, w którym powstały iluminowane
20 księgi, np. *Psalterium nocturnum* z Trzebnicy (ok. 1240).

W zakresie złotnictwa z pierwszej połowy XII w. zachowały się tylko proste, użytkowe przedmioty – wybitne dzieła datowane są już na drugą połowę stulecia. Przede wszystkim liczne relikwiarze, związane m.in. z kultem świętych: Wojciecha, Stanisława, Floriana, Zygmunta. Powstawały one także na miejscu, ale zachowane pochodzą z importu, jak na przykład wtórny relikwiarz św. Stanisława (XII w.), pochodzenia sycylijskiego lub bliskowschodniego, z przedstawieniem walk konnych, czy pochodzący z Nadrenii relikwiarz włocławski (zwany kruszwickim), z przedstawieniem sceny Ukazania się Chrystusa Marii i apostołom.

Do znakomitych dzieł, w których głębia ideowego programu konkurowała z artystycznym poziomem, należały naczynia liturgiczne: kie-
71 lich I z pateną z Trzemeszna (ok. 1160–1180);
72 kielich II trzemeszeński, o interesującym programie „monarchicznym" w nowej interpretacji teologicznej; kielich czerwiński (ok.
69 1180), a wreszcie znakomita patena z Lądu, zwana kaliską, dzieło złotnika Konrada, ufundowana przez Mieszka II (1193–1202). Około r. 1239 ufundował Konrad Mazowiecki kie-
31 lich z pateną dla katedry płockiej, z przedstawieniami figuralnymi utrzymanymi w dynamicznym stylu późnoromańskim. Zapewne w tym samym warsztacie powstała rękojeść
30 słynnego miecza koronacyjnego, zwanego Szczerbcem.

Z regaliów tego czasu zachowały się trzy diademy książęce, użyte następnie do ozdoby krzyża Jagiellonów i hermy św. Zygmunta, z miniaturowymi przedstawieniami scen turniejowych, myśliwskich, postaci rycerzy i niewiast, wykonane zapewne na Węgrzech.

Wyjątkowo pięknym dziełem złotniczym jest
28 oprawa kodeksu – *Ewangeliarza Anastazji* (ok. 1160–1170), prawdopodobnie import mozański.

Sztuka około roku 1000

Przyjęcie chrześcijaństwa w państwie Mieszka nie było aktem cudownego nawrócenia, lecz wynikiem przemyślanej decyzji i wyboru ideologii, właściwej w procesie tworzenia zjednoczonego państwa. Biorąc pod uwagę wewnętrzne i zewnętrzne czynniki państwotwórcze, można sądzić, że wierzenia i ideologia pogańska nie mogły być w tym procesie użyteczne. Powstanie państwa oraz pierwsze przejawy państwowości potwierdzone źródłowo – centralna władza oparta na dysponowaniu siłą militarną, konieczną bazą materialną i właściwą organizacją skarbową – związane były z ukształtowaniem się nielicznej zapewne grupy rządzącej i ze stworzeniem systemu podległości wszystkich organizmów plemiennych. Nie zastanawiając się tu nad ważnym zagadnieniem, czy do wyodrębnienia tej grupy doszło na drodze rozwoju ekonomicznego, czy tworzenia organizacji obronnej wobec wcześniej rozwijających się państwowości sąsiednich, zwłaszcza na południu – wydaje się oczywiste, że podstawowym warunkiem jej egzystencji było przebudowanie całości struktury społecznej. Ewoluowała ona w kierunku hierarchicznego centralizmu. Ważne było w ówczesnej sytuacji stworzenie odpowiedniej ideologii społecznej, odznaczającej się uniwersalizmem i monizmem ideowym, centralizmem organizacyjnym umożliwiającym kontrolę, równorzędnej w stosunku do ideologii sąsiadów, a nowej w stosunku do dotychczasowej, własnej struktury ideowej. Stworzenie bowiem ideowego narzędzia nowego systemu politycznego wymagało radykalnego usunięcia dotychczasowej ideologii, która nie była dość elastyczna, aby dać się w nowym kierunku przekształcić. Zresztą stała ona w opozycji do niemal już w całej Europie panującej ideologii chrześcijańskiej i nie mogła otworzyć drogi do wartości cywilizacji i kultury zachodniej.

W ten sposób, z racji stanu poczęta, rozpoczęła się największa rewolucja kulturalna i ideologiczna w dziejach plemion naszego kraju. Jedynie elita zaangażowana po stronie księcia-zjednoczyciela z pełną świadomością – jeśli nawet nie z największym osobistym przekonaniem – akceptowała tę przemianę; chrystianizacja szerokich warstw ludności stanowiła proces wielowiekowy.

Niewątpliwą korzyścią z przyjęcia chrztu było otwarcie – poprzez Zachód – szerokiej drogi do mających wiekowe tradycje wartości kultury śródziemnomorskiej, co oznaczało prowadzenie na nasz teren ludzi i instytucji z kulturą tą związanych. Prostą tego konsekwencją było wprowadzenie także architektury i sztuk plastycznych o nowym wyrazie artystycznym, niosących zupełnie nowe treści ideowe. Pojawili się fundatorzy, artyści i wykonawcy.

Była to sztuka walcząca, a stał za nią autorytet i siła władzy książęcej, później królewskiej; także autorytet wielkiej kultury i wiedzy technicznej, dysponującej nowymi materiałami i nowymi technologiami. W tej sytuacji dawna sztuka pogańska nie miała żadnych szans. Nowa ideologia i nowa sztuka nie wkraczały

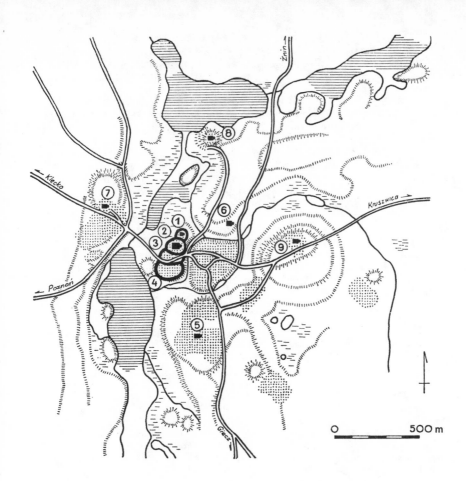

Gniezno, plan rozwoju przestrzennego, X–XII w.
Legenda na s. 242

.wprawdzie na teren dziewiczy, jak niektórzy mylnie i naiwnie sądzili, ale na teren środkami administracyjnymi i militarnymi już oczyszczony.

Należy się zastanowić, w jakich środowiskach ta nowa sztuka powstawała – w drodze twórczości miejscowej czy importu – dla jakich odbiorców była przeznaczona, jakie przyniosła treści i w jakich formach były one konkretyzowane. Wydaje się, że tak jak i inne gałęzie nowej kultury miała ona początkowo charakter elitarny i jej treści wspomagać miały wewnętrzną integrację nowej klasy; wobec pozostałych warstw ludności była ona przede wszystkim oznaką czegoś niedostępnego, a wymagającego poddaństwa. Nie stanowiła zatem propagandowego komunikatu dla pogańskiego pospólstwa. Chrześcijaństwo było systemem ideowym daleko zaawansowanym, o znacznej odrębności i suwerenności; wśród jego przedstawicieli panowało przekonanie o nadrzędności ich celów i pozycji. Nie należy przeceniać ówczesnego upowszechniania się chrześcijańskich idei; na przełomie X i XI w. nie przekraczały one granic środowiska kleru katedralnego oraz pozostającego raczej na uboczu kleru zakonnego – w obydwu przypadkach przecież bardzo nielicznego – także rodziny panującego i jego bezpośredniego otoczenia. Ważną zaporę stanowiło posługiwanie się łaciną jako językiem nie tylko liturgii i pisma, ale właściwie całej tej ideologii. Kler katedralny, bezpośrednio podporządkowany księciu, stanowił główną siłę ideową, podstawowe grono doradców i wykonawców.

Centra ówczesnego życia politycznego i gospodarczego, jak również centra ideowe stanowiły grody. W VI–VII w. była to forma osadnictwa zamkniętego – bądź w postaci małego gródka dla rodziny lokalnego wielmoży, bądź też dużego, skupiającego zespół takich rodzin – przeciwstawiona okolicznej, podległej ludności. Otoczony wodą i wałem drewniano-ziemnym, połączony z suchym lądem mostami o znacznej często długości, gród stanowił przede wszystkim ośrodek wła-

32

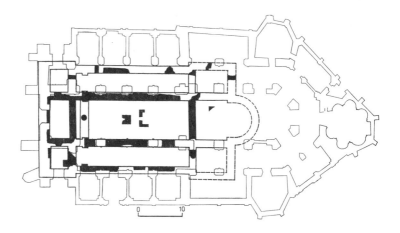

dzy militarnej i politycznej. W połowie X stulecia, wraz z organizowaniem się państwa, uformował się nieco odmienny model życia społecznego, oparty na instytucji grodów, podgrodzi i targów. Ukształtowała się przede wszystkim nowa sieć grodów jako centrów władzy książęcej: politycznej, wojskowej, sądowej i skarbowej; były to równocześnie centra handlowe i skupiska rzemiosł o najwyższym standardzie; zwykła działalność wytwórczo-rzemieślnicza skupiała się w okolicznych osadach służebnych. Złączone z grodami podgrodzia stanowiły zalążek miast – gromadziły kupców i rzemieślników, były miejscem odbywania cotygodniowych wówczas targów, skupiały handel obcy.

Niektóre z tych założeń, bliżej zbadane, były wręcz imponujące, jak na przykład na Ostrowie Lednickim, w Gnieźnie, Poznaniu, Krakowie czy Wrocławiu. Ich rozplanowanie przestrzenne było zgodne z aktualną strukturą społeczną. Wyodrębnił się gród właściwy jako ośrodek obronny i rezydencjonalny – z palatium, kaplicą, koniecznymi zabudowaniami gospodarczymi – oraz podgrodzie, również otoczone wałem, sprzężonym z wałem grodu; na terenie podgrodzia znajdował się kościół lub kaplica, domostwa kleru, drużyny, służby i rzemieślników. Kolejną część stanowił ogrodzony plac targowy i wreszcie otwarta osada rzemieślnicza. W niektórych większych ośrodkach, takich jak Gniezno czy Szczecin, pojawiły się dwa podgrodzia.

Te przedmiejskie ośrodki dowodziły z jednej strony daleko posuniętej organizacji życia społecznego, z drugiej – wysoko rozwiniętej techniki budowania z drewna, łącznie z umiejętnością wznoszenia skomplikowanych urządzeń obronnych: wałów przekładkowych i izbicowych, wież bramnych, mostów, dróg. Wiodącymi ośrodkami ideowymi były wówczas katedry – one też skupiały najwyższy wysiłek artystyczny. Zgodna jest opinia badaczy, że ich treść wewnętrzna była dziełem importu, stosunek zaś do otoczenia opierał się na zasadzie kontrastu, a nie kontynuacji. Dlatego pierwsze w Polsce katedry musiały być budowlami monumentalnymi, wznoszonymi w nieznanej tu technice murowanego kamienia.

Po raz pierwszy technika murowania pojawia się niemal symbolicznie – przy konstruowaniu mis chrzcielnych, w niektórych przypadkach wznoszonych prowizorycznie pod gołym niebem; na terenie katedry w Poznaniu odkryto ślady dwóch takich urządzeń. W tym też miejscu następnie wzniesiona została w *opus spicatum** pierwsza katedra poznańska, przed r. 968, jako monumentalna bazylika filarowa, z trójdzielnym chórem, z apsydą w partii środkowej i z dwoma pomieszczeniami bocznymi występującymi lekko z lica elewacji na zakończeniu naw bocznych, nad którymi być może wznosiły się wieże wschodnie; od strony zachodniej znajdował się masyw wieży z emporą, flankowany niższymi wieżyczkami schodowymi – koncepcja wywodząca się z benedyktyńskiego środowiska znad Jeziora Bodeńskiego. Monumentalna forma katedry, mająca analogie w fundacjach cesarskich, związana była z przeznaczeniem jej na miejsce grobów pierwszych władców – Mieszka i Bolesława Chrobrego.

Powstała później podobna katedra gnieźnieńska, najpewniej na miejscu kultu pogańskiego, przypuszczalnie nie była pierwszą budowlą chrześcijańską na tym miejscu. Niektórzy sądzą, że w drugiej połowie X w. wzniesiono

33

---

* Opus spicatum (łac.) – jodełkowy układ ciosów kamiennych.

tu dla Mieszka I palatium z kaplicą p.w. Panny Marii, na planie tetrakonchosu (czteroliścia). Byłaby to zapewne pierwsza budowla monumentalna w Polsce, o charakterze pałacowo-cesarskim. Dopiero ok. r. 1000 stanęła w Gnieźnie na tym samym miejscu druga katedra Chrobrego, naśladująca plan katedry poznańskiej, zachowana w nader nikłych szczątkach.

34 Koncepcja rotundy Panny Marii przejęta została najpewniej z Pragi, z kościoła św. Wita – jak i wiele innych urządzeń związanych z początkami chrześcijaństwa w Polsce, z racji przyjęcia chrztu z Czech, zaślubin Mieszka z Dobrawą, córką Bolesława I czeskiego, i sprowadzenie wraz z nią znacznego zespołu duchownych. Można nawet sądzić, że Dobrawa była inicjatorką i fundatorką budowli centralnej i że u ślad jej grobu (zm. 977) tu znaleziono – co stanowiłoby analogię do grobu św. Wacława w rotundzie św. Wita w Pradze. A zatem już Mieszko I mógł przyjąć koncepcję cesarskich kaplic centralnych z wezwaniem Marii jako opiekunki i strażniczki domu panującego.

Trzecim wielkim zespołem architektury monumentalnej w Wielkopolsce była rotunda i palatium na Ostrowie Lednickim, datowane na drugą połowę X w., wyjątkowo dobrze zachowane. Centralna kaplica wzniesiona tu została na planie krzyża greckiego, wzbogaconego obejściem o kolistym zarysie, tworzą-

Gniezno, hipotetyczny rzut najstarszych faz budowy katedry. Legenda na s. 242

cego zarys czworoliścia. Było to założenie dwupoziomowe, z emporą w części zachodniej, mieszczącą tron władcy, skierowany w stronę usytuowanego we wschodniej apsydzie ołtarza; w części dolnej mieścił się najpewniej drugi ołtarz.

Część palatium przylegająca bezpośrednio do kaplicy zawierała zapewne pomieszczenia o charakterze pomocniczym; trudno stwierdzić, czy był to rodzaj narteksu (przedsionka) z wywyższoną częścią środkową. Oddzielające ją od reszty budynku schody wskazują na dwupoziomowość założenia, które w partii właściwego palatium mieściło na piętrze, na całej powierzchni, *aula regia*.

Znamienne jest połączenie w tym zespole siedziby władcy z kaplicą, w której przechowywano relikwie; jest to wyrazem ideowej sakralizacji władzy świeckiej, a równocześnie faktycznej zależności Kościoła od władzy w sferze konkretnej polityki.

Niemal analogiczny plan miało palatium w Gieczu – być może nigdy nie dokończone, datowane na lata trzydzieste XI w. Kaplica od zewnątrz miała kształt kolisty, natomiast wewnątrz znajdowało się siedem półkolistych, apsydialnych aneksów, wyrobionych w grubości murów. Można sądzić, że obsadę kościelną kaplicy stanowiła wspólnota kanonicka, która obsługiwała również kancelarię książęcą.

Problem genezy tych budowli jest nader złożony. Z jednej strony decydowały wzory zachodnie, wywodzące się – poprzez Pragę – z kurii i kaplic cesarskich, mające znaczenie

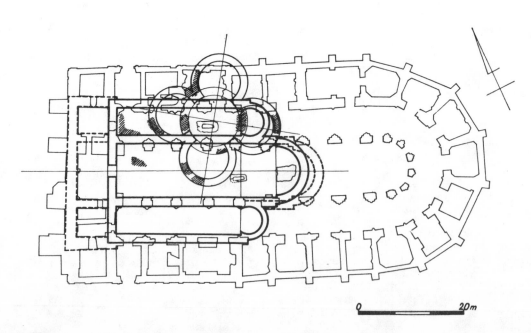

ideowo-formalne, z położeniem nacisku na pierwsze. Wzory artystyczne stanowiły głównie powstałe współcześnie dzieła architektury bizantyjskiej, zwłaszcza armeńskiej i syryjskiej. W przypadku Giecza, obiektu późniejszego, decydujące znaczenie miały antykizujące budowle Zachodu, np. kaplica św. Maurycego w Würzburgu czy św. Heriberta w Deutz.

Gnieźnieńska kaplica tetrakonchowa znajdowała się zapewne w centrum grodu, jeszcze za Mieszka, otoczonego wałem drewnianoziemnym; z kaplicą najpewniej związane było palatium. Natomiast na północnym podgrodziu mieścił się kościół św. Jerzego – analogicznie do układu na praskich Hradczanach. Dopiero za Chrobrego podgrodzie św. Jerzego stało się grodem książęcym, a na miejscu rotundy wyrosła katedra – już na podgrodziu.

Poznań i Gniezno były najważniejszymi, lecz zapewne nie jedynymi ośrodkami władzy i kultury. Równie rozwinięty był gród wawelski. Znajdująca się tu, dobrze zachowana rotunda Panny Marii stanowi – być może – kontynuację koncepcji gnieźnieńskiej. Jest to przetrwały do wysokości 6 m tetrakonchos, ze schodami prowadzącymi na górną kondygnację, na emporę, powiązany z bliżej nie zbadanym jeszcze palatium.

Niezwykle ciekawy jest drugi budynek wzgórza – zagłębiona w ziemi tzw. ,,budowla prostokątna'', do której prowadził długi korytarz. Przypuszcza się, że mogła to być budowla sepulkralna.

Powstałe zapewne w pierwszej ćwierci XI w. palatium w Przemyślu założone jest również na planie wydłużonego prostokąta i połączone z rotundą, najpewniej emporową, z jedną apsydą od strony północno-wschodniej. W Wiślicy natomiast stwierdzono istnienie dwóch najprawdopodobniej palatiów. Przy jednym z nich znajdowała się wolno stojąca kolista rotunda, z wewnętrznymi wnękami półkolistymi w głębokości murów – plan analogiczny do Giecza. W drugim przypadku kaplica złączona z palatium ma wieloboczny obrys zewnętrzny.

Do najbardziej interesujących zespołów należał Płock, gdzie oprócz rotundy powiększonej o jedną, dużą apsydę znajdowało się zapewne prostokątne palatium połączone z kaplicą – początkowo jednonawową, z apsydą, później przetworzoną na treflowy układ trójapsydowy.

Przygotowana na zjazd r. 1000 katedra gnieźnieńska, nawiązująca do wcześniejszej katedry poznańskiej, uzyskała formę prostej bazyliki, z trzema apsydami na zakończeniu naw, z bezwieżową partią zachodnią. Ten niemal wczesnochrześcijański typ bazyliki, ukształtowany pod wpływem nowej liturgii rzymskiej, pojawił się tu najpewniej za wzorem środowisk lombardzkich, a najbliższym precedensem był praski kościół św. Jerzego, w jego wersji wczesnoromańskiej, po r. 973. Z wyposażenia tej katedry zachowały się posadzkowe płytki ceramiczne, o dekoracyjnych motywach, m.in. wirujących kół. Tu, przed prezbiterium, przeniesiono grób Dobrawy, a w prezbiterium mieścił się ołtarz-konfesja, wzniesiony na grobie św. Wojciecha. Mensa ołtarzowa – a może frontale* (?) – ozdobiona była złotymi płytami, wysadzanymi drogimi kamieniami i kryształami, zapewne także z przedstawieniami figuralnymi – dar cesarza Ottona III, wagi 300 funtów. Nad ołtarzem umieszczony był krucyfiks, ufundowany przez Mieszka lub Chrobrego, wagi ok. 400 funtów. Niestety, wygląd tych dzieł nie jest nam znany.

Znacznie mniej wiadomości, a zwłaszcza reliktów materialnych, mamy z ośrodków zakonnych. Z wymienianych w źródłach pisanych założeń klasztornych w Międzyrzeczu, Kazimierzu Biskupim, Tumie pod Łęczycą i Trzemesznie najlepiej zbadano dwa ostatnie. Zapewne w końcu X w. powstał klasztor trzemeszeński, związany z tutejszym pobytem św. Wojciecha, i miejscem pierwotnego złożenia jego zwłok. Ujawniono istnienie kościoła bazylikowego, z trójdzielną częścią wschodnią, z wydłużonym sanktuarium i apsydą, dwoma prostokątnymi aneksami i kryptą wyłożoną płytkami posadzkowymi analogicznymi do znanych z Gniezna. Wzorem dla tego kościoła była najprawdopodobniej katedra poznańska.

Warto w tym miejscu zwrócić uwagę, jak silnie powiązane były ze sobą powstające w Polsce dzieła architektury. Łączyła je nie tylko wspólna geneza, której źródeł wypada szukać poza granicami kraju, ale także – obok wspólnoty funkcji kościelnych, państwowych i ideologicznych oraz osoby fundatora – ścisłe związki w aspekcie architektonicznych konkretyzacji, a nawet powiązania warsztatowe. Wypadki lat trzydziestych XI w. starły z powierzchni ziemi wiele dzieł, a prace archeologów tylko niektóre z nich przywróciły naszej świadomości; wiele innych czeka na pełniejsze odkrycie. Możemy przecież stwierdzić, że kształtowało się tu dość szybko zwarte środowisko artystyczne, operujące wspólnymi typami architektury i wyszkolonymi warsztatami budowlanymi.

_____

* Frontale (łac.) – antepedium, zasłona podstawy stałego ołtarza chrześc.

Architektura monumentalna formowała ramy nowej przestrzeni kulturowej, w której toczyło się nowe życie – w jego aspekcie sakralnym i laickim. Dla tego pierwszego szczególnie ważne były dzieła artystyczne innego rodzaju: instrumenty i przedmioty kultowe. Zachowało się ich z tego czasu bardzo mało – jak gdyby na przekór opowieściom Kosmasa, Thietmara czy Galla Anonima – a przecież trudno sądzić, że wszystkie one zostały wywiezione przez wojów Brzetysława. Co więcej – wśród zachowanych z X i XI w. przeważają przedmioty, które możemy łączyć z kultami pogańskimi; ani chrzest 966 r., ani restauracja chrześcijaństwa w w. XII nie stanowiły dla nich granicy ostatecznej.

Architektura monumentalna w X w. związana z kultem chrześcijańskim nie miała opozycji w podobnych dziełach pogańskich (ta sytuacja ulegnie zmianie), jeśli pominiemy znane kręgi kultowe na Sobótce i na Łyścu (IX–X w.). Inaczej natomiast przedstawia się sprawa drobnych przedmiotów artystyczno-ideowych: dzieła związane z chrześcijaństwem zachowały się zupełnie wyjątkowo.

Łatwo zauważymy, że przedmioty związane z pogaństwem były drobnych rozmiarów, wykonywane z materiałów zwykłych, łatwo dostępnych, powstałe na miejscu, sporządzane niejako systemem domowym. To, czego dowiadujemy się ze źródeł pisanych, świadczy, że dla kultu chrześcijańskiego wykonywano dzieła nieliczne, monumentalnych zwykle rozmiarów, z reguły z materiałów drogocennych, przechowywane w centralnych, dobrze znanych miejscach – przypomnijmy relacje na temat konfesji św. Wojciecha w Gnieźnie. Wobec dzisiejszego stanu zachowania zastanawia nie tylko brak rzeźby monumentalnej – charakterystyczny przecież dla sztuki europejskiej tego czasu. Powstaje pytanie, czy dla celów chrystianizacji nie posługiwano się innymi rodzajami sztuk przedstawiających. Tymczasem zachowane przedmioty nastręczają zasadnicze trudności interpretacyjne. Znaleziony w Krakowie tzw. wołek, wykonany dość prymitywnie w wapieniu, nie ma ścisłego datowania: być może jest to rzeźba pogańska, związana z kultami rolniczymi. Przypuszczalnie pogańskie, magiczne znaczenie mają małe figurki koni z Wolina i Opola, z XI w. Na przełom X i XI w. datować możemy, relikty belek wału obronnego w Gnieźnie, zakończonych głowami zwierzęcymi – zapewne barana: najprawdopodobniej miały one znaczenie apotropeiczne. Nie wydaje się jednak słuszne upatrywanie w nich jedynie wyniku oddziaływania przejętej przez chrześcijaństwo z antyku symboliki środka i granicy – wobec dawnego zadomowienia się tej idei w kultach i obrzędach ludności miejscowej.

Jeśli znaleziony na grodzie łęczyckim przedmiot słusznie interpretowany jest jako wyobrażenie fallusa, z jednej strony zakończonego maską, można by go łączyć z bliżej nam nie znanymi pogańskimi obrządkami, które dość długo przetrwały w ośrodku władczym. Nie jest nam znany sens ideowy drobnych rzeźb drewnianych w rodzaju „koziołków" z Lednicy czy Opola, datowanych na w. XI–XII, uderzających dobrym opanowaniem techniki obróbki i daleko posuniętą schematyzacją, nie będącą uproszczeniem, lecz wykazującą dążenie do silnej ekspresji. Niełatwo też przychodzi datować szereg przedstawień postaci konnych, wykonanych zwykle bardzo prymitywnie, np. z Leźna, z przedstawieniem postaci stojącej i jeźdźca; być może były to pomniki nagrobne, nie związane z kultem chrześcijańskim, wywodzące się z kręgu kultury Prus, które motyw ten zapożyczyły od ludów turskich. Nie zachował się do naszych czasów pogański posąg bożyszcza znaleziony w końcu XVIII w. na Łyścu, należący do znacznej grupy około czternastu tego rodzaju dzieł pogańskich. Wszystko jednak zdaje się wskazywać na istnienie dość licznych pogańskich przedmiotów kultowych w czasie daleko sięgającym poza moment przyjęcia oficjalnego chrztu.

Tradycje te jeszcze dłużej utrzymują się w dziełach rzemiosła. Największe znaczenie miały tu wyroby złotnicze, zwłaszcza ornamentowane przedmioty srebrne, spełniające znane już uprzednio funkcje dystynktywne; ich znaczenie obecnie wzrosło, wiążąc się z usankcjonowaną przez władzę państwową strukturą społeczną. Pojawiają się jednak

Rotundy i palatia: 1 – na Ostrowie Lednickim, 2 – na grodzie w Gieczu, 3 – na grodzie w Przemyślu

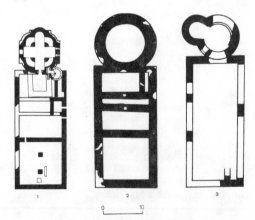

38

35

16

36

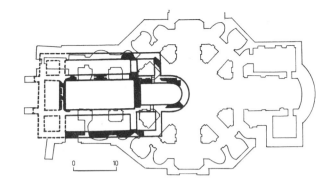

Płock, plan rotundy

Trzemeszno, kościół Benedyktynów, relikty I kościoła p.w. P. Marii, kon. X w.

także przedmioty, których sens ideowy i funkcje magiczne związane są z warstwą znaczeniową tych dzieł.
Skandynawski typ ornamentu na niektórych z nich, np. na wisiorkach ze skarbu znalezionego w Borucinie (XI w.), świadczy dowodnie o upodobaniach użytkowników tych przedmiotów, a nie tylko o kontaktach handlowych. Podobny wniosek nasuwa się w przy-
26 padku skrzynki z Kamienia Pomorskiego (późniejszy relikwiarz św. Korduli) – prezentującej niezwykle bogaty repertuar form dekoracji skandynawskiej (z X w.) – jelca miecza z Moczewa, z tego samego czasu, czy medalionu brązowego z Perkowic, ze znakomitym stylizowanym przedstawieniem ptaka i wici (XI w.). Występowanie tego rodzaju ornamentu na drewnianych przedmiotach co-
37 dziennego użytku – np. na łyżce z Gdańska (2. poł. XII w.) – zdaje się świadczyć o przyjęciu omawianych motywów do repertuaru form miejscowych warsztatów. Ten typ dekoracji zdaje się przeważać aż po w. XII w wyrobach ze srebra, drewna, rogu itp., znalezionych we Wrocławiu, Gieczu, Gdańsku, Szczecinie.
40 Równocześnie pojawiają się przedmioty, na przykład kaptorgi, które pełnią funkcję pojemników na amulety, w sferze semantycznej reprezentują symbolikę chrześcijańską, np. Drzewa Życia. Jest to przykład przekształcenia relikwiarzy w rodzaj amuletów. Wydaje się jednak, że płaszczyzna styku między sztuką wyrażającą dawną ideologię i nową była niezwykle wąska; były to dwa autonomiczne nurty.
Tradycja antropomorficznej sztuki kultowej o monumentalnej formie nie stanowiła naturalnego zaplecza dla powstającej w tym czasie figuralnej sztuki pogańskiej. Wydaje się nawet, że – zwłaszcza w XI i XII w. – powstawała ona nie tylko równocześnie ze sztuką chrześcijańską, ale także jako próba stworzenia ideowego równoważnika w tym samym

języku antropomorficznym. Przegrana, którą się zwykle tak silnie akcentuje, nie nastąpiła ani nagle, ani też ostatecznie: rewolucja XI w. oznaczała przecież nie tylko zniszczenie głównych ośrodków państwowo-kultowych, ale także odnowienie dawnych pogańskich, być może wyposażonych w nowe przedmioty kultowe; znajdywane w rzekach, jeziorach, zatopione w bagnach, połamane i porozbijane – świadczą o dramatycznej gwałtowności chrześcijańskiej reakcji.
Wydaje się, że pojawienie się licznych drobnych rzeźb magicznych i kultowych można wytłumaczyć swoistą „prywatyzacją" kultu pogańskiego, który miał szanse przetrwania przede wszystkim w praktykach domowych, potajemnych i na peryferiach ówczesnego życia. Te magiczne kulty utrzymywały się bardzo długo, wyjątkowo także w ośrodkach centralnych, na co wskazują dwa drewniane fallusy i kielich, znalezione na grodzie łęczyckim, datowane na w. XII.
Być może także znane nam ze źródeł pisanych pogańskie drewniane budownictwo świątynne, głównie na Pomorzu Zachodnim, z XI w., należy interpretować w opozycji do monumentalnych budowli wczesnego okresu chrześcijańskiego na naszych ziemiach. Te tzw. kątyny były bogato zdobione przedstawieniami figuralnymi – ludzkimi i zwierzęcymi. Źródła nowej figuracji były zapewne dwojakie – skandynawskie i romańskie. Znane są nam pochodzące z XI i XII w. (a nie z IX czy X w.) przedstawienia Trzygłowa w Wolinie, Szczecinie, Schwedt (NRD), w różnych wersjach plastycznych, z reguły antropomorficznych, choć zarazem fantastycznych.
W miarę szerzenia i umacniania się chrześcijaństwa wierzenia i obyczaje pogańskie schodziły na margines zwyczajów ludowych – osaczone rozwijającą się w XII i XIII w. siecią parafialną, zdominowane przez chrześcijańską kulturę przodujących środowisk artystycznych, jakimi stawały się stopniowo od XIII w. miasta.

Katedry, kolegiaty, klasztory. Architektura romańska po odnowieniu państwa polskiego

Śmierć Bolesława Chrobrego w r. 1025, bunt jego synów, Bezpryma i Ottona przeciw Mieszkowi II (1031) i rozpad monarchii, powstanie ludowe, nawrót pogaństwa i renowacja ideologii plemiennej, wreszcie napad Brzetysława na Śląsk i Wielkopolskę (1038 lub 1039) spowodowały całkowitą dezorganizację państwa, przyniosły wielkie straty materialne, zwiększyły zależność od cesarstwa.

Odnowienie państwa oparte zostało na podobnych podstawach ideowych, co jego utworzenie w X w., choć przebiegało w zmienionych warunkach społeczno-politycznych, wynikających m.in. z wyodrębnienia się silnej warstwy możnowładców, nieuchronnie postępującego rozdrobnienia kraju, związanego z osłabieniem władzy królewskiej oraz zwiększeniem suwerenności Kościoła, rozbudowującego się tak w ramach organizacji diecezjalnej, jak i w ramach wspólnot kanonickich i zakonnych.

Proces odnowienia państwa przez Kazimierza, nazywanego Mnichem, a później Odnowicielem, wiązał się z natężeniem działalności ideologicznej, wyrażającej się m. in. w fundacjach nowych instytucji kościelnych i koniecznych dla nich budowli. Jeśli przemiany w zakresie władzy następowały szybko i nagle, to procesy społeczne przebiegały już znacznie wolniej, a towarzyszący im rozwój sztuki miał bieg najwolniejszy. Jest przy tym nader charakterystyczne, że wyraził się on znaczną liczbą znakomitych często dzieł architektury sakralnej, natomiast zachowane do początku w. XIII dzieła architektury świeckiej należą do zupełnych wyjątków.

Działalność odnowicielska bezpośrednio po r. 1039 nie przyniosła wielkich rezultatów architektonicznych. Obok istniejących biskupstw w Poznaniu, Gnieźnie, Krakowie i Wrocławiu powstało w w. XI nowe biskupstwo w Płocku (1075) – w związku ze wzrostem znaczenia dzielnicy mazowieckiej po najeździe Brzetysława, a także w wyniku potrzeby stworzenia ważnej placówki kościelnej na pograniczu z pogańskimi Prusami. Dopiero ok. r. 1124 powstaje biskupstwo kujawskie, przeniesione z Kruszwicy do Włocławka oraz biskupstwo w Lubuszu (również 1124), ok. r. 1138 zaś biskupstwo zachodniopomorskie, w r. 1176 przeniesione z Wolina do Kamienia. Dwa ostatnie można uznać za wyraz ekspansywnej polityki Bolesława Krzywoustego na terenach północno-zachodnich.

Przede wszystkim podjęto odbudowę dwu najważniejszych – ze względu na stołeczne

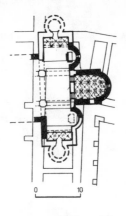

Kraków–Wawel, I katedra p.w. św. Wacława, plan części wsch.

położenie, konfesję św. Wojciecha oraz groby Dobrawy, Mieszka i Bolesława – katedr w Gnieźnie i w Poznaniu. Były to przedsięwzięcia połączone, realizowane w tym samym czasie i w podobny sposób. Powstały dzieła skromne. W metropolitalnej katedrze w Gnieźnie, odbudowanej w połowie XI w. (konsekracja w r. 1064) powtórzono plan bazyliki z końca X w. – przekrytej drewnianym stropem, bez transeptu, z aspydialnym zamknięciem trzech naw, być może rozdzielonych profilowanymi arkadami. Elewacja zachodnia była jednak dwuwieżowa. W elewacjach bocznych mieściły się portale; południowa *porta regia* zamykana była słynnymi drzwiami brązowymi. Zapewne analogiczny plan miała odbudowana katedra poznańska – przynajmniej w części zachodniej.

Katedra krakowska przedstawiała bardziej złożone rozwiązanie przestrzenne, choć równocześnie doskonale proste i funkcjonalne. Jej budowę rozpoczęto jeszcze przed najazdem Brzetysława, ale ostatecznie ukończona została w dobie restauracji, po przeniesieniu stolicy państwa do Krakowa. Wysunięte prezbiterium, pod którym mieściła się trójnawowa krypta, zamknięte było apsydą. Do ścian wschodnich transeptu przylegały apsydy, a w zamknięciach znajdowały się, wsparte na potrójnych arkadach, empory, do których prowadziły schody, umieszczone w dostawionych od zewnątrz okrągłych wieżyczkach.

Tak wyraźne nawiązanie do kościoła św. Michała w Hildesheimie – czołowego dzieła architektury ottońskiej – dowodzi bliskich związków ze sztuką saską. Pierwsza katedra krakowska jest wyrazem ważnych przemian funkcjonalnych; rozwiązanie jej transeptu modyfikuje tradycyjny sens tej przestrzeni jako sali tronowej. Empory przeznaczono na pomieszczenie chórów śpiewaczych.

Zagadkę do dziś nie wyjaśnioną stanowi podjęcie wkrótce potem budowy następnej katedry na Wawelu, na obecnym miejscu. Znana nam część zachodnia tej katedry, z dwiema wieżami na planie kwadratu, złączonymi narożami z korpusem nawowym, nadającymi całości wybitnie monumentalny charakter, z zachowaną, sklepioną krzyżowo 41 kryptą św. Leonarda (do 1118 r.) i z wyniesionym nad nią chórem – wskazuje na rozwiązanie bicefaliczne (dwuchórowe).

Obok katedr powstają w tym czasie pierwsze budowle zakonne. Być może już za Kazimierza Odnowiciela lub dopiero za Bolesława Śmiałego, w l. 1076–1079, założony został klasztor benedyktyński w Tyńcu nad Wisłą. Była to dwuwieżowa bazylika, o trzech apsydach wschodnich, ze środkową wysuniętą. Zabudowania klasztorne obiegały wiridarz z krużgankiem, wspartym najpewniej na zdwojonych kolumnach. Nawy boczne kościoła były prawdopodobnie sklepione kolebkowo; zachowane w fundamentach podstawy półkolumn dowodzą urozmaiconej artykulacji przestrzeni; mają sens nie tylko konstrukcyjny, ale także kompozycyjny: przerywają swym rytmem monotonię ścian.

Opactwo benedyktyńskie w Mogilnie fundował w r. 1065 Bolesław Śmiały. Istniała tu bazylika z transeptem, z której zachowała się trójnawowa, sklepiona krzyżowo (obecnie 42 kolebkowo) krypta wschodnia oraz krypta zachodnia, pod wieżą, nakryta czterema sklepieniami krzyżowymi, wspartymi na środkowym filarze. Fasada zachodnia była jednowieżowa.

Na wiek XI przypadają także początki architektury zgromadzeń kanonickich; zwykle były to budowle skromne, nawet gdy związane z fundacjami władców, jak na przykład kościół św. Michała na Wawelu, św. Jerzego w Gnieźnie, św. Michała w Płocku. Wyjątek stanowi okazały – choć niewielki rozmiarami – kościół św. Andrzeja na Okolu w Krakowie, fundowany przez możnego wojewodę Sieciecha w l. 1079–1098. Polityczna pozycja Sieciecha, pełniącego funkcje palatyna i sprawującego faktycznie rządy w kraju, była wyjątkowa, niemniej jednak można już mówić o wytworzeniu się u schyłku w. XI nowej grupy fundatorów – możnowładców, tak świeckich jak duchownych, którzy w w. XII odegrają zasadniczą rolę. Kościół św. Andrzeja to trójnawowa bazylika z wysuniętym prezbiterium, zamkniętym – jak i nawy boczne – apsydą, ze złączoną w jeden masyw dwuwieżową partią zachodnią. Krótki korpus odznacza się nader pomysłowym rozwiązaniem: wschodnie przęsła naw bocznych, dorównując wysokością nawie głównej, tworzą rodzaj transeptu. Natomiast nad przęsłami zachodnimi mieściły się empory, złączone z emporą zachodnią. Kościół uległ przebudowie w w. XII.

Bilans architektury późnego XI w. przedstawia się liczbowo dość skromnie, ale nie ulega wątpliwości, że wprowadzone zostały wówczas interesujące rozwiązania architektoniczne, przy czym na czoło zdecydowanie wysunęła się Małopolska, co wiąże się z politycznym awansem tego środowiska.

Wiek XII i początki w. XIII przyniosły dalszy rozwój architektury romańskiej. Interesujące są przy tym zarówno lokalizacje wielkich założeń, jak i ich proweniencja. W zakresie budownictwa katedralnego – obok budującej się od końca XI w. tzw. drugiej katedry wawelskiej – na czoło wysuwa się druga katedra płocka (kształtu pierwszej nie znamy),

43

Gniezno, plan katedry p.w. Wniebowzięcia P. Marii i św. Wojciecha

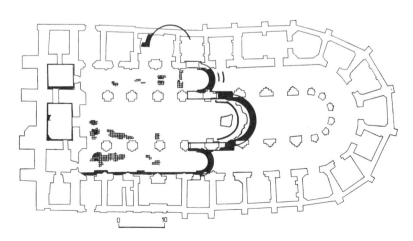

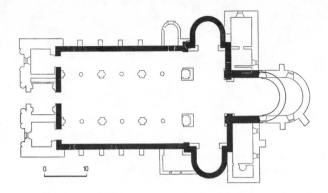

Płock, plan katedry p.w. Wniebowzięcia P. Marii

konsekrowana w r. 1144, budowana przez biskupa Aleksandra z Malonne. Była to bazylika o układzie treflowym, z lekko występującym transeptem, o ramionach zamkniętych apsydami, z jednoprzęsłowym prezbiterium z apsydą. Rozwiązanie to świadczy o dalszym rozwoju funkcji transeptu, który przede wszystkim stwarza możliwość związania z nim dodatkowych przestrzeni przeznaczonych na umieszczenie większej ilości ołtarzy – zgodnie z duchem reformy kluniackiej. Wnętrze katedry nakryte było stropem drewnianym, malowanym w r. 1148 przez Guntera, a w fasadzie zachodniej znajdowały się trzy portale, z których środkowy był zapewne zamykany słynnymi drzwiami brązowymi (obecnie w Nowogrodzie). Treflowy układ części wschodniej, prawdopodobieństwo istnienia zmiennego układu podpór – filarów i kolumn – oraz wieży na skrzyżowaniu świadczy o związku tej budowli ze środowiskiem nadmozańskim i dolnoreńskim, a więc z miejscem pochodzenia biskupa Aleksandra. Niewiele wiemy o budowanej w trzeciej ćwierci XII w. przez biskupa Waltera z Malonne, brata Aleksandra, katedrze wrocławskiej – poza tym, że istniała w niej wschodnia krypta. Zachowane fragmenty rzeźbiarskie wskazują na istnienie bogatych portali, o proweniencji raczej nie mozańskiej, lecz północnowłoskiej. Kształt pozostałych katedr z tego czasu nie jest nam znany.
Pośród kościołów kanonickich do najciekawszych rozwiązań zaliczyć należy powstały w l. 1120–1140 kościół św. Piotra w Kruszwicy, do r. 1148 siedzibie biskupa kujawskiego. Do wschodnich ścian transeptu i prezbiterium przylegają apsydy. Jeszcze w XII w. dobudowano z obu stron prezbiterium prostokątne kaplice, powiększone od wschodu apsydami. W ten sposób powstało pięcioapsydialne rozwiązanie partii wschodniej, o apsydach trzech wielkości – kompozycja złożona, ale równocześnie jasna, dzięki wyraźnej artykulacji poszczególnych partii, dominująca nad dwuwieżową partią zachodnią. Dobrze jest tu widoczny związek z reformą kluniacką, a bezpośrednie znaczenie miały niewątpliwie realizacje saskie.

Kościół kanonicki, późniejsza kolegiata św. Marcina w Opatowie powtarzała w połowie XII w. plan pierwszej fazy kruszwickiej. Na uwagę zasługuje natomiast rozwiązanie partii zachodniej: znajdowały się tutaj trzy arkady, otwierające się do kruchty, w której mieścił się portal. Jeszcze w XII w. arkady zamurowano, budując równocześnie kryptę zachodnią.
Czołową pozycję zajmuje kanonicki, a następnie kolegiacki kościół Panny Marii i św. Aleksego w Tumie pod Łęczycą, konsekrowany w r. 1161, fundowany zapewne przez arcybiskupa gnieźnieńskiego, Janika. Przede wszystkim – ze względu na bogaty plan: jest to beztranseptowa bazylika, z emporami nad nawami bocznymi. Prezbiterium zamknięte jest apsydą, powiększoną przez mniejszą apsydę. Także nawy boczne zamknięte są apsydami, a do ich wschodnich przęseł dostawione zostały od północy i południa koliste wieżyczki schodowe, prowadzące na empory. Część zachodnia ma rozwiązanie analogiczne do drugiej katedry wawelskiej; świadczy to, podobnie jak i w całości bicefaliczny plan, o genezie nadreńskiej. We wnętrzu, w drugim przęśle nawy głównej, znajdowało się lektorium. Kolebkowe sklepienie na pasach najpewniej stanowiło przekrycie tylko przęsła prezbiterialnego.
Pozostałe kościoły kanonickie mają proste plany – co przecież nie odbiera im artystycznego znaczenia, czego najlepszym dowodem kościół w Wiślicy, w którego krypcie znajduje się słynna posadzka z kompozycją figuralną. W połączeniu z późniejszym nagrobkiem jest to najlepszy dowód na dokonującą się w tym czasie przemianę funkcji krypty, która pozostając nadal skarbcem relikwiowym, staje się równocześnie miejscem pochówku *ad sanc-*

44

48

tos, miejscem wotywnych przedstawień fundatorów oraz liturgii odprawianej w ich intencji.

Nie zachowało się do naszych czasów, zburzone w XVI w. opactwo benedyktyńskie na Ołbinie pod Wrocławiem. Było to założenie ogromne, fundowane przed r. 1139 przez Piotra Włostowica z rodu Łabędziów; w r. 1197 miejsce benedyktynów zajęli tu norbertanie. Opacki kościół św. Wincentego był zapewne bazyliką, z jednowieżową częścią zachodnią oraz trójnawowym „atrium" – przedsionkiem. O wspaniałości tego założenia i o ambicjach fundatora mówią zachowane fragmenty rzeźbiarskiego wystroju: tympanony, kapitele, portale itp.

Fundacji Włostowica zawdzięcza także swe powstanie opactwo kanoników regularnych św. Augustyna p.w. Panny Marii na Ślęży (1128 lub 1134), przeniesione po r. 1134 na Wyspę Piaskową we Wrocławiu, z kościołem konsekrowanym w r. 1149. W tym przypadku tylko zachowany tympanon fundacyjny mówi o wspaniałości tego dzieła.

Więcej możemy powiedzieć o opactwie kanoników regularnych w Trzemesznie, fundowanym przez Bolesława Krzywoustego przed r. 1138, na miejscu opactwa benedyktyńskiego. Była to bazylika z lekko występującym transeptem, prosto zamkniętym prezbiterium i emporą zachodnią wspartą na jednym filarze oraz z dwiema kryptami, z których wschodnia pochodzi w części z dawnej budowli.

Zapewne z fundacją biskupa Aleksandra (1129) związane jest opactwo kanoników 49 regularnych w Czerwińsku, wznoszone do r. 1155. Według najnowszych badań było to założenie bazylikowe, z nieznacznie występującym w planie pseudotranseptem, ku któremu otwierało się prezbiterium i dwie boczne kaplice zamknięte apsydami. Korpus nawowy dzieliły w zmiennym rytmie kolumny i filary. W partii zachodniej, w masywie dwuwieżowym, znajdował się portyk otwarty na zewnątrz arkadą. Zastosowanie w tej budowli cegły, także w celach konstrukcyjnych, arkadowa galeria w południowej elewacji, a także rozwiązanie partii wschodniej świadczą – obok rzeźby portalowej – o silnych związkach ze środowiskami północnej Italii.

Poparciem wielmożów cieszył się także zakon norbertanów, liczący w Polsce kilkanaście domów. Najlepiej zachowanym i wyjątkowo wspaniałym dziełem jest fundowany przez 47 Piotra Wszeborowica dla norbertanek kościół Św. Trójcy w Strzelnie, zapewne z czwartej ćwierci XII w., konsekrowany w r.1216. Jest to małych rozmiarów bazylika transeptowa, z wydłużonym prezbiterium, zamkniętym apsydą, otwierającym się poprzez kolumnowe

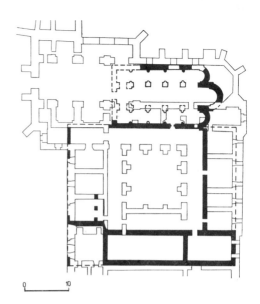

Tyniec, plan klasztoru benedyktynów p.w. św.św. Piotra i Pawła

arkady do towarzyszących mu wąskich pomieszczeń, komunikujących się poprzez portale z ramionami transeptu, które od strony wschodniej powiększone są apsydkami. W partii wieżowej znajdowała się empora, a całość była nakryta stropem. Z tym bogactwem przestrzennej kompozycji, której genezy upatrywać by trzeba może w benedyktyńskich kościołach w Normandii, koresponduje wyjątkowe bogactwo i oryginalność wystroju rzeźbiarskiego.

Interesujący wystrój posiadał także joannicki kościół św. Jana w Zagości, fundowany przez Henryka Sandomierskiego, po jego powrocie z wyprawy do Ziemi Świętej. Prostą w planie budowlę charakteryzuje staranna arykulacja zewnętrznych elewacji – zwłaszcza nawy z wydzieloną kondygnacją okien, podzieloną kolumienkami – z częściowo zachowaną dekoracją rzeźbiarską, w której pojawia się motyw symbolicznych syren. Równie starannym opracowaniem elewacji odznaczał się mały kościółek w Prandocinie, fundowany 46 przez Prandotę Starego, w pierwszej połowie XII w., mający układ dwuchórowy; apsyda zachodnia była dwupoziomowa, łączyła się z emporą i nadbudowana była wieżą. Ramowe obramienia elewacji, arkadowe fryzy, kolumienki ujmujące zachodnią apsydę świadczą o wyjątkowej staranności wykonania.

Małe budowle często prezentowały interesujące rozwiązania przestrzenne. Niektóre z nich były powtórzeniem form tradycyjnych, jak na przykład rotunda w Cieszynie, z emporą zachodnią (2. poł. XI w.), czy rotunda św. Prokopa (pierwotnie może św. Krzyża) w Strzelnie (2. poł. XII w.), w której z kolistym wnętrzem złączone jest prostokątne prezbiterium i kolista wieża z emporą, a od strony północnej przylegają do niego dwa apsydowe aneksy; przypuszczenia o ich grobowej funkcji nie zostały potwierdzone. Możliwy jest natomiast związek tej budowli, należącej do strzeleńskiej *familia ecclesiae*, z kultem Grobu Świętego.

Powstające w tym czasie proste, małe kościoły związane z osadami targowymi, jednonawowe, z wyodrębnionym prezbiterium, o bardzo skromnym wystroju, antycypowały funkcje kościołów parafialnych. Ale i tu pojawiały się wyjątki, czego przykładem może być kościół Panny Marii w Kotłowie, w którym zachowały się ślady po dwóch cyboriach nadołtarzowych, flankujących przejście do chóru.

Był to zatem niezwykle płodny okres w dziejach naszej architektury. Zarysowały się niemal wszystkie instytucjonalne rodzaje architektury kościelnej: katedry, kościoły kanonickie, a później kolegiackie, zakonne, grodowe, protomiejskie. Powstawały one jako fundacje władców, biskupów i – coraz częściej – potężnych komesów. Stanowiły zróżnicowane koncepcje przestrzenne, zwykle zredukowane w stosunku do wzorów, z których korzystano, i w pomniejszonej skali, ale często prezentowały bogaty i oryginalny wystrój rzeźbiarski. Korzystano z różnych źródeł, przede wszystkim czerpiąc podniety z pobliskiej Saksonii, utrzymującej swe znaczenie przez cały w. XII, a następnie z odległej Dolnej Nadrenii i kraju nadmozańskiego, czasem – z północnej Italii. Korzystanie z dorobku tych środowisk niemal z reguły wiązało się z przybyłymi z tych odległych stron fundatorami; natomiast związkom z Saksonią sprzyjało bliskie sąsiedztwo i ustalona od czasów Ottona III i Bolesława Chrobrego tradycja. Było to zresztą środowisko, które w XI i XII w. skupiało ważne osiągnięcia architektoniczne ówczesnej Europy.

Może najbardziej uderzającym rysem architektury drugiej połowy XI w. i XII w. jest

Kraków–Wawel, zabudowa wzgórza w X–XII w. Legenda na s. 242

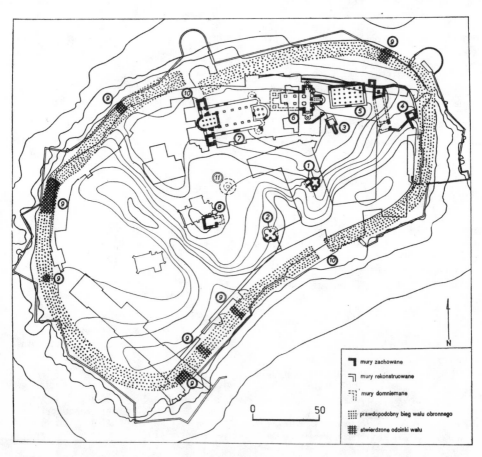

mury zachowane

mury rekonstruowane

mury domniemane

prawdopodobny bieg wału obronnego

stwierdzone odcinki wału

0   50

N

powstanie złożonych często dzieł architektury kościelnej przy niemal zupełnym braku nowych założeń monumentalnej architektury świeckiej – czego nie można w pełni wytłumaczyć złym stanem zachowania. Powstawały przecież w tym czasie lub były rozbudowywane znaczne zespoły architektoniczne, na przykład na wzgórzu wawelskim czy płockim, w obydwu przypadkach mające znaczenie ośrodków stołecznych.

Wzgórze wawelskie mieściło w w. XI rotundę Panny Marii (do której najpewniej przylegało dawne palatium z X w.), drugą rotundę, tzw. „budowlę prostokątną" (uważaną przez niektórych za grobowiec) oraz zabudowania grodu, z podłużnym budynkiem mieszkalnym i wieżami, połączonymi murem obronnym, być może też wschodnią część pierwszej katedry oraz drugą katedrę, kolegiatę św. Michała, z której zachowały się tylko fundamenty. Całość otoczona była potężnym wałem drewniano-ziemnym, z kilkoma bramami. Z omawianego okresu pochodzi przypuszczalnie jedynie podłużny budynek mieszkalno-reprezentacyjny w grodzie; tzw. Sala na 24 słupach pochodzi zapewne z XIII w.

Zabudowa wzgórza płockiego – ulubionej rezydencji Władysława Hermana – była skromniejsza: na terenie grodu wznosił się mały kościół, zamknięty od wschodu trójlistnie, rotunda i czworoboczna budowla, zapewne o przeznaczeniu mieszkalnym, a na podgrodziu – monumentalna katedra biskupa Aleksandra. Natomiast w bliższym i dalszym sąsiedztwie znajdowało się ok. ośmiu fundacji kościelnych. Było to zatem znaczne centrum, ale i tu powstająca monumentalna architektura związana była przede wszystkim z funkcjami kultowymi.

Z tego stanu rzeczy nie należy wysuwać zbyt pochopnych wniosków: pozostaje przecież faktem, że władza książęca czy królewska zadowalała się często budowlami prostymi, czy też wręcz drewnianymi, które do naszych czasów nie dotrwały.

Monumentalna architektura tego czasu służyła przede wszystkim – zarówno w aspekcie użytkowym jak i ideowym – działalności Kościoła.

Sztuka pobożnych fundatorów

Fundowanie dzieł sztuki w dobie romanizmu ma różne uzasadnienia. Wykładnia uniwersalna mówi o udziale fundatora w dziele apostolstwa, o przyczynianiu się do szerzenia i utrwalania wiary; jest to zasługa przybliżająca mu niebo i wieczne w nim przebywanie. Akt ten może mieć bardziej

konkretny i indywidualny sens, gdy związany jest z określonym wydarzeniem w życiu fundatora. Bywa więc dziełem ekspiacji lub dziękczynnym *ex voto*. Fundacja wyraża, bez udziału woli fundatora, zakres jego myślowych horyzontów, poziom intelektualny, stosunek do sztuki, powiązania z artystycznymi i kulturalnymi kręgami czy środowiskami. Dopełnia w ten sposób zamierzenia programowe fundatora, wspólnie tworząc bogaty i złożony przekaz historyczny.

Kim byli fundatorzy tak wielu znakomitych dzieł sztuki powstałych w XII w.? Druga połowa XI i pierwsza połowa XII w. – to okres zmagania się dwu głównych tendencji polityczno-ustrojowych: monarchii, której rzecznikami byli bezpośredni, „legalni" następcy króla Chrobrego, oraz poliarchii, stanowiącej ideowe dziedzictwo plemion słowiańskich, z czasów poprzedzających powstanie pierwszego państwa polskiego. Ostatecznie wraz z testamentem Krzywoustego i jego następstwami utrwalił się system poliarchiczny – na przeciąg bez mała dwustu lat. Towarzyszyła temu aktywizacja nowej grupy społecznej – wielmożów. Byli to obdarzeni ziemią *milites* księcia, zawsze gotowi zasilić jego przyboczną drużynę, poplecznicy jego wewnętrznej i zewnętrznej polityki, osiedlani w różnych częściach kraju, powoli, ale wytrwale dochodzący do pokaźnych majątków i przywilejów, do znaczenia i do samodzielności. Obok tej grupy świeckich wielmożów wymienić należy biskupów, których pozycja, zwłaszcza w drugiej połowie w. XII znacznie wzrosła i którzy górowali wykształceniem i rozległością międzynarodowych horyzontów.

Była to zatem sztuka nie tylko pobożnych, ale i możnych fundatorów. Jakie dzieła wznosili? Różne – ale z reguły znakomitej klasy. Przede wszystkim monumentalne, a więc obiekty architektury, a wraz z nimi liczne tympanony czy drzwi brązowe – jak płockie czy gnieźnieńskie. Także mniejszych rozmiarów dzieła złotnicze, niedostępne dla przeciętnego widza, jak kielichy i pateny. Oryginalne i niepowtarzalne lub też całkowicie tkwiące w konwencji typu, występujące pojedynczo lub też należące do większych, nawet wielkich zespołów, jak w przypadku Strzelna czy podwrocławskiego Ołbina.

Tak zwane Drzwi Płockie do dziś, mimo stu pięćdziesięciu lat badań, w znacznej mierze stanowią zagadkę – nie tyle artystyczną, co historyczną. Powstały w Magdeburgu w l. 1152–1156, znamy z imienia dwóch spośród szeregu ich wykonawców: byli to Riquin i Waismuth. Zagadką pozostaje sprawa fundacji – wobec przedstawienia na drzwiach arcybiskupa magdeburskiego, Wichmana, oraz

50

biskupa płockiego, Aleksandra z Malonne, ujętego zresztą bardziej monumentalnie. Trudno rozstrzygnąć, czy była to fundacja jednego z nich, czy też wspólna. W każdym razie można sądzić, że dzieło jest świadectwem biskupich kontaktów między obydwoma ośrodkami; należy wziąć pod uwagę ówczesne znaczenie Płocka, będącego właściwie stolicą, oraz kościelne i ogólnopaństwowe stosunki między Polską i wschodnimi krajami cesarstwa niemieckiego. Przed r. 1340, być może już w XII w., drzwi te znalazły się w Nowogrodzie; znamy z imienia Abrahama, który zapewne drzwi te konserwował i adaptował zmieniając częściowo ich układ.

Drzwi Płockie reprezentują technikę tradycyjną: odlane są we fragmentach, a następnie zespolone na drewnianym podłożu. Mimo późniejszych zmian ich generalny program jest czytelny; ma zresztą głównie uniwersalny charakter; program ten mógłby zostać zrealizowany na drzwiach każdej niemal katedry europejskiej. Przedstawienie Chrystusa tronującego w otoczeniu Marii i apostołów oraz przedstawienie *Maiestas Domini* – Króla Chwały w otoczeniu symboli ewangelistów uzupełnione są scenami z historii Chrystusa – od „Zwiastowania" po „Zmartwychwstanie" (lub „Wniebowstąpienie") – przy czym rozbudowany jest wątek pasyjny, od „Wjazdu do Jerozolimy" poczynając. Trzy sceny starotestamentowe: „Stworzenie Ewy", „Grzech pierworodny" i „Eliasz na ognistym wozie" mają sens typologiczny*. Inne sceny i postacie alegoryczne nie zostały w pełni wyjaśnione.

Główne wartości tej sztuki wyznacza opozycja linearyzmu i schematyzmu oraz dynamiki i ekspresji. Plastyczne formy dość swobodnie korespondują z budową anatomiczą postaci, a linie chętniej pełnią funkcje dekoracyjne niż określające. Uderza znakomite rozmieszczenie postaci w scenie „Ofiarowania w świątyni", wyjątkowo dobry akt Adama w scenie „Stworzenia Ewy" i „Grzechu pierworodnego". Jednak siła dzieła kryje się w ekspresji kontrastu dynamiki i statyki postaci i grup ludzkich; pochylenie w różnych kierunkach głów apostołów w scenie „Wjazdu do Jerozolimy" skontrastowane z pionową, w pełnym profilu ukazaną postacią Chrystusa, dynamika ruchu postaci w scenie „Biczowania", „Rzezi niewiniątek" czy „Pokłonu Trzech Króli" – decydują o wyrazie całości.

Istotne znaczenie ma także opracowanie twarzy, w których każde odstępstwo od panującego schematu staje się znaczące – na przykład płaczący grymas ust Racheli czy w różnych kierunkach zwrócony wzrok postaci w scenie „Narodzenia".

Do najbardziej interesujących partii dzieła należą monumentalne przedstawienia obydwu biskupów. Zwłaszcza lepiej zachowana postać Aleksandra, w asyście subdiakona i diakona, uderzająca hierarchicznie potraktowaną wielkością, ukazana w pełnym splendorze władzy duchowej, świadczy niezawodnie, że celem dzieła było równocześnie upamiętnienie osób jego promotorów.

Zdumienie budzi przedstawienie aż pięciu wykonawców – nie jest to przecież tylko inicjatywa warsztatu; sztuka w. XII dowodzi zresztą wielokrotnie, także na naszym terenie, jak mylne jest popularne przekonanie o anonimowości sztuki średniowiecznej.

W zupełnie inny świat wprowadzają nas Drzwi Gnieźnieńskie – przede wszystkim w krąg licznych hipotez: najbardziej podstawowe dane historyczne pozbawione są bowiem w tym przypadku źródłowego oparcia. Datowane dość zgodnie na czas ok. r. 1180, wiązane są zwykle ze środowiskiem nadmozańskim – teza wsparta ostatnio interpretacją odkrytej sygnatury jednego z twórców dzieła: „Petrus Luitinius", być może z Lucin koło Lille. Niektóre z motywów wywodzą się ze środowisk włoskich i południowoniemieckich.

Fundacja dzieła wiąże się najpewniej z miejscową inicjatywą – z osobą arcybiskupa Janika lub Zdziszka; udział Mieszka Starego jest tylko domysłem. Według najnowszych badań twórcy dzieła korzystali z bogatej, szeroko pojętej skarbnicy europejskiej sztuki romańskiej. Jednakże program przez nich stworzony ma wszelkie cechy dzieła indywidualnego. Jako cykl hagiograficzny nie ma precedensu, przy czym nie jest to wierna ilustracja pisanych żywotów świętego, gdyż zawiera sceny w żadnym z nich nie wspomniane. Można sądzić, że jest to oryginalny żywot św. Wojciecha, utrwalony w języku obrazowym. Przebiega on równocześnie w dwóch planach. Pierwszy – to życie i ofiara św. Wojciecha, ujęte w tok obrazowej narracji, kierowanej żelazną zasadą średniowiecznej hagiografii – korelacją życia świętego i Chrystusa. Plan drugi – to filozoficzny komentarz tych dziejów, wypowiedziany językiem symboli i alegorii, głównie astrologicznych i mitologicznych, angażujący ogromny obszar wiedzy, ujawniający niecodzienny poziom intelektualny fundatora, promotora i twórcy, ale i odbiorcy.

Autor programu stworzył nowy cykl hagiograficzny, zgodny z ogólnymi zasadami hagiografii i etyki chrześcijańskiej, powstały w

51

53

---

* Rozumiane są jako zapowiedź wydarzeń Nowego Testamentu.

konfrontacji z aktualnymi wyobrażeniami, obejmującymi często realia współczesnego życia społecznego i politycznego.

Kompozycja cyklu narracyjnego rozwija się w kilku właściwych dyskursom hagiograficznym etapach. Sceny po lewej stronie: dzieciństwo (I, II), lata nauki (III, IV), działalność (V–VIII) i cuda (IX) stanowią wstępny etap głównej historii, zajmującej prawą stronę drzwi, niemal w całości (dziewięć obrazów) poświęconej opowieści o misyjnej wyprawie świętego do Prus i jej konsekwencjach: wyprawa (I), działalność misyjna (II–IV), śmierć męczeńska (V). „Strzeżenie zwłok przez orły" (VI) rozpoczyna już dzieje kultu, obejmujące „Wykupienie ciała" (VII), „Transport do Gniezna" (VIII) i „Pogrzebanie" (IX). Zastanawia zakończenie cyklu tą właśnie sceną – brak bowiem zarówno cudów przy grobie jak i właściwego *translatio**. Zastanawiać może także brak sceny odnoszącej się do pobytu Wojciecha w Polsce przed wyprawą do Prus. Znamienne jest natomiast tak wielostronne przedstawienie misyjnej działalności Wojciecha, obejmującej chrzest, naukę, odprawienie mszy św. Wynika to z chęci rozwinięcia opowieści o największym dziele świętego. Tworzący w końcu XII w. rzeźbiarz nie miał podstaw do osadzenia tych wydarzeń w realnym otoczeniu: sceny wyprawy pruskiej (na które składają się grupy postaci) pozbawione są też jakichkolwiek elementów konkretyzujących miejsce – poza skąpą roślinnością występującą w scenie wystawienia zwłok. Elementy architektoniczne pojawiają się dopiero w scenie ostatniej – w Gnieźnie. Świat pogański jest światem nieokreśloności.

Otaczająca sceny bordiura, uważana do niedawna za element wyłącznie dekoracyjny lub co najwyżej za zbiór oderwanych symboli, zawiera komentarz do owych scen. Tak więc np. scenie Narodzenia towarzyszy Orion z psem-Syriuszem, ścigający zająca – w interpretacji kościelnej nie tylko dzielny wojownik, zwalczający dzikie bestie, ale i męczennik, a może i równocześnie polujący na dusze, czyli nawracający pogan. Przedstawieniu Wojciecha jako biskupa praskiego wypędzającego szatana z opętanego i scenie ukazania się Chrystusa świętemu odpowiada w bordiurze przedstawienie trzech pracowników w winnicy: zbierających grona, odnoszących je i wytłaczających sok z jagód. Da się to odnieść do biblijnej przypowieści: pracą jest duszpasterska działalność świętego, a zapłatą za

nią – zgodnie z wykładnią Hugona od św. Wiktora – *deum videre*, oglądanie Boga, czyli zbawienie – co właśnie ma miejsce w scenie następnej. Scenie wyprawy na misję towarzyszy przedstawienie Heraklesa walczącego i zabijającego smoka; nie jedyny w bordiurze motyw antyczny – w interpretacji chrześcijańskiej oznaczający walkę Chrystusa z szatanem, którą konkretyzuje św. Wojciech poprzez działalność misyjną. Towarzyszący tej scenie po stronie Prusów gryf jest symbolem diabelskiego okrucieństwa, ale równocześnie strażnikiem granic Scytii, czyli ziem pogańskich.

Umieszczenie drzwi w *porta regia*, w centralnym punkcie elewacji katedry, jako tła dla znajdującego się tu właśnie tronu królewskiego, podnosiło ich znaczenie i dopełniało ideową wymowę. Była to ilustracja kultu św. Wojciecha – patrona katedry, nauka moralności i apostolstwa: uniwersalnych i konkretnych zarazem zadań kościelnych. Dzieło to funkcjonowało jako źródło podniet intelektualnych dla uczonych i wychowanków szkoły katedralnej, mających okazję do konfrontacji swej wiedzy z subtelną symboliką przedstawień na bordiurze, których interpretacja, a także wiązanie ze scenami legendy wymagało przecież zarówno znajomości myśli antycznej, jak i chrześcijańskiej.

Powstanie tego dzieła łączy się z centralistycznymi dążeniami Kościoła, w którym Gniezno pełniło ważne funkcje jako metropolia, z rozwijanym intensywnie przez cały w. XII kultem św. Wojciecha, nie tylko jako patrona archidiecezji, ale także jako świętego państwa polskiego. Łączy się też zapewne z próbą odbudowania monarchii poprzez pryncypat Mieszka Starego, który odnowił tytuł króla polskiego i rezydował – być może – w Gnieźnie, choć mało prawdopodobne jest wystawienie Drzwi Gnieźnieńskich po raz pierwszy na widok publiczny w związku z książęcym zjazdem w r. 1177 w Gnieźnie, pod przewodnictwem Mieszka Starego. Nie bez znaczenia były też podejmowane wielokrotnie w w. XII wyprawy misyjne do Prusów i Lutyków (l. 1141, 1147, 1166). Aktualizującym składnikiem dzieła jest także motyw monarchiczny – nadanie Wojciechowi godności biskupa przez Ottona II, który to zwyczaj trwał w Polsce w w. XII.

Czy w scenie upomnienia Bolesława II czeskiego za handel niewolnikami (VIII) kryje się aluzja do dziejów Mieszka Starego i Żydów--mincerzy? Według Wincentego Kadłubka Mieszko był ostro napominany przez biskupa Gedkę. W każdym razie jest to wątek wyrażający nowe stosunki między Kościołem i państwem, spopularyzowany przez historię

---

* Translatio (łac.) – w tym przypadku przeniesienie relikwii świętego z grobu do relikwiarza.

arcybiskupa Tomasza z Canterbury, a u nas – przez dzieje sporu biskupa Stanisława i Bolesława Śmiałego.

Formuła plastyczna Drzwi Gnieźnieńskich prezentuje najwyższy ówcześnie poziom europejski. Łączy ona harmonijnie wartości tradycji oraz wyniki obserwacji natury i realnego życia człowieka, operowania formą kubiczną oraz linearną. Prostokątne pola reliefów wypełnione są ściśle scenami figuralnymi, zgodnie z zasadą izokefalii i – często – symetrii, której oś służy zwykle zaznaczeniu kulminacyjnego wydarzenia, także wówczas, gdy scena komponowana jest kontynuacyjnie. Rytmiczny układ figur – odstępstwa od tej zasady obserwujemy tylko w scenach IV, VIII i XIV – nie ogranicza dynamicznej ekspresji, która wyraża się w mistrzowskim wręcz operowaniu kontrapunktem form linearnych; znakomity tego przykład

54 stanowi klęcząca postać świętego w czasie modlitwy i grupa postaci towarzyszących nadaniu Wojciechowi godności biskupa. Dynamika form draperii, współdziałający z nią zwrot twarzy, wymowne gesty rąk, a także niezwykła wręcz ekspresja mimiki decydują o wyrazie dzieła. Warto uważnie prześledzić przemianę od niemal zupełnie stypizowanego, statycznego wyrazu twarzy Prusów w scenie przybycia Wojciecha, poprzez kornie schylone głowy w scenie chrztu, zindywidualizowane za pomocą kontrastu układów, następnie ożywione debatą w scenie udziela-

52 nia nauki, aż po groźne twarze w scenie odprawiania mszy św., wyrażające podjęcie tragicznej w skutkach decyzji.

Do najbardziej niezwykłych dzieł w skali europejskiej zaliczyć należy figuralne przed-

57 stawienie w Wiślicy, wykonane w gipsowej posadzce techniką rytu, zaprawionego czarną pastą. *Hic conculcari querunt ut in astra levari possint et pariter ve (...)* * – tekst umieszczony na krawędzi płyty stanowi klucz do zrozumienia podstawowej funkcji dzieła, tchnącego pokorą, oddaniem, pobożnością, głęboką nadzieją na wieczne zbawienie. Dwa lwy w górnej bordiurze, strzegące Drzewa Życia, oznaczają ów cel niebieski, a zachowane na lewym obramieniu dolnej części płyty – od strony północnej – gryf, centaurzyca, lew i nierozpoznane zwierzę symbolizują złe moce zagrażające człowiekowi, wobec których najlepszą bronią jest ucieczka do Boga poprzez modlitwę. Tak przedstawionych zostało owe sześć postaci – w akcie prywatnej dewocji.

Generalny sens tej sceny wyrażony został przez zwrot głów i twarzy ku górze, modli-

tewny gest uniesionych dłoni, pokorne pozy. Trudniej natomiast udowodnić identyfikację przedstawionych osób jako *pii fundatores et benefactores*, gdyż pozbawione są nawet atrybutów władzy. Sądzi się ostatnio, że dzieło to powstało w związku ze śmiercią Henryka Sandomierskiego podczas wyprawy przeciwko Prusom w r. 1166; Henryk od r. 1146 władał Wiślicą i był zapewne fundatorem kolegiaty. On to mógł być przedstawiony w górnej partii płyty wraz ze swym synem, Kazimierzem (zm. po 1167), w towarzystwie kapłana. Fundatorem dzieła byłby jego brat i następca w Wiślicy, Kazimierz Sprawiedliwy, przedstawiony w dolnej partii wraz z żoną i synem Bolesławem.

Znakomity rysunek świadczy o wykształceniu autora zdobytym w kręgu przodujących skryptoriów; świadczy o tym porównanie np. z *Biblią płocką*, sprzed 1148 r. Charakterystyczna jest dla niego interpretacja zasady izokefalii, dopuszczająca umieszczenie nóg na różnych poziomach – jak gdyby oparciem dla tych postaci była nie ziemia, ale niebo.

Płyta wiślicka należy do wyjątkowych dzieł, prezentujących monumentalne przedstawienia postaci świeckich we wnętrzu sakralnym, w bezpośrednim sąsiedztwie ołtarza. Jedyny tego rodzaju przykład na naszych ziemiach należy do szerokiego kręgu przedstawień fundatorów i dobrodziejów w obrębie chórów kościelnych – w technice malarskiej, tkackiej, a później i rzeźbiarskiej. Wysuwane jako precedens przedstawienia na drzwiach grobowej kaplicy książąt Apulii w Canossie (przed r. 1118) – być może znane z autopsji Henrykowi Sandomierskiemu – nie stanowią wprawdzie pełnej analogii, ale łączy te dzieła szereg wspólnych wątków treściowych. Należy też podkreślić, że należące do tego kręgu dzieła cechuje w owym czasie daleko posunięty indywidualizm. Posadzka wiślicka, datowana na trzecią ćwierć XII w., należy do najwcześniejszych przedstawień fundatorów i świadczy o istnieniu w Polsce twórczego środowiska artystycznego.

Fundacje biskupie, poza omówionymi już drzwiami, skupiły się m. in. na rzeźbiarskim wyposażeniu kościołów. Na czoło wysunęli się wówczas dwaj biskupi, bracia pochodzący z Malonne w diecezji leodyjskiej, Aleksander w Płocku oraz Walter we Wrocławiu. Z obydwu wzniesionych przez nich katedr niewiele się zachowało. Ale fundatorskie inicjatywy dotyczyły także innych dzieł. Zawierają one zwykle programy encyklopedyczne, nader rozbudowane wykłady teologiczne – co zresztą pozostaje w pełnej zgodzie z tym, co obserwujemy wówczas zarówno w sztuce francuskiej, jak i włoskiej.

---

* Ci pragną być deptani, aby się mogli wznieść ku gwiazdom (łac.).

Portal powstałego ok. r. 1140 kościoła Kanoników Regularnych w Czerwińsku, sprowadzonych przez biskupa Aleksandra z opactwa św. Idziego koło Liège, jest dobrym tego przykładem. Tympanon mieścił zapewne postać Pantokratora w otoczeniu uskrzydlonych aniołów, na nadprożu – figury apostołów z Marią, tworzące wspólnie, być może, scenę Wniebowstąpienia; na węgarach znajdowała się m.in. scena Zwiastowania, na kapitelach – przedstawienia symboliczne i alegoryczne, w tym walka herosa ze smokiem. Jest to dzieło – jak dowodzą najnowsze badania – rzeźbiarza wykształconego bezpośrednio w kręgu mistrza Wiligelma z Modeny, wytwór rzeźbiarza znającego dobrze sztukę Lombardii (o czym świadczą ścisłe analogie do rzeźby kościoła S. Michele w Pavii), korzystającego z doświadczeń innych środowisk tego czasu: Langwedocji (typ nadproża) i Burgundii.

Zapewne także biskup Aleksander fundował portal kolegiaty w Tumie pod Łęczycą (ok. 1161). Dzieło to wyszło z warsztatu, w którym powstały także rzeźby zoomorficzne i roślinne w Wiślicy i Czchowie, korzystającego ze wzorów włoskich, choć w przypadku portalu tumskiego zapewne poprzez środowiska nadreńskie. Podobnie zresztą północnowłoska dekoracja fryzu kolegiaty opatowskiej bezpośrednio łączy się z dekoracją zamkowego kościoła w Kwedlinburgu.

Tympanon portalu tumskiego, powstały zapewne na przełomie XII i XIII w., mieści niezwykle oryginalny temat: pasyjne przedstawienie Madonny z Chrystusem na kolanach, które należy uznać za prototyp później ukształtowanych Piet, łączące w sobie wyobrażenie Chrystusa jako dziecka i martwego ciała Zbawiciela. Maria trzymająca na kolanach dziecko jest zarazem matką opłakującą złożone na jej kolanach martwe ciało syna. Asystujące z boków anioły z krzyżem – symbolem męki pasyjnej – oraz z Drzewem Życia – symbolem zbawienia i wiecznego życia w Drugim Raju – stanowią potwierdzenie i rozwinięcie tej podstawowej treści w sferze symbolicznej.

Bogaty wystrój kolegiaty tumskiej dotrwał do naszych czasów we fragmentach. Zachowane malowidło w apsydzie pod zachodnią emporą z przedstawieniem grupy Deesis – Chrystusa z Marią i Janem Chrzcicielem w otoczeniu czterech cherubinów, według wizji Ezechiela, oraz postaci apostołów – dowodzi istnienia nie mniej bogatego wystroju malarskiego. Być może z balustrady empory, lektorium lub też z ołtarza pochodzi zachowany fragment rzeźby Pantokratora, z fragmentem napisu *Ego sum lux mundi*, ukazanego na przecinającym się kręgu sfery ziemskiej i niebiańskiej. Genetycznie dzieło to łączy się z Burgundią.

Zupełnie inny charakter mają rzeźbiarskie wystroje świątyń fundowane przez wielkich możnowładców, np. „rodu Łabędziów" na Śląsku i na Kujawach. Są to często nader rozbudowane zespoły, zróżnicowane zarówno pod względem treści, jak i zastosowanych typów i rodzajów artystycznych, ale ich cechą wspólną jest silne akcentowanie fundatorskich zasług, zwykle przez formę przedstawienia w tympanonie erekcyjnym.

Zachowało się ich w Polsce w całości cztery. Są to: tympanon z kościoła św. Michała w opactwie ołbińskim koło Wrocławia, fundowany przez Bolesława Kędzierzawego i jego syna Leszka oraz przez Jaksę i jego żonę Agafię z rodu Włostowiców, datowany na l. 1160–1173; tympanon z kościoła Augustianów p. w. P. Marii Na Piasku we Wrocławiu, fundowany przez Marię Włostowicową i jej syna Świętosława, datowany ok. r. 1170 (lub 1150–1160); tympanon z kościoła św. Prokopa w Strzelnie, fundowany zapewne przez Piotra Wszeborowica, z ok. 1170–1180 i wreszcie tympanon z kościoła Św. Trójcy w tymże Strzelnie, fundowany przez Piotra Wszeborowica i Annę, z l. 1180–1190.

Tympanony te mają analogiczną strukturę: środek zajmuje osoba boska lub święta w układzie frontalnym – Chrystus, Maria z Jezusem jako dzieckiem, Anna z Marią jako niemowlęciem; po obu stronach rozmieszczone są postacie donatorów, zwrócone ku środkowi. Postać centralna ma z reguły charakter prezentacyjny, jej byt jest samoistny. Nie nawiązuje ona żadnego kontaktu ani z donatorami, ani z ofiarowywanymi jej darami. Sens przedstawień donatorów spełnia się tylko w relacji do postaci centralnej. Rozgraniczenie to oznacza stosunek ideowej subordynacji, także odrębną rzeczywistość egzystencji tych osób. W tympanonie ołbińskim potwierdzona jest ona przez oddzielenie Chrystusa za pomocą mandorli oraz przez niemal dwukrotnie większe rozmiary jego postaci. Cecha ta wykazuje jednak tendencję malejącą; w tympanonie kościoła Św. Trójcy w Strzelnie nastąpiło całkowite wyrównanie proporcji.

Jakie jest podstawowe znaczenie tych dzieł? Po pierwsze – prezentacja określonych idei dogmatycznych: np. w tympanonie ołbińskim jawi się *Maiestas Domini*, władca na niebie i ziemi; w tympanonie w kościele Na Piasku – obraz Marii, drugiej Ewy, podającej Jezusowi jabłko – symbol strawy duchowej. Po drugie – przedstawienia fundatorów w relacji z Bogiem: donator ukazuje dar – model ufundowanego przez siebie kościoła; zwraca się z dziękczynną modlitwą; poza jego wyraża pokorne oddanie, *humilitas*. Fundacja jest manifestacją apostolskiej zasługi donatora i rozciągnięcia jej zwykle na najbliższą rodzinę. Widzowi prezentuje się zatem prawdy religijne, a równocześnie własne zasługi; stosunek do Boga wyznacza miejsce w hierarchii ziemskiego porządku społecznego. Przedstawienia w tympanonach fundacyjnych nie były wyrazem próżności, zaspokajania wybujałych ambicji, lecz sposobem określania swojego miejsca wobec Boga i ludzi.

Miały one także aspekt aktualny, rodowy i polityczno-państwowy. Świadczy o tym zwłaszcza tympanon ołbiński, w którym łącznikiem obydwu fundacji jest zarówno zakon benedyktyński, dla którego świątynie we Wrocławiu i w Bytomiu zostały ufundowane, jak i polityczne związki między Bolesławem Kędzierzawym i Jaksą, zięciem Piotra Włosta, związanym z możnym rodem śląskim.

Wbrew rozpowszechnionemu sądowi, występujące w tych tympanonach modele kościołów są dość wiernymi przedstawieniami zróżnicowanych typów fundowanych budowli. Uderza to zwłaszcza w przypadku oryginalnej kompozycji rotundy w Strzelnie, ale odnosi się także do dwuwieżowej bazyliki Św. Trójcy w Strzelnie czy kościoła św. Michała na Ołbinie.

Koncepcja tympanonów fundacyjnych, jako temat ramowy mająca oparcie w tradycji rzymskiej, bezpośrednio wywodziła się z dwóch źródeł. Z Bizancjum przejęty został motyw stojących postaci fundatorów oraz typ przedstawienia osoby świętej – siedzącej na tronie lub stojącej. Drugim źródłem była sztuka Zachodu. Jednakże tylko postać Chrystusa w mandorli na tympanonie ołbińskim reprezentuje zachodnią, kluniacką redakcję tego tematu, jak i rozpowszechnione przez benedyktynów treści ideowe; innym pogłosem sztuki Zachodu są klęczące postacie fundatorów na drugim tympanonie strzelneńskim, wiążące się z niemieckimi tympanonami fundacyjnymi.

Tympanony fundacyjne stanowią ważny, ale nie jedyny składnik bogatego niejednokrotnie wystroju rzeźbiarskiego kościołów. W opactwie ołbińskim znajdował się m.in. monumentalny portal (obecnie w kościele Marii Magdaleny we Wrocławiu), flankowany kolumnami wspartymi na lwach, z dwustronnym tympanonem, zawierającym sceny „Zdjęcia z krzyża" i „Zaśnięcia Marii", z przedstawieniem „Dzieciństwa Chrystusa" na archiwoltach i z figuralnymi kapitelami. Pierwotnie zapewne flankowany był figurami proroków – na co zdaje się wskazywać zachowany fragment rzeźbiarski z Biestrzykowa.

Rzeźba figuralna zdobiła także wnętrze kościoła; zachowane przekazy ikonograficzne dostarczają nam informacji o figurach świętych i wojowników, przywódców Legii Tebańskiej, postaci Michała Archanioła, a także scenie „Zwiastowania". Można sądzić, że były to rzeźby z przegrody chórowej. Biorąc pod uwagę liczne zachowane fragmenty detalu konstrukcyjnego i ornamentalnego, można dodać, że była to całość niezwykle bogata, o dobrym poziomie warsztatowym.

Podobne bogactwo wystroju plastycznego, charakteryzowało fundację strzelneńską, zwłaszcza kościół Św. Trójcy. Poza wymienionym już tympanonem zachował się fragment drugiego tympanonu – zapewne ze sceną „Zwiastowania", co byłoby dowodem penetracji nowej mariologicznej ikonografii na naszym terenie – a przede wszystkim znajdujące się *in situ* i we fragmentach kolumny, przeprute płytkimi arkaturami, w których pomieszczone zostały figury ludzkie. Jest to motyw dawny, ale znany z nielicznych tylko dzieł od VI do XII w., pojawiający się m.in. na kolumnach cyborium kościoła San Marco w Wenecji. Zupełnie wyjątkowa natomiast jest treść alegorycznych przedstawień strzelneńskich: arkady kolumny południowej mieszczą personifikacje cnót, północnej – występków. Przy tym kolumnę cnót wieńczy na kapitelu Chrystus – w scenie „Chrztu w Jordanie".

Koncepcja ta ukształtowała się w miejscowym środowisku zakonnym, na gruncie m.in. traktatu *Speculum virginis* – w którym jest mowa o drzewie cnót i występków – a przede wszystkim dzieł Hildegardy z *Bingen: Scivias*, a zwłaszcza *Korowodu cnót*, który zdaje się mieścić bezpośrednio program kolumn strzelneńskich. Pojawienie się przedstawień tej treści w tak eksponowanym miejscu, we wnętrzu kościelnym, ma zapewne uzasadnienie liturgiczne w występującym w kanonie mszy św. *Confiteor* – wyznaniu grzechów, wymienianych w różnej zresztą liczbie. Kolumny strzelneńskie stanowiły monumentalną tego ilustrację – ze znamiennym dla romańskiej myśli zrównoważeniem zła przez dobro. Twórcy tych dzieł pochodzili zapewne z Saksonii, wykształceni w rzeźbiarskich środowiskach północnej Italii.

Nie mniej oryginalnym dziełem jest tzw. tablica wotywna, mieszcząca postać Marii (lub Anny – jak chcą niektórzy) w otoczeniu patriarchów i proroków, z postacią fundatora u dołu. Jest to kolejny dowód wzmożenia się kultu maryjnego, a występowanie przedstawienia Marii w otoczeniu proroków stanowi częsty motyw rzeźby francuskiej XII w. Przeznaczenie tej tablicy nie jest jasne; być może jest to nastawa ołtarzowa.

Tak więc w stosunkowo niewielkiej przestrzeni architektonicznej mieścił się szereg wybitnych, pełnych ekspresji dzieł kultowych. Zapewne współcześni nie odczuwali tego jako nadmiaru, skoro w powstałym przed r. 1216 portalu północnym pojawił się tympanon z rozbudowanym programem figuralnym.

Powtarzające się zatem sądy o skromności wystroju kościołów romańskich w Polsce wymagają daleko idącej korektury. Inna sprawa, że najczęściej spotykamy się z zachowanymi fragmentami, nie pozwalającymi na rekonstrukcję programu ideowego i pełniejszą charakterystykę stylu; do takich przykładów należy m.in. figura św. Jana Chrzciciela z 65 katedry wrocławskiej, z około 1160–1180, być może pozostałość większego założenia portalowego, do którego najpewniej należały także zachowane fragmenty kamieniarki w obecnym portalu zachodnim; cztery lwy i tzw. sfinks, zachowane z pierwotnego opactwa benedyktyńskiego na górze Sobótce; dekora-22 cja zewnętrzna kościoła Joannitów w Zagości (ostatnia ćw. XII w.), z której zachowały się postacie syreny i trytona we fryzie arkadowym, pozwalające sądzić, że ta oryginalna dekoracja obiegała cały budynek. Bogaty wystrój istniał także w kościele w Wysocicach, gdzie poza portalem – mieszczącym przedstawienie Chrystusa na majestacie, z chorągwią rezurekcyjną, depczącego stwory, w otoczeniu biskupów, oraz scenę Bożego Narodzenia – znajdują się w szczycie elewacji kościoła koronowane postacie Marii i Chrystusa.

Zainteresowania fundatorów nie skupiały się tylko na dziełach monumentalnych, lecz także na drobnych rozmiarami, ale o wielkim znaczeniu dla kultu przedmiotach złotniczych. Były to najczęściej naczynia liturgiczne, oprawy ksiąg liturgicznych itp. Spełniając zazwyczaj cele użytkowe, zawierały równocześnie najgłębsze, nie obiegowe treści ideowe; wykonane były z drogocennych materiałów i prezentowały najwyższy poziom wykonawstwa.

Z Bolesławem Kędzierzawym i jego żoną Anastazją-Wierzchosławą związana jest o-28 prawa tzw. *Ewangeliarza Anastazji*, z trzeciej ćwierci XII w., z Chrystusem na majestacie, w monumentalnym, statycznym ujęciu, oraz z Marią i Janem w scenie „Ukrzyżowania”, uderzającymi dramatycznym wyrazem twarzy i gestów.

71 I kielich trzemeszeński, tzw. kielich Dąbrówki, wraz z pateną, datowany na ok. 1160–1180, prezentuje bogaty program teologiczny, oparty po części na zasadzie *concordatio* – zgodności dziejów Starego i Nowego Testamentu; zawarta w jego dekoracji główna myśl wiąże się z ideą eucharystii, jako źródła wszelkich cnót i dobrodziejstw.

W inny świat wprowadza nas II kielich trze- 72 meszeński, również mylnie uważany za dar Dobrawy, zwany królewskim, zapewne pochodzący z Gniezna, datowany na czas od ok. 1160 do końca XII w. Być może jest to dzieło miejscowego twórcy, wykształconego w Nadrenii lub w południowych Niemczech. Program tego kielicha zawiera wyłącznie sceny starotestamentowe, z dziejów Samuela, Eliasza, Elizeusza oraz Dawida, zaczerpnięte z Ksiąg Samuela i Ksiąg Królewskich. Jest wyrazem nowej koncepcji teologicznej, odnoszącej się do zagadnienia wzajemnych stosunków władzy kościelnej i świeckiej – koncepcji niezwykle aktualnej także na tle naszych dziejów, a wypracowanej przez Bernarda z Clairvaux, Jana z Salisbury i Gerhoha z Reichersbergu, głoszącej ograniczenie władzy królewskiej przez prawo i jej desakralizację poprzez wyłączenie pomazania królewskiego z rzędu sakramentów i nadanie mu znaczenia jedynie błogosławieństwa.

Szczególnie ważnym obiektem jest patena z 69 Lądu, zwana kaliską, z l. 1193–1202, dzieło mistrza Konrada, pochodzącego zapewne z Nadrenii, fundowana przez Mieszka Starego. Rewers ukazuje scenę ofiarowania przez Mieszka kielicha i pateny św. Mikołajowi; książę został przedstawiony w asyście opata lędzkiego, Szymona. W dekoracji kielicha znalazła się także postać złotnika Konrada; jest to zatem najstarszy „autoportret” artysty w sztuce polskiej, co nadaje temu dziełu szczególną wagę. Na awersie widnieje „Ukrzyżowanie”, a na otoku scena „Zwiastowania” oraz popiersia Izajasza, Habakuka oraz św. Pawła.

Omówione dzieła, ufundowane przez ściśle dające się określić osoby, reprezentujące trzy główne warstwy fundatorów: książąt, biskupów i wielmożów, których intencje ideowe dzięki tym dziełom potrafimy określić, budzą podziw wysokim poziomem wiedzy i myśli teologicznej. Niemal bez wyjątku są to dzieła pod względem artystycznym znakomite na tle ówczesnej sztuki europejskiej. Są także oryginalne: ich programy ideowe nie są powtórzeniem gotowych wzorów, lecz wytworem miejscowego środowiska lub też zostały dla tego środowiska opracowane. W szeregu wypadków treści owe wykraczają poza ramy średniowiecznego uniwersalizmu, dzięki wyborowi interpretacji wątków ogólniejszych, teologicznych czy hagiograficznych – czego przykładem są Drzwi Gnieźnieńskie. Oryginalne są te dzieła także w sposobie artystycznego formułowania. Ich twórcy korzystali z doświadczeń różnych środowisk w sposób na tyle samodzielny, że ich określenie nie zawsze jest możliwe. Prowadziło to wielokrotnie do powstania znakomitych, nieznanych w innych środowiskach rozwiązań ideowo-artystycznych, czego przykładem może być pomieszczenie na bordiurze Drzwi Gnieźnieńskich sformułowanego w języku symboli i alegorii komentarza cyklu narracyjnego, wprowadzenie na kolumny kościoła strzelneńskiego rzeźby i osiągnięcie w ten sposób monumentalności i ekspresji zarazem, przedstawienie na jednym tympanonie dwu aktów fundacyjnych, z których tylko jeden da się odnieść do budowli ozdobionej tym tympanonem itd.

Cecha oryginalności nie stanowiła w owym czasie wartości samodzielnej dla twórców, którzy dążyli do realizacji innych celów ideowo-artystycznych. Jest ona wynikiem dostosowania powstających dzieł do miejscowych celów i funkcji; jest także świadectwem własnej myśli ideowej twórców, powodującej transformację znanych środków artystycznych i sięgnięcie po nowe – choć przecież korzystanie z uznanego dorobku ważnych środowisk ideowo-artystycznych ówczesnej Europy było powszechne. Można przecież stwierdzić, że nie tylko liczne i dominujące w obrazie całości dzieła rzeźby kamiennej powstawały na miejscu, ale zapewne także Drzwi Gnieźnieńskie i szereg ważnych wytworów złotniczych. Istniały na miejscu warsztaty wykonawcze, narzędzia, przygotowane tworzywo, wiedza techniczna, twórcy i wykonawcy; tu toczyły się dyskusje dotyczące programów ideowych i artystycznego kształtu dzieła, którego powstanie można było śledzić krok za krokiem.

Sztuka gotycka zaczyna się formować na ziemiach polskich w połowie w. XIII, swój rozkwit przeżywa w w. XIV i XV, jej znaczenie słabnie w ciągu pierwszej tercji w. XVI, ale do końca tego stulecia w pełni nie zamiera, odżywając w różnych nurtach sztuki ok. r. 1600.

Na odrębność epoki gotyku wpłynęło szereg nowych procesów społeczno-politycznych, ideowych i artystycznych. Na czoło wysuwają się podejmowane w ciągu w. XIII przez książąt śląskich i wielkopolskich próby zjednoczenia i restytucji królestwa, zrealizowane po epizodzie rządów Przemyślidów w l. 1300–1306, przez Władysława Łokietka, księcia łęczyckiego i kujawskiego, koronowanego w Krakowie w r. 1320. Zjednoczone królestwo objęło z rdzennych ziem pierwszego i drugiego królestwa Małopolskę, Wielkopolskę, Kujawy, Łęczyckie, Sandomierskie, Sieradzkie i część Pomorza. Poza granicami został Śląsk, przechodzący w ciągu XIV w. w lenne władanie Luksemburgów, Mazowsze, oscylujące między Koroną i państwem krzyżackim, Pomorze Zachodnie, utracone już w XIII w., a także Gdańskie, zajęte w początku XIV w. przez Krzyżaków i odzyskane dopiero w połowie XV w. W r. 1370 wygasa królewska linia piastowska i po krótkich rządach Andegawenów tron obejmują Jagiellonowie.

W zakresie zjawisk ekonomiczno-społecznych podstawowe znaczenie miało powstanie, ukształtowanie się i następnie intensywny rozwój nowego modelu miasta, także jako ośrodka artystycznego.

W życiu religijnym ważne było uzyskanie daleko posuniętej niezależności Kościoła od władzy książęcej i królewskiej, utworzenie w ciągu XIII w. i później gęstej sieci kościołów parafialnych, silny rozwój klasztorów miejskich – franciszkańskich i dominikańskich.

W życiu artystycznym zaszły zasadnicze zmiany w dziedzinie organizacji twórczości: obok artystów zakonnych, katedralnych oraz dworskich pojawiają się twórcy miejscy, z czasem zorganizowani w cechy, pełniące wielorakie funkcje (organizacja i kontrola produkcji, przestrzeganie zasad kształcenia itd.). Miasto staje się nie tylko skupiskiem nowego typu odbiorców, ale także fundatorów, wysuwających na pierwszy plan własne cele i wartości ideowe oraz artystyczne. Oznacza to powstanie po raz pierwszy „samowystarczalnych" środowisk artystycznych.

W gotyku dokonały się głębokie i wielorakie przemiany w sferze ideowej, mające decydujące znaczenie dla kształtu sztuki, stawiające przed nią nowe zadania, a równocześnie formujące mentalność twórców i odbiorców. Dopiero teraz chrześcijaństwo stało się własnością całego społeczeństwa, choć rozumienie zasad religii było zróżnicowane. Wiązały się z tym wszelkie konsekwencje popularyzacji – od uproszczenia do indywidualizacji stosunku do spraw wiary. Silne zaangażowanie osobiste, a przede wszystkim emocjonalne, wspierane rozkwitem późnośredniowiecznej mistyki, zwłaszcza w wydaniu franciszkańskim, wiązało się z rzutowaniem wizji świata człowieczego na świat religii. Wyrażało się to m.in. w akcentowaniu humanistycznych aspektów w kulcie Chrystusa i Marii oraz w rozwijaniu tzw. tematów dewocyjnych w interpretacji mistycznej. Subiektywizm tej postawy, osłabiający wyłączność dotychczasowego „intelektualizmu", stanowił jedną z podstaw wykształcenia się gotyckiego obrazowania, gwarantującego uobecnienie każdego „wydarzenia" i osobisty w nim udział widza-wiernego. „Pozytywny" stosunek do świata jako tworu bożego, przekonanie o nasyceniu każdego fragmentu rzeczywistości pierwiastkiem bożym prowadziło do wytworzenia się nowego typu tzw. ukrytego symbolizmu, a możność poznawania prawd bożych także w drodze empirycznej sprzyjała przedmiotowemu poszerzeniu horyzontów sztuki. Zwiększenie znaczenia podmiotu religii wiązało się z rozkwitem kultu świętych oraz z ich pewnego rodzaju „utylitaryzacją" – w formie patronatów zawodów, korporacji, patronatów terytorialnych, rodzinnych itd. Fakt pojawienia się obok dawnych środowisk feudalnych mieszczaństwa nie tylko spowodował ukształtowanie się nowego, czynnego środowiska religijnego kulturalnego i artystycznego, ale także wpłynął na wytworzenie się nie znanego dotąd układu opozycyjnego, przyczyniając się do wyrazistości występujących w sztuce – dworskiej lub mieszczańskiej – wizji świata.

W w. XIII powstają pierwsze miasta na prawie magdeburskim i jego odmianach – Złotoryja, Legnica, Wrocław, Kraków, Poznań, Środa Śląska i in. W drugiej połowie tego stulecia pojawia się struktura w pełni gotyckiej architektury, znana dotychczas tylko w wersji cysterskiej. Kształtuje się nowy typ programów figuralnych – w nawiązaniu do programów katedralnych – o tematyce głównie mariologicznej i eschatologicznej. Pojawiają się też nowe formuły ideowo-artystyczne, a zwłaszcza nowy typ gotyckiego obrazowania, w którym obok symbolu i konwencji pojawia się obraz – odpowiednik rzeczywistości; stopień jej konkretyzacji jest jednym z wyznaczników rozwoju sztuki gotyckiej.

W dziedzinie architektury przoduje budownictwo śląskie; należy tu wymienić palatium i 129, 131 kaplicę w Legnicy, katedrę we Wrocławiu 99, (1244–1272), budowle cysterskie (Henryków i 73 Trzebnicę), a następnie budowle franciszkanów i dominikanów (we Wrocławiu, Krakowie, Poznaniu). System dość ciężkiej w proporcjach hali pojawia się w drugiej połowie XIII w. Występuje on w wersji dwunawowej 74 (Ziębice, Toruń – franciszkanie) oraz trzynawowej (Gorzów, katedra w Chełmży – po 1251, kościół św. Jana w Toruniu, kościół 138 Mariacki w Krakowie – z przełomu XIII i XIV w.). Refleksem klasycznego gotyku jest 73 kaplica św. Jadwigi w Trzebnicy. Na terenie państwa krzyżackiego powstają pierwsze 82 regularne zamki (np. Malbork).

Rozwojowi architektury towarzyszy rozwój rzeźby, głównie w powiązaniu ze środowiskami Saksonii i Hesji. Powstają duże zespoły rzeźby architektonicznej w Trzebnicy i we wrocławskiej katedrze, wykazujące tendencje do wczesnego naturalizmu. Szczytowym osiągnięciem tego nurtu są rzeźby kaplicy trzebnickiej, łączące naturalizm z ekspresyjnym dramatyzmem, oraz dzieła, które określamy jako klasykę rycerską, takie jak Madonna Łokietkowa z Wiślicy (ok. 1280), 104 posąg księżnej Salomei z Głogowa (ok. 1290), 106 posąg nagrobny Henryka IV z Wrocławia (ok. 1300). Powstają pierwsze obszerne programy rzeźbiarskie – w Złotoryi, Kwidzynie, Malborku; tradycyjny nurt, związany z Gotlandią, reprezentują kapitele figuralne z Kołbacza i Szadzka. Malarstwo miniaturowe wyjątkowo tylko, jak np. *Antyfonarz lubiąski* (1280–1290), reprezentuje nowe tendencje.

Lata 1300–1370 to okres kształtowania się miejscowych środowisk . artystycznych, zwłaszcza na terenie Śląska, Małopolski i państwa krzyżackiego. Do najważniejszych zadań artystycznych należy uformowanie murowanego miasta gotyckiego – budowli komunalnych, handlowych, kościelnych, obronnych. a w pewnej mierze także mieszkalnych – oraz budowy zamków królewskich, jako w pełni zaplanowanych systemów obronnych. Główny kierunek stanowi nurt gotyku redukcyjnego – „antygotyk", skierowany przeciw klasycznej konstrukcji filarowo-odporowej, integrujący wnętrze, przywracający znaczenie ścianie, operujący ostrym rysunkiem form konstrukcyjnych i dekoracyjnych.

Jest to okres niezwykle intensywnego rozwoju architektury. Z fundacji króla wznosi się liczne zamki, w tym zamek wawelski – tzw.

Wieżę Łokietka (po 1306) oraz palatium o 180 charakterze wieżowym (1385–1397) – Kurzą Stopę. W państwie krzyżackim powstaje sieć zamków, budowanych według jednolitego, regularnego planu, podyktowanego programem obrony zewnętrznej i wewnętrznej. Na ich czele wymienić należy Malbork (Zamek 82 Wysoki – koniec XIII w., oraz Średni – 1318–1324).

W tym też czasie powstają gotyckie katedry: 129 korpus katedry wrocławskiej (1. poł. XIV w.), katedra krakowska (1320–1346–1364), gnieź- 132 nieńska (od 1342), poznańska (po 1346), we 136 Fromborku (1329–1388) i Chełmży – wzno- 137 szone według różnorodnych planów. 76

W Małopolsce tworzy się typ kościelnej architektury o charakterystycznej konstrukcji (sprowadzenie szkarp wzdłuż filara nawy od strony nawy bocznej) i poziomej artykulacji elewacji wewnętrznej. Sformułowany w krakowskiej katedrze, zastosowany został w szeregu kościołów stolicy – P. Marii, św. Kata- 138 rzyny, Dominikanów, Bożego Ciała.

Odpowiada temu ukształtowany w kręgu oddziaływania architektury zakonnej typ architektury sakralnej, tzw. „szkoły wrocławskiej", o charakterystycznym typie arkady i filara międzynawowego, dominacji ściany nad arkadami, artykułowanej jedynie płaskimi lizenami, o tzw. korytarzowym typie przestrzeni. Zapoczątkowany w katedrze, zrealizowany w kilku kościołach wrocławskich (np. św. Marii Magdaleny, św. Elżbiety), występuje także w Strzegomiu, Legnicy i Świdnicy – w tych trzech ostatnich z charakterystyczną trójchórową partią wschodnią. W ramach tego typu powstawały także budowle halowe – np. P. Marii Na Piasku czy św. Doroty i św. Stanisława.

Halowy typ reprezentują także kościoły fundowane przez króla Kazimierza III, zwanego Wielkim, reprezentujące szczególny typ „dworskiej" przestrzeni, zwłaszcza w Wiślicy 139 (ok. 1350), Niepołomicach, Sandomierzu (1360–1387), w katedrze we Lwowie (ok. 1370), w Szydłowie i Stopnicy. Powstawały również kościoły jednofilarowe (Św. Krzyża w Krakowie, w Kurzelowie – ok. 1360, Chybicach – ok. 1362, Skotnikach – ok. 1372).

Na ziemiach północnych decydujące znaczenie miał typ hali o szerokich zwykle nawach i krótkim korpusie – podstawowy typ czterofilarowy, o trzech nawach i trzech przęsłach, bez wydzielonego prezbiterium: np. w Brodnicy, Chełmnie, Chełmży, Grudziądzu, Kwidzynie, Barczewie, Dobrym Mieście, Olsztynie. Bardziej oryginalna interpretacja tego typu pojawiła się w kościele św. Jakuba w 78 Toruniu (1309–1350) i franciszkańskim P. Marii w Toruniu (wysoka hala z wprowadzonymi do wnętrza szkarpami), a także we Fromborku.

Równolegle z rozwojem architektury rozkwita rzeźba kamienna, głównie architektoniczna, w obrębie której ukształtowały się ramowe programy, przede wszystkim na wspornikach i zwornikach, jak np. w katedrze wrocławskiej i krakowskiej, w kaplicy w Lubiążu (w połączeniu z nagrobkiem), w Jaworze, Bolkowie, w licznych kościołach wrocławskich (od poł. XIV w.), w kościele Mariackim w. Krakowie (1355–1365); rzadziej są to tympanony (Głogów; Radłów, 1337; Lubiń, 1349; Strzegom) – zwykle o charakterze prezentacyjnym. Wyjątkowo pojawiają się rzeźby statuaryczne – przy portalach (np. w kościele Marii Magdaleny we Wrocławiu) lub we wnętrzu (kaplica w Malborku, ok. 1340; fara w Chełmnie, ok. 1340; kościół Marii Magdaleny we Wrocławiu, 1360–1370; kościół w Brodnicy). W środowisku małopolskim wykształciły się oryginalne programy heraldyczne, zwłaszcza w budowlach związanych z fundacją królewską (np. w Niepołomicach), także w tzw. kamienicy Hetmańskiej w Krakowie. W państwie krzyżackim pojawiła się w rzeźbie architektonicznej tematyka rycerska (np. refektarz malborski, ok 1330), a także bogata rzeźba religijna na portalach (kaplica malborska).

Rozwija się rzeźba kultowa (np. krucyfiks z Kamienia Pomorskiego czy z kościoła św. Marcina we Wrocławiu – obydwa z 1. ćw. XIV w.). Wzrost jej liczebności wiąże się z rozpowszechnieniem drewna jako materiału rzeźbiarskiego. Z czasem pojawia się interpretacja mistyczna (np. krucyfiks z kościoła Bożego Ciała we Wrocławiu – ok. 1350, Chrystus Bolesny i Matka Bolesna na wspornikach zakrystii św. Jana w Toruniu – ok. 1350). Znany od początku XIV w. temat Piety (np. Pietą z Wojnicza) uzyskuje monumentalną formę w Piecie z Lubiąża (ok. 1360).

Kult Marii wyraża się w wielkiej liczbie powstających teraz figur Madonny, ewoluujących od konwencji linearnej ku plastycznej, a następnie plastyczno-przestrzennej.

Analogiczne tendencje wykazują nagrobki. W początkach XIV w. trwają jeszcze tradycje klasyki rycerskiej (figury Henryka IV wrocławskiego czy Bolka I świdnickiego). W drugiej ćwierci XIV w. panuje tzw. styl linearny (Bolko i Jutta w Henrykowie, para rycerska we Lwówku, nagrobek Łokietka w Krakowie i Bolesława Chrobrego w Poznaniu); ok. 1350 następuje odrodzenie wartości plastycznych (nagrobek Henryka VI wrocławskiego i Bolka III legnickiego). Pomniki te, poza typowymi treściami eschatologicznymi, zawierały często treści polityczne.

Malarstwo rozwijało się na ziemiach polskich w odrębny sposób. Początkowo są to głównie iluminacje kodeksów, w znacznej części importowanych. Malarstwo ścienne, poza nielicznymi wyjątkami, i tablicowe pojawia się dopiero w drugiej połowie XIV w. Decydujące znaczenie mają powiązania z Czechami. Madonna Kłodzka czy „Św. Trójca" ze Świerzawy (ok. 1360) wiążą się z czeskim italianizmem Mistrza z Wyższego Brodu, a niepołomickie freski, ukazujące legendę św. Cecylii (ok. 1370–1375) – z działającym na Węgrzech i w Czechach Tommaso da Modena. Z wpływem twórczości Mistrza Teodoryka łączone są monumentalne malowidła w Małujowicach (po 1365). Malarstwo, zwłaszcza ścienne, pełniło ważne funkcje liturgiczne i dydaktyczne. Malowidła w kościele św. Jana w Gnieźnie (1350–1360), nie pozbawione akcentów mistycznych, wiążą się z porządkiem roku kościelnego; malowidła chóru w Strzelcach Świdnickich (1360–1370) pełniły podobne funkcje w parafii wiejskiej – co określało także prostotę ich artystycznej formy. Podobne dzieła powstawały czasem przez dłuższy okres, tworząc złożony cykl, jak np. w kościele św. Jakuba w Toruniu (od ok. 1350 do 1400).

Mistyczna interpretacja Pasji pojawia się już w początkach XIV wieku („Ukrzyżowanie" u opolskich franciszkanów), zyskując także redakcję dramatyczną (malowidła w Miechowie, 3. ćw. XIV w.). Czasem wątki uniwersalne łączą się z historycznymi, mając nawet wymowę polityczną (malowidła w Lądzie, ok. 1360–1370).

Niewątpliwie najciekawszy zespół miniatur zawiera *Żywot św. Jadwigi* (1353), związany z Czechami; w zespole tym na tle fabuły hagiograficznej spotykają się wątki mistyczne z realistyczną obserwacją życia społecznego. W l. 1370 do 1400 następuje znaczna polaryzacja dążeń ideowo-artystycznych. W zakresie architektury kształtuje się nowa koncepcja, oparta na integracji, operowaniu iluzyjną przestrzenią i światłem, z położeniem nacisku na formę dekoracyjną, a nie na konstrukcję. Dotyczy to zarówno kompozycji planistycznych, układów przestrzennych, jak i systemów sklepiennych. W zakresie sztuk przedstawiających, w których jeszcze dominuje rzeźba – egzystują obok siebie trzy nurty: doktrynalny, a równocześnie iluzyjny nurt Madonn na lwie, szeroko rozumiany dworski nurt parlerowski – łączący wartości realistyczne i monumentalne zarazem – wreszcie styl „piękny", czyli nurt idealizującego realizmu (m.in. tzw. Piękne Madonny).

W dziedzinie architektury na terenie ziem południowych trwa przede wszystkim konty-

nuacja dzieł i koncepcji z poprzedniego okresu. Nowa koncepcja przestrzeni formuje się w
175 kręgu działalności Henryka z Braniewa (prezbiterium kościoła św. Jakuba w Szczecinie, 1375–1387); wyraża się ona we wprowadzeniu przypór do wnętrza oraz ozdobieniu zewnętrznych lizen bogatą dekoracją z glazu-
177 rowanej cegły (Stargard, Chojna, także kolegiata P. Marii w Poznaniu). Podobne tendencje reprezentuje wyjątkowe dzieło – pałac
181 Wielkiego Mistrza na zamku malborskim (1383 – 1399).

Atrakcyjność założeń halowych wyraziła się w stwarzaniu iluzji tego rodzaju rozwiązań (charakterystyczne przedłużenie filarów mię-
80 dzynawowych w kościele Cystersów w Pelplinie, po 1380; attyki z 1. poł. XV wieku
77 nadające bazylice w Ornecie, z ok. 1379, charakter halowy.

W nawiązaniu do architektury parlerowskiej powstał w Nysie kościół św. Jakuba (do 1430), dzieło Piotra z Ząbkowic: trójnawowa hala, nakryta niegdyś integrującym przestrzeń sklepieniem sieciowym.

125 W l. 1391–1399 powstaje ratusz toruński – w obecnym swym kształcie – z dekoracyjną wieżą typu flandryjskiego; zostaje także
124 wzniesiony ratusz Głównego Miasta w Gdańsku (ok. 1379).

Ukształtowany w latach sześćdziesiątych XIV
162, w. tzw. krąg Madonn na lwach cechuje się
164 doktrynalnym, symbolicznym ujęciem treści teologicznych , w formule iluzyjnej, ulegającej silnej konwencjonalizacji. W kręgu tym
166 powstały także pierwsze ołtarze szafiaste. Główne ich tematy stanowiły Koronacja Marii oraz Madonna w wersji siedzącej (*sedes sapientiae*) bądź stojącej – na lwie. Do zna-
163 nych dzieł należy zespół apostołów z kościoła Marii Magdaleny we Wrocławiu.

Na terenie państwa zakonnego nurt ten ma znaczenie dominujące. W tym też środowisku
160, formuje się ok. r. 1380 typ Madonn szafko-
161 wych – łączący temat Madonny z Dzieciątkiem, Płaszcza Opiekuńczego oraz Tronu Łaski.

Śląsk znajduje się od ok. 1380 r. pod silnym wpływem nurtu parlerowskiego, korzystając z doświadczeń praskich, austriackich, a także saskich. Dotyczy to zarówno rzeźby architek-
178 tonicznej (portal zachodni w Strzegomiu, portal południowy kościoła św. Marcina i figury
107– na wieży ratuszowej w Jaworze, a także figury
109 Piotra i Pawła flankujące portal kościoła św.
172 Piotra i Pawła w Legnicy i in.), jak i nagrobkowej (zespół nagrobków w Opolu, nagrobek
168 Henryka II Pobożnego we Wrocławiu). Podobne tendencje stylowe reprezentują dzieła nie łączące się bezpośrednio z wpływami parlerowskimi, jak np. antykizujące

wsporniki w Głogówku czy nagrobek Matyldy w Głogowie. Także wystrój rzeźbiarski katedry gnieźnieńskiej zawiera złożony, tradycyjny program religijny, jak też interesujące wątki polityczne. Nagrobek Kazimierza Wielkiego w Krakowie wiąże się z „dworskim stylem" środowiska wiedeńskiego.

W końcu XIV w. zaczyna dominować tzw. styl międzynarodowy (zwany też „pięknym" lub „miękkim"), zwłaszcza na Pomorzu i Śląsku.

Na Pomorzu czołowe miejsce zajmuje Piękna 174 Madonna z Torunia, wspornik z popiersiem Mojżesza tamże oraz Madonna Dobrej Nadziei i klęczący Chrystus z Malborka. Dzieła te charakteryzuje – obok bogactwa myśli teologicznej – rozbudowanie warstwy treści emocjonalnych, operowanie obrazem człowieka ukształtowanym na gruncie wnikliwego studium natury, a równocześnie poddanym idealizacji. W Gdańsku podobne tendencje reprezentowały Madonny z kaplicy Rajnolda oraz Bractwa Maryjnego.

Środowisko śląskie reprezentują: Piękna Ma- 170 donna wrocławska z kościoła św. Elżbiety oraz zespół Piet, w których dawne treści mistyczno-dewocyjne zostały przetworzone w duchu „stylu pięknego", mającego równocześnie charakter stylu dworskiego (Piety z kościoła św. Elżbiety, Urszulanek, P. Marii we Wrocławiu, ze Świdnicy, z Ołtaszyna). Do zespołu śląskiego należą też figury Chrystusa Boleściwego z kościołów Marii Magdaleny (ok. 1390) i Doroty (ok. 1410). Podobny do śląskich charakter ma krakowska Pietà z 159 kościoła św. Barbary (ok. 1390).

Na terenie Małopolski związane są z tym nurtem Madonny z kościoła św. Mikołaja w Krakowie (1420–1430) i z Kazimierza Dolnego (ok. 1420). W Wielkopolsce – Piety z Wągrowca (ok. 1400) i Domachowa, Madonna z Czempinia, krucyfiks z Szamotuł. 86 Późniejszy kierunek linearny reprezentuje najlepiej Pasja z kaplicy Dumlosych we Wro- 176 cławiu (ok. 1410), a podobnie Madonna z Krużlowej (1420–1430) i „Opłakiwanie" z 179 Gościeszyna (ok. 1420). Tendencja ta, sprowadzana często do pomnażania plastyczno-linearnych form dekoracyjnych, pojawia się w wielu późniejszych dziełach stylu międzynarodowego.

Nurt „realistyczny" reprezentują nieliczne dzieła: krucyfiks z Pasji w kaplicy 11 Tysięcy 84 Dziewic w kościele Mariackim w Gdańsku (pocz. XV w.), nagrobek Jana z Czerniny w Rydzynie (po 1423), Chrystus Boleściwy z 157 fary poznańskiej (1435–1440), Pasja i Apostołowie z kościoła św. Mikołaja w Elblągu. Osobne zjawisko stanowią importowane z Anglii ołtarze alabastrowe.

Malarstwo w dalszym ciągu reprezentują nieliczne jeszcze dzieła. Na przełomie XIV i XV w. decydujące znaczenie ma dworska interpretacja narracyjnych i prezentacyjnych scen religijnych, np. w kościele w Kałkowie (kon. XIV w.), zgodnie z podobną tendencją w rzeźbie tego czasu (tympanony legnicki i strzegomski); nurt ten reprezentują także „Św. Anna Samotrzecia" ze Strzegomia (ok. 1400) – ujawniająca idealizm w redakcji czesko-burgundzkiej – oraz Madonna z katedry wrocławskiej (ok. 1420), związana z Madonną Wyszobrodzką i idealizmem Pięknych Madonn. Szczególne znaczenie miały interpretowane w duchu scen rycerskich przedstawienia Pokłonu Trzech Króli – w Brzegu, Strzelnikach czy Krzyżowicach (1418–1428) – nie pozbawione pewnych akcentów antyhusyckich, związane z wpływami burgundzkimi, podobnie jak rzeźba sakrarium w Borowie Polskim.

W Małopolsce podobna tendencja rysuje się w pierwszych dziełach tablicowych, związanych ściśle ze stylem międzynarodowym; przykładami mogą tu być postaci świętych z Trzebuni (1420–1430), Trzy Święte z Sandomierza (1430–1440), a zwłaszcza „Św. Katarzyna" z Biecza, najściślej związana z kierunkiem Pięknych Madonn (2. ćw. XV w.).

W kręgu fundacji Władysława Jagiełły natomiast tworzy się enklawa malarstwa bizantyńsko-ruskiego, jako wyraz osobistych upodobań króla: przykładem tego są malowidła w Krakowie – na zamku i w kaplicy Św. Krzyża w katedrze, u benedyktynów na Łyścu, w katedrze gnieźnieńskiej (1393–1394), w Wiślicy (po 1400) i w kaplicy zamkowej w Lublinie (ok. 1418).

Wiek XV to okres szczególnie intensywnego, złożonego i często kontrowersyjnie interpretowanego rozwoju malarstwa i rzeźby. Jeszcze przed połową wieku kształtuje się w malarstwie krakowskim tzw. *modus humilis*, wywodzący się z tradycji stylu międzynarodowego, ale opanowany przez schematy i wykazujący uproszczenie w ikonografii, przeznaczony dla szerokiego kręgu odbiorców; do kręgu tego należą np. Ołtarz z Ptaszkowej (ok. 1440) i „Ukrzyżowanie" z Korzennej. Wyjątkowo udanym dziełem tego nurtu jest „Zdjęcie z Krzyża" z Chomranic (ok. 1440). Nurt ten utrzymuje się do lat sześćdziesiątych XV w. Na Śląsku Ołtarz św. Barbary (1447) i jego krąg stanowią wybitny precedens dla tendencji realistycznych, które nie zostają jednak upowszechnione. Twórczość tzw. Mistrza lat 1468–1487 zmierza w kierunku dramatycznej ekspresji, kontynuowanej w późnych dziełach Mistrza z Gościszowic – działającego również na terenie Wielkopolski – i Mistrza z Góry.

Inaczej w Małopolsce, gdzie Ołtarz Dominikański (ok. 1460) przynosi pierwszy przełom w schematach „szkoły krakowsko-sądeckiej"; dalsze dzieła zmierzają w kierunku pewnego typu realizmu (Ołtarz Św. Trójcy – 1467, Ołtarz z Mikuszowic – 1467, Ołtarz Augustiański w Krakowie – dzieło M. Haberschracka, po 1468). W końcu stulecia decydujące znaczenie mają: swoisty dramatyzm (Ołtarz z Książnic Wielkich, 1491), formuła linearna (Tryptyk Olkuski Jana Wielkiego i Stanisława Starego, ok. 1485), aranżacja płaszczyznowa (Ołtarz Bodzentyński, ok. 1508), jak też rozbudowywanie przestrzeni (Ołtarz Jana Jałmużnika, ok. 1504). Podobnie jak na Śląsku – w początku XVI w. decydujące znaczenie mają tu wpływy Niderlandów (widoczne np. w „Zwiastowaniu" Mistrza Jerzego, 1517) oraz działalność artystów pochodzących z Niemiec.

Wielkopolska korzysta głównie z warsztatów małopolskich oraz śląskich. Natomiast oryginalne środowisko stanowi złączony znów z Koroną Gdańsk, artystycznie powiązany bezpośrednio z Niderlandami i Dolną Nadrenią (np. tzw. mały ołtarz Ferberów). Realistyczną obserwację w połączeniu z historyczną wiedzą reprezentuje twórca „Oblężenia Malborka" (1481–1488). Z Dolną Nadrenią związany jest Ołtarz Jerozolimski, przynoszący szeroką narrację w ujęciu kontynuacyjno-symultanicznym. Podobny typ narracji spotykamy w „Zdjęciu z krzyża" z Torunia (1495).

W rzeźbie wielkie i nowe zjawiska występują dopiero w drugiej połowie XV w. Gdy w Małopolsce dominuje ołtarz malarski, na Śląsku wysuwa się na czoło tryptyk rzeźbiony; początkowo stosuje się ustalony w XIV w. schemat ołtarza Czterech Dziewic, później – trójosobową grupę prezentacyjną. W latach sześćdziesiątych XV w. upowszechnia się tzw. styl łamany, w zasadzie związany z tendencją realistyczną, jako reakcja wobec idealizującego stylu miękkiego. W Małopolsce jest on reprezentowany przez bardzo tradycyjny Ołtarz Św. Trójcy (1467), na Śląsku – przez Ołtarz Złotników w kościele Marii Magdaleny (1473). Ołtarz z Zasowa (1470) ujawnia operowanie już reliefową sceną narracyjną. Natomiast w doskonałym wrocławskim Ołtarzu Zwiastowania (ok. 1480) zastosowano układy konwencjonalne, zgodnie z symbolicznymi treściami, a formy łamane mają tu głównie znaczenie dekoracyjne. Dla Śląska charakterystyczne jest działanie szeregu wyraźnie zarysowanych indywidualności, takich jak Jost Tauchen, Paul Preusse, Bricius Gauszke, Peter Franczke, Hans Berthold (twórcy m. in. rzeźbiarskiego wystroju katedry i ratusza).

Największym wydarzeniem stulecia jest wielostronna działalność w Krakowie Wita Stosza (Ogrójec; Ołtarz Mariacki, 1477–1489; Krucyfiks Mariacki, po 1490; „Św. Anna Samotrzecia" z Tarnowa, ok. 1490; nagrobki: Kazimierza Jagiellończyka, ok. 1492; Piotra z Bnina; Zbigniewa Oleśnickiego; pomnik Kallimacha). Wpływ jego był znaczny – w Małopolsce (np. ołtarze w Księżnicach Wielkich i w Lusinie) i na Śląsku (relief z Janem Chrzcicielem, dawniej w kościele Św. Krzyża we Wrocławiu, 1499; sceny Zaśnięcia Marii w ołtarzach w Świdnicy, 1492; Wrocławiu, 1492; Borku Wielkim, ok. 1500 i in.). Wpływ ten jest także widoczny w dziełach Mistrza figur lubińskich oraz Mistrza z Gościszowic. Wybitną indywidualnością był Hans Brandt, działający w Gdańsku, Toruniu i Gnieźnie (nagrobek św. Wojciecha), o orientacji wybitnie realistycznej, korzystający m.in. z dorobku sztuki włoskiej. W początkach XVI w. zaznacza się też w Gdańsku działalność Michała z Augsburga i Mistrza Pawła. Osobne zjawisko stanowią w tym środowisku importowane ołtarze antwerpskie – w Gdańsku, Żukowie i Kartuzach.

Środowisko wielkopolskie także asymilowało sztukę Stosza (Madonna z domu Górków, 1496; „Zaśnięcie" w Koźminie), przede wszystkim jednak rozwinęło import nagrobków brązowych, początkowo z Flandrii, a później z Norymbergi, skąd sprowadzono płyty także do Krakowa.

Architektura w w. XV w Małopolsce przynosi próby nowych rozwiązań rezydencji, przełamujących gotycki typ wieżowy; przykładami mogą tu być zamek Oleśnickich w Pińczowie (1426–1454) i zamek w Dębnie (1470–1480); oba te dzieła cechuje symetria planu, wzbogaconego przez wykusze i narożne wieżyczki, i – ogólnie biorąc – estetyczna całość. Ten sam warsztat wykonał szereg budowli świeckich i sakralnych na zlecenie Jana Długosza, reprezentujących proste układy przestrzenne, z dekoracyjnym detalem architektonicznym (1460–1480).

Dążenie do integracji reprezentuje przebudowa Collegium Maius w Krakowie (1493–1497), z dekoracyjnym krużgankiem (ok. 1519). Dekoracyjność ta wyraża się nie tylko w opracowaniu detalu architektonicznego, ale i w operowaniu elementami przestrzennymi. Dotyczy to także architektury obronnej, czego dowodem krakowski Barbakan (1498–1499).

Na Śląsku dążenie do dekoracyjnej reprezentacji wyraziło się najpełniej w gruntownej rozbudowie ratusza wrocławskiego (1470–1504), pod kierunkiem Pawła Preussego.

Wielkopolska korzystała przede wszystkim z osiągnięć architektury nadbałtyckiej, co ujawniło się dobitnie w oryginalnych wydłużonych halach: w Bninie (1448–1462), Dolsku (1469–1474) czy Nowym Mieście (2. poł. XV w.), o dość szerokich nawach bocznych i żaglowych sklepieniach z bogatą siatką żeber. Recepcję hali warmińskiej stanowi późna fara bydgoska.

Dla środowiska gdańskiego zasadnicze znaczenie ma rozbudowa kościoła Mariackiego (do 1502): ostatecznie powstała ogromna hala, o trójnawowym chórze i takimż transepcie, z międzyszkarpowymi kaplicami. Rozwija się tutaj także budownictwo komunalne: powstaje Dwór Artusa (1476–1481) oraz siedziba Bractwa św. Jerzego (1487–1494), dokonuje się przebudowy ratusza i wznosi jego ścianę attykową (kon. XV w.).

W w. XV rozwija się murowana architektura na Mazowszu; powstaje tu wiele budowli halowych, nawiązujących do architektury ziem północnych, ale zwykłe z tradycyjnie wyodrębnionym prezbiterium, z dekoracyjnymi sklepieniami i szczytami. Główne dzieła mazowieckiego gotyku powstają już zresztą w w. XVI: Wisna (1526), Kleczków (1529), Łomża (1520–1525), Ciechanów (1553–1556).

Wpływ architektury gotyckiej sięgał w tym czasie daleko na wschód, czego dowodem kościoły wileńskie, np. kościół Bernardynów czy kościół św. Anny.

Budownictwo cystersów

W dziejach sztuki polskiej cystersom przypadła rola znaczna i ważna. Zapewne dlatego sztuka, a zwłaszcza architektura cystersów, należy do najlepiej zbadanych fragmentów dziejów artystycznych w Polsce w w. XIII. Przyczyn tego stanu rzeczy jest wiele, m.in. odegrała tu rolę swoista zwartość i odrębność tej sztuki, ale najistotniejsze jest pojawienie się jej w nader ważkim momencie dziejowym, na przełomie dwóch epok: późnego romanizmu i gotyku.

Cystersi przybyli do Polski wcześnie, w pierwszej połowie XII w. Wszystkie ich domy polskie wywodzą się z klasztorów francuskich, ale nie wszystkie bezpośrednio; pierwszy więc problem i istotny czynnik stanowi „stopień pokrewieństwa". Tylko tzw. grupa małopolska wiąże się bezpośrednio z burgundzkim Morimondem (fundowanym w r. 1115): Jędrzejów (1141–1149 ?), Sulejów (1176–1177), Wąchock (1179), Koprzywnica (1185). W wieku XIII powstawały filie tych klasztorów: na terenie Śląska – Rudy, filia Jędrzejowa, i Jemielnica jako filia Rud; na terenie Pomorza – Koronowo (ok. 1288, w miejsce Byszewa z 1254), jako filia Sulejowa.

Grupa wielkopolska wywodzi się z Morimondu za pośrednictwem nadreńskiego Altenburgu: tak było w przypadku Łekna (1143) i jego filii w Lądzie (1175?) oraz w Obrze (1240); Paradyż (1232–1235) i jego filia w Wieluniu (1285) wywodzą się z brandenburskiego Lehnin i z Morimondem łączy je pokrewieństwo piątego stopnia.

Grupa śląska wywodzi się z Morimondu poprzez Camp, Walkenried i wreszcie saską Pfortę, przy czym wszystkie domy śląskie to filie założonego w r. 1175 Lubiąża: m.in. Henryków (1227) i jego filia Krzeszów (1247); ta sama zależność dotyczy podkrakowskiej Mogiły (1222).

Z Clairvaux wywodzą się natomiast domy grupy pomorskiej – poprzez duński Esrom: Kołbacz (1173) i związana z nim Oliwa (1186) oraz inne. Pelplin (1276) wiąże się bezpośrednio z Doberanem.

Warto zwrócić uwagę, iż zakładane domy niejednokrotnie penetrują odległe tereny: Lubiąż zakłada filię w podkrakowskiej Mogile, Jędrzejów sięga aż po śląskie Rudy, Sulejów – do odległego Koronowa. To samo dotyczy nielicznych domów żeńskich: Trzebnica (od r. 1218 złączona z cystersami w Lubiążu) zakłada swe filie w wielkopolskim Ołoboku (1213) i w Owińskach (1252).

Przyczyny sprowadzania cystersów były rozmaite. Przede wszystkim religijne: od czasów reformy kluniackiej realizowali oni najgłębszą odnowę życia zakonnego, która czyniła zakon cysterski atrakcyjnym dla władz kościelnych i świeckich, powołanych do dbania o rozwój życia religijnego w kraju. Zapewne dlatego niektóre z klasztorów cysterskich zajęły miejsce starszych klasztorów benedyktyńskich. Działalność domów zakonnych lokowanych w bezpośrednim sąsiedztwie granic z pogaństwem miała także aspekt misyjny, choć nie przyniosła liczących się rezultatów.

Ważna była działalność zakonu w sferze życia gospodarczego, zwłaszcza dla podźwignięcia gospodarki kraju po trzynastowiecznych najazdach tatarskich; klasztory były na ogół wzorowymi jednostkami rolniczo-rzemieślniczymi, lokowanymi na najlepszych glebach.

Ten związek z ziemią uzależniał fundację od władzy, w której ręku leżało szafowanie ziemią – głównie od władzy książęcej: prawie wszystkie znaczące fundacje były dziełem książąt dzielnicowych, z wyjątkiem najstarszego klasztoru w Jędrzejowie, fundowanego przez arcybiskupa gnieźnieńskiego Janika i biskupa krakowskiego Gedkę (ten ostatni fundował także klasztor w Wąchocku), oraz Mogiły, fundowanej przez biskupa Iwo Odrowąża. Klasztor w Kołbaczu był fundacją Warcisława Świętoborzyca, zatwierdzoną przez księcia Bogusława I.

Jędrzejów, plan opactwa cystersów p.w. P. Marii i św. Wojciecha

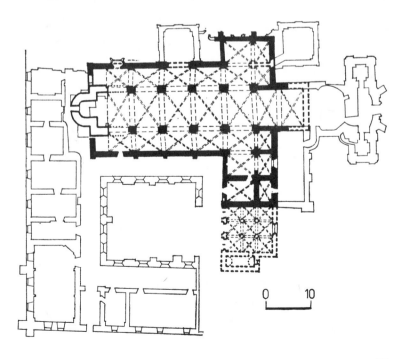

0   10

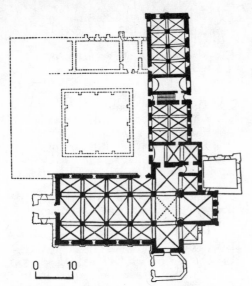

Koprzywnica, plan opactwa cystersów p.w. P. Marii i św. Floriana

Niektóre z tych klasztorów pełniły ważne zadania kulturowe, przekraczające ramy działalności czysto kościelnej, zwłaszcza na Śląsku. Tak np. klasztor lubiąski był ośrodkiem piśmiennictwa świeckiego (obok liturgicznego) – a więc miejscem, w którym powstawały roczniki, kroniki, epitafia, a wiele kościołów cysterskich stało się nekropoliami książęcymi, pełniącymi w XIII w. i później ważne funkcje ideowe; rolę tę odgrywały: Lubiąż, Trzebnica, Krzeszów i Henryków. Cystersi zajmowali się także pracą duszpasterską, choć do tych celów nie używali zwykle własnych świątyń, lecz odrębnych kościołów parafialnych.

Pojawienie się cystersów w Polsce przypada na epokę „przedurbanistyczną". Nie zachowały się jednak żadne relikty sztuki tego zakonu z w. XII; pierwsze budowle murowane pochodzą z w. XIII. Powstaje zatem pytanie, jakie miejsce w dziejach sztuki i kultury artystycznej w Polsce, w dobie kształtowania się szeroko rozumianego gotyku, zajmuje sztuka cystersów?

Formowanie się artystycznego programu cystersów stanowiło w połowie XII w. opozycję wobec powstającej równocześnie sztuki „katedralnej" gotyku. W odniesieniu do architektury cystersi nakazywali maksymalną prostotę (zakaz wznoszenia wież). Operowali pojęciem sztuki społecznie zróżnicowanej, innej dla książąt, poddanych, biskupów, zakonników. Przejawiali wyraźną niechęć do sztuk mimetycznych; była to m.in. konsekwencja introwertystycznego mistycyzmu, odrzucającego drogę zmysłowego poznania;

wiązał się z tym rozwój estetyki proporcji matematycznych, a nie obrazu.

Sztuka cystersów powstaje w Polsce sto lat później, gdy ów „program cysterski" miał już za sobą dłuższy rozwój i – także w zakresie architektury – rozmienił się na szereg wariantów, gdy wobec rozkwitu gotyku wypadło raczej zrezygnować z ikonofobii, gdy w klasztorach położonych na krańcach chrześcijańskiego świata związek z macierzystymi zakonami francuskimi rozluźniał się, a przede wszystkim słabły rygory dawnych reguł, i gdy wreszcie w szeregu przypadków rozstrzygała wola fundatora, jego interes ideologiczny.

Grupę małopolską tworzą cztery klasztory, budowane w pierwszej połowie XIII w.: Jędrzejów (konsekracja 1210), Koprzywnica, Wąchock i Sulejów (konsekracja 1232). Podkrakowska Mogiła – filia Lubiąża – wiąże się z architekturą Śląska, m.in. Trzebnicy. Kościoły grupy małopolskiej reprezentują dość jednolity program artystyczny: są to trójnawowe bazyliki, o przęsłach na planie lekko wydłużonego prostokąta, w nawie głównej położonego poprzecznie w stosunku do osi kościoła, w nawach bocznych – zgodnie z osią; do transeptu otwierają się dwie, wyjątkowo cztery kaplice; prezbiterium jest prostokątne i prosto zamknięte. Od strony południowej – jedynie w Koprzywnicy od strony północnej – znajduje się klasztor: czworobok piętrowych skrzydeł wokół dziedzińca, dookoła którego biegnie otwarty krużganek.

Wąchock, plan opactwa cystersów p.w. P. Marii i św. Floriana

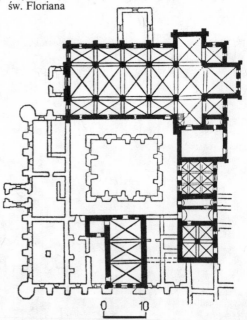

Jest to plan tradycyjny, uproszczona wersja Fontenay, charakteryzujący się zazwyczaj redukcją kaplic przy transepcie. Znamienne, że mimo bezpośrednich powiązań organizacyjnych nie zastosowano w Małopolsce planu macierzystego Morimondu, będącego rozbudowaną wersją planu bernardyńskiego. Tłumaczyć to należy wzniesieniem budowli małopolskich przez włoską strzechę mistrza Simona: plan bernardyński dotarł do Polski poprzez konserwatywne środowisko włoskie. Z racji swej maksymalnej prostoty, a równocześnie pełnej funkcjonalności, spełniał on właściwie, w swej wersji pierwotnej, wymogi architektury idealnej w rozumieniu św. Bernarda i miał wszystkie dane, aby stać się wzorcem cysterskim, do którego wytworzenia ostatecznie nie doszło.

Inaczej na Śląsku. Nie zachował się plan pierwszego domu cysterskiego w Lubiążu; Henryków reprezentuje rozwinięty w pełni plan morimondzki: trójnawową bazylikę z transeptem, z prosto zamkniętym chórem, otoczonym obejściem, do którego otwierały się najpewniej z trzech stron kaplice. Zapewne podobny·był plan Lubiąża; Kamieniec stanowił prostszy wariant, z obejściem wokół prostokątnego chóru, ale bez kaplic.

Klasztor w Trzebnicy to najwcześniejsza budowla, ale nie od początku przeznaczona dla reguły cysterskiej. Jak się wydaje, w pierwszej fazie powstała bazylika bez transeptu, z chórem i dwiema mniejszymi kaplicami na przedłużeniu naw bocznych, zamkniętymi od strony wschodniej półkolistymi apsydami. W drugiej fazie budowy nastąpiło wydłużenie korpusu w systemie wiązanym i utworzenie transeptu.

Inną wersję planu reprezentuje Kołbacz, budowany od 1210 r., przede wszystkim ze względu na rozwiązanie partii wschodniej: ramiona traseptu podzielone są na dwa prostokątne przęsła i do każdego z nich otwierają się od strony wschodniej kwadratowe kaplice. Jeśli przyjąć, że pierwszy chór prostokątny zamknięty był półkoliście lub poligonalnie, wówczas mielibyśmy do czynienia ze zredukowaną wersją planu Pontigny III. Z innych trzynastowiecznych budowli cysterskich na tych terenach zachowało się niewiele.

W zespole kościołów cysterskich w Polsce grupa małopolska reprezentuje nurt najbardziej konserwatywny, co wynika z powiązań z

Mogiła, plan opactwa cystersów p.w. P. Marii i św. Wacława

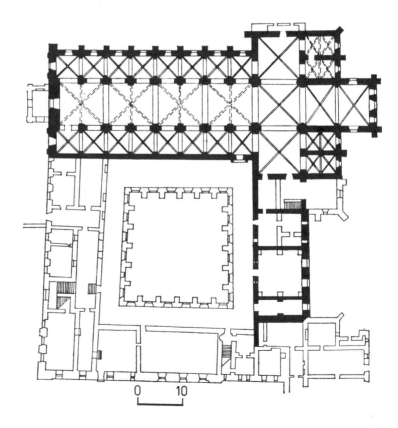

0   10

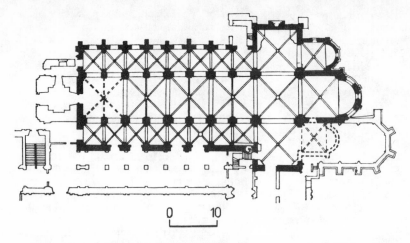

Trzebnica, plan kościoła Cysterek p.w. P. Marii i
św. Bartłomieja, II faza

„antygotyckim" środowiskiem włoskim. Nie
wykluczało to wprawdzie posługiwania się
szeregiem podstawowych zdobyczy architektury gotyckiej, jak choćby sklepieniem krzy-
żowo-żebrowym, prostokątnym kształtem
przęseł w systemie nie wiązanym itp. Ale
prostota bryły, wyrazistość artykulacji kubicznej, przewaga masywu ściany w sensie
konstrukcyjnym i optycznym, dość ciężkie
proporcje całości, detal architektoniczny – wszystko to ciąży raczej ku tradycji
romańskiej. Sztuka ta stanowiła rozdział
zamknięty, a nie wyjście ku nowej epoce; nie
oddziałała na powstanie architektury gotyckiej, na której pojawienie się w tym środowisku przyjdzie jeszcze długo poczekać. W
stosunku do współczesnych zjawisk architektury gotyckiej, nurt prezentowany przez
obiekty małopolskie można określić jako
umiarkowanie konserwatywny: przy generalnych założeniach architektury romańskiej
stosowano tu niektóre rozwiązania konstrukcyjne właściwe gotykowi, zwłaszcza typ sklepień i podpór.
Sytuacja na Śląsku domaga się innej oceny. W
głównych budowlach cysterskich: Henrykowie, Kamieńcu, Lubiążu II zastosowano ten
sam plan; stanowią one warianty typu kościoła w Morimond. Inne po części rozwiązania przestrzenne, jakie powstały na tym planie – to zjawisko charakterystyczne dla tej
fazy budownictwa cysterskiego; wspólnota
dotyczyła wówczas już tylko założeń planistycznych. Był to typ budowli rozpowszechniony w w. XIII na terenach, które łączyły ze
Śląskiem najbliższe kontakty artystyczne, a
więc w krajach niemieckich (np. Ebrach), w
Austrii, Czechach. Można sądzić, że była to
jedna z ważnych przyczyn przyjęcia tego

planu na Śląsku. Wraz z nim zastosowano
szereg rozwiązań gotyckich (np. powszechne
użycie cegły, lekkie sklepienia krzyżowo-
-żebrowe, wysmukłe proporcje) na sposób,
który uzasadnia zaliczenie dzieł omawianej
grupy do wczesnej architektury gotyckiej na
Śląsku. Dla dopełnienia obrazu dodać należy
zarówno fakt przyjęcia analogicznego planu w
katedrze wrocławskiej – interpretowanego w
duchu katedralnym, co jest widoczne choćby
w dodaniu dwóch wież od strony wschodniej
oraz we wprowadzeniu bogatej w założeniach
i realizacji wczesnogotyckiej rzeźby figuralnej – jak i zastosowanie w kaplicy św. Jadwigi
przy kościele trzebnickim modelu klasycznego „gotyku katedralnego".
Wobec bezsprzecznego faktu pojawienia się
protogotyckich i gotyckich rozwiązań w obrębie budowli cysterskich, dyskusja może doty-
czyć raczej problemu autorstwa i wykonawstwa tych koncepcji przez warsztaty zakonne,
czy też świeckie np. książęce. Wydaje się
jednak, że gdy chodzi o tamte czasy – ostre
rozróżnienia nie są właściwe; były to bowiem
z reguły warsztaty mieszane, w których przewodzili i byli wykonawcami zarówno zakon-
nicy, jak i świeccy rzemieślnicy, w znacznej
części rekrutujący się z innych środowisk
artystycznych, najpewniej pozostający na u-
sługach zakonu, biskupa, a także i księcia.

Legnica, palatium, plan II kondygnacji

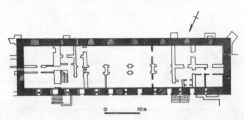

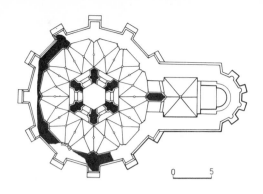

Legnica, plan kaplicy św. Wawrzyńca. Wg J. Rozpędowskiego

Niewątpliwie istotne znaczenie ma geneza chóru katedry wrocławskiej: nie ulega wątpliwości jego pochodzenie ze źródeł cysterskich (Maulbronn, Walkenried, Pforta), tak jak pewne jest, że po raz pierwszy koncepcja taka pojawiła się – w zakresie planu – w cysterskiej budowli w Henrykowie (po 1227); należy pamiętać, że Pforta była poprzez Lubiąż macierzystym klasztorem dla domów śląskich.

W szczegółach odmienne, wykonane przy udziale różnych warsztatów, powstałe też w dość znacznych przedziałach czasowych, stanowią budowle śląskich cystersów – Henryków, Kamieniec, Lubiąż – dość zwartą grupę, reprezentującą wspólną koncepcję architektoniczną.

Oceniając zatem pozytywnie rolę budownictwa cystersów na Śląsku, zarówno w dziejach architektury tego regionu, jak i w stosunku do grupy małopolskiej, należy uwzględnić nie tylko późniejszy okres powstania cysterskich budowli śląskich, ale także inny kontekst powiązań genetycznych oraz inną dynamikę historyczną tej dzielnicy Polski, związaną przede wszystkim z monarchicznymi aspiracjami kolejnych Henryków, czego wyrazem są liczne podejmowane przez nich inicjatywy architektoniczne, jak choćby budowa palatium i kaplicy zamkowej w Legnicy.

Sztuka w służbie zjednoczenia królestwa

Skutki podziału dzielnicowego Polski sięgały bardzo głęboko. Przyniósł on polityczne, wewnętrzne i zewnętrzne osłabienie państwa, a przede wszystkim odnowienie i utrwalenie dzielnicowych partykularyzmów. Wspólna dynastia Piastów, której członkowie zasiadali na stolicach wszystkich księstw, nie stanowiła – wbrew pozorom – czynnika jednoczącego; poczucie równości przywódców poszczególnych gałęzi piastowskich, kształtowane w miarę upadania koncepcji pryncypatu, nie sprzyjało hierarchizacji; wyzwalało raczej konkurencyjne działania.

Zjednoczeniem i jednością ziem polskich zainteresowany był żywo Kościół. Adekwatność granic struktury administracyjnej Kościoła i państwa miała znaczenie nie tylko dla działalności duszpasterskiej i apostolskiej, ale i związanych z tym problemów finansowych, statusu prawno-ekonomicznego itp. – zwłaszcza w dobie uzyskiwania immunitetów ekonomicznych i sądowych; wypadki w. XIII są tego najlepszym dowodem. Ideologiczna ofensywa nowych władców nie mogła zatem zakończyć się w momencie koronacji Łokietka w r. 1320 – choć było to wydarzenie ogromnej wagi państwowej – i trwała w następnym okresie, w ramach polityki integracyjnej króla. Przekraczała ona zresztą granice spraw wewnętrznych, obejmując zagadnienia ideowych powiązań z ziemiami polskimi, które do zjednoczonego królestwa nie weszły, oraz z państwami ościennymi, ku którym ziemie te grawitowały – w przypadku Śląska, Mazowsza czy Pomorza. Zauważmy, że nasycenie sztuki tymi właśnie treściami jest w Polsce wyjątkowo duże, zarówno pod względem liczby jak i rozmaitości wątków ideowych i sposobów ich formułowania.

W dobie jednoczenia królestwa ideologia ta pojawiła się w sztuce m.in. o tematyce hagiograficznej, z tym że rozkwit miejscowych kultów służył przede wszystkim celom partykularnym. Wspólny pierwotnie dla całego królestwa kult apostoła Prusów, św. Wojciecha, właśnie w w. XIII, w dobie najgłębszego rozbicia, osłabiony został pojawieniem się partykularnych kultów, m.in. św. Stanisława, biskupa krakowskiego, kanonizowanego w r. 1253, św. Jadwigi na Śląsku, kanonizowanej w r. 1268, św. Ottona Bamberskiego na Pomorzu; przypomnieć należy także nieudaną próbę beatyfikacji księżnej Salomei w Krakowie.

Jedynie kult św. Stanisława zyskał pozytywne znaczenie w aspekcie zjednoczenia, dzięki symbolicznej wykładni jego męczeńskiej śmierci: niesprawiedliwe poćwiartowanie zwłok świętego i ich cudowne zrośnięcie się przyrównano do rozbicia królestwa i potrzeby jego zjednoczenia. Propagowanie tej wykładni poprzez Kościół w redakcji Wincentego z Kielc (ok. 1260) pełniło także prokościelne funkcje polityczne: propagując bowiem zjednoczone królestwo, czyniono to przy odwoływaniu się do świętego, którego legenda stanowiła wykładnię stosunków między państwem i Kościołem.

Zasięg tego kultu przekraczał granice dzielnicy małopolskiej: *Żywot św. Stanisława* należał do lektur Henryka IV Probusa, księcia wrocławskiego, jednego z głównych rzeczników polityki zjednoczenia. Na Śląsku powstało pierwsze zapewne monumentalne dzieło o tej tematyce – tympanon kościoła w Starym Zamku, przypuszczalnie ufundowany przez biskupa Tomasza II. Na awersie tego tympanonu znajduje się przedstawienie Madonny z Dzieciątkiem oraz biskupa Stanisława, a na rewersie – scena cudu z ciałem świętego, ukazana w dwóch epizodach: w jednym orły strzegą poćwiartowanego ciała, w drugim zaś widnieje postać świętego po cudownym scaleniu. Trudno oczywiście powiedzieć, w jakim stopniu to dzieło, którego autor nie należał do czołowych śląskich rzeźbiarzy tego czasu, funkcjonowało w sferze odbioru w płaszczyźnie hagiograficznej, a na ile w sferze ideologii państwowej. Należy jednak przyjąć współistnienie obydwu, wiemy bowiem skądinąd o prozjednoczeniowym nastawieniu biskupów wrocławskich, o powoływaniu się przez nich na precedens małopolski w zakresie stosunków między władzą kościelną i świecką.

Rozwijanie kultów dzielnicowych podyktowane było – poza względami religijnymi – przede wszystkim dążeniem do wzmożenia prestiżu poszczególnych gałęzi piastowskich. Zastosowanie w kościele Franciszkanów w Krakowie centralnego planu, utworzenie wnętrza z przecięcia się dwóch naw i zwieńczenie go centralną wieżą nadało całości sens pomnika-mauzoleum, wzniesionego nad grobem Salomei, siostry księcia Bolesława Wstydliwego. Zwłoki jej sprowadzono w r. 1269 ze Skały pod Krakowem i rozpoczęto starania o jej beatyfikację. W r. 1279 pochowano tu także Bolesława, ostatniego Piasta z linii małopolskiej. Można sądzić, że budowla ta miała spełniać funkcje rodowego mauzoleum, a jego wzniesienie wiązało się z podejmowaną i przez tego księcia polityką monarchiczną. Za jego to czasów przeprowadzono kanonizację św. Stanisława, z nim wiązano nadzieje na zjednoczenie kraju, a w sferach kościelnych – na podniesienie biskupstwa krakowskiego do godności arcybiskupstwa.

Partykularny sens miało rozwijanie kultu św. Jadwigi na Śląsku, do czego przyczynił się przede wszystkim jej wnuk, książę Władysław, arcybiskup Salzburga i administrator diecezji wrocławskiej (1268–1270); działał on wraz z braćmi: Konradem i Bolesławem. Nie stwierdzamy w tym kulcie żadnych ogólnopolskich idei, nie zawiera także takich treści mauzoleum świętej – kaplica św. Jadwigi przy kościele Cysterek w Trzebnicy. W tę klasyczną gotycką przestrzeń, o smukłych proporcjach całości, włączono interesujący program przedstawieniowy: dwustronny tympanon prowadzącego do chóru portalu mieści scenę „Ukrzyżowania" od strony chóru i „Koronacji Marii" od strony kaplicy. W ten sposób zaakcentowano związek między ofiarą na krzyżu a triumfem Marii, która brała udział w tej ofierze i przyczyniła się do dokonania dzieła zbawienia. Równocześnie scena „Ukrzyżowania" wiązała się z ofiarą eucharystyczną odprawianą na ołtarzu chóru, natomiast scena triumfu Marii – z najwyższym wyróżnieniem, jakiego dostąpiła Jadwiga przez akt kanonizacji. Treści te dopowiedziano także w języku symbolicznym: winorośl wokół „Ukrzyżowania" to symbol zarówno Pasji jak i eucharystii, natomiast liście dębu i kwiat róży symbolizowały chwałę i cnotę czystości Marii. Brak natomiast w tym dziele wątków aktualnych, o charakterze politycznym. Kult św. Jadwigi rozwijał się i później, nosząc znamiona kultu dzielnicowego, związanego z rodową polityką Piastów Śląskich i z polityką Kościoła.

Ufundowanie kolegiaty Św. Krzyża we Wrocławiu przez Henryka IV Probusa w r. 1288, dokonane bezpośrednio po zawarciu ugody z biskupem Tomaszem II, na zakończenie prowadzonej w dość bezwzględny sposób wojny, jest faktem znaczącym politycznie, a nie dziełem ekspiacyjnym, jak sądzili dawni dziejopisarze śląscy, choć oczywiście książę, noszący się z planami monarchicznymi, zmuszony był do pełnego unormowania stosunków z Kościołem. W akcie fundacyjnym figurują osoby, w których intencji dzieło to powstało: tak obok rodziców księcia wymieniono arcybiskupa salzburskiego Władysława, Przemysła Ottokara II króla czeskiego oraz Bolesława V Wstydliwego księcia małopolskiego. Dobór osób przekracza oczywiście ramy rodowe i ma wyraźny aspekt polityczny. Arcybiskup Władysław, stryj i opiekun księcia, świadczył o zasługach rodu dla Kościoła; król czeski, na którego dworze Henryk się wychował, poznając równocześnie nowoczesną koncepcję państwa, i po którym odziedziczył Ziemię Kłodzką – był gwarantem sojuszniczych stosunków z królestwem czeskim; książę Bolesław natomiast naznaczył Henryka wrocławskiego swym następcą w dzielnicy krakowskiej: mimo upadku instytucji pryncypatu stanowiła ona ważny czynnik w procesie centralizacji władzy i restytucji królestwa – nie tylko w sferze militarno-gospodarczej, ale i ideologicznej.

Budowli, choć nie była pierwotnie pomyślana jako miejsce grobu księcia, nadano tradycyjnie pomnikową formę centralną, być może na

101

102

100

planie krzyża greckiego, z wieżą na skrzyżowaniu, o czym zdaje się świadczyć kształt modelu świątyni ofiarowywanego przez księcia i jego małżonkę w scenie fundacyjnej na tympanonie górnego kościoła (datowanego na ok. 1350) oraz treflowy układ wschodniej części kościoła, z którą łączy się trójnawowy korpus halowy, zrealizowany w w. XIV. Zastosowanie dwupoziomowego układu, z przeznaczeniem dolnego kościoła na skarbiec i miejsce kultu relikwii, w nawiązaniu do tradycyjnego typu martyrium, nakazuje łączyć z tym dziełem szczególne intencje. Potwierdzeniem takiej wykładni programu kościoła są m.in. herby umieszczone w transepcie dolnego kościoła, odnoszące się do wyżej wymienionych osób, oraz widniejący na południowej elewacji świątyni wykonany z brązowych blach orzeł śląski, w formie znanej nam z klejnotów heraldyki śląskiej.

Ok. r. 1300 stanął w kolegiacie Św. Krzyża pomnik księcia Henryka IV – w formie płyty figuralnej – ukazujący władcę w uroczystym stroju, z mitrą na głowie, w otoczeniu herbów, które wyrażały śląsko-wielkopolską koncepcję zjednoczenia kraju, aktualną także po śmierci Henryka IV w r. 1290 i po zamordowaniu króla Przemysła w r. 1296. Koncepcję tę reprezentował również Henryk III, książę głogowski, spadkobierca obydwu wymienionych władców, najpewniej fundator i inspirator ideowych treści pomnika.

Dzieło to nabierze jeszcze w latach późniejszych wymowy politycznej, związanej ze sprawą wzajemnego stosunku władzy świeckiej i kościelnej. Wyraziło się to wzbogaceniem nagrobka w l. 1310–1320 o tumbę. Na jej bokach przedstawiono kondukt żałobny, w którym obok biskupa, sług kościelnych oraz rodziny księcia uczestniczy pięciu kanoników kolegiaty. Przedstawienie pełnej liczby kanoników kolegiaty zdaje się świadczyć, że właśnie w ich rękach spoczęła fundacja i idéowa koncepcja tej części pomnika. Same w sobie przedstawienia te nie zawierają żadnych treści politycznych, natomiast spotęgowany został wątek religijny. Umieszczone na narożach figury aniołów, jak gdyby niosących płytę z postacią zmarłego – *ad paradisum deducant te angeli* – określiły pełny sens tego przedstawienia: jako pogrzebu na ziemi i *adventus animae* w niebie.

W tym też czasie książę zyskał pośmiertnie przydomek „Probus" – prawy, łagodny – choć *de facto* tyle nieprawości Kościołowi uczynił w czasie militarnego sporu z biskupem Tomaszem II. Gdy jednak zważymy, że równocześnie Kościół śląski usilnie zabiegał o jak najlepsze stosunki z władzą świecką, mając na uwadze przede wszystkim utrwale-

nie dla włości biskupich przywłaszczonego statusu suwerennego księstwa, zrozumiała staje się przemiana stosunku do osoby wybitnego księcia, a także fundacja tumby. Jest to jednak zarazem wyraz odejścia od wielkiej polityki w stronę partykularnych problemów wewnątrzdzielnicowych.

Ideologia zjednoczenia wyraziła się także w dziełach z terenu Wielkopolski. Z koronacją Przemysła II wiąże się powstanie wielkiej pieczęci, na której po raz pierwszy pojawił się koronowany orzeł jako znak herbowy dla całej monarchii; ten właśnie znak znajdziemy kilka lat później na nagrobku Henryka IV wrocławskiego. Odrodzenie monarchii miało nastąpić pod znakiem białego orła, udostojnionego koroną, na czerwonym tle, z półksiężycem; ten ostatni element, jako dawny znak Wielkopolski, przywłaszczony przez Henryka I Brodatego w czasie jego najazdu na tę dzielnicę, w szczególny sposób wiązał Śląsk i Wielkopolskę.

Nie zachowały się do naszych czasów polichromowane posągi pary królewskiej, Przemysła II i Ryksy w katedrze poznańskiej (mylnie niegdyś uważane za malowane portrety), umieszczone na ścianie kaplicy pod wieżą, a zniszczone w związku z jej zawaleniem się. Zwięzłą wiadomość o tych *imagines* zawdzięczamy Jankowi z Czarnkowa. Były to zapewne dzieła podobne do znanych nam lepiej posągów z Głogowa, z których zachowała się figura księżnej Salomei. Możemy nawet pokusić się o przypuszczenie, że dzieła poznańskie powstały z fundacji Henryka III głogowskiego, który był przecież spadkobiercą Przemysła II w Wielkopolsce i kontynuatorem jego polityki. Domysł ten zyskuje na prawdopodobieństwie wobec zgłoszonej ostatnio tezy, że także posągi głogowskie są nie tylko fundacją kolegiaty ku czci swego fundatora i dobrodzieja – co wydaje się zasadniczym składnikiem ideowym wszelkich przedstawień osób świeckich, pojawiających się w chórze kościelnym, tak w formie malarskiej jak i plastycznej – ale też równocześnie fundacją jego syna, Henryka III głogowskiego, mającą także aspekt polityczny. Chodziło mianowicie o stwierdzenie legalnego przejęcia władzy po ojcu, ale równocześnie – poprzez osobę matki, Salomei, córki Władysława Odonica i siostry Przemysła I – o wskazanie na rodowe powiązania z Wielkopolską i ze zmarłym królem Przemysłem II. Miało to w danym momencie wagę poważnego argumentu w prowadzonej przez Henryka polityce.

Koronacja Władysława Łokietka zakończyła tylko wstępny etap politycznego zjednoczenia. Integracja królestwa była przedmiotem

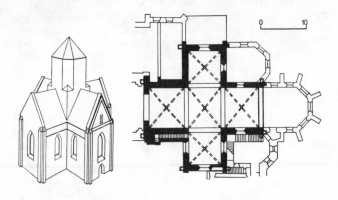

Kraków, kościół Franciszkanów p.w. św. Franciszka, rekonstrukcja bryły i plan

wielu działań, nie tylko polityczno-państwowych czy prawnych; znalazła wyraz także w programach powstających wówczas dzieł sztuki.

Możemy w nich wyróżnić dwa zasadnicze wątki: jeden o charakterze retrospektywnym (jego główną ideą jest legitymizm przyjęcia władzy), drugi zaś o charakterze bardziej aktualnym – z czego zresztą nie wynika, że ów pierwszy służył jedynie wiedzy o dziejach, a drugi nie odwoływał się do historii.

Legitymistyczny aspekt ma fundacja grobowca Władysława Łokietka w katedrze wawelskiej. W dziele tym ukazano zmarłego króla w splendorze władzy, pod baldachimem, na bokach tumby przedstawiono orszak pogrzebowy, w którym – obok biskupów, zakonników, zakonnic i płaczek – wyeksponowano osobę następcy króla, księcia Kazimierza. W ramach religijnego tematu połączono wątek prywatno-rodowy z państwowo--monarchicznym, w myśl zasady, że na legalnym następcy spoczywa obowiązek ostatniej posługi wobec zmarłego władcy. Warto zwrócić uwagę, że syn zmarłego króla, Kazimierz, ukazany jest w książęcej mitrze, a nie w koronie. Można sądzić, że w dziele tym przypomniano, iż książę Kazimierz nie został królem jedynie na podstawie prawa dziedziczenia, lecz że na tron wynieśli go panowie małopolscy, zgodnie z życzeniem wyrażonym w testamencie króla Łokietka.

Fundowany przez Kazimierza Wielkiego pomnik Bolesława Chrobrego w katedrze poznańskiej, zachowany w nikłych fragmentach, rekonstruowany jest głównie na podstawie przekazów ikonograficznych. Fundacja ta miała oczywisty sens polityczny. Przede wszystkim była monumentalnym wyrazem ogólnie rozumianego legitymizmu – nawiązania do osoby pierwszego króla polskiego i

wielkiej tradycji pierwszego państwa polskiego. Było to równocześnie przerzucenie ideowego pomostu pomiędzy dawną a obecną stolicą Polski: król Kazimierz fundował w niewielkim odstępie czasu dwa pomniki, jeden w Krakowie – dla swego bezpośredniego antenata, a drugi w Poznaniu – dla pierwszego w dziejach monarchii króla.

Fundacja wielkopolska miała istotne znaczenie dla wewnętrznej polityki króla wobec niedawnych buntów w Wielkopolsce, zakończonych wykonaniem okrutnego wyroku na Maćku Borkowicu. Poprzez pomnik ów Kazimierz podkreślał swój związek z Wielkopolską, prezentował się jako król całej Polski, dziedzic jej monarchicznej tradycji. Należy zauważyć, że status Przemysła jako monarchy, choć w jego intencjach i zrozumieniu ogólnopolski, *de facto* ograniczał się do dzielnicy wielkopolskiej.

Pomnik Chrobrego uzyskał nie tylko monumentalny kształt, ale także niezwykły na naszym terenie program: znajdujące się na krótszych bokach sceny „Zwiastowania" i „Koronacji Marii', które należy interpretować jako początek i koniec dzieła odkupienia, korespondowały z umieszczonymi na pozostałych bokach tumby postaciami apostołów i proroków – być może w układzie typologicznym, czego już dziś stwierdzić nie podobna. Jest to program, który zdradza pewne podobieństwo do programów portali katedralnych. Na płycie wierzchniej spoczywała postać króla w stroju koronacyjnym i z insygniami najwyższej władzy. Przedstawiony został jako żywy, prezentowany Bogu na sądzie, z poduszką pod głową symbolicznie odnoszącą się do tymczasowego stanu – snu. Ważne uzupełnienie programu pomnika stanowił długi, sławiący króla napis, obiegający w dwuwierszu płytę wierzchnią, prawdopodobnie przeniesiony z dawniejszego epitafium.

Integracyjne działanie króla Kazimierza wyraziło się między innymi w licznych funda-

105

cjach kościołów, które jednak skupiają się głównie na terenie Małopolski. Inaczej w wypadku fundacji z dziedziny złotnictwa: darowane przez Kazimierza kielichy mszalne o wyszukanej formie, prostej, a szlachetnej dekoracji, z motywem heraldycznej lilii oraz orła, w formie przyjętej w heraldyce króla, znalazły się nie tylko we wzniesionych przezeń kościołach małopolskich, jak np. w Stopnicy (ok. 1362), dla której ufundował również hermowy relikwiarz Marii Magdaleny, ale także w wielkopolskim Trzemesznie (1351) i Kaliszu (1363), przy czym kielich kaliski reprezentuje wyjątkową klasę. Dla katedry płockiej darował Kazimierz hermowy relikwiarz św. Zygmunta, wykonany zapewne w Akwizgranie.

Nie należy zapominać o głównych, religijnych funkcjach tych przedmiotów i przypisywać im nadmiernej roli politycznej. Był to jednak powszechnie stosowany sposób zjednywania sobie duchowieństwa i eksponowania swego znaczenia jako szczodrego monarchy.

Dwie ważne ziemie Polski, które do zjednoczonego królestwa nie weszły – to Mazowsze i Śląsk. Mazowsze nie wyraziło swej sytuacji w programach ideowych; natomiast charakter stylowy powstałych tu budowli, tak świeckich jak i kościelnych, świadczy wyraźnie o powiązaniach z państwem krzyżackim.

Inaczej w przypadku Śląska, którego rola w dziedzinie sztuki była wówczas przodująca. Dynamika polityczna i społeczna tej dzielnicy sprzyjała powstaniu szeregu programów artystycznych, odnoszących się bezpośrednio do spraw polityki i stanowiących odbicie przemian historycznej sytuacji Śląska. Jej zasadniczym wątkiem było stopniowe hołdowanie poszczególnych księstw śląskich i proces inkorporacji ziemi śląskiej do korony czeskiej. Pojawiają się więc dzieła afirmujące władzę czeską. W kręgu fundacji mieszczaństwa wrocławskiego powstały m.in. dwa tympanony w portalach ratusza (do r. 1357), prezentujące interesującą kombinację heraldyczną, złożoną z herbów królestwa czeskiego, księstwa wrocławskiego oraz miasta Wrocławia, mającą równocześnie heraldyczny i narracyjno-dramatyczny charakter. Rzeźbiarz, eksponując bezwzględną dominację lwa czeskiego nad pozostałymi przedstawieniami, właściwie rozkłada akcenty, nadając większe znaczenie herbowi księstwa wrocławskiego, przeciwstawionemu czeskiemu lwu poprzez ujęcie frontalne.

Innym, nader znamiennym przykładem jest nagrobek Henryka VI (zm. 1335), który na mocy układu z r. 1327 przekazał księstwo wrocławskie królowi czeskiemu. Pomnik, pierwotnie tumbowy, ufundowany został najpewniej przez sukcesora, Karola IV, oraz sprzyjającą mu Radę miasta Wrocławia, która też opłaciła koszta pogrzebu księcia; książę, pozbawiając dziedzictwa zarówno swe córki, jak i swych braci, zmarł w zupełnej izolacji rodzinnej. Dzieło powstało ok. połowy w. XIV, w kilkanaście lat po śmierci księcia, w momencie kulminacji inkorporacyjnej polityki Karola, gdy kancelaria królewsko-cesarska w Pradze z wielkim nakładem pracy zbierała wszelkie argumenty i tytuły roszczeniowe.

Wymowa polityczna dzieła została zdefiniowana z jednej strony poprzez nawiązanie do tradycyjnego typu wyobrażania władcy na nagrobkach śląskich, zapoczątkowanego przez pomnik Henryka IV, z drugiej – przez dosłowne wzmiankowanie w napisie nagrobkowym faktu przekazania księstwa w ręce czeskie.

Do najbardziej oryginalnych przykładów włączenia rzeźby monumentalnej w orbitę polityki państwowej należy zespół ośmiu posągów na wieży ratusza w Jaworze, powstały w końcu XIV w. Posągi te przedstawiają cesarza Karola IV, Wacława IV (jego syna z Anny świdnickiej) oraz Bolka II świdnickiego, który był opiekunem Wacława IV, w otoczeniu pięciu rycerzy. Nie jest to zatem przedstawienie cesarza i elektorów – program często spotykany na ratuszach miast Rzeszy; nawiązuje ono do umowy zawartej między Karolem IV a Bolkiem II świdnickim, dotyczącej warunków i trybu przejścia księstwa świdnickiego we władanie czeskie. Warunki tej umowy: ślub cesarza z Anną (nastąpił w 1353), narodzenie się syna z tego związku (Wacława, w 1361), bezpotomna śmierć Bolka II (1368) i wreszcie śmierć żony Bolka, Agnieszki z Habsburgów (1392), która miała zawarowane dożywotnie władanie księstwem – zostały spełnione, choć długowieczność Agnieszki spowodowała odsunięcie się realizacji tej umowy, czego już sam Karol, zmarły w r. 1378, nie doczekał. Jednakże jeszcze przed spełnieniem się wszystkich warunków, po uczynieniu Wacława w r. 1373 elektorem brandenburskim, a w r. 1376 królem niemieckim – Karol IV zjawił się wraz z nim na terenie państwa świdnicko-jaworskiego, aby Wacław mógł odebrać hołdy stanów jako przyszły tych ziem. Jak się wydaje – właśnie do tych wydarzeń nawiązuje program jaworski, a w szczególności hołdownicze gesty rycerzy, towarzyszących władcom.

Zespół jaworski, powiązany z rozpowszechnionym w końcu XIV w. na Śląsku nurtem parlerowskim, stanowi zjawisko interesujące jako przykład przekształcenia programu „elektorskiego" na użytek konkretnej, zindywi-

111

12

107–
109

55

dualizowanej, tak bardzo pogmatwanej sytuacji śląskiej.

Zagadnienie integracji państwa było ciągle problemem pierwszorzędnej wagi – stąd też liczne inicjatywy króla i dworu należy rozważać i oceniać w tym właśnie aspekcie. Do charakterystycznych zjawisk, znaczących w sferze ideowej, należy rozpowszechnienie się znaków heraldycznych: herby Królestwa występują na zwornikach licznych fundowanych przez króla budowli kościelnych, w tym na fasadzie królewskim głównie sumptem wzniesionej katedry krakowskiej, a na jej drzwiach także w towarzystwie Kazimierzowego inicjału. Obecność herbów wiązała się z określonymi funkcjami tych budowli: katedra krakowska, której gotycka budowla rozpoczęta została w r. 1320 – roku koronacji Łokietka – stała się od tego momentu koronacyjnym kościołem królów polskich, w miejsce katedry gnieźnieńskiej; opatrzone herbami królewskimi kościoły prowincjonalne były najpewniej miejscami odbywania sądów ziemskich.

Posługiwanie się językiem programów heraldycznych jest w tym czasie powszechne – nie tylko w przypadku programów królewskich. W zespole powstałych w l. 1360–1370 malowideł ściennych w oratorium cystersów w Lądzie, w scenie fundacyjnej, herbowi fundatora, Wierzbięty z Paniewic, odpowiada herb Królestwa Polskiego, a znajdujące się we fryzie herby rodów wielkopolskich reprezentują stronników królewskich na terenie opozycyjnej dzielnicy, co nadaje temu dziełu aktualny sens polityczny – złożenia deklaracji lojalności w stosunku do monarchy.

Językiem heraldyki posługiwała się także ,,opozycja". Na zwornikach sklepienia obejścia chóru i sklepień naw bocznych katedry gnieźnieńskiej znalazły się – obok przedstawień religijnych – herby kapituły, prowadzących budowę katedry biskupów, królestwa, papieża Urbana IV, a także, niemal zupełnie niespodziewanie – herb luksemburski. Ten ostatni jest tłumaczony jako wyraz opowiedzenia się kurii gnieźnieńskiej po stronie Zygmunta Luksemburczyka, jako kandydata na tron polski poprzez ożenek z Marią, córką Ludwika Węgierskiego; z kandydaturą tą wiązano nadzieje na przywrócenie katedrze gnieźnieńskiej statusu kościoła koronacyjnego. Warto przypomnieć, że ostatnim koronowanym w tej katedrze królem Polski był Wacław II, król czeski z rodu Przemyślidów, po których władzę w Czechach objęli Luksemburgowie. Nawiązanie do tradycji koronacyjnej staje się więc tym wyraźniejsze, bardziej czytelne.

Do wielce interesujących rodzajów progra-

mów politycznych, poza granicami Polski w tym czasie w sztuce właściwie niespotykanych, należą te, które prezentują modele ustrojowe. Pojawiły się one wyłącznie w rzeźbie nagrobkowej, gdyż był to jedyny niemal w tym czasie typ rzeźby, w którym przedstawiano zespoły osób świeckich – poza figurami chórowymi.

Pierwociny takiego programu zawierał nagrobek Łokietka; osłabienie wątku rodowego w przedstawieniu konduktu żałobnego na bokach tumby było, być może, wyrazem świadomego przeciwstawienia się tradycji na korzyść pojawiających się wówczas w Polsce zacząt- 11 ków ustroju elekcyjnego. W nagrobku Kazimierza Wielkiego, ostatniego z królewskiej linii Piastów, następuje już zasadnicza zmiana. Wygaśnięcie rodu uniemożliwiało kontynuację modelu rodowego, a równocześnie udział w rządach zyskiwała grupa doradców króla, dobierana przezeń spośród przedstawicieli wybijających się nowych rodów, tzw. panów małopolskich. Ich to właśnie przedstawiano na bokach tumby, w pozycji siedzącej, w strojach świeckich, z gestami retorycznymi – na znak toczonej dysputy. Nie był to model ustroju, ale świadectwo pojawienia się na politycznej arenie Polski jednej z pierwszych działających grup politycznych.

Być może po części w nawiązaniu do tego dzieła powstał program figuralny na bokach tumby Bolka II świdnickiego. Figury te zacho- 11 wały się tylko częściowo; nie wiemy, czy w zespole tym pierwotnie była przedstawiona żona księcia, Agnieszka, oraz opat klasztoru krzeszowskiego. Dzięki zastosowaniu herbów nie mamy wątpliwości, że pozostałe osoby, zgromadzone podczas obrzędu pogrzebowego – gest podtrzymywania płyty wierzchniej jest reminiscencją obrzędowego niesienia zmarłego – to członkowie dworu, pełniący określone funkcje. Jest wśród nich Piotr Zedlitz – pisarz, Reinhard (Reinczek) Schoff – sędzia dworski, Mikołaj Bolz – ochmistrz i in. Ich udział w rządach w czasach panowania księcia Bolka, a potem jego żony, formalnie sprowadzał się do służenia radą, ale faktycznie oznaczał udział w podejmowaniu ważnych decyzji. Na znaczenie tych osób wskazuje umieszczenie ich na pomniku księcia – w miejscu, gdzie do niedawna spotykała się tylko rodzina i duchowni; tak więc zostało ono w końcu XIV w. udostępnione osobom, których związek ze zmarłym władcą miał charakter polityczny.

Inny nieco – choć mieszczący się w obrębie tego samego ,,tematu ramowego" – jest program nagrobka pierwszego króla polskiego z dynastii Jagiellonów, Władysława, powstały 11 zapewne jeszcze za jego życia (zm. 1434).

Zespół herbów odnosi się m.in. do terytorialnych sukcesów polityki króla, wyraża pochwałę jego działalności militarno-politycznej. Natomiast postacie płaczków, siedzących parami przy herbach, ekspresyjnie opłakujących zmarłego monarchę – to zapewne członkowie rady królewskiej, z arcybiskupem gnieźnieńskim, Mikołajem Trąbą, lub Wojciechem Jastrzębcem, oraz z biskupem krakowskim – tymże Wojciechem Jastrzębcem lub Zbigniewem Oleśnickim na czele, mający ogromne znaczenie dla rządów króla, a w chwili jego śmierci pełniący – zwłaszcza stronnictwo Oleśnickiego – faktyczną władzę w kraju, z racji opieki nad małoletnimi synami królewskimi.

117 Powstały w kilkadziesiąt lat później dla jednego z tych synów – Kazimierza Jagiellończyka – nagrobek, dzieło Wita Stosza, z około r. 1492, także nawiąże do tego programu; wytworzyła się bowiem już tradycja pomników królewskich na Wawelu. W tym przypadku przedstawienia na bokach tumby wiążą się ze społeczno-politycznym programem króla; opłakujące jego śmierć pary płaczków – to zapewne przedstawiciele stanów: duchowieństwa, szlachty, mieszczaństwa i chłopstwa. Ta wspólnota w żalu, zbliżenie wszystkich stanów społeczeństwa polskiego, zdaje się wyrażać istotny rys wewnętrznej polityki króla: dążenie do wytworzenia względnej równowagi między poszczególnymi stanami – zgodnie z zaleceniami tzw. Rad Kallimacha.

Jak wiemy – program ten pozostał niezrealizowany: nic nie powstrzymało procesu bogacenia się uprzywilejowanej szlachty, a zwłaszcza grupy wielmożów, co doprowadziło z czasem do niewoli stanu chłopskiego i do ruiny miast i mieszczaństwa. Dzieło Stosza jest wyrażonym w języku artystycznym dowodem istnienia odmiennych dążeń.

Miasto gotyckie

Powstanie gotyckiego miasta jako określonej instytucji społecznej, a zarazem architektoniczno-przestrzennej formy życia ludzkiej społeczności, o złożonej strukturze wewnętrznej i nie mniej skomplikowanych relacjach zewnętrznych, związane jest z tak różnymi przyczynami, że próba krótkiego ich określenia skazana jest właściwie na niepowodzenie; wymienić można tylko niektóre. Przede wszystkim: intensyfikację gospodarki, wzmożoną – dzięki udoskonaleniom – produkcję rzemieślniczą o charakterze towarowym, nasilenie się wymiany w obrębie rynku wewnętrznego i zewnętrznego, wytworzenie się znacznej grupy ludności uprawiającej miejskie zajęcia, liczbowy wzrost istniejących dotychczas organizmów protomiejskich. Handel, będący funkcją określonego poziomu sytuacji produkcyjnej, stawał się równocześnie ważnym czynnikiem jej rozwoju. Z kolei intensyfikacja produkcji rzemieślniczej i handlu nie tylko doprowadziła do ukształtowania się odrębnej warstwy ludności, poświęcającej się zawodowo tym zajęciom, ale w dalszej konsekwencji wymagała niezbędnej stabilizacji – prawnej i materialnej.

Model miasta gotyckiego ukształtował się w Europie Środkowej w bezpośrednim sąsiedztwie Polski, sformułowany prawnie – nigdy zresztą w sposób ostateczny – w r. 1188 w Magdeburgu. Przewidywał wprowadzenie czynszu pieniężnego w miejsce dotychczasowych zobowiązań rzeczowych, samorząd organizacyjny, własne sądy. Były to warunki korzystne także dlatego, że wyzwalały inicjatywę mieszkańców miasta – wolnych od bezpośredniej zależności feudalnej. Sprzyjały także napływowi obcych osadników, zwłaszcza z pobliskich terenów. Proces ten uległ znacznej intnsyfikacji po okresie spustoszeń wywołanych przez najazdy tatarskie. Zaczęli napływać obcy koloniści z Niemiec, także z Niderlandów, ze Szkocji itd.; nowe prawa odnosiły się oczywiście także do ludności miejscowej.

Stosowano różne odmiany prawa miejskiego, przy czym istotną rolę grały precedensy. Tak np. Złotoryja, śląska osada kupców i górników uzyskała w r. 1211 *ius teutonica*. Środa Śląska otrzymała prawo magdeburskie z pewnymi odmianami prawa flamandzkiego; utworzone w ten sposób *ius sredense* przyjęte zostało następnie przez wiele miast śląskich. Przywilej lokacyjny Chełmna z r. 1232 stał się wzorem dla miast państwa krzyżackiego. Na Pomorzu Zachodnim stosowano prawa magdeburskie, na Gdańskim – lubeckie.

Nigdy nie skodyfikowane prawo magdeburskie dostosowywane było do konkretnej lokacji, przy czym zmiany następowały przy powtórzeniach lub potwierdzeniach przywilejów lokacyjnych w tych samych miejscowościach, jak np. we Wrocławiu czy w Krakowie. Zmiany te wynikały z formowania się danego miasta i z jego dalszego rozwoju, przy czym naturalnym niejako dążeniem było poszerzenie uprawnień miasta, jego samorządu, aż do wykupienia praw sądowych i wójtowskich włącznie; uzyskiwano także pewną samodzielność w zakresie militarnym (prawo do budowania murów obronnych) oraz kontroli handlu okolicznego (prawo mili), handlu tranzytowego (prawo składu) itd.

Przestrzenne formowanie się miasta było procesem długotrwałym, uwarunkowanym przez 119–122 rozwój jego podstawowych funkcji: mieszkalnych, rzemieślniczych, handlowych, komunikacyjnych, administracyjnych, religijnych, obronnych, przez rozwój różnego rodzaju form życia społecznego i odpowiadających im instytucji.

Handlowe i komunikacyjne funkcje miasta wiązały się zwykle z dawnym miejscem targu i położeniem na szlaku komunikacyjnym, przy czym optymalna gęstość lokacji związana była z możliwościami przenoszenia towarów i wyznaczano ją na podstawie dziennej drogi wozu towarowego – tj. ok. 30 km.

Miasto lokowano zwykle w miejscu już istniejących osad i targów, tam, gdzie istniała sprawdzona potrzeba tego rodzaju organizmu społecznego, ale często w pewnym oddaleniu od tych miejsc – stąd istnienie obok nowego miasta starej osady przedlokacyjnej (dziś z reguły o charakterze wsi), o tej samej nazwie, np. Paczków i Stary Paczków. Odległość ta była czasem znaczna; wynikała z wyboru korzystniejszego położenia, sąsiedztwa gruntów stanowiących uposażenie miasta itd. Osobne zagadnienie stanowi lokacja obok siebie dwóch odrębnych miast, często w niewielkim odstępie czasu, np. w Toruniu – w r. 1233 i r. 1254 – w celu stworzenia konkurencyjnego organizmu miejskiego w wypróbowanym przez poprzednią lokację miejscu i zapewnienia sobie przez właścicieli miasta nowych zysków. Wyjątkowo tylko powstawały miasta na tzw. surowym korzeniu (*in cruda radice*) – np. w państwie krzyżackim.

Dawny układ osady i wcześniej powstałych elementów architektonicznych, jak kościół czy zamek, także przebieg głównego traktu komunikacyjnego – miały z reguły wpływ na kształt planu nowego miasta lokacyjnego. Mały Rynek w Krakowie czy Nowy Targ we Wrocławiu stanowiły zabudowę miast przedlokacyjnych; obok nich w bezpośrednim sąsiedztwie, w części respektując istniejący układ, wytyczano plan nowego miasta. Czasem dawny układ – np. w Środzie Śląskiej – uwidoczniał się w planie jako wydłużony, owalnicowy kształt rozszerzonego traktu, tworzącego plac, przy którym wytyczano bardziej regularną, szachownicową zabudowę. Ślady dawnych osad, często targów zlokalizowanych w pobliżu kościołów, widoczne są w nieregularnościach tych właśnie partii lokacyjnego miasta.

Wczesne lokacje z pierwszej ćwierci XIII w. nie pociągały za sobą radykalnego programu urbanistycznego. Te „nowe targi" zadowalały się czasem tylko prawną stroną instytucji miejskich, czasem tylko placowym rozszerzeniem ciągu komunikacyjnego. Dopiero w późniejszym okresie, czasem poprzez „po-wtórną lokację", czyli reformę przywileju lokacyjnego, następuje przekształcenie miasta według nowych koncepcji przestrzennych.

Miasta zakładane na terenie Polski odznaczają się wyjątkowo regularnym układem geometrycznego planu; przewyższają je pod tym względem tylko miasta krzyżackie. Modelowy plan opierał się na wytyczeniu regularnej szachownicy ulic, ujmujących zwarte bloki zabudowy, rozmieszczone przy centralnym placu targowym – rynku. W dużych miastach pojawiły się także rynki pomocnicze – „wodne" , „solne" itp. Z głównego rynku wychodziły zwykle po dwie ulice z każdego naroża, w przedłużeniu pierzei; czasem dodatkowo także ze środka pierzei. Teren całego miasta, liczącego zwykle głębokość dwóch do trzech bloków, uzyskiwał zarys kolisty przez złagodzenie ich naroży – co podyktowane było względami obronnymi.

Bloki zabudowy podzielone były na parcele budowlane, początkowo zwykle znacznych rozmiarów (60 na 240 stóp), pozwalające na pomieszczenie nie tylko frontowego domu z warsztatem lub kantorem kupieckim i zabudowań w głębi, ale nawet na założenie znacznych ogrodów warzywnych. Z czasem jednak działki dzielono, nawet dwukrotnie; w dobie nowożytnej obserwujemy ponowny proces scalania działek.

Produkcyjne funkcje miasta skupione były w warsztatach mieszczących się w domach mieszkalnych, ale w pewnych przypadkach poza nimi, nawet poza miastem; tam lokowano cięższe warsztaty mechaniczne, korzystające z siły wodnej: młyny, folusze, farbiarnie, browary użytkowane przez obywateli mających prawo warzenia piwa, rzeźnie.

Handel skupiony był w dwóch ośrodkach. Jeden stanowiły kantory domowe, gdzie zawierane były transakcje hurtowe, tranzytowe itp. Natomiast handel detaliczny miał charakter otwarty; odbywał się w zajmujących centrum rynku kramach i na ławach (np. szewskich, chlebowych, śledziowych) czy w jatkach. Kramy te czasem uzyskiwały zwartą formę architektoniczną: dwa rzędy kramów otwartych do wspólnej hali nakrywano jednym dachem. Najbogatsze były zwykle kramy sukienników, zwane sukiennicami, zachowane w formie niemal pierwotnej jedynie w Krakowie. We Wrocławiu i w Poznaniu w centrum rynku mieściło się kilka takich zespołów halowych, usytuowanych równolegle, tworzących cały kompleks handlowy. We Wrocławiu zachowały się urządzenia handlowe także poza rynkiem – jatki mięsne, dziś mające postać uliczki z kramami po obu stronach.

Z handlem wiązała się waga: jedyna waga do

120, 121

ważenia hurtowego – źródło dochodów – poddana ścisłej kontroli, znajdowała się w rynku, z czasem umieszczano ją w osobnym budynku lub w otwartej hali.

Miasto było ważnym ośrodkiem kultu religijnego. Z reguły posiadało kościół parafialny, dla którego, wraz z cmentarzem, wyznaczano teren zwykle w bezpośrednim sąsiedztwie rynku; często wcześniejsze istnienie kościoła powodowało nietypowy układ, jak np. w Krakowie. Kościół parafialny, a w większych miastach, np. we Wrocławiu, dwa kościoły stanowiły najważniejsze i najwcześniej rozwinięte dominanty architektoniczne miasta. W ciągu XIII w. pojawiły się w miastach, często jeszcze przed ich lokacją na nowym prawie, zakony żebracze: franciszkanie i dominikanie. Zwłaszcza działalność franciszkanów obejmowała z reguły ważne funkcje charytatywne: opiekę nad chorymi, starymi, bezdomnymi, kalekami, sierotami itd.

Miasto było wreszcie ośrodkiem władzy. Nasze miasta zakładane były przede wszystkim przez książąt, a później przez króla, rzadziej przez biskupów i możnowładców; na terenie państwa krzyżackiego – przez Zakon. Dążeniem miast było wyzwolenie się spod zależności ekonomicznej, także sądowej i militarnej, uzyskanie pełnego samorządu; proces ten trwał przez cały okres gotyku. Jego wyrazem było m.in. tworzenie się i rozbudowa instytucji samorządowych i ich siedziby – ratusza. Zaczątkiem ratusza była często siedziba wójta – dziedzicznego reprezentanta sądowniczej i militarnej władzy książęcej – zwykle w kształcie budowli wieżowej, mogącej pełnić funkcje strażnicze, obronne i więziennicze zarazem. Z czasem dopiero powstały ratusze jako siedziby samorządu miejskiego, dla posiedzeń sądu i ławników. Zwykle też znajdowały się tu pomieszczenia służące reprezentacji i rekreacji, pełniące nader ważne funkcje w społeczności miejskiej.

Obronne funkcje miasta realizowano przede wszystkim poprzez otoczenie go – za zgodą feudała – systemem urządzeń obronnych, które początkowo składały się z wałów ziemnych i palisady, poprzedzonych fosą, poprzez którą prowadziły stałe lub zwodzone mosty. Z czasem wały zastąpiono murami, w XIV w. często już podwójnymi, wzbogaconymi o wieże i basteje. Bramy przerywające mury bronione były przez wieże, a znajdowały się czasem w przyziemiu wież, czasem zaś między dwiema wieżami, zamykane za pomocą wrót i bron. Mury wyposażone były w blanki i kryte ganki strzelnicze, a wieże bramne – dodatkowo w machikuły.

W XV w. urządzenia obronne wzbogacone zostały o barbakany, wysunięte przed bramę główną, złączone z nią szyją bramną, takie jak na przykład zachowany Barbakan w Krakowie i zrekonstruowany w Warszawie; było to najwyższe osiągnięcie średniowiecznej techniki obronnej, zanim zwyciężyły poziome systemy obronne, dostosowane do techniki broni palnej.

Funkcje obronne pełniły także wszystkie murowane budowle miasta – stąd często występujące otwory strzelnicze w wieżach kościołów i pojawiające się czasem na nich ganki strzelnicze (np. w katedrze w Kwidzynie)

W osadach związanych z zamkami i katedrami z reguły powstawały miasta. Charakterystycznym zjawiskiem jest trwałość lokacji katedr, a także ośrodków klasztornych. Miasta lokowano zwykle w pewnej odległości od katedry czy klasztoru, często na przeciwległym brzegu rzeki czy poniżej wzgórza katedralnego. Było to związane z potrzebą zapewnienia większych terenów do wytyczenia miasta, miało jednak ważne konsekwencje polityczne: tereny przykatedralne, np. wyspy (we Wrocławiu czy w Poznaniu), pozostały odrębnymi organizmami.

Wiąże się z tym także sprawa zmian lokalizacji siedziby władcy. Np. w Poznaniu w XIII w. siedzibę władcy przeniesiono z wyspy w pobliżu katedry na lewą stronę Warty, na wzgórze, w bezpośrednie sąsiedztwo powstającego organizmu miejskiego. We Wrocławiu, równolegle do istniejącego zamku na wyspie (w pobliżu zachowanego kościoła św. Marcina), powstał zapewne już w końcu w. XII zamek lewobrzeżny – w bezpośrednim sąsiedztwie rozwijającej się osady targowej, przy której następnie lokowano miasto. W Głogowie przeniesiono zamek, usytuowany obok kolegiaty na wyspie, na lewy brzeg Odry, gdzie też powstało lokacyjne miasto. W Krakowie lokalizacja zamku nie zmieniła się, natomiast związano miasto z zamkiem systemem obronnym. Zasadniczy cel zmian lokalizacji zamków był związany z ich funkcjami obronnymi i kontrolnymi (z tych powodów zamek krzyżacki w Toruniu wciskał się klinem między obydwa sąsiadujące ze sobą poprzez mur miasta). Świadczy to równocześnie, że w tym czasie nastąpiło rozluźnienie związków między centrami ideologii kościelnej a władzą świecką, natomiast ich zacieśnienie między tą drugą a prosperującymi organizmami miejskimi.

Mieszkalne potrzeby miasta przez długi okres zaspokajane były dzięki budownictwu drewnianemu. Przed w. XV w nielicznych tylko miastach – w Krakowie, Wrocławiu, Toruniu i Gdańsku, w miastach krzyżackich – spotykamy domy murowane. Ale już w XIV w.

uformował się zasadniczy model budownictwa miejskiego. Początkowo były to domy drewniane, parterowe, szczytem zwrócone do ulicy lub rynku, mieszczące przejazd, izbę mieszkalną i kuchnię. Szybko jednak rosły w głąb i w górę. Wówczas parter zajęty był przez kantor kupiecki lub warsztat, lokowane w wielkiej sieni i w świetlicy od podwórza, natomiast wnętrza mieszkalne znajdowały się na piętrze.

Znane z późnogotyckiej ikonografii miasto gotyckie – otoczone murami zwieńczonymi krenelażem, z basztami, z regularną zabudową szczytowych domów, z wyodrębnionymi kwartałami zabudowy klasztornej, z centralnie usytuowanym rynkiem, nad którym dominowano ratusz, o wieży mogącej często współzawodniczyć z wyniosłymi wieżami kościołów parafialnych – było wytworem długotrwałego procesu, liczącego przeszło 200 lat. Jego wynikiem było także uformowanie się odrębnego społeczeństwa, również odrębnego środowiska artystycznego – twórców i odbiorców. Można sądzić, że już w XIII w. z miastem wiązało się powstanie i rozwój nowego rytmu życia i pracy, rozrywki i odpoczynku. Stawało się ono, zwłaszcza wobec wsi, symbolem wielkich możliwości. Istniejące tu, rozbudowane, dynamiczne i dalekosiężne kontakty międzyludzkie ułatwiały wymianę myśli, przepływ informacji, idei, formowanie się nowych pojęć i modyfikację wzorów życia, w stopniu dorównującym środowiskom dworskim, ale przewyższającym je niepomiernie powszechnością.

Wiązało się to m.in. z możliwościami społecznego awansu każdego członka gminy miejskiej poprzez uzyskanie majątku. Pieniądz był miernikiem wartości człowieka, a mieszczaństwo stanowiło warstwę społeczną początkowo zupełnie otwartą; poprzez wybory do władz miejskich zyskiwało możliwość decydowania o podstawowych dziedzinach życia, których formy z czasem ujęte zostały przez znane powszechnie przepisy.

Istotna była niezależność miast w życiu zawodowym i prywatnym, szeroko pojęty samorząd miejski, na którego gruncie kształtował się zupełnie nowy typ mentalności społecznej. Do niezależności tej przyczyniała się działalność korporacji miejskich: rzemieślniczych cechów, handlowych gildii, różnego rodzaju parazawodowych i parareligijnych bractw. Ważny był rozwój wiedzy, w tym także wiedzy prawniczej, rozpowszechnianie się dokumentów pisanych – pociągające za sobą upowszechnienie znajomości pisma, organizacja kancelarii miejskiej, zakładanie szkół o wyższym poziomie. Wszystko to sprzyjało wytworzeniu się pewnej wspólnoty kulturowej – nie-

zależnie od rozwarstwienia społecznego miasta i powstawania dość ostrych konfliktów – wykształceniu się odrębności miejskiej.

W formowaniu się artystycznej kultury miasta możemy wyodrębnić dwie fazy: sztuki miejskiej i sztuki mieszczańskiej. W pierwszej fazie powstająca w mieście sztuka w przeważającej mierze wyraża ideały uniwersalne albo też rozwijane przez zakony bądź przez dwór i rycerstwo. Dopiero w drugim okresie społeczeństwo miejskie jest nie tylko hojnym fundatorem powstających w mieście dzieł sztuki, ale równocześnie dzieła te są wyrazem specyficznej mieszczańskiej mentalności, wyrazem właściwej mieszczaństwu interpretacji ogólnych, zwykle religijnych idei, zawierają znamienny dla tej warstwy społecznej system wartości. Faza ta przypada dopiero na w. XV. Należy dodać, że cechą charakterystyczną mieszczaństwa jako fundatora i promotora sztuki była zespołowość zamówień.

Szeroko rozwinięte, daleko sięgające powiązania handlowe, zwyczaj lub przepis wymagający odbycia wędrówki rzemieślniczej, także związki rodzinne z macierzystymi środowiskami przybyłych z obcych stron osadników ułatwiały przedmiotowy i osobowy import sztuki. Wobec przewagi w polskich miastach kolonistów przybyłych z krajów niemieckich te właśnie środowiska odgrywały decydującą rolę.

Ukształtowanie się miast doprowadziło do zasadniczych przemian w organizacji produkcji artystycznej: obok artystów związanych z klasztorami czy dworami formuje się i szybko zyskuje przewagę liczebna grupa twórców osiadłych w miastach, stanowiących w ten sposób swoiste środowisko artystyczne. Działalność tej grupy ujęta jest w przepisy cechowe, regulujące kształcenie i kontrolujące jakość produkcji, nim stanie się ona przedmiotem oceny właściwego użytkownika.

Wpływ sztuki środowisk dworskich, a przede wszystkim kościelnych, katedralnych i klasztornych widoczny jest dobrze w wielkich dziełach sztuki miejskiej XIV i XV w. Np. dominujący w miastach śląskich typ architektury tzw. szkoły śląskiej ukształtował się w kręgu architektury klasztornej, a w Małopolsce wywodzi się ze wzoru, jakim była katedra wawelska. Charakterystyczne dla miast liczne dzieła mistyczne – krucyfiksy, Piety itp. wiążą się ściśle z mistyką zakonów, zwłaszcza cysterskich i franciszkańskich, a w końcu XIV w. rozwijają się pod silnym naporem wartości płynących ze środowisk dworskich.

Odrębność miasta zaznaczyła się w tym okresie w mniejszym stopniu w aspekcie ideowym i estetycznym; w tym sensie oddziałują jeszcze ciągle centra kościelne i dworskie; w większym natomiast stopniu zaznaczyła się w funkcjach użytkowych. Powstały więc nowe w sensie użytkowym typy budowli właściwe tylko miastu, jak ratusze czy budynki handlowe, a także szczególny rodzaj domów, łączących funkcje mieszkalne – z czasem także reprezentacyjne – z wytwórczymi i handlowymi. Miasto jako całość było tworem architektonicznie i przestrzennie nowym.

Ale dopiero w w. XV pojawiają się dzieła sztuki eksponujące wartości właściwe szczególnie mieszczaństwu, jak np. praca i życie rodzinne.

Katedry gotyckie

Katedra – czołowy temat architektoniczny gotyku francuskiego w Polsce dopiero w XIV w. doczekał się gotyckiej realizacji. Charakteryzuje to sytuację w sztuce i kulturze polskiej: powstałe w dobie romanizmu katedry przetrwały przez w. XIII, niemal nie naruszone, do epoki późnego gotyku w w. XIV. Najwidoczniej nie istniały potrzeby użytkowe i ideowo--artystyczne, które by prowadziły do podjęcia nowych rozwiązań. Wiek XIII był wprawdzie w Polsce okresem ważnych przemian i wówczas to pojawiają się pierwsze gotyckie dzieła architektury na Śląsku i w Małopolsce, ale pełna epoka gotyzacji architektury monumentalnej w Polsce przypada na czas po r. 1300.

Jest to okres powstawania regionalnych szkół w architekturze polskiej, zwłaszcza w Małopolsce i na Śląsku. Wznoszone tu katedry miały ogromny wpływ na wykształcenie się tych odrębności. Nie mniej ważne jest i to, że każda z nich stanowiła odrębne rozwiązanie i że równocześnie duże znaczenie miał kontekst fundatorski towarzyszący ich powstaniu.

9–
31 Katedra wrocławska ma swoją znamienną „prehistorię". Powstały w l. 1244–1272 chór nawiązywał do architektury cysterskiej, wprowadzając równocześnie nową, gotycką – co w tym czasie oznacza przede wszystkim naturalistyczną – interpretację symbolicznej i dramatycznie narracyjnej rzeźby architektonicznej. Dopiero w pierwszej ćwierci XIV wieku podjęto budowę korpusu nawowego katedry.

Reprodukcyjny model tego dzieła wyraził się m.in.: w rezygnacji z transeptu (którego pozostałością jest jedynie szersze przęsło przed chórem, nakryte sklepieniem przeskokowym), w braku wyodrębnienia szkieletowego systemu konstrukcyjnego i w oparciu sklepień

na ścianach, w podkreślaniu płaszczyzny, we wprowadzeniu do nawy głównej – na wzór architektury włoskiej – baldachimowego fryzu, radykalnie odcinającego poziom arkad międzynawowych od strefy okiennej i akcentującego horyzontalność kompozycji ściany w miejsce dawnego wertykalizmu, w podkreśleniu korytarzowego charakteru wnętrza. Dwuwieżowa fasada zachodnia z portalem, której akcentem był w XV w. domek portalowy, korespondowała z dwiema wieżami wschodnimi.

Uroczysty charakter nadawał temu obiektowi także wystrój rzeźbiarski: romanizujące – w tym czasie dopiero powstałe – lwy strzegące portalu, przedstawienia świętych na zwornikach, zgodnie z ruchem procesyjnym w obrębie katedry, przedstawienia biskupa-fundatora, może także architekta.

Katedra wrocławska była dziełem biskupim. Chór powstał dzięki biskupowi Tomaszowi I, korpus – być może rozpoczęty jeszcze za czasów Henryka z Wierzbna, a kontynuowany przez Nankera – ukończony został za czasów Przecława z Pogorzeli, wraz ze wzniesieniem kaplicy Mariackiej. Biskupi charakter tego dzieła akcentowany był wielokrotnie: przez przedstawienie fundatora w korpusie głównym i w kaplicy Mariackiej, a przede wszystkim dzięki programowi sklepiennej rzeźby kaplicy, głoszącemu otrzymanie władzy biskupa wprost od Boga (anioł niosący biskupią mitrę) – co w dobie komplikacji stosunków między władzą duchowną i świecką za panowania Luksemburgów, wobec prób złączenia diecezji wrocławskiej z Pragą, miało wyraźny aspekt polityczny. Szczególną wymowę ma także pomnik nagrobny biskupa Przecława, ustawiony w centrum kaplicy; wokół ukazanego w splendorze władzy biskupiej zmarłego fundatora widnieje tu wyłącznie zgromadzony kler katedralny i zakonny. Tak więc uzasadniony wydaje się sąd, że katedra i jej wyposażenie, powstające w ciągu w. XIV, były wyrazem suwerenności władzy biskupiej i autonomiczności ośrodka biskupiego; proces ten zapoczątkował Henryk z Wierzbna, założyciel nyskiego księstwa biskupiego, poprzez swoją interpretację immunitetu ekonomicznego i sądowego, następnie przyczynił się do niego Nanker i jego ostre spory z Janem Luksemburgiem. Nie bez znaczenia było także utrwalenie statutu księstwa za Przecława z Pogorzeli, współpracującego z Karolem IV, lecz nie obawiającego się ostrej konfrontacji z Wacławem IV.

Inaczej działo się w Krakowie. Położenie kamienia węgielnego pod budowę gotyckiej katedry w r. 1320 nieprzypadkowo zbiegło się z koronacją Władysława Łokietka. Kraków 132, 134

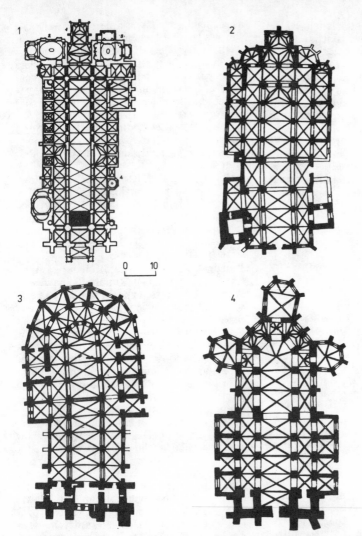

Plany katedr gotyckich: 1 – we Wrocławiu, 1244–1361; 2 – w Krakowie na Wawelu, 1320–1364; 3 – w Gnieźnie, 1342–pocz. XV w.; 4 – w Poznaniu, 1346–1410

utwierdził się na trzy wieki jako stolica królestwa, a katedra stała się kościołem koronacyjnym i miejscem grobów niemal wszystkich późniejszych królów Polski. Chór ukończony został w r. 1346, a budowa korpusu w r. 1364.

Nawiązując do dawnej katedry romańskiej, z której zachowała się krypta św. Leonarda i fragmenty wież, skorzystano ze wzoru katedry wrocławskiej, jeśli chodzi o rozwiązanie chóru; także w Krakowie jest on zamknięty prostą ścianą, przeprutą dwiema arkadami; jego wschodnie przęsło nakryte zostało sklepieniem przeskokowym. Otoczony cysterskim ambitem, oddzielony został od zaledwie trzy-

przęsłowego korpusu nie występującym z bryły transeptem. Wokół obejścia powstały z czasem kaplice, z których środkowa, Mariacka, wzniesiona w l. 1382–1390, nakryta sklepieniem przeskokowym, nawiązuje do Mariackiej kaplicy w katedrze wrocławskiej. Niewysokie wnętrze, o romańskich proporcjach szerokości do wysokości jak 1:2 w nawie głównej i prezbiterium, bez triforiów, odznacza się staranną artykulacją elewacji wewnętrznych. Biegnący ponad strefę arkad gzyms uskokiem odcina cofniętą partię okienną, a przecinające go służki sklepienne spływają do nasad łuków arkadowych, wprowadzając delikatne podziały przęseł. W ścianach przęseł znajdują się po trzy wnęki okienne (środkowa wyższa, boczne zamurowane), wsparte na gzymsie. Powstaje w ten sposób spokojna artykulacja elewacji, inna od znamiennego dla Śląska eksponowania nienaruszonej, surowej płaszczyzny ściany. Linearny charakter wszelkich elementów, ostrość profili, mnożenie uskoków i wieloplanowość płaszczyzn o układzie dekoracyjnym, a nie konstrukcyjnym – pozwalają ustalić przynależność tego dzieła do gotyku redukcyjnego.

Szczególnych proporcji katedry, o dużym prezbiterium, zdolnym pomieścić w XIV w. ok. dwustuosobowy kler katedralny, i o krótkiej nawie, nie należy tłumaczyć dworsko-koronacyjnym przeznaczeniem obiektu; był to przede wszystkim wynik topografii wzgórza wawelskiego. Niemniej królewski charakter budowli nie ulega wątpliwości. Na zwornikach chóru pojawiły się przedstawienia Chrystusa, św. Wacława i św. Stanisława – patronów katedry – oraz herb Rawicz, należący do fundatora, biskupa Grota. Św. Stanisław był równocześnie patronem zjednoczonego królestwa.

Dworska część katedry oznaczona została na fasadzie zachodniej herbem Kazimierza Wielkiego, a żelazne drzwi wiodące do wnętrza ozdobiono inicjałem królewskim, „K", zwieńczonym koroną. Królewski charakter nadawały katedrze także umieszczone w niej jeszcze w dobie gotyku pomniki nagrobne: Władysława Łokietka, Kazimierza Wielkiego, Władysława Jagiełły i Kazimierza Jagiellończyka.

Przypisanie tak wielkiego znaczenia katedrze krakowskiej było równoznaczne z osłabieniem roli metropolitalnego ośrodka gnieźnieńskiego. Przyczyny tego były na przełomie XIII i XIV w. przede wszystkim polityczne: aprobata kurii gnieźnieńskiej dla wielkopolskich i śląskich przeciwników Łokietka w dziele zjednoczenia, a następnie gnieźnieńska koronacja króla czeskiego, Wacława II (1300) na króla Polski. Rozwijanie kultu św. Stanisława nie tylko jako patrona zjednoczenia, ale także zjednoczonego królestwa i uczynienie z Krakowa centrum tego kultu stanowiło działanie konkurencyjne w stosunku do jedynego dotychczas „państwowego" kultu św. Wojciecha i jego wielkopolskiego centrum.

Dążenie do odzyskania dawnego autorytetu kościoła koronacyjnego przyświecało staraniom podjętym przy budowie gotyckiej katedry w Gnieźnie; miało też decydujące znaczenie dla artystycznego kształtu tego dzieła. Fundowane przez arcybiskupa Jana Bogorię ze Skotnik, z Małopolski, wznoszone od r. 1342, uzyskało ono w porównaniu z innymi katedrami polskimi najbardziej katedralny kształt. Wydłużone, trzyprzęsłowe prezbiterium zamknięte jest siedmiobocznie, niemal półkoliście, i otoczone półkolistym obejściem oraz wieńcem kaplic. Nie wiemy tylko, czy stanowiły one – na sposób klasyczny – zespół wyodrębnionych architektonicznie składników, czy też – jak obecnie – jednolity ciąg, podzielony na czworoboczne kompartymenty. Niemniej katedralny charakter rozwiązania, wielokrotnie zestawiany z planami klasycznych katedr francuskich, bije w oczy. Podobnie wewnątrz: masywność filarów zamknięcia chóru nie przesłania typowo katedralnego motywu wydłużonych i ostro zamkniętych arkad; katedralny rodowód ma także zredukowany do fryzu maswerkowych płycin motyw trioforiów. Podkreślanie tych katedralnych elementów wydaje się szczególnie ważne w przypadku dzieła, które – generalnie rzecz biorąc – reprezentuje zaawansowany etap redukcyjnej architektury późnego gotyku drugiej połowy XIV w., co uwidocznia się w linearnym dukcie służek, w zaniku podziałów przęsłowych na korzyść poziomego gzymsu jednoczącego całość, w rezygnacji z transeptu. Użyto wymienionych poprzednio motywów świadomie, w celu zaakcentowania katedralnego charakteru obiektu.

Później powstały korpus, ukończony w w. XV, dzieło przybyłego zapewne z północy warsztatu, na co wskazuje między innymi zastosowanie sztucznego kamienia, miał już inny charakter.

Ważnym dopowiedzeniem ideowych funkcji katedry gnieźnieńskiej jest jej wystrój rzeźbiarski. Przede wszystkim więc pojawia się swoiście zredukowany program uniwersalny: w portalu południowym przedstawiono Sąd Ostateczny w wersji apokaliptycznej, z postaciami Marii i Jana Chrzciciela w asyście proroków. Na archiwoltach portalu zamieszczono motywy cnót walczących z występkami, w ujęciu symbolicznym. Motyw ten pojawia się także na gzymsach i arkadach międzynawowych oraz na żebrach sklepieniowych. W portalu południowym znajduje się narracyjnie skomponowana scena „Ukrzyżowania". Głowy umieszczone na gzymsach południowej ściany nawy głównej interpretowane są jako przedstawienia zbawionych, scharakteryzowanych w kategoriach społecznych i psychofizycznych, z określeniem wieku itd.; w gronie tym znajduje się być może „portret" fundatora, a zapewne także architekta. Na łukach arkad międzyfilarowych widnieją głowy potępionych.

Równocześnie pomieszczono w katedrze program o bardziej indywidualnym i aktualnym zarazem charakterze, związany z próbą restytuowania królewskiego charakteru katedry. Jeśli słuszne jest przekonanie, że pojawiający się w zespole zworników naw bocznych i obejścia chóru – obok przedstawień religijnych, herbów kapituły, biskupów, Królestwa,

135

obok popiersia papieża – herb Luksemburgów wiąże się z przygotowaniem katedry na przewidywaną koronację Zygmunta Luksemburskiego, to mielibyśmy do czynienia z wyjątkowo konsekwentnym programem architektoniczno-rzeźbiarskim, który zarówno w planie ogólnym, uniwersalnym, jak i aktualnym, służył tej samej idei politycznej: odrodzeniu autorytetu kościoła gnieźnieńskiego jako koronacyjnego kościoła królów polskich.

137 Katedra poznańska, budowana w l. 1346–1410, powstała w dwóch fazach: do r. 1364 wzniesiono korpus katedry, natomiast budowę chóru rozpoczęto w końcu XIV w. i zakończono w drugim dziesięcioleciu XV w. Korpus katedry dość ściśle powtarza wzory zaczerpnięte z architektury śląskiej, natomiast oryginalne rozwiązanie przedstawia chór: jego autor wywodzi się najpewniej z kręgu architektury nadbałtyckiej. Zastosowano tu zmodyfikowane na sposób lubecki katedralne obejście; posłużono się także motywem triforium, znanym choćby z niezbyt odległego kościoła Mariackiego w Stargardzie Szczecińskim. Obejście tworzą trzy prostokątne przęsła z nadbudowanymi wieżami prezbiterialnymi, połączone przęsłami trapezoidalnymi, nakrytymi sklepieniem przeskokowym. Do przęseł prostokątnych otwierają się trzy duży rozmiarów wieloboczne, dwukondygnacjowe kaplice (przebudowane w czasach nowszych), między które wbudowano pozostałe kaplice, wspólnie tworzące wieniec wokół obejścia.

Warsztatowe powiązania twórców tego dzieła z kręgiem architektury Niżu Nadbałtyckiego wyjaśniają tylko jeden z jego aspektów, gdyż w katedrze poznańskiej można także stwierdzić ślady odległych koncepcji katedralnych. Powstała ona jak gdyby na przecięciu się dwóch ciągów. Warsztatowo-formalny wiedzie od Soissons, poprzez kościoły typu katedralnego w miastach hanzeatyckich, z kościołem P. Marii w Lubece na czele, oraz poprzez najbliższy terytorialnie wspomniany kościół Mariacki w Starogardzie Szczecińskim. Drugi ciąg stanowi tradycja katedralna, inaczej jednak interpretowana niż w Gnieźnie. W Poznaniu podjęto dwa wątki katedralne. Pierwszy – to triforium, pełniące funkcje galerii śpiewaczej i nawiązujące do tradycji empor z „chórami anielskimi". Drugi – to trzy emporowe kaplice wokół chóru, z których wschodnia pełniła funkcje kaplicy biskupiej, połączona niegdyś gankiem z pałacem biskupa, a południowa służyła kapitule. Nawiązują one do dwukondygnacjowych kaplic-oratoriów przy katedrach francuskich, np. w Laon, Noyon czy Reims.

Katedralny charakter budowli poznańskiej jest więc – mimo odmienności opracowania warsztatowego – czytelny. Łączy się on z tradycją pierwszego biskupstwa na naszych ziemiach i miejscem grobów Mieszka, pierwszego władcy chrześcijańskiego, i Bolesława Chrobrego, pierwszego króla Polski, o czym miał przypominać wzniesiony przez Kazimierza pomnik nagrobny.

Gotyckie katedry w Polsce nie stanowiły zwartej grupy architektonicznej. Przeciwnie, każda z nich ma nie tylko odrębny kształt architektoniczny – nawet analogie chóru we Wrocławiu i w Krakowie są najogólniejszej natury – ale przede wszystkim inną historię; wpisane są w odrębny kontekst historyczny. Dopiero pełniejsze rozpoznanie tej sytuacji pozwala zrozumieć różnorodność i bogactwo form architektonicznych polskich katedr.

Problemy „mecenatu"

W wieku XIV obserwujemy procesy prowadzące do uformowania się środowisk artystycznych skupionych w jednym miejscu, złączonych względną wspólnotą celów artystycznych, wspólną wiedzą artystyczną, korzystających wzajemnie ze swych doświadczeń, kontrolujących się wzajemnie, konkurujących między sobą, lecz także znajdujących oparcie we wspólnych fundacjach. Naturalnym niejako miejscem życia tych środowisk było miasto, stanowiące istotny czynnik stabilizacji twórczości artystycznej, co wyraziło się dobitnie poprzez utworzenie organizacji cechowej, przeciwstawiającej się panującym dotychczas strzechom budowlanym. Wprawdzie aktywność i ruchliwość tych ostatnich nie zaniknęły – nie było to możliwe m.in. ze względów czysto praktycznych – ale związek twórców architektury z określonymi ośrodkami miejskimi umocnił się; w jeszcze większym stopniu dotyczyło to innych twórców, dla których miasto – a nie tylko klasztor czy dwór, jak zwykle dotychczas – stało się głównym miejscem działania. Środowisk tych nie należy przecież wyobrażać sobie jako ustabilizowane, zamknięte enklawy, lecz poznawać je trzeba w kategoriach przeciwieństw, takich jak: zamknięte – otwarte, dynamiczne – stabilne, jednorodne – złożone, harmonijne – sprzeczne, i tak w ich powstaniu, jak i w stałej przemianie upatrywać istoty zjawisk.

Zachodzące w XIV w. przemiany dotyczyły zresztą nie tylko środowisk twórców, ale także fundatorów. Krąg ten znacznie się poszerzył. Miasta stały się nie tylko miejscem twórczości, ale także podmiotem odrębnej kultury, fundatorem znamiennych dla siebie dóbr artystycznych. Rozbudowana sieć prowincjonalnych kościołów parafialnych właśnie w tym czasie zgłaszała zapotrzebowanie na przedmioty kultowe, stanowiąc socjalnie określony krąg odbiorców, a czasem i fundatorów. W tym to czasie można mówić nie tylko o sztuce katedr, klasztorów i dworów, ale także o sztuce miejskiej – z czasem także mieszczańskiej – o sztuce parafialnej; określenia te wyrażają zarówno zawartość ideową, jak i typ emocji, a także często charakter „stylowy" i poziom artystyczny, zgodne z mentalnością odbiorców oraz fundatorów. Sprzyjało temu coraz silniejsze zróżnicowanie klas i warstw społecznych, zwłaszcza w środowiskach zachodniej i południowej Polski.

Fundatorzy z kręgu władców, dostojników świeckich i duchownych – to zjawisko dobrze znane z terenu Polski, zwłaszcza w w. XII. W w. XIV wybijającymi się fundatorami są przede wszystkim władcy - królowie, książęta, członkowie ich rodzin: Kazimierz Wielki, Władysław Jagiełło, Elżbieta Łokietkówna, Ludwik I brzeski, a w w. XV biskup Zbigniew Oleśnicki i związany z nim Jan Długosz. W w. XV zaczyna występować stały wzrost znaczenia drobnych fundatorów, zwłaszcza z kręgów mieszczańskich.

Sztuce doby średniowiecza ·towarzyszyła z reguły myśl o celach, które przekraczały potrzeby jednostki; w tym sensie była to na ogół sztuka społeczna, a nie prywatna. Sferę prywatnych potrzeb artystycznych zaspokajały przede wszystkim wytwory rzemiosła artystycznego, także stosunkowo nieliczne dzieła malarstwa książkowego czy drobnej rzeźby, wyjątkowo tylko zachowane. O mecenasach w. XIV i XV możemy zatem wyrobić sobie zdanie na podstawie ich fundacji „publicznych".

W stosunku do w. XII rozbudowane zostały treści i funkcje natury politycznej, gdy poprzednio dominowały treści religijne. Równocześnie pojawiło się upodobanie do określonych dzieł, także w ich aspekcie estetyczno--artystycznym. Funkcja i wartość artystyczna dzieła dochodzi w tym czasie stopniowo do znaczenia.

W sytuacji narastania złożoności procesów artystycznych zróżnicowaniu podlega także „podmiot" fundacji. Dotychczasowe pojęcie fundatora przestaje wystarczać. Zadaniem fundatora było określenie zasadniczego sensu fundacji oraz dostarczenie środków materialnych i prawnych niezbędnych do jej realizacji. Oprócz fundacji czynionych niejako z urzędu pojawiają się, zwłaszcza w w. XV, coraz częściej fundacje prywatne, a obok indywidualnych także zbiorowe, choć równocześnie wzrasta znaczenie osobistego stosunku do celów fundacji i do fundowanego dzieła.

Obok fundatora należy wyróżnić osobę lub instytucję, która decydowała o ideowej i funkcjonalnej stronie fundacji, jej niejako promotora. Z osobą promotora należy wiązać nie tylko zainteresowanie dla treści i funkcji dzieła, ale także dla jego wartości artystycznych, nawet pewien rodzaj znawstwa, zdolności oceny wartości artystycznej, przyjętych rozwiązań, stymulowanie charakteru, popieranie preferowanego kierunku, określanie jego ekspresji.

Należy jednak zaznaczyć, że średniowieczny fundator i promotor zawsze różnili się od starożytnych czy nowożytnych mecenasów, nawet gdy sprawowali opiekę nad artystami. Różnili się przede wszystkim ze względu na właściwą im hierarchię wartości, w której wartość „czysto artystyczna" nie znajdowała się na czele; „czysto estetyczny" stosunek, osobiste zamiłowanie nie wyprzedzały ideowych wartości sztuki w jej szerokim funkcjonowaniu.

Kazimierz Wielki fundował wiele dzieł z różnych dziedzin sztuki, przede wszystkim architekturę obronną, kościelną oraz złotnictwo, także w przekonaniu o ich ideowym znaczeniu, posługując się nimi jako pewnego rodzaju komunikatami apelującymi do różnych kręgów społecznych. Świadomie wybierał – a przynajmniej akceptował – typ pomnika nagrobnego, który nadawał się do wyrażania nie tylko eschatologicznych, ale także aktualnych, politycznych treści, o czym świadczy analiza obydwu fundowanych przezeń nagrobków: Władysława Łokietka i Bolesława Chrobrego.

Indywidualność fundatora rysuje się wyraźnie w przypadku architektury kościołów „kazimierzowskich" w Wiślicy, Niepołomicach, Stopnicy, Sandomierzu. Estetyczna wspólnota widoczna jest w organizacji dwunawowej przestrzeni typu salowego, w smukłych proporcjach, daleko posuniętej redukcji i linearyzmie detalu, w niezależności wysoko rozpiętych sklepień, a także w pojawiającej się tu rzeźbie architektonicznej. Ów salowy typ kościoła, mający zapewne klasztorną genezę, wyraźnie łączy się z dworskim charakterem sztuki, a także z pełnionymi we wnętrzu świątyni czynnościami sądowniczymi: jest to przestrzeń podyktowana nie tylko funkcjami liturgicznymi. Związek tych dzieł z Kazimierzem Wielkim nakazuje w nim właśnie upatrywać promotora wprowadzenia i popularyzacji tego typu rozwiązań przestrzennych, podyktowanych rozeznaniem własnych potrzeb oraz pewną znajomością możliwości współczesnej architektury.

139

Także w przypadku architektonicznych fundacji Jana Długosza – być może zresztą podejmowanych na zlecenie Zbigniewa Oleśnickiego – zwraca uwagę warsztatowe, a także „stylowe" pokrewieństwo tych dzieł, zwłaszcza tak charakterystycznego detalu architektonicznego. Są to obiekty architektury sakralnej, m.in. kościół i klasztor w Kłobucku, kościoły w Raciborowicach i Szczepanowie, i mieszkalnej – Dom Mansjonarzy w Sandomierzu, Dom Wikariuszy w Wiślicy i in. Jeśli nawet prosta koncepcja architektoniczna i typ dekoracji były przede wszystkim zasługą warsztatu Marcina Proszko i Jana Muratora – a za tym zdają się przemawiać dzieła tego warsztatu spoza kręgu fundacji Długosza, jak np. zamek w Dębnie, kolegiata w Nowym Sączu czy fara w Bieczu, o podobnych formach architektonicznych i dekoracyjnych – to przecież nie ulega wątpliwości aprobata fundatora, jego wybór i decyzja.

Jednym z najwybitniejszych fundatorów XIV w. był książę Ludwik I brzeski, człowiek wielkiej i szczerej pobożności, myślący kategoriami rodu, zaangażowany w partykularną politykę dzielnicy śląskiej. Fundowane przezeń dzieła wiążą się z rezydencjami książęcymi, z kaplicą na zamku lubińskim (1349), a następnie z zamkiem i kolegiatą zamkową w Brzegu. Fundacja kolegiaty, zasilana przez biskupa, książąt, rycerstwo, a nawet przez mieszczan, podjęta została przede wszystkim z myślą o stworzeniu środowiska wykształconych ludzi – czemu na Śląsku służyły w XIII i XIV w. podobne przedsięwzięcia architektoniczne w Głogowie, Wrocławiu, Legnicy i Głogówku. Z zespołu ludzi związanych z kolegiatą w Brzegu rekrutowali się urzędnicy kurii książęcej; kanonikiem kolegiaty brzeskiej był Piotr z Byczyny, autor *Kroniki książąt polskich* (do 1386).

Istotny wątek, który przewija się przez większość fundacji księcia – to temat św. Jadwigi. Ona to jest współpatronką obydwu fundacji kościelnych, jej przedstawienie znajduje się na tympanonie lubińskim, jej posąg – na wschodniej elewacji kaplicy brzeskiej. W r. 1353 powstaje ilustrowany *Żywot św. Jadwigi*; w r. 1380 – podobny kodeks funduje bratanek Ludwika, Ruprecht legnicki. Przed r. 1383 książę obejmuje patronat nad kaplicą św. Jadwigi pod Byczyną. Ludwik brzeski był jednym z odnowicieli i propagatorów kultu św. Jadwigi w XIV w.; antenatka, podniesiona do godności świętej, miała ogromne znaczenie dla prestiżu rodu – polityczno-rodowy aspekt fundacji Ludwika nie ulega wątpliwości.

Mniej uzasadnione natomiast wydaje się upatrywanie w księciu „mecenasa sztuki". Wymienione w jego pierwszym testamencie przedmioty artystyczne, to – poza kodeksami – głównie obrazy i rzeźby z kości słoniowej, najpewniej o treści religijnej, oraz ołtarz (być może przenośny), przeznaczone m.in. dla córki, Ksieni trzebnickiej; oprócz tego wymieniony został zespół szat liturgicznych przeznaczonych m.in. dla lubiąskich cystersów, a także liczne naczynia liturgiczne i relikwiarze, m.in. przeznaczone dla syna. W drugim testamencie i przywileju dla kolegiaty brzeskiej wymienione są wśród innych insygnia dziekana kolegiaty i rektora szkoły, ozdoby ołtarza służące kultowi oraz większa liczba relikwiarzy; także zbiór pereł, jaspisów, kryształów górskich itp., które należy traktować jako skarb, kosztowności czy też materiał do wyrobu relikwiarzy, opraw kodeksów i in. podobnych przedmiotów. Traktowanie wymienionych przedmiotów, związanych z reguły z kultem religijnym, jako zbioru artystycznego wydaje się chybione; w ogromnej większości stanowiły one wyposażenie fundowanych przez księcia instytucji kościelnych i szkół, przy czym służąc im, pozostawały własnością księcia.

Zbiory księcia Ludwika nie miały więc charakteru „kolekcji" dzieł sztuki, artystyczna wartość nie była jedną z zasadniczych przyczyn ich gromadzenia. Charakteryzują one osobę księcia nie jako mecenasa sztuki, lecz jako pobożnego i szczodrego w stosunku do kościoła chrześcijanina, który nie skąpił środków i zabiegów, aby uzyskać te wspaniałe, służące kultowi przedmioty, z myślą o własnym i swej rodziny zbawieniu.

Wielkim fundatorem staje się miasto. W miarę rozwoju tworzy się tu odrębne i wewnętrznie zróżnicowane środowisko społeczne, także artystyczne, skupiające twórców pozostających w związkach organizacyjnych lub nieformalnych, środowisko wytwarzające, a równocześnie odbierające dzieła sztuki, tak indywidualnie jak i zbiorowo. Miasto powoływało do życia właściwą sobie architekturę, związaną z jego instytucjami: ratusze, sukiennice, „dwory Artusa", domy różnych bractw miejskich. Pełniła ona dzięki swojemu ukształtowaniu różnorodne funkcje, stanowiła przestrzenno-plastyczne ramy zbiorowego życia miejskiego, służąc celom organizacyjnym, reprezentacji, rekreacji itd. Zawarte w tych budowlach dzieła sztuki przedstawiającej – nielicznie do dziś zachowane – nie tylko upamiętniały polityczne orientacje czy wydarzenia, jak czyniły to np. heraldyczne tympanony ratusza wrocławskiego czy obraz oblężenia Malborka w gdańskim Dworze Artusa, ale także ilustrowały „codzienne życie" miasta i mieszczańskie obyczaje, wyrażały postawy moralne oraz właściwe miastu

systemy wartościowania, czego przykładem
7 mogą być rzeźbione fryzy na ratuszu wrocławskim.
Tworzenie się mieszczańskiej kultury artystycznej to proces złożony, przebiegający różnie w poszczególnych gałęziach sztuk plastycznych i w dość wolnym tempie. Wspaniałe budowle miejskie, wznoszone zwłaszcza w XIV w., a także dzieła rzeźby i malarstwa początkowo reprodukowały wartości artystyczno-ideowe powstałe w innych środowiskach społecznych, w szczególności w środowiskach feudałów świeckich i kościelnych. Była to więc sztuka miejska, lecz nie mieszczańska. Dopiero w w. XV miasto zaprezentuje w sztuce właściwą sobie wizję świata i własny porządek wartości.
Rozeznanie fundatorów we współczesnej sytuacji artystycznej zdaje się wiązać z ich społeczną pozycją: im wyżej w hierarchii społecznej osadzeni, tym szersze horyzonty, tym bardziej świadoma działalność w aspekcie tak ideowym jak i artystycznym. Fundacje Kazimierza Wielkiego, zwłaszcza w zakresie architektury sakralnej, dowodzą znajomości najbardziej nowoczesnej koncepcji przestrzennych tego czasu. Kościoły te, np. w Wiślicy i w Niepołomicach, reprezentują znakomitą klasę artystyczną, świadczącą o właściwym doborze wykonawców. W przypadku fundowania zamków, które pełniły przede wszystkim funkcje militarne, odwoływanie się do wzorów krzyżackich dowodziło pełnego rozeznania co do najnowszych osiągnięć budownictwa obronnego, a także uznania dla rzemieślniczej doskonałości. Nawet przedmioty pozbawione zindywidualizowanego programu ideowego, jak fundowane przez Kazimierza kielichy mszalne, uderzają oryginalnością dekoracji, doskonałością złotniczego opracowania.
W zestawieniu z fundacjami Kazimierza Wielkiego, fundacje Długosza świadczą raczej o prowincjonalizmie wykonawców. Być może także o mniejszym zainteresowaniu i wiedzy wielkiego dziejopisarza w dziedzinie artystycznej. Mniej prowincjonalny charakter mają fundacje Ludwika brzeskiego, choć korzysta on niemal wyłącznie z miejscowych koncepcji i sił artystycznych, z wyjątkiem
41 *Żywotu św. Jadwigi*, którego malarz pochodził najpewniej ze środowiska czeskiego.
Jak się wydaje, dobre rozeznanie w zakresie twórczości artystycznej miały miasta, przy czym decydujący był zbiorowy charakter fundacji. Niewątpliwie rada kościoła Mariackiego w Krakowie miała dobre informacje o możliwościach twórczych Wita Stosza – w przeciwieństwie do nas, którzy nic o jego wcześnej twórczości nie wiemy – skoro po-

wierzyła stosunkowo młodemu artyście wykonanie tak wielkiego, ważnego i drogiego 207–210 dzieła. Artystyczne związki z Niderlandami i Dolną Nadrenią, widoczne w malarstwie gdańskim w. XV, są świadectwem nie tylko oceny malarstwa środowisk, z których sprowadzano artystów i gdzie kształcili się miejscowi malarze, ale także dowodem głębokich powiązań odbiorców z tym typem sztuki, powiązań mających uzasadnienie nie tylko w bliskich kontaktach gospodarczo-handlowych i kulturalnych, ale także w strukturalnym powinowactwie tych geograficznie dość odległych społeczności.
Kontakty i różnego rodzaju związki fundatorów z poszczególnymi środowiskami artystycznymi rzutowały bardzo silnie na kształt artystyczny powstających u nas dzieł sztuki. W dobie ostatnich Piastów decydujące znaczenie dla sztuk przedstawiających miały kontakty z zachodnimi i południowymi sąsiadami. Początkowo głównie z Czechami, a za Kazimierza i Elżbiety Łokietkówny także z Węgrami, poprzez Węgry zaś również z Italią, czego dowodem malowidła z kręgu Tommaso 152 de Modena w kościele niepołomickim.
Pojawienie się w Polsce wraz z królem Władysławem Jagiełłą malarzy ruskich ma motywację głębszą. Przyczyn należy szukać w przyzwyczajeniach i osobistych upodobaniach monarchy, skoro malarstwo tego typu pojawiło się nawet w prywatnych apartamentach króla na zamku wawelskim czy w zamkowej kaplicy w Lublinie. Ale, jak się wydaje, 153 fundator świadomie wykorzystał odrębność ideowo-artystycznego charakteru tej sztuki, akcentując swą obecność nie tylko w dawnych fundacjach królewskich, np. w kolegiacie sandomierskiej, lecz także w katedrze gnieźnieńskiej. Król wystąpił w podwójnej roli: protektora ruskich artystów, reprezentujących akceptowaną przezeń formułę plastyczną, a równocześnie władcy, który tymi charakterystycznymi dziełami zaświadczał swą obecność w kraju.
Sztuka tego czasu pozostawała z reguły na usługach kultu, ale równocześnie na różne sposoby była odbiciem osoby i świata fundatora. W przypadku fundacji królewskich czy możnowładczych wydarzenia biblijne prezentowane były poprzez wizję świata dworskiego bądź rycerskiego, zawierającą zarówno realia przedmiotowe i obyczajowe związane z tymi warstwami społecznymi, jak i wyrażającą właściwy im sposób myślenia i system wartości. Uwidacznia się to w pomnikach, zwłaszcza królewskich nagrobkach, licznych w XV w. tablicach fundacyjnych, w zachowanych z tego czasu malowidłach ściennych, np. w 116, Lądzie, Kałkowie, Strzelnikach, gdzie nie 173

tylko w scenach fundatorskich, ale także biblijnych wizja świata dworskiego stanowi ramową strukturę wydarzenia. Charakterystycznym przykładem jest częste występowanie scen, które się szczególnie nadawały do ekspozycji obyczaju i ideowych wartości rycerskich, np. sceny Pokłonu Trzech Króli. Znamienne jest, że ten właśnie temat występuje tak często w kręgu fundatorów rycerskich i to zawsze w wersji „królewskiej", a nie „mędrców". Przyczyna nie leżała jednak w tematyce: podobna wizja pojawia się w scenach pasyjnych, np. w malowidłach w Kałkowie.

Ta reflektywna funkcja sztuki nie pozostawała nie uświadomiona – jest to przecież epoka rodzenia się portretu. Był to jeden z ideowych sposobów określania swej tożsamości i potwierdzania pozycji społecznej.

Dotyczy to także sztuki fundowanej przez mieszczan; w w. XV powstaje obraz życia tej warstwy, wyrażający właściwe jej ideały, wśród których szczególnie eksponowany był zespół wartości związanych z życiem rodzinnym oraz z pracą.

Zmienia się zatem cel fundacji. Zawsze była ona wyrazem społecznej pozycji fundatora, ale także coraz częściej zawiera ona jej obraz: opowieść biblijna nakłada się na obraz życia rycerskiego, dworskiego, wreszcie mieszczańskiego – coraz częściej w jego potocznych, codziennych przejawach. W tym ostatnim przypadku spotykamy się ze zjawiskiem dotychczas nie znanym: opowieść biblijna przeniesiona zostaje do rzeczywistości tej warstwy społecznej, która nie zajmowała najwyższej pozycji w hierarchii społecznej.

Fundator w. XII pojawiał się z reguły w roli pobożnego fundatora religijnego dzieła. Teraz granice te przekracza. Problemy polityczne, władzy czy stronnictwa, rodowe i dynastyczne stanowią często treść lub ideową funkcję dzieła, choć złączone są zwykle z tematem i treściami religijnymi.

Wiąże się z tym zmiana miejsca dzieła sztuki w ówczesnej mentalności odbiorców i fundatorów. Przestaje ono być wyłącznie czy głównie przedmiotem „użytkowym", tak w sensie bezpośrednim jak i ideowym, przedmiotem, wobec którego można zachować znaczny dystans. Fundacja dzieła religijnego jest już nie tylko czynem apostolskim, mającym przyczynić się do rozpowszechnienia i umocnienia wiary, a dzieło przestaje wyrażać tylko oficjalne treści religijne, mające pełne teologiczne uzasadnienie, i nie ogranicza się do treści związanych z ideologią państwową. Staje się przedmiotem osobiście złączonym z odbiorcą, w większym stopniu przedmiotem estetycznym, podlegającym tego rodzaju war-

tościowaniu. Odbija nie tylko społeczną pozycję fundatora, ale coraz częściej jego artystyczne upodobania. Jak dalece fundator kierował się sądem estetycznym, wykazując znawstwo w tym zakresie, rozeznanie we współczesnej sytuacji artystycznej – trudno orzec w każdym konkretnym przypadku. Ale zjawisko to istnieje i staje się coraz bardziej charakterystyczne dla kultury artystycznej, także naszego kraju.

Sztuka w służbie mistyki

Mistyka kształtowała się w w. XII, głównie w klasztorach cystersów i wiktorianów, a następnie w w. XIII, w środowisku franciszkanów. Obecność tych prądów w sztuce zaznaczyła się dość wcześnie, ale większe znaczenie miały one dla sztuki dopiero w w. XIV, zwłaszcza w pozostających pod wpływem klasztornym środowiskach miejskich.

Postawa mistyczna rozpatrywana w aspekcie podmiotu – człowieka, który ją uprawiał – oznaczała przede wszystkim dążenie do osobistego, bezpośredniego kontaktu z Bogiem, do zespolenia z nim, a osiągnięcie tego wymagało doskonalenia duchowego, zwłaszcza moralnego, i przełamania licznych barier, zarówno zmysłowych jak i rozumowych.

W praktyce wiernych dominował uczuciowy stosunek do Boga, do Chrystusa i Marii, do ofiary Chrystusa, do historii pasyjnej, czemu towarzyszyło rozważanie rozlicznych teologicznych aspektów tych wydarzeń. Wchodziły wówczas stale w grę – wbrew nawoływaniom części duchowieństwa – dwa składniki: intelektualny, polegający na rozważaniu wydarzeń biblijnych, dociekaniu ich sensu religijnego, dogmatycznego, zbawczego itp., oraz czynnik estetyczny, oznaczający zmysłowe ich unaocznienie, w szczególny zresztą sposób łączący w jedno odmienne czasy i rzeczywistości: idealne i realne, ziemskie i niebiańskie, przeszłe i przyszłe. Te właśnie czynniki stanowiły podstawę powstania w sztuce szczególnego typu obrazów, jednoczących w jednej scenie, w jednym ujęciu różnego rodzaju wątki, tworząc z nich całość, która przypominała, budziła refleksję, pouczała, ale może przede wszystkim unaoczniała, wzruszała, skłaniała do współczucia, wstrząsała widzem.

Zjawisko to łączy się z jedną z najważniejszych przemian estetycznych funkcji dzieła sztuki w dobie gotyku, jaką jest ponowne uformowanie się o b r a z u – przedstawienia quasi-realnego, odnoszącego się do określonego stanu rzeczy na podstawie zmysłowego rozpoznawalnego podobieństwa. Nowy obraz apeluje do wyobraźni odbiorcy, zastępuje rzecz samą, czy też wydarzenie, uobecnia je widzowi, stawiając go niejako w sytuacji świadka wydarzeń, mających niegdyś miejsce. Sztuka zatem w mniejszym stopniu atakuje bezpośrednio świat pojęć, raczej ukazuje zjawiska, poprzez które widz do pojęć dochodzi. Można przypomnieć arystotelesowski empiryzm Tomasza z Akwinu, przywołać powszechnie zwyciężający nominalizm. Nie wydaje się jednak, aby sztuka gotycka dała się wprost wywieść z takich założeń, choć jest im w pewien sposób bliska.

Jest ona wyrazem głębokiej przemiany umysłowości człowieka, jego stosunku do rzeczywistości, w którym istotne znaczenie ma uznanie konkretnej różnorodności, a nie tylko idealnego modelu. Wiąże się to także z konkretyzacją wyobrażeń religijnych, które teraz w większym stopniu ujmowane są w płaszczyźnie zmiennych, czasowych zjawisk; dotyczy to w szczególności „ziemskiego" aspektu religii, tej części historii świata, która zaczyna posługiwać się czasem linearnym, w tym także dziejów ziemskich Chrystusa jako człowieka i Zbawiciela.

Przemiana ta łączy się zapewne także z upowszechnieniem się chrześcijaństwa, mającym u nas miejsce w w. XIII, a realizowanym przy stałym odwoływaniu się do życia potocznego – zgodnie z szeroko rozumianym duchem franciszkańskim. Wydaje się, że wszelkie próby nawiązywania kontaktu z mało wykształconą rzeszą wiernych były bardziej skuteczne przy użyciu języka obrazowego niż pojęciowego.

Zmysłowa konkretność obrazu gotyckiego nie oznaczała iluzyjności; środki artystyczne wyrazu, jakie początkowo w tym celu stosowano, nie były też doskonałe. Obraz gotycki oznaczał przede wszystkim zerwanie z abstrakcyjnym stosunkiem do świata, uwzględnienie jego materialności, konkretnej, zmysłowej egzystencji.

Upowszechnienie nowego typu chrześcijaństwa, stanowiącego program działania zakonów żebraczych, zwłaszcza zaś franciszkanów, wśród ludności rozwijających się dynamicznie miast, łączyło się z ukształtowaniem nowych tematów ikonograficznych w sztuce i ich popularyzacją. W Polsce należą do nich przede wszystkim: tzw. mistyczna wersja krucyfiksu, Pietà – czyli przedstawienie siedzącej Marii z martwym ciałem Chrystusa na kolanach, Mąż Boleści – przedstawienie żywego, stojącego Chrystusa ze znamionami męki krzyżowej, Chrystus Frasobliwy – siedząca postać Chrystusa, zatopionego w bolesnej zadumie, z głową wspartą na dłoni.

Krucyfiksy z postacią Chrystusa rozpiętego na krzyżu należą do najwcześniejszych dzieł chrześcijańskiej plastyki monumentalnej; w Polsce zachowały się z doby romańskiej; panuje wówczas ujęcie Chrystusa jako triumfatora, bez ekspresji męki. Dopiero w utworach z XIV w. ukazano Chrystusa jako człowieka zawieszonego na krzyżu, np. w krucyfiksie z początku XIV w. z kościoła, dawniej zamkowego, p.w. św. Marcina we Wrocławiu; podobnie w krucyfiksach: z kościoła św. Jakuba w Toruniu i z Brodnicy.

Odrębne zjawisko stanowi krucyfiks z katedry   154 w Kamieniu Pomorskim, datowany na koniec XIII lub na początek XIV w.; ekspresja męki jest tu wyrażona środkami niemal realistycznymi, zespolonymi ze stylizacją wysublimowanych form rzeźbiarskich: wydłużone proporcje złamanego ciała, maneryczne wygięcie rąk łączą się z wyszukanym układem i ruchem postaci, nie mających nic wspólnego ze śmiertelną konwulsją zawieszonego na krzyżu skazańca ani z czysto abstrakcyjnym układem geometrycznym krzywizn. Jest to obraz ekspresyjny i maneryczny, wstrząsający i przyciągający zarazem, oddalony od zwykłego świata ludzkiego. Wiązanie jego genezy z tradycją tzw. „klasyki rycerskiej" nie wyjaśnia stylowego charakteru dzieła. W obiektach „klasyki rycerskiej" idealizacja mieści się w granicach wyznaczonych przez naturę, natomiast krucyfiks kamieński granice te przekracza.

Krucyfiks z wrocławskiego kościoła p.w.   155 Bożego Ciała, datowany na połowę w. XIV, jest chyba najdoskonalszym na naszym terenie przykładem rzeźby mistycznej. Podstawę dlań stanowi naturalistyczna wiedza, niemal z natury zaczerpnięte studium brutalnie torturowanego człowieka: obitego, pokaleczonego, z rozdartą skórą, krwawiącego, o rysach twarzy zniekształconych bólem ponad miarę. Składnik twórczy wyraża się w deformacji – korpusu, ramion, twarzy – przekraczającej granice natury, ale nie mającej w sobie nic z manerycznej elegancji krucyfiksu kamienieckiego. Jest to deformacja niejako wtłaczająca żywe, biologiczne ciało ludzkie w układ abstrakcyjnych, geometrycznych kształtów, będących środkiem bezpośredniej ekspresji, jako swoisty język abstrakcyjny, działający dzięki dostrzegalnemu pochodzeniu od rzeczywistego zjawiska. Cechy te zbliżają dzieło wrocławskie do kierunku wytyczonego przez mistyczne krucyfiksy nadreńskie, zwłaszcza przez niedościgniony krucyfiks z kościoła Panny Marii na Kapitolu w Kolonii.

Do dzieł tego rodzaju należy również krucyfiks z kościoła św. Barbary we Wrocławiu, w którym naturalistyczny, uderzający okropnością prawdy obraz góruje nad elementami ekspresyjnej deformacji, a także krucyfiks z ołtarza Św. Krzyża w kościele św. Jakuba w Toruniu.

W niektórych dziełach wątek Ukrzyżowania łączy się z innymi, rozszerzającymi treści i program dzieła. W krucyfiksie kamieńskim u stóp krzyża pojawia się postać Jonasza, którego dzieje w Starym Testamencie zapowiadają zmartwychwstanie Chrystusa. Krucyfiks toruński z kościoła św. Jakuba ukazuje Chrystusa na Żywym Krzyżu – Drzewie Życia, znów w interpretacji typologicznej – w otoczeniu postaci proroków.

Pietà jest drugim częstym tematem „dewocyjnym", łączącym temat matki z dzieckiem i opłakiwanie Chrystusa po zdjęciu z krzyża, a w sferze ideowej – macierzyńską miłość Marii do Syna, jej ofiarę, udział w pasji i dziele odkupienia.

Związek między głównymi wątkami ideowymi tego tematu rysuje się silnie w wersji tzw. *Pietà corpusculum* – z przedstawieniem zmniejszonego, choć dorosłego, ze śladami ran, ciała Chrystusa. Ten typ pojawia się u nas dość wcześnie, w początku w. XIV; przykładami mogą tu być Pietà z Wojnicza, z początku stulecia, lub z Jeżowa, z drugiej ćwierci XIV w. Monumentalną formę i równocześnie pełnię dramatycznej ekspresji reprezentuje powstała w cysterskim środowisku klasztornym Pietà z Lubiąża (ok. 1360). W tym przypadku ekspresja dzieła oparta jest między innymi na podkreśleniu wielkości i ciężaru dorosłego ciała umęczonego Chrystusa, opracowanego zwłaszcza w partiach klatki piersiowej i głowy ze swoistym ekspresyjnym schematyzmem, zestrojonym z tragicznym, monumentalnie statycznym wyrazem twarzy Marii.

Pietà staje się tematem niezwykle popularnym, nie tylko ze względu na wagę teologicznych treści; także dlatego, że było to przedstawienie w czysto ludzkim aspekcie najbardziej wzruszające, konkretyzujące jeden z najważniejszych archetypów – boleść matki opłakującej śmierć syna, który oddał swoje życie i bezgraniczne cierpienie złożył w ofierze dla dobra ludzkości.

W ostatniej ćwierci XIV w. pojawia się nowa interpretacja tego tematu w cyklu tzw. Piet parlerowskich. Odznacza się ona rezygnacją z deformacji na korzyść rzeczowego realizmu, przejawiającego się m.in. w naturalistycznej wierności prezentowanego aktu Chrystusa oraz w ukazaniu głębokiego cierpienia na zapłakanej twarzy niemłodej Marii. Przykładem tej fazy może być wrocławska Pietà z kościoła Marii Magdaleny.

Znaczna popularyzacja tego tematu następuje na przełomie XIV i XV w., wraz z nową jego redakcją pod wpływem ideowo-artystycznych wymogów „stylu pięknego". Młodość, wręcz dziewczęca bezradność i fizyczna piękność Marii kłócą się z tragizmem sytuacji; młoda dziewczyna z trudem utrzymuje ciężar ciała dorosłego syna; całość traci dawną dramatyczną monumentalność. Idealizujące założenia ukształtowanego w dworskich środowiskach „stylu pięknego", m.in. estetyzacja, zmysłowy stosunek do postaci, sprzyjały ich sublimacji jako zjawisk i rozwinięciu bogactwa odcieni emocjonalnych, okazywały się jednak bezradne wobec treści tragicznych. Stąd też znamienna dwoistość charakteru tych przedstawień. Tę fazę, tzw. pięknych Piet, reprezentują m.in. trzy dzieła wrocławskie z końca XIV w.: Piety z kościoła św. Marcina, P.Marii Na Piasku i św. Elżbiety, a także Pietà z Wągrowca w Wielkopolsce i z krakowskiego kościoła św. Barbary.

Znacznie mniejszą popularność zyskał w sztuce polskiej temat Chrystusa jako Męża Boleści – mistyczne przedstawienie Chrystusa żywego, zwykle w pozycji stojącej, ze śladami tortur i męki krzyżowej. Temat ten występował w szeregu wariantów: Chrystus ramionami obejmujący i przyciskający do piersi niewidoczną duszę człowieka lub też przyciskający skrzyżowane ramiona do piersi w geście pokornego poddania się, jak również Chrystus z uniesionymi rękoma, ukazujący rany. Każdy z tych wariantów stanowił kombinację różnych idei i akcentował różne myśli. Pierwszy wyrażał przede wszystkim bezgraniczną miłość Chrystusa do człowieka, dla którego cierpiał. Drugi podkreślał pokorne poddanie się woli Ojca – przyjęcie na siebie ofiary krzyżowej.

Temat ten, wstrząsający nie tylko poprzez sam obraz cierpień, ale równocześnie zaznaczanie ich dobrowolności, swoistej tożsamości ofiarowanego i ofiarującego, wskazywał na posłuszeństwo i pokorę jako najwyższe przymioty moralne, mówił o sensie ofiary, którym była miłość do człowieka.

Przedstawienia te łączyły się także z innymi wątkami. Na typanonie kaplicy zamkowej w Lubiniu (1349) pokornie ofiarowujący się Chrystus, w asyście pozostałych osób Trójcy Św., stoi na ołtarzu, z kielichem mszalnym u stóp; tej krwawej ofierze nadano sens eucharystyczny. Znakomite przedstawienie Męża Boleści w kościele św. Doroty we Wrocławiu i podobne w farze poznańskiej eksponuje głównie cierpienie, ofiarę Chrystusa.

Postawa mistyczna dominowała, ale nie była jedyną. Można uznać za zjawisko charakterystyczne, że niemal równocześnie powstają dzieła sztuki wyrosłe na gruncie złożonych rozmyślań teologicznych i prezentujące raczej intelektualny stosunek do religii.

156

1

1

Sporadycznie występujący w sztuce środkowoeuropejskiej, np. w Austrii, temat Madonny na lwie rozwinął się dość szeroko w środowisku śląskim, gdzie być może się wykształcił, a także w państwie zakonnym. Sens tego przedstwienia nie został jeszcze w nauce jednoznacznie wyjaśniony. W przypadku Marii na lwie, np. z kościoła św. Marcina we Wrocławiu, słuszna wydaje się interpretacja lwa jako symbolu złych mocy – zgodnie z interpretacją psalmu 90, 13. Przeniesienie znanej od dawna relacji z przedstawień Chrystusa na Marię uzasadnione jest dzięki uznaniu Marii za pomocnicę Chrystusa w dziele zwycięstwa nad złem, poprzez jej udział w dziele wcielenia: stojąc na lwie Maria trzyma w rękach Chrystusa. To jest też główną ideą tego tematu.

Maria tronująca, w otoczeniu aniołów, opierająca stopy na schodkowo usytuowanych lwach, interpretowana jest jako symbol tronu Salomona: Maria pojawia się jako *sedes sapientiae*, ,,stolica mądrości''; podkreślony zostaje równocześnie królewski majestat Chrystusa. Najlepszym tego przykładem może być Madonna ze Skarbimierza, uważana za ,,dzieło pierwsze'', będące podstawą dla ok. trzydziestu zachowanych naśladownictw, głównie na Śląsku i Pomorzu. Postać Marii niemal na siłę wtłoczono tutaj w płytką, ,,estradową'' przestrzeń rzeźbiarską, z zastosowaniem perspektywicznych skrótów, widocznych zwłaszcza w lekkim przechyleniu siedziska tronu (lub ,,ławy'') oraz w partii nóg Madonny; całość, o ażurowo formowanej bryle i dynamicznej kompozycji, oparta jest na dość konsekwentnie przestrzeganym schemacie.

,,Salomonową'' interpretację przedstawienia zdają się poświadczać nieagresywne postacie lwów, służące jako stopnie dla klęczących aniołów i jako oparcie stóp Marii. Charakterystyczny, jak gdyby archaiczny uśmiech na twarzach Marii, Jezusa i aniołów wprowadza nastrój ponadziemskiej szczęśliwości.

Temat ten pojawił się w szeregu warsztatów śląskich i pomorskich, przy czym wiodące znaczenie miał wrocławski Mistrz Apostołów, w którego pracowni powstał zespół drewnianych posągów apostołów przy filarach kościoła Marii Magdaleny, a zapewne także Madonna ze Skarbimierza. Mistrz ten sformułował podstawowe warianty ikonograficzne i stylistyczne, rozpowszechniane później na Śląsku i na Pomorzu. Zauważyć należy interesujące zjawisko korzystania z doświadczeń tego kręgu przez twórców odmiennych orientacji artystycznych, czego przykładem Madonna z Łukowa w Wielkopolsce. Wiąże się to z wielką popularnością dzieł wyżej wymienionego kręgu, z którego pochodzi przeszło 140 przykładów w obecnych granicach Polski.

Wyjątkowym typem przedstawień, znanym zaledwie z sześciu przykładów, są tzw. Madonny szafkowe, których szczególny wariant uformował się na terenie państwa zakonnego w l. 1370–1380. Najważniejsze znajdują się w paryskim Muzeum Cluny, w Germanisches Nationalmuseum w Norymberdze, w Klonówce i w Elblągu (nie zachowana). Koncepcja ta znana była już wcześniej w sztuce francuskiej, zwłaszcza w wyrobach z kości słoniowej i złotniczych. W stanie zamkniętym jest to figura tronującej Madonny z Dzieciątkiem na ręku; Jezus przedstawiony jest zwykle w pozycji stojącej, z gestem błogosławienia i z lewą ręką wsuniętą pod połę na rzymski sposób upiętej togi. Przedstawienie to ma zatem uroczysty, reprezentacyjny charakter; mówi o znaczeniu Marii prezentującej wiernym Jezusa-króla.

Po otwarciu figury, we wnętrzu znajduje się tzw. Tron Łaski, a na skrzydłach malowane postacie wiernych, szukających schronienia pod rozłożonymi ramionami lub rozpostartym płaszczem Marii.

Sądzi się, że dzieła te prezentują potrójne narodziny Chrystusa: z Marii, następnie w momencie ofiarowywania go przez Boga Ojca oraz po raz trzeci w chwili wejścia do serc wiernych, chroniących się pod opiekuńczy płaszcz Marii. Rzeźby te, małych rozmiarów i najpewniej zawierające relikwie, służyły zapewne jako przenośne nastawy ołtarzowe (*portatile*), eksponując osobę Marii jako matkę Jezusa, jako przybytek Trójcy Św. i ucieczkę wiernych – pośredniczkę między nimi a Trójcą Świętą. Maria jest wspólnym mianownikiem dla treści zamkniętej i otwartej szafy, które można traktować zawsze jako pewien komentarz do jej osoby.

Taka kombinacja ideowa i jej formalna konkretyzacja apelowały do widza wykształconego, przygotowanego do umysłowej spekulacji, a nie do prostych uczuć szerokich rzesz wiernych. Powstawały też te dzieła dla zamkniętych środowisk rycerzy zakonnych jako wyraz koncepcji czuwających nad ich duszami teologów.

Pod opiekuńczy płaszcz Marii uciekali się przedstawiciele różnych warstw społecznych – cesarze, królowie, książęta i ich rodziny, papieże, biskupi, rycerze zakonni. Czasem wyraźne rozróżnienie między Kościołem walczącym i triumfującym zdaje się świadczyć o uniwersalności tego składnika programu. W pewnych jednak przypadkach wydaje się, że przedstawione postacie są nie tylko reprezentantami różnych klas i grup społecznych, lecz

64

162

163

160, 161

że można je identyfikować z określonymi osobami, np. z członkami rodu Luksemburgów i ich politycznymi partnerami. Gdyby hipotezy te okazały się słuszne, można by dziełom tym przypisać dodatkowe funkcje polityczne.

Wzrost religijności w drugiej połowie XIV w., przenikanie jej do wszystkich dziedzin życia człowieka, rozszerzenie liturgiczno-kultowych funkcji dzieł sztuki, ich rozkwit w związku z wyposażeniem licznie powstających kościołów parafialnych – wszystko to sprzyjało kształtowaniu się nowych typów obiektów sztuki religijnej. Najważniejszym z nich jest ołtarz szafiasty, zwykle w postaci tryptyku. Nastawy ołtarzowe istniały w Polsce od XIII w.; przykładem może być malowane 165, *frontale* z Dębna, datowane na drugą połowę 167 XIII w., z izokefalicznym przedstawieniem świętych dziewic, ustawionych po obu stronach tronującej Madonny. Zapewne pierwotnie tego rodzaju dzieł było w Polsce więcej. W stosunku do nich ołtarz szafiasty wnosił wiele nowego: zwiększał możliwość obrazowania, uzupełniając nieruchome *retabulum* dwojgiem ruchomych skrzydeł. Dzięki skrzydłom powstała możliwość prezentacji alternatywnych programów. Stosunek obydwu tych „odsłon" miał charakter dopełnienia lub kontynuacji. Dopiero w XV w. alternatywa ta miewa charakter przeciwieństwa. Program szafy otwartej przeznaczony był z reguły na uroczystości niedzielne i świąteczne; początkowo zawierał też zwykle tematykę radosną bądź triumfalną; w dni powszednie szafa pozostawała zamknięta.

Ołtarze te, stwarzając możliwość prezentowania rozbudowanych programów, pozwalały równocześnie na przekraczanie granic programów uniwersalnych, wiążących się zazwyczaj ściśle z Chrystusem i Marią; umożliwiały powstawanie przedstawień związanych z miejscowymi kultami prowincjonalnymi. Można nawet sądzić, że ilościowy rozwój kultów świętych w w. XV stanowił ważną przyczynę rozwinięcia się takiej właśnie formy nastawy.

Najstarsze ołtarze szafiaste zachowały się na Śląsku: w Bąkowie i Pełcznicy. Ołtarz z Pełcznicy, datowany ostatnio na ok. 1360–1370, mieści w sobie typowy późny dla Śląska program triumfalny: w części środkowej znajduje się przedstawienie Koronacji Marii, w otoczeniu czterech Świętych Dziewic, na skrzydłach bocznych – siedzące postacie proroków, apostołów oraz świętych. Natomiast na rewersach skrzydeł widnieją malowane przedstawienia Matki Boskiej Bolesnej oraz Chrystusa Boleściwego. Okres świetności ołtarzy, tak malowanych jak i rzeźbionych,

przypada w Polsce na drugą połowę w. XV; liczba dzieł z tego okresu sięga kilkuset.

Sztuka około roku 1400

Sztukę polską ok. r. 1400 determinowało w znacznej mierze pojawienie się na tronie królewskim nowej dynastii, spoza kręgu kultury łacińskiej. Międzynarodowe relacje artystyczne, rozwinięte za Kazimierza Wielkiego i Ludwika Węgierskiego, zwłaszcza z Czechami i Węgrami – a przez te kraje z Italią – oraz z Austrią, nie zostały wprawdzie zerwane, a na terenie Śląska, funkcjonującego w ramach królestwa czeskiego, nastąpiła ich wydatna intensyfikacja, jednak na przełomie wieków zabrakło ważnego czynnika stymulującego, jakim był dotychczas dwór królewski. Osobiste zainteresowania artystyczne i estetyczne upodobania Władysława Jagiełły zwracały się nie ku zachodnim i południowym centrom artystycznym, lecz – rzecz w naszych dziejach wyjątkowa – ku wschodnim ośrodkom malarstwa ruskiego. Z jego inicjatywy działają ruscy malarze w kaplicy zamkowej w Lublinie, na zamku wawelskim, w 153 kolegiacie sandomierskiej, katedrze gnieźnieńskiej, u benedyktynów na Łyścu i w Wiślicy. Wprawdzie okcydentalizacja gustów monarchy postępowała szybko, pozostaje jednak faktem, że zachodzące w tym czasie w całej Europie procesy artystyczne w momencie swej kulminacji nie znalazły oparcia na dworze królewskim. W pewnym stopniu wyjaśnia to, dlaczego nurt tak twórczo przejawiający się w końcu XIV w. na Pomorzu i na Śląsku, a wcześniej w Wiedniu i w Pradze, nie rozwinął się w dzielnicy stołecznej.

Wspomniane procesy w języku historii sztuki bywają nazywane różnie: stylem „dworskim", „miękkim", „pięknym", „międzynarodowym", „nurtem parlerowskim"; każde z tych określeń dotyczy różnych cech nie zawsze tych samych zjawisk.

Styl „dworski" określa przede wszystkim ich aspekt społeczny: związek ze środowiskiem dworskim – papieskim, cesarskim, królewskim i książęcym. Jest artystycznym sformułowaniem ideowych wartości lansowanych przez feudałów w opozycji do wkraczającej na arenę kulturalną warstwy mieszczańskiej, jest próbą artystycznego potwierdzenia klasowej odrębności i wyższości, a także bliskich związków z najwyższymi ideałami epoki, a więc wybranymi koncepcjami religijnymi.

Styl „międzynarodowy" odnosi się głównie do genezy procesów i ich egzystencji: nie jest to wytwór jednego środowiska, ale wielu, przy czym wspólnota dotyczy nie tylko założeń, ale także realizacji. Jest wynikiem międzynarodowej współpracy, prowadzącej do zatarcia środowiskowych odrębności.

Styl „miękki" określa przede wszystkim charakter środków artystycznych, oznacza rodzaj form, bieg linii i kształty brył, charakter modelunku, także wkracza w zakres komunikowanych treści, a więc obejmuje zarówno ściszoną ekspresję tych dzieł jak i ich swoisty idealizm.

Styl „piękny" natomiast, wiążąc się z „miękkim", wyraża pewien rodzaj piękna przedmiotowego, w szczególności urodę dziewczęcej postaci Marii, a także i innych świętych, czy klasycznie zbudowanego ciała Chrystusa. Oznacza nie tylko respektowanie wiedzy o naturze i rządzących nią prawach, ale równocześnie jej idealizację, dążenie do realizacji pewnego wyobrażenia o ideale. Obydwa wymienione pojęcia stanowią opozycję do późniejszego stylu „łamanego", utożsamianego z „realizmem mieszczańskim".

Wyjątkowe artystyczne bogactwo tego okresu, zwłaszcza w dziedzinie rzeźby i architektury, pozwala zwrócić bliższą uwagę jedynie na kilka spośród najważniejszych zjawisk, do których zaliczyć wypada nurt parlerowski i krąg twórczości tzw. Mistrza Pięknych Madonn.

Nurt parlerowski w rzeźbie europejskiej drugiej połowy XIV w. dawno już przestał być rozumiany jako działalność rodziny Parlerów, parających się architekturą i rzeźbą. Złożyły się na nurt ów działania dwu co najmniej generacji artystów różnych środowisk europejskich; miał więc charakter międzynarodowy, przy czym w zakresie rzeźby znaczenie decydujące zyskał początkowo tzw. „warsztat książęcy" w Wiedniu, powiązany ze środowiskami północnej Francji i południowej Anglii, a później Praga – centrum działalności warsztatu katedralnego Piotra Parlera.

Nurt ten nie miał jednolitego charakteru stylowego; jego dynamikę wyznaczały trzy fazy. Pierwsza – „wiedeńska", czyli przedparlerowska, o wyraźnie dworskim charakterze – odznaczała się wytworną stylizacją, idealizacją, subtelnością ujęcia postaci. Druga faza – parlerowska – charakteryzowała się dążeniem do monumentalności, kubiczności form, rzeczowego realizmu. Trzecia zmierzała ku założeniom „stylu pięknego" i przez niektórych badaczy łączona jest z działalnością tzw. Mistrza Pięknych Madonn. Wszystkie one zaznaczyły się w sztuce Polski.

Bliskość polityczna Czech i części ziem polskich miała w owym czasie dla spraw sztuki znaczenie ogromne. Dotyczyło to przede wszystkim Śląska, choć nie tylko. Warto przypomnieć czeskie wychowanie Henryka IV Probusa i jego fascynację nowoczesnym państwem Ottokara Przemysła II, a także koronację Wacława II w r. 1300 w katedrze gnieźnieńskiej (król ten cieszył się poparciem znacznej części wielkopolskiego społeczeństwa), czy proluksemburską politykę kurii gnieźnieńskiej po śmierci Ludwika Węgierskiego.

Realia te dobitnie zarysowały się w programach artystycznych. W heraldycznych tympanonach wrocławskiego ratusza czeski lew dominuje nad herbami Śląska i Wrocławia; w nagrobku Henryka VI upamiętniono przejście księstwa wrocławskiego w ręce czeskie; umowa między Karolem IV i Bolkiem II świdnickim znalazła odbicie w zespole posągów wieży ratuszowej w Jaworze; para cesarska, Wacław IV i Zofia, pojawia się na wspornikach kaplicy przy dawnej kolegiacie w Głogówku; heraldyczny program kaplicy gnieźnieńskiej związany jest z oczekiwaniem na koronację Zygmunta Luksemburczyka w Gnieźnie. 107– 109 169

Nurt parlerowski znalazł także – co ważniejsze – wyraz w płaszczyźnie artystycznej, w powiązaniach warsztatowych. W Pradze kształcili się rzeźbiarze, w których śląskim warsztacie powstały nagrobki Bolka II w Świdnicy, dwa podwójne nagrobki Bolków opolskich oraz pomnik Henryka II Pobożnego we Wrocławiu, wraz z zespołem wsporników chóru franciszkańskiego, w którym nagrobek ten był wystawiony. Nagrobek biskupa Przecława z Pogorzeli jest dziełem mistrza zajmującego w stosunku do strzechy parlerowskiej stanowisko suwerenne, ale z tym środowiskiem i nurtem parlerowskim związanego. W jego to warsztacie powstał zapewne kłodzki nagrobek arcybiskupa Arnošta z Pardubic i biskupa Jana Očki w Pradze. Dwie pary posągów św. Piotra i św. Pawła w legnickim kościele parafialnym pod tymże wezwaniem, z północnego i – zapewne – zachodniego portalu, łączą się po części z figurami ze staromiejskiej wieży mostowej w Pradze, a także z Madonną z tamtejszego staromiejskiego ratusza, wiązaną ostatnio ze środowiskiem wiedeńskim. 168 133 172

To ostatnie środowisko zajmuje w kręgu parlerowskim pozycję autonomiczną, zdradzając – obok nawiązywania do tradycji miejscowych – daleko sięgające powiązania ze sztuką północno-zachodniej Europy. Z doświadczeń twórcy tympanonu „Portalu śpiewaków" w katedrze św. Stefana w Wiedniu korzystał autor tympanonu z legendą św. Pawła w zachodnim portalu kościoła w Strzegomiu, a zapewne z warsztatu twórcy nagrobka książęcego w wymienionej katedrze pochodzi nagrobek króla Kazimierza Wielkiego w Krakowie. 178

Nie bez znaczenia było także środowisko sasko-turyngeńskie: autor nie zachowanego krakowskiego nagrobka Femki Borkowej korzystał z lekcji mistrza nagrobka Zinny Varguli w Erfurcie, a twórca tympanonu z Pokłonem Trzech Króli w północnym portalu kościoła św. Piotra i Pawła w Legnicy – z doświadczeń autora reliefów na bocznych ścianach sarkofagu św. Seweryna w Erfurcie. Uderzająca jest liczba tych powiązań.

Fascynacja wartościami, jakie wnosiła sztuka Parlerów, była ogromna, ale należy stwierdzić, że monumentalna plastyczność, eliminująca maniaryczną dematerializację sztuki pierwszej połowy XIV w., zaznaczyła się w rzeźbie śląskiej już ok. 1350 r. Miał też Śląsk ukształtowane koncepcje ideowe i wypracowany kształt ikonograficzny rzeźby pomnikowej. W tym zakresie wpływ środowiska praskiego nie był decydujący. Zresztą koncepcje napływały z różnych stron, czego dobrym przykładem jest nagrobek Henryka II. Jego twórca, respektując śląski typ posągu nagrobnego i sięgając do Nadrenii po nową koncepcję przedstawienia chrześcijańskiego bohatera triumfującego nad szatanem w osobie Tatarzyna, z Pragi przejął tylko typ głowy i twarzy. Typ ten, reprezentując dworski ideał piękna, sugerując aktualność i ekspresję życia duchownego, stanowił wartość nową i pożądaną.

Inaczej kształtowały się powiązania ze środowiskiem wiedeńskim. Twórca nagrobka Kazimierza Wielkiego pozostawał całkowicie pod sugestią pomnika wiedeńskiego czy melkskiego, przejmując schemat ikonograficzny, kompozycję architektoniczną, plastyczną formułę posągu. Dzięki temu wprowadzone zostały do środowiska krakowskiego wartości dzieł z kręgu wiedeńskiej kultury dworskiej, diametralnie różne od dzieł praskich: delikatne i smukłe proporcje ciała postaci, elegancja pozycji, wytworność gestu – charakteryzujące zwłaszcza postacie na bokach tumby – koronkowa misterność form architektonicznych i dekoracyjnych.

Natomiast twórca tympanonu strzegomskiego przejął z wiedeńskiego wzoru tylko jedną, zresztą najważniejszą, myśl – symultanizm narracji, rozwijając ją dalej i równocześnie formułując we własnym języku plastycznym, bliskim sztuce miejscowej.

Ta różnorodność recepcji sztuki parlerowskiej świadczy o względnie samodzielnym, ukształtowanym i dynamicznym życiu artystycznym niektórych środowisk w Polsce.

Dworski charakter tympanonu strzegomskiego czy nagrobka Kazimierza Wielkiego jest ewidentny. Znamienne, że ta dworska stylizacja płynie przede wszystkim ze środo-

wiska wiedeńskiego, któremu ostatnio słusznie przypisuje się oryginalny wkład w kształtowanie się charakteru tej sztuki, w powiązaniu z wpływami francusko-angielskimi. Rycerska tematyka i aranżacja tematów, dworskie realia, dworskie zachowanie, pozy i gesty są tu wyraźne, a przykłady tego rodzaju można mnożyć – przypomnijmy zespół nieco późniejszych tablic fundacyjnych, często mających charakter scen dworskich.

Dworska wizja świata panuje w części malarstwa ściennego. Decyduje ona o charakterze przedstawień w oratorium lędzkim – w scenie fundacyjnej i Pokłonu Trzech Króli. Kulminacja takiej właśnie wizji następuje w dziełach tzw. Mistrza Brzeskiego czy Mistrza Pokłonów, korzystającego pośrednio z malarstwa burgundzkiego, fundowanego zapewne przez księcia brzeskiego, Ludwika II, w l. 1418–1428. Wprawdzie stały kontekst wybitnie religijnych i symbolicznych scen w Strzelnikach (między innymi Veraikon, Mąż Boleści na tle arma Christi, cykl pasyjny), w Krzyżowicach (Ukrzyżowanie na żywym drzewie w otoczeniu męczenników z góry Ararat itp.) i podobnych w Brzegu nie pozwala upatrywać w scenach Pokłonów jedynie pretekstu dla stworzenia wizji świata dworskiego, niemniej jednak taki obraz one stanowią nie tylko w aspekcie realiów, ale także atmosfery całości.

Nie jest to tylko sprawa tematyki: dla powstałego w końcu XIV w. cyklu pasyjnego w Kałkowie charakterystyczny jest podobny dworski modus. Zwraca uwagę scenografia niektórych przedstawień, np. „Chrystusa przed Piłatem", antycypująca cechy komedii dell'arte. Występowanie takich ujęć, głównie w ramach malarstwa ściennego, w analogii do rzeźby wywodziło się z właściwej tym rodzajom sztuki narracji. Nieliczne dzieła malarstwa tablicowego kształtowane były w oparciu o zasadę statycznej prezentacji, podobnie jak statuaryczna rzeźba kultowa w opozycji do epickiego reliefu.

Nowsze badania poddały w wątpliwość egzystencję tzw. Mistrza Pięknych Madonn, który wędrując poprzez Europę miałby stworzyć kolejno wszystkie znaczące Piękne Madonny czy Piękne Piety. Do jego dzieł zaliczano Piękne Madonny z Torunia i Wrocławia, a także Pietę z kościoła św. Barbary w Krakowie. Na pewniejszych podstawach oparte jest przekonanie, że mamy tu do czynienia z szeregiem wybitnych twórców i z wielkim zespołem naśladowców, między którymi istniały ścisłe powiązania. Trzeba jednak zaznaczyć, że właśnie w tym okresie międzynarodowej wspólnoty, gdy wytworzył się wspólny język plastyczny, o wyjątkowo wyraźnie artykułowanych motywach i czytelnej gramatyce, przy równocześnie silnej skłonności do naśladowania i przetwarzania uznanych wzorów, zarówno w aspekcie treściowym, ikonograficznym jak i plastycznym – rozwiązanie problemów autorskich napotyka ogromne trudności.

Zastanówmy się zatem, jakie wartości wniosła ta sztuka, której szereg najwybitniejszych obiektów powstało również w Polsce. Analiza takich dzieł, jak Piękna Madonna z Torunia czy z Wrocławia, przekonuje, że mamy tu do czynienia ze szczególnym rodzajem idealizowanego realizmu. Charakteryzuje go z jednej strony głęboka obserwacja zarówno zewnętrznej, materialnej strony zjawiska, jak i subtelne rozpoznanie stanów duchowych, oparte na dobrze ugruntowanej wiedzy o prawach rządzących światem; wyniki świadczą o długotrwałej praktyce, gdyż dobór pytań stawianych wobec rzeczywistości nie ma nic ze spontanicznej naiwności. Ta naturalistyczna wiedza podporządkowana jest dwom czynnikom: ideowemu i artystycznemu. Pierwszy – to wyobrażenie o pewnym ideale wyglądu, zachowania, psychiki, w tym zwłaszcza emocji człowieka. Drugi – to język form plastycznych, operujący ustalonym słownictwem i pewnym rodzajem gramatyki.

W przypadku Pięknych Madonn idealizm przejawia się przede wszystkim w przedmiotowym pięknie dziewczęcej postaci Marii, uderzającej nie tylko świeżością urody, ale także niespotykaną precyzją konstruowania twarzy, regularnością rysów, linii brwi, zarysu małych ust, spuszczonych na oczy powiek, starannie ułożonych w rytmiczne fale włosów, delikatnych, drobnych dłoni o długich, szczupłych palcach. Można oczywiście zwrócić uwagę na dość szeroką twarz Madonny wrocławskiej, o wyraźnie zaznaczonych kościach policzkowych, ale wydaje się, że w obrębie tego typu (pozostawmy na uboczu podnoszoną przez fizjonomistów kwestię, czy jest to słowiański typ twarzy) uzyskał rzeźbiarz maksimum urody. To samo dotyczy dziecka, stanowiącego przykład nie tylko zdrowego niemowlęcia, ale i wyjątkowo harmonijnie zbudowanego ciałka, które już wyrasta z okresu naturalnych dysproporcji, oraz z pewną dozą idealizmu formowanej krągłej buzi, otoczonej pierścionkowatymi loczkami. Bodajże po raz pierwszy pojawia się w rzeźbie dziecko tak naturalne i piękne zarazem, tak wzruszające dziecięcą urodą.

Naturalizm ujęcia widoczny jest w każdym szczególe: kontrapostowa pozycja Marii doskonale równoważy ciężar odchylonego od niej ciała Jezusa; palce Marii zagłębiają się w

ciążącym na nich ciele dziecka; ciężkie fałdy grubej materii układają się, w ogólnym zarysie, zgodnie z prawami ciążenia i właściwościami faktury materii oraz z przyjętym ówcześnie systemem upięcia draperii.

W posągu toruńskim obydwie postacie łączy pozorna zabawa: uwaga dziecka skierowana jest na podawane mu jabłko, po które sięga lewą rączką, prawą starając się uwolnić je od trzymających je palców matki. Maria gra rolę podwójną; przygląda się jak gdyby z zewnątrz tej scenie, raz będąc partnerem, raz jej komentatorem. Na symboliczny sens przedstawienia wskazuje to, że owej wesołej zabawie nie towarzyszy należna jej beztroska, a przeciwnie – smutna zaduma, zdradzająca, że tak Maria jak i mały Jezus zdają sobie dobrze sprawę z tego, co ona zapowiada.

Ideowe treści Pięknych Madonn są nie tylko złożone, ale także – wbrew przekonaniu o treściowej jednolitości tego typu Madonny – zróżnicowane. Podstawowy sens wiąże się z eksponowaniem udziału Marii w dziele odkupienia. Ale nie tylko przez jej boskie macierzyństwo: Maria występuje tu także jako towarzyszka Chrystusa w jego działaniu prowadzącym do zbawienia.

Przedstawienia te zawierają szereg tradycyjnych motywów: np. wręczenie jabłka Chrystusowi przez Marię, jako drugą Ewę, zmierzającą nie ku grzechowi, lecz ku zbawieniu. Gest ten oznacza także czystą miłość, która łączy Chrystusa i jego oblubienicę, Marię, symbolizującą Kościół. Pojawiają się także nowe motywy, związane z wiarą w niepokalane poczęcie Marii, w tym czasie gorąco dyskutowane: księżyc pod stopami Madonny, deptany przez nią wąż – motyw później tak bardzo popularny – a także postać Mojżesza przez gorejącym krzewem.

Nie jest to jednak przedstawienie, którego ideowy sens wyczerpywałoby odczytanie szeregu motywów symbolicznych. Mieści się on także w ogólnej ekspresji dzieła. Dziewczęca uroda Marii, sławiona we współczesnych tekstach maryjnych, jest ważnym argumentem za jej uwolnieniem od zmazy grzechu pierworodnego. Emocjonalna zawartość tej dwuosobowej sceny jest potwierdzeniem miłosnego związku Marii i Jezusa, uwidocznionego w pełnym wahań zachowaniu matki podającej dziecku owoc, przepełnionej smutkiem płynącym z wiedzy o cierpieniu, jakie je czeka. Także Jezus przyjmuje ten owoc często z wielką powagą – świadom całej swej odpowiedzialności. Maria raz wysuwa Jezusa ku przodowi gestem ofiarnym, to znów przyciska go do siebie, jak gdyby chcąc uchronić go od przeznaczenia.

Właśnie ta złożoność treści jest charakterystyczna: akcentowanie człowieczeństwa Marii-matki, dla której ofiarowanie dziecka nawet dla zbawienia ludzkości nie rozstrzyga się tylko w płaszczyźnie przeznaczenia i obowiązku, nieodwołalnej powinności czy posłuszeństwa; stanowi to jeden z najbardziej zasadniczych rysów postawy religijnej, na której gruncie dzieła te zostały zrodzone.

Wśród powstałych na ziemiach polskich rzeźb z tego kręgu w dwóch przypadkach zachował się – przynajmniej częściowo – ich pierwotny kontekst ołtarzowy: Piękna Madonna z kaplicy Reinholda w kościele Mariackim w Gdańsku umieszczona jest w drewnianej, pokrytej reliefami szafie; Pięknej Madonnie toruńskiej (posąg zaginiony), umieszczonej na konsoli z popiersiem Mojżesza z tablicami dekalogu i motywem ognistego krzewu, towarzyszyły pierwotnie – jak się sądzi – postacie Salomona i Dawida, a jej podstawę stanowiło drewniane retabulum z przedstawieniem genealogii Marii – drzewa Jessego.

Wpływ tej nowej koncepcji ideowo-artystycznej na rzeźbę był ogromny. Obok wielu figur Pięknych Madonn pojawiają się liczne Piękne Piety, charakteryzujące się osłabieniem dramatycznej ekspresji na korzyść liryzmu, przy zupełnym braku deformacji; Maria reprezentuje często typ pięknej, smutnej dziewczyny, a ciało Chrystusa upodabnia się do niemal klasycznego aktu (wrocławskie Piety z kościołów św. Elżbiety, Urszulanek, P. Marii Na Piasku, Pietą z Wągrowca, z kościoła św. Barbary w Krakowie i in.). Transformacja ta, 159 przejście od mistyki w świat ideałów, objęła także mniej częste przedstawienia Chrystusa Bolesciwego (np. z wrocławskiego kościoła Marii Magdaleny i św. Doroty), a także krucyfiksy.

„Styl piękny" znajduje w pierwszej połowie XV w. nie tylko kontynuację w licznych naśladownictwach dzieł wzorcowych, ale także przekształca się w szereg odmian. Ważny kierunek reprezentuje tzw. Mistrz 176 Ukrzyżowania; jego tytułowe dzieło z kaplicy Dumlosych we Wrocławiu (ok. 1410) charakteryzuje się nie tylko klasycznym ujęciem postaci Chrystusa, ale także ekspozycją zwartej, kubicznej formy asystujących postaci i pewnym schemtyzmem kompozycji. Kierunek linearny reprezentuje np. Madonna z 179 Krużlowej (1420–1430), zresztą po części w nawiązaniu do tradycji małopolskiej.

Dworski styl w architekturze zarysował się wyraźnie w dziełach fundowanych ok. połowy wieku przez Kazimierza Wielkiego. W trzeciej ćwierci w. XIV kształtuje się natomiast najbardziej nowoczesny kierunek w architekturze pobrzeża Bałtyku, oddziaływając na ziemie królestwa, zwłaszcza na Wielkopolskę.

Polegał on przede wszystkim na nowym, iluzyjnym i integralnym kształtowaniu przestrzeni oraz na szczególnym rodzaju dekoracyjności.

Jednym z najwybitniejszych twórców tej 175 orientacji był Henryk z Braniewa, działający 177 na terenie Pomorza Zachodniego i Marchii Brandenburskiej.

Wzniesiony przezeń w l. 1375–1387 kościół św. Jakuba w Szczecinie stanowi dzieło programowe. Jest to wnętrze halowe, zamknięte pięciobocznie, z obejściem. Wprowadzone do wnętrza skarpy wydzielają szereg płytkich wnętrz kaplicowych, a przede wszystkim wzmagają działanie światłocienia, tworząc specyficzny, iluzyjny porządek. Ujednolicone elewacje zewnętrzne ozdobione zostały w miejsce plastycznych skarp płaskimi lizenami, które na przełomie XIV i XV w. wyposażono w bogatą dekorację z wielobarwnej, wielokształtnej, glazurowanej cegły. Koncepcja ta powtórzona została w kilku pobliskich dziełach, np. w Stargardzie i Chojnie. Działalność mistrza Henryka sięgała Brandenburgii, o czym świadczy kościół św. Katarzyny w Brandenburgu, a jego wpływ – Wielkopolski (np. kolegiata P.Marii w Poznaniu).

Niezwykłym, ale i odosobnionym dziełem 181 pozostaje pałac Wielkiego Mistrza w Malborku (1383–1399). Całkowita rezygnacja z funkcji obronnych, zastosowanie dużych prostokątnych okien, przerwanie skarp parami smukłych słupów w celu doprowadzenia pełniejszego światła, nieddużych rozmiarów wnętrza letniego i zimowego refektarza o znakomicie wyważonych proporcjach i skomplikowanych sklepieniach, z żebrami spływającymi na środkowy, smukły filar – wszystko to świadczy, że zrealizowano tu niemal w pełni ideał dworskiej architektury.

Skłonność do dekoracyjności przejawia się w tym czasie także i w innych środowiskach, zwłaszcza w Małopolsce, gdzie operuje się kamiennymi okładzinami, ozdobionymi linearnymi formami maswerkowymi. Dla przykładu możemy wymienić dekorację pawilonu gotyckiego przy Kurzej Stopce na 180 Wawelu (ok. 1400), południową elewację kościoła św. Katarzyny wraz z kruchtą (1420–1440) czy wieżę ratuszową w Krakowie (ok. 1383).

Tendencje dekoracyjne oraz dążenie do integracji przestrzeni wyraziły się równocześnie w przemianach kształtu sklepień i rysunku siatki sklepiennej, dla których rozwoju decydujące znaczenie miały dzieła P. Parlera. Od klasycznego układu krzyżowego i sześciodzielnego, poprzez coraz bardziej skomplikowane układy gwiaździste, dochodzimy do sklepień całkowicie ignorujących podziały przęsłowe, o układzie żeber siatkowym i sieciowym, czasem formowanych asymetrycznie, nieregularnie, o różnym rysunku i zagęszczeniu linii, mających już tylko estetyczny, dekoracyjny sens.

W dziedzinie architektury był to okres nie mniej ważny niż w rzeźbie; dekoracyjność, iluzyjne traktowanie form przestrzennych stanowią podłoże dla architektury powstającej w w. XV, podobnie jak rzeźbiarska idealizacja, oparta na głębokiej obserwacji realnego świata, odezwie się z wielką siłą jeszcze w dziełach Wita Stosza.

Modus humilis w malarstwie szkoły krakowsko-sądeckiej

Sztuka z około r. 1400 na ziemiach polskich to okres wielkiego rozkwitu rzeźby i architektury; znaczenie malarstwa było niepomiernie mniejsze.

Właśnie w momencie, gdy fala ta opadała, gdy osłabła działalność środowisk dworskich, a mieszczańskie nie wytworzyły własnej koncepcji ideowo-artystycznej, formuje się w Małopolsce pierwsze na terenie królestwa polskiego środowisko malarskie. Nazwane „szkołą”, najpierw „sądecką”, później „krakowsko-sądecką”, wreszcie „krakowską”, a ostatnio tylko „szkołą ok. r. 1450”, powołało do życia kilkadziesiąt zachowanych do dzisiaj dzieł, powstałych w drugiej tercji XV w., których datowanie i autorstwo nie znajdują oparcia w źródłach pisanych.

Charakterystyka tego zjawiska wymaga ujęcia w kilku przekrojach. Stosując tradycyjne kategorie stylowe, możemy traktować to malarstwo jako etap przejściowy od „stylu miękkiego” do „łamanego”. Wprowadzając natomiast w części tylko paralelną opozycję: „idealizm dworski” – „realizm mieszczański”, stwierdzamy, że zajmuje ono pozycję pośrednią: wywodząc się z idealizmu dworskiego, nie dochodzi do realizmu, zwłaszcza w rozumieniu realizmu mieszczańskiego, i zajmuje odrębną pozycję np. w stosunku do wrocławskiego ołtarza św. Barbary. Odrywając się od środowiska dworskiego, nie wchłonął ten nurt nowych treści mieszczańskich, lecz włączył się w kościelny front ideologiczny, powstały po stłumieniu rewolucji husyckiej. Wiązał się z potrzebą szerokiej popularyzacji podstawowych treści religijnych w formie obrazowej; był próbą stworzenia języka przystępnego, dostosowanego do możliwości odbiorczych i estetycznych – w szerokim rozumieniu tego słowa – oczekiwań odbiorcy, także ludności wschodnich terenów królestwa, pozostających w kręgu oddziaływania Kościoła wschodniego. Stanowiło to ważne i aktualne zadanie w dobie unii florenckiej (1439).

Wymienione czynniki uzasadniają świadomy konserwatyzm tego malarstwa, dla którego rozwijające się i oddziaływające poprzez sztukę Niderlandów i Niemiec wartości realistyczne, związane zresztą nie tylko ze środowiskiem mieszczańskim, były nie tyle nieosiągalne, co obce i wręcz zbyteczne.

Nurt ów został zaakceptowany przez szerokie grono fundatorów kościelnych i odbiorców, czego dowodem m.in. jego długotrwałość („Hortus conclusus” z Bzia Zameckiego i „Sacra Conversazione” z Wilczej Górnej datowane są obecnie na ok. r. 1480), a to pociągało za sobą dowolność interpretacji wzorów ikonograficznych, powierzchowność obrazowania stanów emocjonalnych, uproszczenia i swoistą dekoracyjność. W ten sposób omawiany nurt zbaczał na margines historii.

Z punktu widzenia kształtowania się „realizmu mieszczańskiego” rola tego malarstwa nie była korzystna. Przechowało ono idealistyczne wartości sztuki z ok. r. 1400, których obecnością będzie się odznaczać sztuka polska jeszcze w końcu XV w., i to także w swych szczytowych osiągnięciach, np. w dziełach Stosza.

Malarstwo tzw. „szkoły krakowsko-sądeckiej” można zatem rozważać nie tyle w kategoriach określonej fazy rozwojowej – bo przecież rozkwita ona równolegle do szczytowych kreacji realizmu, jakimi były w naszym środowisku dzieła z kręgu Ołtarza św. Barbary – ile w kategoriach nurtu charakterystycznego dzięki językowi plastycznemu, przystosowanego świadomie do możliwości przeciętnego widza poprzez swoisty *modus humilis**, który jest zjawiskiem znanym także w sąsiednich środowiskach artystycznych w l. 1410–1420, choć tam, z różnych powodów, mniej spopularyzowanym i krócej trwającym.

W szczególnym zatem świetle rysują się związki z obcymi środowiskami artystycznymi, które nie zawsze miały charakter „genetyczny”, lecz raczej wyrażały wspólnotę modusu.

Przynależność do tego nurtu nie przesądzała też o poziomie artystycznym dzieła. „Modus humilis” stosowany był tak w dziełach najwyższej klasy, jak i w utworach trzeciorzędnych, powstałych w prowincjonalnych warsztatach.

Brak ścisłego datowania dzieł utrudnia określenie pierwszych, istotnych utworów tego nur-

---

* Modus humilis (łac.) – dostosowany do możliwości ubogich duchem.

tu. Zastanawiając się nad jego genezą w aspekcie tradycji artystycznej, możemy stwierdzić, że wywodzi się on ze „stylu miękkiego", z którego w pierwszym okresie zaczerpnął zbliżoną wizję świata. Stopniowo ulegała ona procesowi schematyzacji, tłumaczona na język form linearnych, graficznych, o ostrym rysunku konturu i form wewnętrznych, coraz ostrzej łamanych.

Wpływ współczesnego realizmu jest w omawianym malarstwie słaby i niekonsekwentny. Odchodzenie od dworskiego idealizmu wyraża się w większej realności postaci ludzkiej, w rezygnacji z nadmiernie wydłużonych proporcji – charakterystycznych np. dla przedstawień na skrzydłach ołtarza z Trzebuni – w akcentowaniu materialności figur, uzyskiwanej nie dzięki plastycznemu modelunkowi, lecz nasileniu linii konturowej. Często obok wysmukłego jeszcze kanonu pojawia się krępy, ale ujęcie ruchu postaci jest sztywne, niemal nienaturalne. Tak ważne dla sztuki tego czasu formowanie draperii zachowało niektóre formy znamienne dla stylu miękkiego, przetłumaczone na język form sztywnych, niemal metalicznych.

Treści i wyrazowi przedstawienia w mniejszym stopniu służą przedmioty realne, konkretyzujące miejsce akcji, a więc elementy architektury, wnętrz z najbardziej koniecznymi sprzętami, fragmenty krajobrazu. Większe znaczenie ma ruch postaci i gest, zwykle przesadny, nie powiązany z narracją całości, lecz stanowiący konwencjonalny, autonomiczny znak określonych stanów duchowych. To uproszczenie dramaturgii może być rozumiane jako próba dydaktycznego uprzystępnienia złożonych nieraz treści szerszej rzeszy odbiorców, dla których śledzenie subtelnie rozwijającej się w obrazie narracji mogło być i zbyt trudne, i dydaktycznie mało skuteczne.

Ikonografia tych dzieł powtarza często identyczne wersje wybranych tematów. Obok przedstawień świętych i związanych z nimi legend są to tematy maryjne: Koronacja Marii i Madonna Apokaliptyczna, następnie tematy z cyklu pasyjnego: Ukrzyżowanie, Opłakiwanie i dwa tematy typu mistycznego: Chrystus Boleściwy oraz Pietà.

Malarstwu temu właściwe jest operowanie podobnymi typami postaci: Marii o łagodnym wyrazie twarzy, z wężykowato zarysowanymi brwiami; Jezusa z trójkątną twarzą, ze światłocieniowo modelowanym szerokim torsem, prostymi ramionami i zaokrąglonymi partiami barków. Świadczy to o bliskich kontaktach pomiędzy warsztatami i o aktualności uznanych wzorów. Wspólna jest także tym obrazom zgaszona ekspresja uczuć, wśród których przeważa wyraz cierpienia, pozba-

wionego jednak dramatyzmu i złagodzonego nutą liryczną.

Sprawa chronologii dzieł „szkoły krakowsko-sądeckiej" jest ciągłym przedmiotem dyskusji i rzutuje na odmienne rekonstrukcje „rozwoju" tego nurtu. Do najcelniejszych jego utworów zaliczany jest Ołtarz z Ptaszkowej, datowany zwykle na ok. r. 1440. Malowane skrzydła tego ołtarza przedstawiają na awersach radości Marii: Zwiastowanie, Pokłon Trzech Króli, Adorację Dzieciątka, Zaśnięcie, a na rewersach – cykl pasyjny: Wjazd do Jerozolimy, Ostatnią Wieczerzę, Chrystusa przed Piłatem, Ecce homo, Chrystusa w Ogrójcu, Pocałunek Judasza, Niesienie krzyża i Obnażenie Chrystusa z szat. Genetycznie wiąże się to dzieło z twórczością czeskiego Mistrza Ołtarza Rajhradzkiego i z malarstwem austriackim, zwłaszcza z obrazem „Ostatnia Wieczerza" z Kremsmünster. Cechuje je płynny i wytworny rysunek, daleko posunięta typizacja postaci, uderzający schematyzm scen zbiorowych, o umownej ekspresji sytuacji i gestu, niemal bez udziału mimiki.

Niezwykle charakterystyczne jest tzw. „Duże Ukrzyżowanie" z Korzennej, datowane na lata czterdzieste XV w. Jest to monumentalne mimo małych rozmiarów dzieło, o uspokojonym dramatyzmie, ściśle symetrycznej kompozycji, z postaciami o konwencjonalnych gestach, osobiście w tym dramacie nie uczestniczącymi, umieszczonymi na neutralnym, scenicznym tle.

Konwencjonalność typów i wyrazów twarzy, a równocześnie materialne określenie formy zarówno ciał jak i szat, o precyzyjnie wykreślonych granicach i doskonale wyczuwalnej powierzchni, ostro i gwałtownie łamane draperie, mające byt autonomiczny, niezależny od niewzruszonego spokoju postawy i wyrazu twarzy postaci – uderzają w figurach Matki Boskiej Bolesnej i Chrystusa Boleściwego w tryptyku z Nowego Sącza (1440–1450). Cechy te właściwe są także scenie „Zwiastowania" na rewersach skrzydeł tryptyku z Łopusznej (po 1450), w której znamienne jest zastosowanie wysmukłych proporcji, dostosowanych do smukłości pól skrzydeł, elegancja pozy, wyszukany, konwencjonalny gest postaci. Kontrastują one silnie z niemal przysadzistymi, dość prymitywnymi postaciami na awersach, być może będącymi dziełem innego malarza, a przypominającymi jeszcze bardziej uproszczone, skonwencjonalizowane – może w wyniku naśladowania drzeworytniczego wzoru – postacie świętych na awersach skrzydeł z Kamionki Małej (ok. 1450), pierwotnie u klarysek w Starym Sączu.

Konwencjonalizacja wzoru rysuje się znakomicie na przykładzie obrazu „Misericordia

185

186

190
191

187

Domini" ze Zbylitowskiej Góry (ok. 1450), wiązanego genetycznie z Mistrzem Ołtarza Bamberskiego (ok. 1429), tworzącego zresztą pod wpływem Mistrza z Wyższego Brodu i Mistrza Ołtarza Rajhradzkiego. Dramatyczne przedstawienie ujęte zostało w system konwencjonalnych znaków, bezpośrednio apelujących do wiedzy odbiorcy o cierpieniu Chrystusa i Marii, nie tworzących jednak obrazu, którego prześledzenie wymagałoby może większego zaangażowania wyobraźni widza. Umowność przedstawienia widoczna jest nie tylko w charakterystycznych grymasach bólu, rysujących się na twarzach Marii i Chrystusa, lecz także w dekoracyjnie malowanych wyciekach krwi z ran Chrystusowych oraz w ułożeniu miecza, który właściwie tylko symbolicznie godzi w serce Marii, nie zagłębiając się w jej ciało. Neutralne tło, ściśle symetryczny układ kompozycji, dośrodkowe skierowanie wzroku Marii i Symeona potwierdzają tę konwencjonalizację. Bliższa analiza obrazu ujawnia biegłość malarską, umiejętność wyrazistego definiowania formy, której plastyczność i artykulacja uzyskane zostały zarówno dzięki konturowi jak i światłocieniowemu modelunkowi. O całości jednak decyduje linearna dobitność każdej formy – i partii anatomicznych, i draperii.

Naśladowca tej kompozycji, autor „Misericordia Domini" z Iwanowic, powtarza w l. 1460–1470 ten schemat, choć – rezygnując z symetrii – nadaje zbliżeniu twarzy Marii do Chrystusa bardziej osobisty rys.

Na tle tej po części zrutynizowanej produkcji szczególne miejsce zajmuje twórczość autora „Zdjęcia z krzyża" z Chomranic, którego dzieło wywołało silne reperkusje, czego dowodem np. „Opłakiwanie" z Czarnego Potoku i z Żywca (obydwa ok. r. 1450).

Zagadkę stanowi w tym dziele wszystko, także jego geneza – jak zwykle w przypadku tworu oryginalnego. Owa oryginalność opiera się na podniesionym do rangi najwyższej zasady konserwatyzmie, a gdy pod uwagę weźmiemy sięgające w głąb XIV w. i wcześniej cytaty ze sztuki włoskiej – także na pewnego rodzaju historyzmie. Nie jest wykluczone, że twórca przejął niektóre motywy ikonograficzne z malarstwa Roberta Campin, np. ukształtowanie postaci Chrystusa, uformowanie dolnej partii szaty Marii, i to w drodze bezpośredniego z nim kontaktu. Należy jednak zauważyć, że kontakt ten nie doprowadził do przejęcia żadnej z ważnych cech sztuki Roberta Campin i że autor przechowanego w Chomranicach dzieła zmierzał w zupełnie innym kierunku. Rozpatrując je, można mówić o opozycji „malarskiego, plastycznego realizmu" i „kaligraficznej, linearnej, dwuwymiarowej stylizacji", jednakże charakteru stylowego naszego obrazu nie można uważać za pozostałość wcześniejszego okresu, tego „co jeszcze trwa", gdyż sztuka ok. r. 1400 operowała i u nas pełniejszą plastyką i przestrzenią; jest to wynik świadomego dążenia artysty.

W chomranickim „Zdjęciu z krzyża" figuralna kompozycja umieszczona została na tle oliwkowej zieleni łąki, z licznymi, wiernie malowanymi, lecz nie tworzącymi naturalnej całości roślinami, i na srebrzystym tle swobodnie wijących się, ulistnionych pędów winorośli, obwieszonej bujnymi owocami. Kompozycję tę tworzy dramatycznie, ale zarazem w pełni statycznie upozowana grupa postaci, złożona z odrębnych fragmentów, nie zespolonych w jedną scenę. Nie jest to naturalistyczna opowieść w kilku epizodach, ale przetłumaczenie realnego wydarzenia na szereg samoistnych, znaczących ujęć, powiązanych geometrycznym schematem kompozycyjnym. Malarz operuje schematycznymi postaciami, obdarzonymi konwencjonalnymi gestami i konwencjonalnym wyrazem twarzy; gesty te stanowią „jednostki" dramatyczne: chaotyczny układ ciała złego, a równocześnie młodego łotra skontrastowany z uspokojonym układem postaci nawróconego starca, bezwład ciała Chrystusa, gesty rąk Marii Magdaleny i Jana. Dramatyczność ujęcia potęgują parzyste sekwencje figur: Marii z olejami i Jana Ewangelisty, Matki Boskiej i Marii Magdaleny, głowy Chrystusa i głowy Nikodema. Charakterystyczne jest położenie nacisku na samoistne znaczenie materii, raz kształtowanej mięsiście, plastycznie, to znów przetłumaczonej na konsekwentny system linearny – jak w przypadku sukni Marii i całunu Chrystusa. Odmaterializowane ujęcie partii anatomicznych koresponduje z abstrakcyjnym kolorytem dzieła: na srebrzystym tle umiejętnie rozłożono akcenty bieli, szarości i czerwieni.

Fenomen artystyczny, jakim są dzieła „szkoły krakowsko-sądeckiej", nie tylko stanowił przeważającą część ówczesnej twórczości Małopolski (również Spisza w drugiej tercji XV w.); istotny jest także fakt, że wywarł on znaczny wpływ na późniejsze malarstwo. Temu właśnie nurtowi można przypisać opóźnienie rozwoju mieszczańskiego czy nowożytnego realizmu. Warto dodać, że i w innych środowiskach europejskich druga połowa XV w. nie stanowiła jednolitej epoki realizmu: po Janie van Eyck pojawiło się malarstwo Rogiera van der Weyden i Memlinga, a wspaniałe dzieło Mistrza Ołtarza św. Barbary nie znalazło kontynuacji w zakresie swych najważniejszych wartości.

Malarstwo „szkoły krakowsko-sądeckiej",

188

niezależnie od wielorakich, coraz lepiej zbadanych powiązań z różnymi centrami artystycznymi, zdołało przecież wytworzyć odrębny, jednolity, własny język artystyczny, po raz pierwszy w dziejach sztuki polskiej dostosowany do określonych potrzeb ideowych i do możliwości odbiorców. Jest ono zjawiskiem w tym samym stopniu charakteryzującym naszą sztukę, jak i kulturę tego czasu, i na tym polega jego szczególna wartość.

Realizm, symbol i ekspresja w sztuce schyłku średniowiecza

Rozwój postawy naturalistycznej łączy się z doskonaleniem środków malarskich, koniecznych do realizacji tego programu; generalna teza o rozwoju sztuki XV w. od „dworskiego idealizmu" do „mieszczańskiego realizmu" nie jest pozbawiona racji, gdy dla przykładu przeciwstawimy powstały ok. r. 1400 obraz „Św. Anny Samotrzeciej" ze Strzegomia ilustracjom *Kodeksu Behema* czy kwaterze z „Ucztą u Szymona" z Gosprzydowej (ok. 1505). Jednak nie była to jedyna linia rozwoju, realizm nie był głównym celem powstającej wówczas sztuki. W dalszym ciągu głównym jej dążeniem – zwłaszcza w zakresie malowanych i rzeźbionych ołtarzy, dzieł wotywnych i epitafijnych – było wyrażanie mniej lub bardziej uniwersalnych prawd wiary. Oczywiście ważnym problemem był wybór środków wyrazu, przy czym żadne z nich nie miały charakteru neutralnego, a sam wybór był zdeterminowany przez historyczny i społeczny kontekst.

Jednym ze sposobów wyrażania określonych treści był także ów „realizm mieszczański", polegający głównie na mówieniu o wydarzeniach religijnych, jak gdyby były one częścią życia ówczesnego społeczeństwa miejskiego, w aspekcie realiów – aktualnego, w aspekcie wartości – idealizowanego w duchu chrześcijańskim.

„Realizm mieszczański" jako samoistna wartość wydaje się niejako produktem ubocznym, powstałym w wyniku rzutowania wyobrażeń i poglądów mieszczańskiego środowiska na rzeczywistość biblijną i myśl teologiczną, ułatwionego przez fakt mieszczańskiego pochodzenia twórcy dzieła, a także przez oczekiwania mieszczańskiego odbiorcy.

U progu drugiej połowy XV w., w r. 1447 powstaje na Śląsku dzieło znakomite: Ołtarz św. Barbary, który zdaje się zapowiadać nową epokę w dziejach sztuki przedstawiającej, także w Wielkopolsce, Małopolsce i na Pomorzu. Wykształcony w zachodniej Europie mistrz, wykorzystujący doświadczenie malarstwa niderlandzkiego i włoskiego, północ-

noniemieckiego i nadreńskiego, stwarza w scenie głównej kompozycję poddaną wyjątkowej dyscyplinie artystycznej, świadczącą o niemal doskonałym opanowaniu środków wyrazu, a równocześnie o wyraźnie dualistycznym charakterze. Płytka przestrzeń, fantazyjnie wykrojony podest, złote tło, ściśle symetryczny układ postaci, między którymi nie zawiązuje się żadna akcja – wynikają z założeń prezentacyjnych. Natomiast plastyczne ujęcie postaci, poprawne wpisanie ich w przestrzeń, operowanie światłocieniem, znajomość anatomii i funkcji ciała ludzkiego, psychofizyczna charakterystyka przedstawionych osób świadczą o daleko rozwiniętej wiedzy o prawidłowościach rządzących światem tak materialnym, jak i społecznym, o zasobie konkretnych obserwacji, co można uznać za znamienne dla postawy realistycznej.

Wzajemne przenikanie się respektowanych przez artystę praw malarskiego obrazu oraz wiedzy o rzeczywistości zdaje się decydować o postawie malarza. Ważne, że w wiązanych z jego twórczością innych dziełach: „Madonnie z fundatorami" z wielkopolskiego Drzeczkowa, epitafium Jana Kota z Torunia, wrocławskiej „Madonnie w komnacie" odnaleźć można tylko niektóre cechy tej postawy; w malarstwie drugiej połowy XV w. nie doszło do utrwalenia się nurtu realistycznego.

Nie wytworzył się więc konsekwentny system budowy przestrzeni, tak znamienny dla głównej sceny Ołtarza św. Barbary, choć pojawia się realna przestrzeń wnętrza, a także rozległy pejzaż, z osadzonymi w nim zamkami i warownymi miastami, np. w „Ucieczce do Egiptu" w Ołtarzu Dominikańskim w Krakowie. Czasem krajobraz wzbogacony jest o sceny myśliwskie, jak np. w kwaterze ze św. Sekundusem i św. Eustachym w Tryptyku Św. Trójcy w Krakowie, a nawet ukazuje epizody pracy na roli. Znamienne jest też wzmożenie realności architektury, np. w kwaterach Poliptyku Augustiańskiego Mikołaja Haberschracka, a także przedstawianie wyposażenia wnętrza, przedmiotów codziennego użytku, czyli w sumie konkretyzacja otoczenia człowieka, miejsca odbywanej akcji (por. np. scenę „Zwiastowania" w Ołtarzu Matki Boskiej Bolesnej w Krakowie; „Chrystusa wśród uczonych" tamże; scenę „Narodzin Marii" w Poliptyku Olkuskim, ok. 1480; „Ucztę u Szymona" w Ołtarzu z Gosprzydowej, ok. 1505; a zwłaszcza miniatury *Kodeksu Behema* z tegoż czasu).

Realizm oznaczał wówczas przede wszystkim rozszerzenie pola obserwacji w aspekcie socjalnym; konkretyzacja przedstawień wyraża się w definiowaniu postaci jako członków okreś-

92
248
192

193

194

19

198

19
24

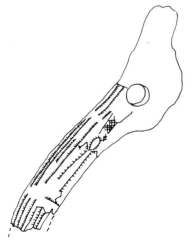

1. Figurka kobieca z Ocic, neolit

2. Postać człowieka, ryt na rogu z Podjuch, mezolit

3. Naczynie z Ćmielowa, neolit

4. Wołki gliniane z Krężnicy Jarej, neolit

5. Naczynie z Żerkna Górnego, neolit

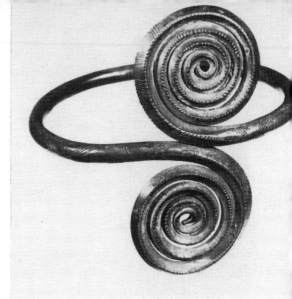

6. Grobowiec megalityczny, Wietrzychowice, neolit

7. Wózek kultowy z Kałowic, okres halsztacki

8. Naramiennik z Dratowa, II okres brązu

9. Urna z Grabowa Bobowskiego, późny okres halsztacki

10. Izyda z Horusem z Małachowa, brąz rzymski, III–IV w.

11. Osada w Biskupinie, fragment rekonstrukcji

12. Osada w Biskupinie, okres halsztacki

13. „Mnich" w Garncarsku k. Ślęży, wczesne średniowiecze

14. „Postać z rybą" na Ślęży, wczesne średniowiecze

15. Figura mężczyzny z rogiem z Barcina, wczesne średniowiecze

16. Nagrobek (?) z figurą jeźdźca z Leźna, wczesne średniowiecze

17. Mieszko I i księżniczka Matylda, kopia miniatury, po 1025 – przed 1033

18. Miniatura z symbolami ewangelistów z *Kazań*, kon. VIII – pocz. IX w.

19. Wjazd do Jerozolimy, miniatura z *Ewangelistarium gnieźnieńskiego*, kon. XI w.

20. Drzewo Jessego, miniatura z *Psalterium nocturnum* z Trzebnicy, ok. 1240

21. Gryfy przy Drzewie Życia z kolegiaty wiślickiej, poł. XII w.

22. Syrena i tryton, kościół w Zagości, przed 1166

23. Herkules ujarzmiający smoki, kapitel portalu kościoła w Czerwińsku, ok. 1140

24. Chrystus na majestacie, kolegiata w Tumie pod Łęczycą, ok. 1161

25. Czara włocławska, X w.

26. Relikwiarz św. Korduli, kon. X – pocz. XI w.

27. Madonna z Ołoboku, po 1213

28. Ukrzyżowanie z oprawy *Ewangeliarza Anastazji*, ok. 1160–1170

29. Włócznia św. Maurycego, kon. X w.

30. Szczerbiec, rękojeść, ok. 1240

31. Patena płocka Konrada Mazowieckiego, po 1239

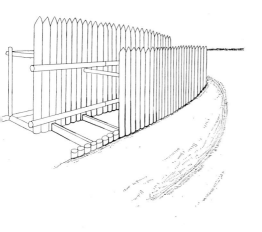

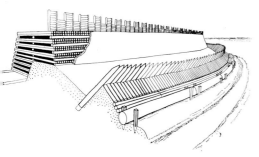

32. Rekonstrukcja obwarowań grodu w Łęczycy, VI–X w. i XII w.

33. Misa chrzcielna w katedrze poznańskiej, ok. 964

34. Rotunda p.w. P. Marii, św. Feliksa i św. Adaukta na Wawelu, X w.

35. Figurka koziołka z Lednicy, XI–XII w.

36. Głowa dzika lub barana z belki wału obronnego w Gnieźnie, X–XII w.

37. Ornament na rękojeści czerpaka z Gdańska, 2. poł. XII w.

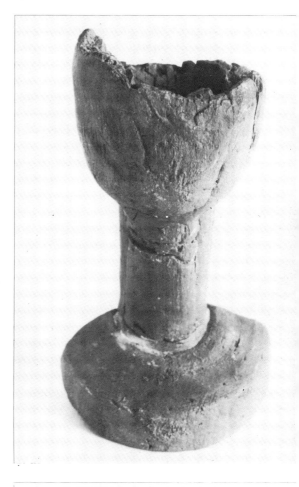

38. Wyobrażenie fallusa z grodu łęczyckiego,
XI–XII w.

39. Kielich mszalny z grodu łęczyckiego,
XI–XII w.

40. Matryca brązowa kaptorgi z Brześcia Kujaw.,
2. poł. XI w.

41. Krypta św. Leonarda w katedrze wawelskiej, do 1118

42. Krypta zach. kościoła Benedyktynów w Mogilnie, po 1065

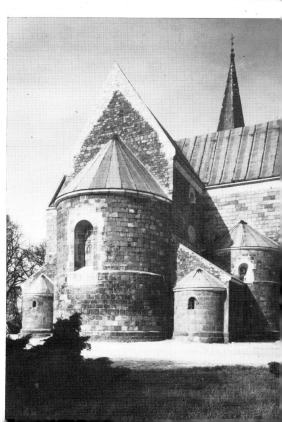

43. Kolegiata św. Andrzeja w Krakowie, 1079–1098

44. Kolegiata św. Marcina w Opatowie, 2. poł. XII w.

45. Kolegiata św. Piotra w Kruszwicy, 1. poł. XII w.

Katedry, kolegiaty, klasztory

46. Kościół w Prandocinie, 1. poł. XII w.

47. „Familia ecclesiae" w Strzelnie,
od 2. poł. XII w. do ok. 1216

48. Kolegiata w Tumie pod Łęczycą,
ok. 1161

49. Kościół Kanoników Regularnych
w Czerwińsku, do 1155

Sztuka pobożnych fundatorów

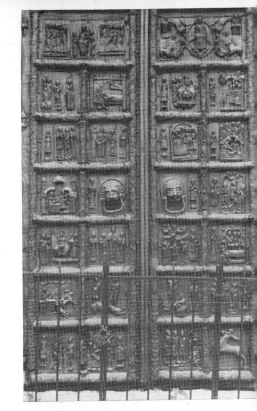

50. Drzwi Płockie, 1152–1156

51. Stworzenie Ewy, fragm. Drzwi Płockich

52. Ostatnia msza św. Wojciecha, fragm. Drzwi Gnieźnieńskich

53. Drzwi Gnieźnieńskie, ok. 1180

54. Postacie asystujące nadaniu godności biskupiej
św. Wojciechowi, fragm. Drzwi Gnieźnieńskich

55. Fragment bordiury Drzwi Gnieźnieńskich

56. Tympanon portalu w kościele w Tumie pod Łęczycą, ok. 1161

57. Modlitwa donatorów, ryt na posadzce krypty kościoła w Wiślicy, 3. ćw. XII w.

58. Fragment nadproża portalu w kościele w Czerwińsku, ok. 1140

59. Deesis w zach. apsydzie kościoła w Tumie pod Łęczycą, ok. 1161

60. Tympanon ze sceną Zaśnięcia P. Marii z portalu ołbińskiego, 4. ćw. XII w.

61. Tympanon Jaksy w kościele na Ołbinie we Wrocławiu, 1160–1173

62. Tympanon w kościele P. Marii
Na Piasku we Wrocławiu, ok. 1170

63. Tympanon z kościoła św. Prokopa w Strzelnie, 1170–1180

64. Tympanon w kościele Świętej
Trójcy w Strzelnie, 1180–1190

Sztuka pobożnych fundatorów

65. Figura św. Jana Chrzciciela z katedry we Wrocławiu, 1160–1180

66. Tzw. tablica wotywna w kościele Świętej Trójcy w Strzelnie, 3. tercja XII w.

67. Portal z kościoła na Ołbinie we Wrocławiu, 4. ćw. XII w.

68. Kolumny z rzeźbą figuralną w kościele Świętej Trójcy w Strzelnie, ok. 1200

69. Patena kaliska, rewers, 1193–1202

70. Fragment kolumny strzelneńskiej

71. I kielich trzemeszeński, fragm. ze sceną
Chrztu w Jordanie, 1160–1180

72. II kielich trzemeszeński, 1160–1200

73. Kaplica św. Jadwigi przy kościele Cysterek w Trzebnicy, 1269–1275

74. Kościół paraf. w Ziębicach, 3. ćw. XIII w.

75. Kościół św. św. Piotra i Pawła w Strzegomiu, ok. 1320 – 2. poł. XIV w.

Wiek XIII–XV. Gotyk

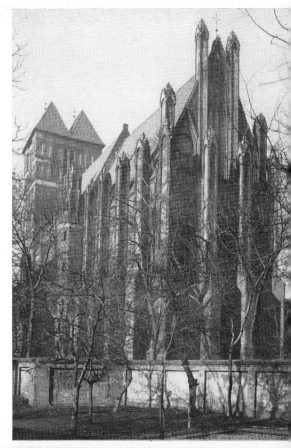

76. Katedra we Fromborku, 1329–1388

77. Kościół paraf. w Ornecie, ok. 1379

78. Kościół św. Jakuba w Toruniu, 1309–1350

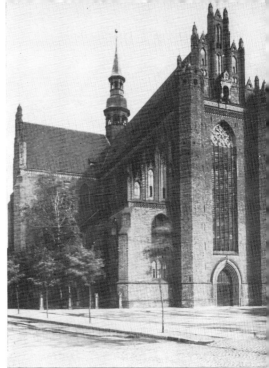

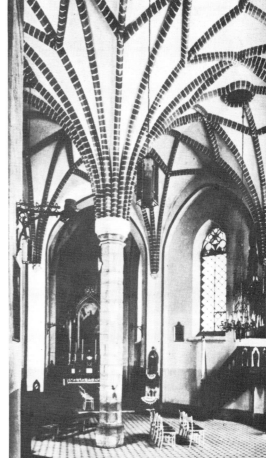

79. Kościół paraf. w Bydgoszczy, 1460–1504

80. Kościół pocysterski w Pelplinie, 1380–1472

81. Kościół paraf. w Gosławicach, 1418–1428

82. Zamek w Malborku, XIV w.

83. Zamek w Chęcinach, XIV w.

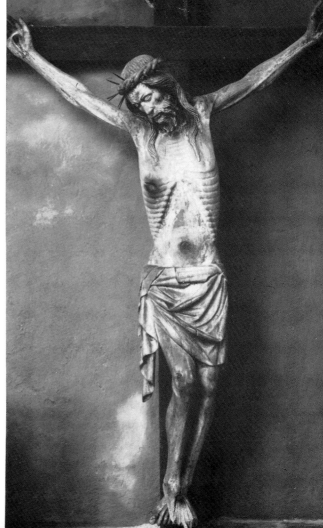

84. Ukrzyżowanie z kaplicy Jedenastu Tysięcy św. Dziewic w Gdańsku, pocz. XV w.

85. Tympanon fundacyjny kościoła paraf. w Radłowie, 1337

86. Krucyfiks w kościele paraf. w Szamotułach, ok. 1380–1390

87. Męczeństwo św. Apolonii w kościele paraf. w Głuchowie, ok. 1500

88. Ołtarz Zwiastowania z kościoła św. Elżbiety we Wrocławiu, ok. 1480

89, 90. Malowidła na skarpach wewn. kościoła P. Marii w Toruniu, 1380–1390

91. Fragment malowideł w dworze w Siedlęcinie, 1330–1340

92. Św. Anna Samotrzecia ze Strzegomia, ok. 1400

93. Epitafium Wierzbięty z Branic, ok. 1425

Budownictwo cystersów

94. Opactwo cystersów w Wąchocku, ok. 1217–1239

95. Kościół Cystersów w Sulejowie, do 1232 (?)

96. Wnętrze kapitularza w Wąchocku

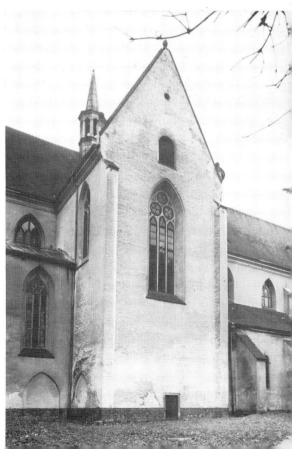

97. Tympanon portalu zach. kościoła Cysterek w Trzebnicy, 1. poł. XIII w.

98. Zwornik ze smokami z kaplicy legnickiej

99. Kościół Cystersów w Henrykowie, 1241–1260

Sztuka w służbie zjednoczenia królestwa

100. Kolegiata Świętego Krzyża we Wrocławiu, 1288–1300 i 2. ćw. XIV w.

101. Tympanon portalu w kościele w Starym Zamku, ok. 1260

102. Tympanon portalu w kaplicy św. Jadwigi w Trzebnicy, ok. 1269–1275

103. Tympanon w kościele Świętego Krzyża, ok. 1350

104. Figura ks. Salomei z kolegiaty w Głogowie, ok. 1290

105. Fragment nagrobka Władysława Łokietka, katedra na Wawelu, po 1335–1350

106. Grobowiec ks. Henryka IV z kościoła Świętego Krzyża, ok. 1300 i 1310–1320

107–109. Posągi na wieży ratusza w Jaworze, 1370–1380

110. Zwornik heraldyczny w kościele w Stopnicy

Sztuka w służbie zjednoczenia królestwa

111. Kielich mszalny z kościoła paraf. w Kaliszu, 1363

112. Grobowiec ks. Henryka VI w kościele Urszulanek we Wrocławiu, ok. 1350

113. Grobowiec Kazimierza Wielkiego, katedra na Wawelu, 1370–1380

114. Grobowiec Władysława Jagiełły, katedra na Wawelu, 2. ćw. XV w.

115. Grobowiec ks. Bolka II w kościele Cystersów w Krzeszowie, po 1380

116. Scena fundacyjna, malowidło w oratorium klasztoru cystersów w Lądzie, 1360–1370

117. Wit Stosz, Grobowiec Kazimierza Jagiellończyka, katedra na Wawelu, ok. 1492

118. Kraków, panorama miasta wg Fredericka de Wit

119. Wrocław, wg *Liber cronicarum*
H. Schedla, 1493

120. Wrocław, plan B. Weynera, 1562

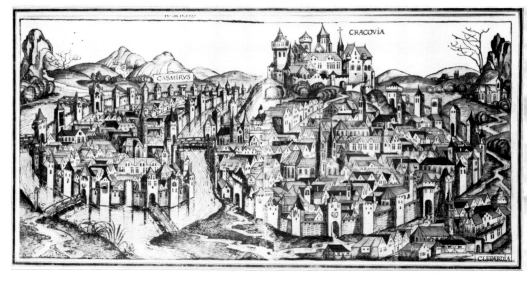

121. Poznań, wg J. Brauna i
F. Hogenberga, 1618

122. Kraków, wg *Liber cronicarum* H. Schedla, 1493

123. Kraków, Rynek
Główny

Miasto gotyckie

124. Ratusz Głównego Miasta w Gdańsku

125. Ratusz w Toruniu

126. Ratusz we Wrocławiu

127. Mury obronne w Paczkowie

128. Barbakan i Brama Floriańska w Krakowie

Katedry gotyckie

129. Wnętrze katedry wrocławskiej,
2. ćw. XIV w.

130. Figura proroka na sklepieniu kaplicy
P. Marii w katedrze wrocławskiej, 1354–1361

131. Chór katedry wrocławskiej

132. Katedra na Wawelu, 1320–1364

133. Grobowiec biskupa Przecława z Pogorzeli, zm. 1376, katedra wrocławska

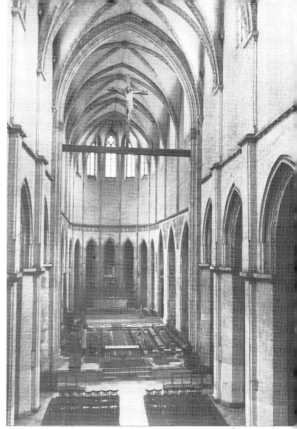

134. Wnętrze katedry na Wawelu

135. Rzeźba figuralna na żebrach sklepiennych w katedrze gnieźnieńskiej

136. Wnętrze katedry gnieźnieńskiej, poł. XIV w. – kon. XVI w.

137. Katedra w Poznaniu, 1346–1410

138. Wnętrze kościoła Mariackiego w Krakowie, kon. XIII – pocz. XV w.

139. Wnętrze kolegiaty w Wiślicy, ok. 1350

140. Figura Kazimierza Wielkiego z kolegiaty
w Wiślicy, 1370–1380

141. Św. Jadwiga, miniatura w *Żywocie św. Jadwigi*, 1353

142. Dom Mansjonarzy w Sandomierzu, 1476

143. Portal kaplicy zamkowej w Lubiniu, 1349

144. Figura św. Jadwigi na elewacji kaplicy zamkowej w Brzegu, 4. ćw. XIV w.

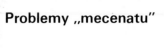

145. Wnętrze Dworu Artusa w Gdańsku, wg sztychu z 1848 r.

146. Oblężenie Malborka z Dworu Artusa w Gdańsku, 1481–1488

147. Fragm. elewacji ratusza wrocł. z fryzem figuralnym, ok. 1485

148. Wit Stosz, Zaśnięcie
Marii z Ołtarza Mariackiego,
1477–1489

149. Ołtarz św. Rodziny z
Konina Żagańskiego, 1514

150. Tryptyk Jerozolimski z
kościoła P. Marii w Gdańsku,
część środk., 1495–1500

151. Pokłon Trzech Króli, kościół paraf.
w Krzyżowicach k. Brzegu, 1418–1428

152. Św. Męczennice, fragm. malowideł
w kościele paraf. w Niepołomicach,
ok. 1370–1375

153. Malowidła w kaplicy zamkowej
w Lublinie, ok. 1418

154. Krucyfiks z katedry w Kamieniu Pom., XIII/XIV w.

155. Krucyfiks z kościoła Bożego Ciała we Wrocławiu, ok. 1350

156. Pietà z Lubiąża, ok. 1360

Sztuka w służbie mistyki

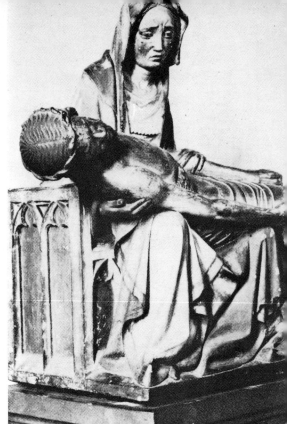

157. Chrystus jako Mąż Boleści w farze poznańskiej, 1435–1440

158. Pietà z kościoła św. Marii Magdaleny we Wrocławiu, kon. XIV w.

159. Pietà z kościoła św. Barbary w Krakowie, kon. XIV w.

160, 161. Madonna szafkowa z Klonówki,
4. ćw. XIV w.

162. Madonna na lwach ze Skarbimierza,
ok. 1360

Sztuka w służbie mistyki

163. Św. Paweł z kościoła św. Marii Magdaleny we Wrocławiu, ok. 1360.

164. Madonna na lwie z kościoła św. Marcina we Wrocławiu, ok. 1370

165, 167. Frontale z Dębna, 2. poł. XIII w.

166. Ołtarz z Pełcznicy, 1370–1380

168. Nagrobek ks. Henryka II Pobożnego z kościoła Franciszkanów we Wrocławiu, 1380–1385

169. Wsporniki z popiersiami Wacława IV i Zofii w kaplicy kolegiaty w Głogówku, 1. ćw. XV w.

170. Piękna Madonna z Wrocławia, 1390–1400

171. Tablica fundacyjna Dobiesława Oleśnickiego z Sienna, 1432

172. Figura św. Piotra z kościoła w Legnicy, ok. 1400

173. Chrystus przed Piłatem, fragm. malowideł w kościele paraf. w Kałkowie, kon. XIV w.

Sztuka ok. roku 1400

174. Piękna Madonna z Torunia, ok. 1390

175. Henryk z Braniewa, wnętrze chóru kościoła św. Jakuba w Szczecinie, 1375–1387

176. Ukrzyżowanie z kaplicy Dumlosych w kościele św. Elżbiety we Wrocławiu, ok. 1410

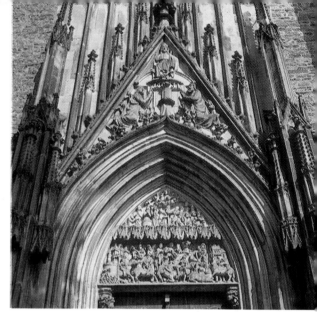

177. Henryk z Braniewa, dekoracja lizen kościoła P. Marii w Stargardzie Szczec., pocz. XV w.

178. Nawrócenie św. Pawła, tympanon zach. portalu w kościele w Strzegomiu, 4. ćw. XIV w.

179. Madonna z Krużlowej, 1420–1430

Sztuka ok. roku 1400

180. „Pawilon gotycki" na zamku wawelskim, kon. XIV w.

181. Pałac W. Mistrza w Malborku,
1383–1399

182. Refektarz Letni w pałacu W. Mistrza
w Malborku

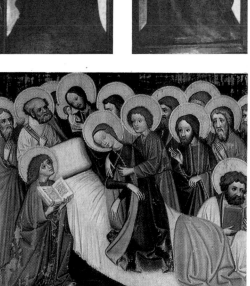

183, 184. Skrzydła Ołtarza z Trzebuni,
1420–1430

185. Śmierć Marii z Ołtarza z Ptaszkowej,
ok. 1440

186. Duże Ukrzyżowanie z Korzennej,
1440–1450

187. Misericordia Domini ze Zbylitowskiej
Góry, ok. 1450

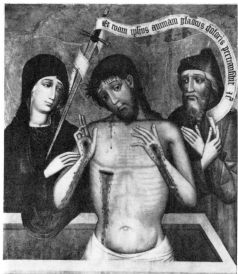

„Modus humilis"...

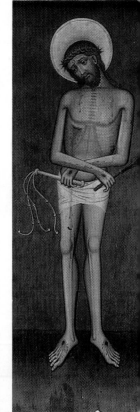

188. Postać łotra z obrazu
chomranickiego

189. Zdjęcie z krzyża z Chomranic,
ok. 1440

190, 191. Matka Boska Bolesna i Chrystus
Boleściwy z Nowego Sącza, 1440–1450

192. Uczta u Szymona z Ołtarza w Gosprzydowej, ok. 1505

193. Madonna z Drzeczkowa, 1450–1460

194. Św. Sekundus przeprawiający się przez Pad, fragm. Tryptyku Świętej Trójcy, 1467

195. Zwiastowanie Marii z Ołtarza Matki Boskiej Bolesnej, ok. 1475

196. Rzeź Niewiniątek z Poliptyku Olkuskiego, ok. 1485

197. Figury łotrów z Drogi na Golgotę z kościoła Marii Magdaleny we Wrocławiu

198. Ołtarz św. Barbary z Wrocławia,
1447

199. Wit Stosz, Św. Anna Samotrzecia
z Tarnowa, ok. 1490

Realizm, symbol i ekspresja...

200. Epitafium Jana Sakrana w klasztorze
oo. Misjonarzy w Krakowie, ok. 1527

201. Złożenie do Grobu z Ołtarza Dominikańskiego, ok. 1460

202. Mistrz Wniebowzięcia z Warty, Sacra
Conversazione, 1. ćw. XVI w.

203. Zdjęcie z krzyża z Torunia, 1495

204. Wjazd do Jerozolimy, skrzydło Tryptyku Jerozolimskiego, 1497–1500

205. Matka Boska Anielska ze św. św. Piotrem i Pawłem z Poliptyku z Szańca, kon. XV w.

Realizm, symbol i ekspresja...

206. Wit Stosz, krucyfiks w kościele Mariackim w Krakowie, po 1490

207, 210. Wit Stosz, Ołtarz Mariacki zamknięty i otwarty, 1477–1489

208. Wit Stosz, Spotkanie Joachima i Anny przed Złotą Bramą, fragm. Ołtarza Mariackiego, 1477–1489

209. Figura proroka z Ołtarza Mariackiego

211. Głowa św. Piotra z Ołtarza Mariackiego

212. Hans Brandt, figura św. Wojciecha z grobowca w katedrze gnieźnieńskiej, 1479–1499

213. Wit Stosz, głowa Kazimierza Jagiellończyka, fragm. grobowca, ok. 1492

214. Wit Stosz, pomnik Kallimacha w kościele Dominikanów w Krakowie, ok. 1500

lonych grup społecznych. Tak rozpoznajemy feudałów: królów, książąt – traktowanych czasem indywidualnie, jak w przypadku podobizny Władysława Jagiełły w „Pokłonie Trzech Króli" w Ołtarzu Matki Boskiej Bolesnej, zamożny patrycjat, a w szczególności negatywnie charakteryzowane postaci żołnierzy, sług czy wręcz oprawców, którzy ukazywani w scenach torturowania Chrystusa napiętnowani są złem swych czynów, podłością charakterów, mających źródło społeczne. Są to zwykle ludzie z marginesu, a ich nabyte czy wrodzone dyspozycje, uwidaczniane są w typie psychofizycznym, jaki reprezentują: w szerokich twarzach, niskich, zarośniętych czołach, zadartych i płaskich nosach, dzikich spojrzeniach oczu, gwałtownych, nieopanowanych ruchach (por. np. sceny z ołtarzy: z Gosprzydowej, Olkusza, Książnic Wielkich, z Poliptyku Augustiańskiego).

2,
6

Podobny proces zauważamy także w rzeźbie, gdzie ku końcowi XV w. narasta ów swoisty nurt „weryzmu" – dobitnej, bezwzględnej charakterystyki przerażającego wręcz ludzkiego zła; jako przykład możemy wymienić „Drogę na Golgotę" z kościoła św. Marii Magdaleny we Wrocławiu, z ok. r. 1500. Porządek społeczny jest tu związany z porządkiem moralnym.

7

Rozszerzony został również krąg geograficzny – w wielu scenach pojawiają się postacie w orientalnych, bogatych strojach ze wspaniałych tkanin, przybranych drogocenną biżuterią. Postacie te występują z reguły w scenach Pokłonu i Zdjęcia z krzyża, czasem także jako osoby pouczanych przez dwunastoletniego Chrystusa uczonych w Piśmie.

Ważne jest wyzwolenie się owej sztuki, powstającej w środowisku mieszczańskim i głównie dla gmin miejskich, spod hegemonii kategorii dworskich. Wyraża to m.in. w przedstawianiu różnych warstw mieszczaństwa oraz właściwego mu otoczenia: wnętrz domostw charakteryzujących stan posiadania, obyczaje, zamiłowania, ale także w eksponowaniu wyższych wartości, zajmujących w mentalności mieszczańskiej plan pierwszy, w tym zwłaszcza uczuć macierzyńskich i rodzinnych. Twórcy ukazują je w rodzajowych przedstawieniach Marii karmiącej lub bawiącej Dzieciątko, Anny Samotrzeciej z Jezusem swobodnie igrającym między matką a babką, wreszcie w scenach Rodziny Marii, zwłaszcza tzw. Dużej Rodziny – niemal o charakterze liczebnego zjazdu rodzinnego: trzy Marie gromadzą się tu wokół Matki Boskiej, w asyście oddalonej grupy mężów i w otoczeniu gromady swobodnie baraszkujących dzieci. Ten typ rodzinnej rodzajowości stał się na przełomie XV i XVI w. jak gdyby ramową

strukturą, dającą się przenosić na inne tematy, czego dowodem śląski Ołtarz św. Dziewic z ok. 1505 r. czy na Stoszowskim sztychu „Św. Rodzina" oparte przedstawienie Łukasza malującego Madonnę z kościoła Marii Magdaleny we Wrocławiu.

Przy tak formowanym obrazie kryterium interpretacyjnym dla widza i wartościującym dla krytyka staje się odniesienie do szeroko rozumianej rzeczywistości natury i społeczeństwa.

Nie jest ono przecież jedynym. Obok niego, a najczęściej równocześnie, odniesienie stanowi system dogmatów chrześcijańskich, aktualnych doktryn i ich interpretacji, zwyczajów liturgicznych, kultów hagiograficznych. Jest to płaszczyzna pierwszorzędna, główny sens tworzenia tej sztuki. Dzieje Nowego Testamentu – Pasja Chrystusa, zasługi świętych – znane ogółowi, wyrażane były w potocznym języku obrazowej narracji. Ale często odwoływano się do symbolu bądź od dawna ustalonego, bądź też mniej jawnego. Mistrz Pasji Dominikańskiej w scenie „Ecce homo" sadowi Chrystusa na paradnym tronie, stanowiącym atrybut królewskiego pochodzenia i stanu Jezusa, a pod jego stopami umieszcza dwa smoki, symbolizujące pokonane złe moce; tym samym rozbija realistyczną konstrukcję sceny, tak silnie wspartą na znakomitej naturalistycznej charakterystyce otaczających tron postaci; równocześnie z zastosowaniem środków realistycznych przemawia w sposób jawnie symboliczny.

W scenie „Złożenia do grobu" obramienie grobowca ma kształt późnogotyckiego cyborium ściennego, dzięki czemu w opowieść historyczną wpleciona zostaje ponadczasowa idea eucharystii: umęczone ciało Chrystusa stanowi chleb zbawienia. Częstym zjawiskiem jest pełnienie funkcji symbolicznych przez proste przedmioty rodzajowe. W scenie „Zwiastowania" w Ołtarzu Matki Boskiej Bolesnej, w głębi komnaty pojawia się rama okienna w kształcie krzyża, skontrastowana z pozostałymi, dekoracyjnymi formami maswerków – symboliczna interpretacja zapowiedzi męki krzyżowej. Umieszczone na półce figi przypominają o utraconym raju, który m.in. poprzez zapoczątkowane tu dzieło wcielenia będzie znów przywrócony. W podobnej scenie, w „Zwiastowaniu" Mistrza Jerzego, kwitnąca lilia służy nie tylko ozdobie i wypełnienia pięknym zapachem wnętrza komnaty, ale równocześnie symbolizuje czystość Marii – bez zmazy poczętej.

Należy jednak podkreślić, że nie jest to dominujący sposób unaocznienia programów religijnych; twórcy nie czuli się zobowiązani do stosowania formuły naturalistycznej i narracyjnej. Równocześnie powstają kompozycje „prezentacyjne": postacie ludzkie przedstawione są naturalistycznie, ale relacje między nimi zrozumiałe są jedynie na tle odniesienia do pewnych podstruktur teologicznych. Są to np. coraz częściej powstające sceny Sacra Conversazione, czyli Świętej Rozmowy, z postacią Marii, rzadziej Chrystusa, w centrum. Podstawy doboru postaci w tych grupach miały zazwyczaj charakter uniwersalny, czego przykładem środkowy obraz Poliptyku z Szańca, z końca XV w., z Matką Boską Anielską w asyście Piotra i Pawła, czy też „Sacra Conversazione" z końca XV w. w predelli Poliptyku z Dobczyc, z architektonicznym podziałem i złotym tłem, z przedstawieniem w środkowej partii Madonny z Dzieciątkiem, a w bocznych Jana Chrzciciela i Jana Ewangelisty. Równie interesujące jest przedstawienie Matki Boskiej Bolesnej w otoczeniu czterech aniołów, trzymających *arma Christi*, z krakowskiego kościoła Franciszkanów, wiązane z Mistrzem Jerzym; przetworzenie przez autora wzoru Mistrza ES – wprowadzenie Marii na miejsce Chrystusa – dodatkowo świadczy o chęci eksponowania idei uczestnictwa Marii w dziele odkupienia.

202 „Sacra Conversazione" wiązana z Mistrzem Wniebowzięcia z Warty, z pierwszej ćwierci XVI w., stanowi kompozycję jeszcze bardziej przemyślaną. Marii jako drugiej Ewie towarzyszą dwie święte męczennice kartagińskie, Felicitas i Perpetua, wspólnie wyrażające „trwałą szczęśliwość", a umieszczenie u stóp Marii drobnych postaci ludzkich: proszących żebraków, chorych, konających, i ukazanie w głębi brzegu morskiego z tonącymi statkami nadaje całości sens alegoryczny; tylko przez Marię wiedzie droga ku wiecznej szczęśliwości i wyzwoleniu od ziemskich niedoli.
Odrębne w swej wymowie i przeznaczone do wyrażania różnych treści „modusy": prezentacyjny i narracyjny egzystowały często zgodnie w jednym dziele, pierwszy w scenie środkowej, drugi na skrzydłach, składając się wspólnie na strukturę charakterystyczną dla ówczesnych ołtarzy.
Partykularyzm i indywidualność programu wzrastały, gdy zyskiwał na znaczeniu związek dzieła z jego fundatorem. Scena środkowa w tryptyku z Lipnicy Murowanej (ok. 1500), ze świętym Leonardem między św.św. Wawrzyńcem i Florianem, z legendą patrona i z przedstawieniem różnych świętych na skrzydłach, wiąże się z wezwaniem kościoła i wybranym kultem mniej lub bardziej popularnych świętych. W obrazach wotywnych lub epitafijnych niemal z reguły pojawia się postać Chrystusa jako Męża Boleści, Frasobliwego itp., o którego miłosierdzie zabiega

donator. Zwykle obok Chrystusa widnieje Maria, np. jako Matka Bolesna, natomiast dobór innych świętych podyktowany był indywidualnymi życzeniami fundatora.
W epitafium Jana z Oświęcimia, zwanego 200 Sacranusem, donator polecany jest przez swego patrona, Jana Chrzciciela, Chrystusowi zdjętemu z krzyża, podtrzymywanemu przez Jana Ewangelistę i opłakiwanemu przez Marię; za Ewangelistą znajduje się Jan Jałmużnik. Pojawienie się w tym dziele aż trzech świętych Janów jest znamienne, przy czym zapewne Ewangelista występował jako poręczyciel cnoty wiernej miłości, a Jałmużnik jako rzecznik miłosierdzia.
Język naturalistyczny i symboliczny, to nie jedyne sposoby wypowiadania się artystów tej epoki. Już dawno stwierdzono obecność jeszcze jednego składnika stylowego, zwanego często „stylem ruchu", reprezentowanego przez dynamiczne, irracjonalne ujęcie form draperii – sprzeczne z naturalistycznym obrazowaniem, a także przez pozycje i ruch postaci, nie mające znaczenia ustalonych, jawnych symboli i nie dające się sprowadzić do wartości czysto dekoracyjnych. Ich odniesienia nie stanowią przedmioty rzeczywiste ani określone idee teologiczne, lecz emocjonalny składnik światopoglądu, związany z pewnym rodzajem niepewności i niedosytu, jaki pozostawiły dotychczasowe próby określenia relacji człowiek–świat, zwłaszcza zaś z generalnym przekonaniem, że obrazu świata nie wyczerpuje ani ustalony system symboli, ani z tak wielkim trudem wykształcony system naturalistycznych środków wyrazu. Ów ekspresyjny symbolizm miał podstawy raczej intuicyjne, był wynikiem wątpliwości i sceptycyzmu, odzwierciedlał postawę bardziej emocjonalną niż intelektualną, był irracjonalny i pozaempiryczny.
Na tle tych zróżnicowanych tendencji stylowych, będących wyrazem poszukiwań nowych dróg, pełniej rysuje się nam znamienne dla epoki zjawisko – wybitne indywidualności twórcze.
Obok wymienionego już Mistrza Ołtarza św. Barbary, najwybitniejszego malarza w dobie późnego gotyku na ziemiach polskich, co najmniej równą mu pozycję zajmuje Wit Stosz – artysta wszechstronny, przede wszystkim rzeźbiarz pracujący w drewnie i marmurze, ale także malarz i grafik, autor dziesięciu miedziorytów, stworzonych jako wzory na użytek rzeźbiarzy i malarzy.
Wykształcony głównie w środowiskach południowych Niemiec, korzysta z lekcji czołowych twórców niderlandzkich, takich jak rzeźbiarz Mikołaj z Lejdy, malarz Rogier van der Weyden, a także grafików dostarczających

szeroko rozpowszechnianych wzorów, jak Mistrz ES czy Martin Schongauer.

Pojawienie się Stosza w Krakowie przed r. 1477 stanowi ważne wydarzenie, zwłaszcza wobec regresu rzeźby polskiej w trzeciej ćwierci XV w. Stosz jest artystą dojrzałym, znakomicie wykształconym, nie tylko w zakresie rzemiosła. Obdarzony pełnym zaufaniem, otrzymuje w r. 1477 zamówienie na wykonanie głównego ołtarza dla kościoła Mariackiego w Krakowie. To dzieło wielkiego formatu, mieszczące na dwóch parach skrzydeł multum scen i figur, jest przede wszystkim wzruszającym misterium maryjnym. Otwarta 210 szafa ukazuje sceny z życia Marii, z umieszczoną w centrum monumentalną, w płytkiej przestrzeni scenicznej teatralnie sformuło- 148 waną sceną „Zaśnięcia Panny Marii", otoczoną małymi postaciami proroków i Ojców Kościoła, ponad którą znajduje się „Wniebowzięcie Marii" w asyście Chrystusa, prowadzące ku „Koronacji" w zwieńczeniu ołtarza, flankowanej przez patronów Kościoła polskiego: św. św. Stanisława i Wojciecha. Na skrzydłach bocznych widnieje sześć scen – od „Zwiastowania" do „Zesłania Ducha Św.". 207 Po zamknięciu ukazuje się dwanaście scen, obejmujących życie Marii i Pasję Chrystusa, poczynając od sceny „Zwiastowania Joachimowi" po „Noli me tangere"; trzy ostatnie sceny tworzą tzw. cykl wielkanocny. Całość wsparta jest na predelli mieszczącej drzewo genealogiczne Marii, widoczne – jak i „Koronacja" w zwieńczeniu – zarówno w otwartej jak i zamkniętej szafie.

Konsekwentnie prezentując program mariologiczny, stanowiący niejako sumę kultu maryjnego, jest ołtarz krakowski równocześnie bogatym i zróżnicowanym dziełem w aspekcie stylowym. Naturalizm i konkretność anatomicznych partii postaci, naukowa wierność przedstawienia malowanej i rzeźbionej roślinności, konkretność mebli i wszelkiego domowego dostatku uczyniły to dzieło przedmiotem studiów specjalistów z wielu dziedzin nauki, nawet lekarzy chorób wenerycznych, których znamionami napiętnował Stosz oprawców Chrystusa. Wyniki tych badań przekonały nas o rzetelności obserwacji i wiedzy artysty.

Sięga ona głęboko w zwyczaje życia codziennego warstwy mieszczańskiej, zwłaszcza patrycjatu, obejmując także życie mniej codzienne, gdy twórca przedstawia grono uczonych, wśród których domyślamy się współczesnych, np. Kallimacha, lub dotycząc jego społecznego marginesu, gdy w scenach pasyjnych pojawiają się zdegenerowani oprawcy. Zauważamy równocześnie, iż owej detalicznej wierności szczegółów przedmiotu nie towa-

rzyszy konsekwentna budowa przestrzeni, a znajomość szczegółowej budowy anatomicznej nie oznacza poprawności proporcji całego ciała, prawidłowości jego funkcji. Szczegó- 211 łowa i precyzyjna analiza rzeźby twarzy apostołów sąsiaduje z idealizowanym opracowaniem postaci kobiecych, zwłaszcza Marii – co 148 w części tłumaczy się względami ideowymi, przy czym dziewczęca twarz i delikatne dłonie o smukłych palcach są w pewnym stopniu pozostałością dworskiego idealizmu z czasów Mistrza Pięknych Madonn.

Opozycja: naturalizm–idealizm jest znamiennym rysem Ołtarza Mariackiego i innych dzieł Stosza; splatają się z nią elementy stylu ekspresyjnego w niemal klasycznym wydaniu. Potężne, „łyżkowe", twardo zmięte fałdy szat apostołów w scenie głównej, tworzące dynamiczne ślimacznice fałdy ubiorów w scenie „Zwiastowania Marii" czy „Spotkania Joa- 208 chima i Anny", wyjątkowo łączą się z faktycznym ruchem postaci, ale i w tych przypadkach jest to stworzenie nie tyle plastycznego obrazu zjawiska, co ekspresyjnego odpowiednika, czasem także mającego znaczenie dekoracyjne, zwłaszcza w połączeniu ze złoceniami i polichromią.

Krucyfiks w kościele Mariackim (po 1490) 206 jest nie tylko udaną próbą pracy wielkiego snycerza w kamieniu, ale także dowodem rozwoju jego sztuki w kierunku zintegrowanego studium ciała ludzkiego: uderzająco pięknego, ale nie pięknem klasycznym, i zadziwiającego harmonijnym wyważeniem precyzyjnych szczegółów anatomicznych, powiązanym z głęboką wiedzą artysty o budowie całości ciała ludzkiego oraz z rzeczową ekspresją twarzy. Słynny krucyfiks z Baden- -Baden, dzieło Mikołaja z Lejdy w r. 1467, stanowił jedynie impuls w kierunku naturalizmu; dzieło Stosza jest mniej jednostronne, a zarazem bardziej harmonijne.

Cztery wielkie pomniki nagrobne Stosza uderzają różnorodnością i zarazem wszechstronnością, a po części także oryginalnością rozwiązań.

Pomnik Kazimierza Jagiellończyka (ok. 117 1492) jest dziełem najbardziej monumentalnym i złożonym. Jego pierwotne usytuowanie podyktowane było przez zamiar stworzenia dlań jako *pendant* pomnika królowej, Elżbiety austriackiej, po drugiej stronie kaplicy Świętokrzyskiej, ozdobionej ruskimi malowidłami. Baldachimowy kształt, nawiązujący do tradycji wawelskich nagrobków królewskich, dawał możliwość rozwinięcia bogatego programu plastycznego i ideowego. Przedstawienie króla na wierzchniej płycie tumby nie jest naturalistycznym, jednorodnym obrazem konkretnego stanu. Jest to

obraz złożony, łączący w jedno składniki retrospektywne – odnoszące się do aktu
213 śmierci, wyrażonego dynamiczną ekspresją twarzy, ruchem głowy, zwichrzeniem kapy koronacyjnej, i prospektywne – związane z wątkiem prezentacji na sądzie bożym, w splendorze władzy i zasług. Umieszczona na piersi brosza z przedstawieniem rodzącej kobiety symbolizuje narodzenie przez śmierć do nowego życia.

Charakter retrospektywny mają także przedstawienia na bokach tumby; starano się tu rozpoznać opłakujących króla przedstawicieli czterech stanów społecznych: duchowieństwa, szlachty, mieszczaństwa i chłopstwa, wiążąc je z prowadzoną przez króla polityką równowagi stanowej.

Przyszłość ukazuje natomiast rozpostarty w górze baldachim, symbolizujący otwarte dla umierającego króla niebo. Na kapitelach znajdują się sceny z historii stworzenia i odkupienia świata; niebo, niegdyś określone bliżej dzięki umieszczonym w zwieńczeniu figurkom świętych, jest przecież królestwem Stworzyciela i Zbawiciela.

Formuła rzeźbiarska Stosza zyskała w tym dziele wzmożoną i bardziej syntetyczną plastyczność bryły, integralnie złączonej z przestrzenią, ożywionej i wypełnionej ekspresyjnym ruchem.

Nagrobek biskupa Piotra z Bnina, a zwłaszcza kompozycja na bokach pseudotumby wskazuje na korzystanie przez Stosza z lekcji sztuki włoskiej, a znów płyta biskupa Zbigniewa Oleśnickiego – na podjęcie opracowania spopularyzowanego w środowisku norymberskim typu południowoniemieckiej płyty nagrobkowej.

214 Szczególnie oryginalną pracą jest pomnik Kallimacha, odlany według modelu Stosza w norymberskiej pracowni Vischerów; dla dzieła tego odnajdywano precedensy w sztuce niderlandzkiej i włoskiej, dotyczące głównie typu ujęcia postaci. Stosz dał w tej urzekającej płaskorzeźbie nową koncepcję pomnikowego portretu humanisty; ukazał uczonego urzędnika królewskiego, sekretarza króla i wychowawcę jego dzieci, w otoczeniu przedmiotów składających się na warsztat uczonego i urzędnika. Upamiętnił osobę Kallimacha nie w momencie uroczystej prezentacji jako oratora na katedrze – ten właśnie rodzaj rozpowszechni się w Polsce w XVI w. w nagrobkach humanistów – lecz w codziennym trudzie, który jest nie tylko warunkiem sukcesu, ale stałą, ciągle obecną cechą statusu uczonego.

Nie mniej wybitną, choć mniej znaną indywidualnością był Hans Brandt – architekt i rzeźbiarz, autor dynamicznej grupy „Św. Jerzego" z gdańskiego Dworu Artusa (po 1480), a

przede wszystkim wspaniałego pomnika św. 21? Wojciecha w Gnieźnie, ufundowanego przez biskupa Oleśnickiego w l. 1479–1499, ustawionego pierwotnie pośrodku katedry i nakrytego baldachimem. Monumentalna forma całości łączy się tu z tradycyjnym ujęciem postaci w sztywnej i statycznej pozie, z głową opartą na poduszce, z herbem pod stopami. Poła gładkiego ornatu i dół alby, gwałtownie zmięte i załamane w licznych kontrastujących formach, nie tworzących żadnego systemu, działających jedynie ogólnym wyrazem, sąsiadują ze skrajnie naturalistycznym studium twarzy i rąk, pozbawionym wszelkiej stylizacji, tworzącym obraz werystyczny. Inną zupełnie stylistykę prezentują reliefy na bokach tumby: „Chrzest św. Stefana" i „Męczeństwo św. Wojciecha". Klasyczna stylizacja aktu w pierwszej z wymienionych scen świadczy, że i Brand korzystał z lekcji rzeźby włoskiej.

W dziedzinie malarstwa działają w tym czasie dające się bliżej określić indywidualności artystyczne, jak np.: Mikołaj Haberschrack, będący także rzeźbiarzem, autor poliptyku z augustiańskiego kościoła św. Katarzyny w Krakowie, z r. 1468; Mistrz Ołtarza Matki Boskiej Bolesnej z katedry wawelskiej, z ok. r. 1475; Jan Wielki i Stanisław Stary, twórcy ołtarza z Olkusza (do 1485); Franciszek z Sieradza, któremu przypisywany jest Ołtarz z Warty (ok. 1475); Mistrz Ołtarza w Książnicach Wielkich (1491), identyfikowany ze Stoszem; Mistrz Zdjęcia z krzyża z Torunia (ok. 1495); Mistrz Ołtarza Jerozolimskiego w Gdańsku (1497–1500); wreszcie Mistrz Ołtarza Jana Jałmużnika (ok. 1504). Zwykle znamy tylko jedno dzieło poszczególnego mistrza, niewiele możemy więc powiedzieć na temat rozwoju jego sztuki. Natomiast znaczna różnorodność prac wymienionych twórców świadczy zarówno o ich inwencji, jak i o wielości tendencji i kierunków artystycznych tego czasu.

W dziele Haberschracka dworski przepych strojów, dostojność osób, konwencjonalny pejzaż łączą się z realistycznym ujęciem uczestników dramatycznych wydarzeń, także architektury, z próbą ujęcia przestrzeni w poprawny wykres geometryczny. Twórcy ołtarza olkuskiego i z Książnic niejako wyżywają się w tworzeniu dramatycznych scen, przy czym Jan Wielki i Stanisław Stary operują nader precyzyjnie zdefiniowaną linią, wyraźnym konturem, bogactwem załamań wewnętrznego rysunku.

Toruński obraz „Zdjęcie z krzyża" ukazuje w 203 spiętrzonym planie grupę osób zajętych zdejmowaniem ciała Chrystusa z krzyża, a rzeczowość tego przedstawienia podkreśla odległy krajobraz, daleki od wczesnych, konwencjonalnych teł pejzażowych. Symultaniczna narracja Ołtarza Jerozolimskiego reprezentuje znamienną dla środowiska gdańskiego zdolność tworzenia integralnego świata, obejmującego w równej mierze i we właściwych proporcjach człowieka i naturę.

Nie zbadana dotychczas jako całość faza polskiej „sztuki ok. r. 1500" stanowi okres pełnego rozkwitu, obejmujący różnorodne tendencje, działalność wybitnych indywidualności twórczych, liczne znakomite tej działalności rezultaty. Nie zdradza śladów kryzysu ideowego czy artystycznego, uderza natomiast szerokim zasięgiem swego oddziaływania, zwłaszcza w obrębie świetnie wówczas prosperujących miast, sięgając w głąb pierwszej tercji XVI w.

Przemian, jakie wkrótce potem nastąpią, nie da się wywieść ze świata sztuki. Koniec rozkwitu sztuki późnogotyckiej nie był spowodowany pojawieniem się konkurencyjnego nurtu italianizującego renesansu w początkach w. XVI. Przyczyny miały charakter ideowy, wiązały się z ekspansją nurtów reformacyjnych, zwłaszcza w środowiskach miejskich; podany został wówczas w wątpliwość sens tworzenia szeregu dotychczas uprawianych typów dzieł, przede wszystkim rzeźbionych i malowanych ołtarzy. Istotne były także przyczyny społeczno-ekonomiczne, a zwłaszcza rozwój gospodarki folwarcznej. Osłabił on dynamikę środowisk miejskich, głównych promotorów sztuki schyłku gotyku, i wysunął ponownie na czoło warstwę feudałów – początkowo elitę, a później coraz szersze kręgi zamożniejszej i znaczniejszej szlachty.

Koniec epoki późnego gotyku wiązał się ściśle z zanikiem dominacji sztuki mieszczańskiej na korzyść sztuki środowisk odgrywających decydującą rolę w dobie „rzeczypospolitej szlacheckiej".

150,
204

Wiek XVI. Późny gotyk – renesans – manieryzm

Wiek XVI odznaczał się w dziejach sztuki polskiej jej wyjątkową różnorodnością i zarazem dynamiką, utrudniającymi ujęcie zjawisk artystycznych w jednolity system pojęć. Zasadnicze trudności nastręczała choćby sprawa początków stulecia i związane z tym rozróżnienie między pojęciem „renesansu" a „nowożytności". Przyjmując, że nowożytna postawa dochodziła do głosu u nas już w sztuce XV w., w ramach formacji późnego gotyku, godzono się czasem nazywać renesansem zjawisko węższe, legitymujące się klasyczną estetyką i świadomą antykizacją. O tak rozumianym renesansie można powiedzieć, że pojawił się w Polsce z początkiem XVI w., że był nową koncepcją ideowo-artystyczną, obcą i nie mającą nic wspólnego z miejscową tradycją artystyczną. Dlatego też tylko najwyższy autorytet mecenasowski monarchy był w stanie stworzyć dlań szanse rozwoju, ale i król nie mógł zapewnić mu ani zwycięstwa, ani popularności. Renesans w pierwszej połowie XVI w. jest zatem stylem sztuki bardzo wybitnej, ale wąskiego grona mecenasów i fundatorów, zajmujących sam szczyt społeczny: króla, biskupów, nielicznych magnatów. Jak bardzo autorytet królewski był potrzebny dla wprowadzenia nowego kierunku w sztuce, świadczy fiasko wczesnych poważnych inicjatyw prymasa Jana Łaskiego.

Renesans w Polsce był dziełem wyłącznie obcych artystów; ich integracja z miejscowym środowiskiem dokonuje się wówczas, gdy sztuka renesansu w klasycznym rozumieniu tego słowa należy już do przeszłości. Istnieje zatem inna sytuacja niż w dobie gotyku, kiedy to podstawę stanowiła działalność twórców miejscowych, a przybysze z innych środowisk nie reprezentowali z gruntu odrębnej orientacji artystycznej.

Dla szerszego społeczeństwa, głównie dla szlachty, renesans zaczynał mieć znaczenie dopiero w drugiej połowie XVI w., jednakże nie tyle dzięki humanistycznym wartościom, jakie wnosił, lecz dzięki funkcjom, które pełnił jako oficjalny styl dworu królewskiego. Należy zresztą pamiętać, że związki renesansu w Polsce z renesansem włoskim przejawiały się w niektórych tylko dziedzinach, dotyczyły w pewnym zakresie architektury świeckiej, rezydencjonalnej oraz kaplicy--mauzoleum, jako niemal jedynego typu architektury sakralnej, także dekoracji rzeźbiarskiej, koncepcji pomnika. W minimalnym stopniu – poza wyjątkami – przyswojono sobie alegoryczny język renesansu i renesansowy stosunek do natury, co wiąże się z zupełnym niemal brakiem udziału malarstwa włoskiego w kształtowaniu się tego gatunku w Polsce.

Powstające w pierwszej połowie XVI w. budowle rezydencjonalne w nielicznych tylko przypadkach, jak willa Justusa Ludwika Decjusza na podkrakowskiej Woli (ok. 1530) czy dwór biskupa Samuela Maciejowskiego na Prądniku (przed 1547), wykazują podjęcie renesansowych koncepcji; w kilku innych jeszcze pojawia się także renesansowy detal, ale wszystko to są budowle wznoszone dla najbliższego otoczenia króla. Nawet bogaty szlachcic buduje w owym czasie jeśli nie drewniany, to murowany dwór-kamienicę w tradycyjnej formie wieżowej. Ten stan rzeczy respektowany jest przez samego króla, który w Piotrkowie wznosi tradycyjny pałac wieżowy – dzieło Benedykta Sandomierzanina, kontynuatora prac włoskich architektów na Wawelu – i dopiero w Niepołomicach podejmuje ponownie koncepcję renesansowego pałacu. 251 253. 254

Można powiedzieć, że owe główne renesansowe dzieła-koncepcje, jakie pojawiły się w kręgu mecenatu królewskiego: pałac, kaplica--mauzoleum, pomnik nagrobny, nie zostały zaakceptowane i podjęte w ciągu pięćdziesięciu lat przez ogół obywateli rzeczypospolitej szlacheckiej.

Szczególnie symptomatyczne są losy dzieła wymagającego najmniejszych nakładów – pomnika nagrobnego: bezpośrednio po stworzeniu przez Bartłomieja Berrecciego posągu króla Zygmunta I powstaje podobny doń dla biskupa Tomickiego. Trzeci w pierwszej połowie wieku pomnik tego typu wzniesiono dla biskupa Gamrata; kształt nagrobka Tomickiego został tu powtórzony na wyraźne żądanie fundatorki, królowej Bony. Gdy jednak wywodzący się z wawelskiego warsztatu Bernardino Zanobi de Gianotis wykonuje serię nagrobków dla Lasockich, kanclerza Szydłowieckiego, wojewody wileńskiego Gasztołda i dla ostatnich książąt mazowieckich – nie naśladuje dobrze mu znanych rzymskich wzorców sansovinowskich zadomowionych na Wawelu, lecz podejmuje formułę tradycyjną. 237 220 21

Interesujący jest fakt nadania przez twórcę nagrobkowi dla Seweryna i Zofii Bonerów w r. 1538 formy pomnika ze stojącymi postaciami, znanego z licznych płyt brązowych, tradycyjnie związanego z duchowieństwem i rycerstwem; manifestacja nobilitacji społecznej dokonuje się tu poprzez ów tradycyjny typ, który zresztą na terenie Polski nigdy szerzej się nie rozwinął. Czy zabrakło Bonerowi odwagi, by sięgnąć po wzór królewski? Czy też wzór ten wówczas nie wydawał się jeszcze godzien naśladowania?

Aby to wszystko zrozumieć, należy zdać sobie sprawę, że renesans jako antykizująca, klasycyzująca i humanistyczna sztuka włoska przełomu XV na XVI w. nie stanowił w Polsce wyłącznego, a tym bardziej dominującego nurtu; był enklawą dworską w morzu długo jeszcze trwającego gotyku.

Wzajemny stosunek tych dwu orientacji, z których odrębności dobrze zdawano sobie sprawę, był nader znamienny. Przede wszystkim nie był zasadniczo antagonistyczny. W sferze ideowej przejawiało się to poprzez kontynuację podobnych, głównych idei chrześcijańskich, co stwierdzamy np. w pomnikach nagrobnych czy w wystroju rzeźbiarskim kaplicy Zygmuntowskiej. Z kolei w sferze artystycznej występuje symbioza obydwu nurtów.

Tak więc, nawet na dworze królewskim, w pałacu troskliwie wznoszonym w nowym stylu, pojawiają się portale Benedykta Sandomierzanina, w których w swoistym kontrapunkcie współżyją romańskie motywy geometryczne, gotyckie laskowania – tworzące całą strukturę portalu – późnogotyckie, krystalicznie nacinane bazy, wić akantowa i wstęgi otaczające pręty, a także antyczne astragale, ząbkowania, wole oczy.

Sytuację tę w znacznej mierze ukształtowała postawa artystów Północy. Na przykład w końcowej fazie rzeźby późnogotyckiej możemy wyróżnić kilka nurtów. Najbardziej konserwatywny znalazł się na bezdrożach mechanicznie powielanych form łamanych; wiele tych dzieł powstaje ok. r. 1500, jak np. figura św. Erazma w kościele św. Marcina w Warszawie, ale także znacznie później, jak np. tryptyk z przedstawieniem Św. Rodziny w Boguszycach (d. pow. rawsko-mazowiecki), sygnowany IS 1558. Częstym zjawiskiem jest powierzchowny kompromis: zachowana zostaje dawna struktura dzieła, ogólna redakcja programu, także plastyczna formuła postaci, wprowadza się natomiast motywy ornamentalne naśladujące nowe wzory, rzucające się silnie w oczy i stwarzające pozór dzieła *more italico*. Zjawisko to, znane w samych początkach w. XVI w sztuce austriackiej i południowoniemieckiej, także na pobliskim Śląsku, w Krakowie ukazuje się wraz z bordiurą dodaną do Stoszowskiego pomnika Kallimacha przez warsztat Vischerów, a wyraziście reprezentowane jest przez ołtarz w Wieniawie, powstały już w r. 1544.

14

Czasem takie próby naśladownictwa sięgały głębiej i wyrażały się w przyjęciu całej nowej struktury dzieła, po części także poprzez nową interpretację formuły figuralnej – czego interesującym przykładem może być nagrobek Barbary z Rożnowa Tarnowskiej.

239

Wymieńmy wreszcie próby bardziej konsekwentnego korzystania z dorobku sztuki włoskiego renesansu, wykorzystujące np. zasady perspektywy matematycznej jako podstawy struktury kompozycyjnej obrazu rzeźbiarskiego; będą to dzieła, które cechuje m.in. dbałość o harmonijną równowagę grup figuralnych, klasyczny kontrapost, redukcja bujnych i eliminacja ostrych form draperii. Jest to nurt najbardziej progresywny, reprezentujący własną, północną drogę do nowożytnego obrazowania i tylko w końcowym etapie wspomożony doświadczeniem włoskiego renesansu. Znakomitym tego przykładem jest Ołtarz św. Jana Chrzciciela, z 1518 r., dawniej w kościele św. Floriana w Krakowie, czy też Tryptyk z Pławna, z l. 1515–1520.

247

245

W konkretnych przypadkach wyodrębnione tu tendencje częstokroć łączą się, czego dobrym przykładem może być np. Madonna z „Pokłonu Trzech Króli" (ok. 1520), dzieło działającego w Gdańsku Mistrza Pawła. Wprawdzie wiele tu pozostałości form późnego gotyku, ale zarówno typ Jezusa, bardziej przypominającego renesansowe putto niż późnogotyckie niemowlę, jak i wyeksponowanie bujnej kobiecej urody Marii, stanowią nowe wartości; choć może trudno złączyć je w całości z włoskim renesansem, jednakże wykraczają one poza późny gotyk. Jest to jak gdyby twórcza kontynuacja realistycznych założeń mieszczańskiego późnego gotyku. Pokrewny przykład stanowi twórczość Ślązaka Tauerbacha, w którego warsztacie powstały słynne głowy wawelskie, nic przecież z klasycznym renesansem włoskim nie mające wspólnego – znakomity przykład nowożytnej rzeźby w redakcji północnej.

230

231

Opozycja: renesans italski – sztuka Północy przebiega wyraźniej na tle określonych zadań ideowo-funkcjonalnych. Tak więc, gdy trwała „dyskusja" na temat typu nagrobka szlacheckiego, niemal cała rzeźba kultowa, wykonywana z reguły w polichromowanym drewnie, powstawała w ramach nurtu późnogotyckiego. Jego trwałość w tej dziedzinie jest znamienna, a późniejsza ewolucja – ciągle jeszcze słabo rozpoznana – nie zatarła całkowicie form wyjściowych, przenikających do kultowej rzeźby manierystycznej, co przyczyniło się do „odrodzenia gotyku" w rzeźbie na przełomie XVI i XVII w. Warto podkreślić, że niespodzianie dość wcześnie pojawia się ten rodzaj dzieł w formule włoskiego renesansu, jak np. Ołtarz z Zatora, dawniej w katedrze krakowskiej (ok. 1521) i później powstałe ołtarz główny w katedrze, obecnie w Bodzentynie (ok. 1545). Jednakże dla odrodzenia się ołtarza ok. r. 1600 istotne znaczenie miała miejscowa tradycja późnogotycka.

Granice stylistyczne zdają się wytyczone przez dwa różne kręgi: jeden z nich to dwór królewski i przedstawiciele najwyższych warstw kościelnych, drugi to przede wszystkim mieszczaństwo i szeregowe duchowieństwo. Jest to różnica między kulturą wyższych sfer, które przyjęły nowy, humanistyczny świat wyobraźni i wykształcony na jego gruncie język (czego znakomitym, ale jednocześnie odosobnionym przykładem jest kaplica Zygmuntowska), oraz kulturą szerokich mas, dla których te nowe pojęcia były zupełnie niezrozumiałe i obojętne, których widzenie wypełniały tradycyjne wyobrażenia religijne i tradycyjne formy artystyczne.

Pozostawiając na uboczu kaplice-mauzolea, a także nieliczne budowle sakralne – takie jak przebudowana w l. 1532–1534 katedra w Płocku i nawiązujące do jej romańsko-renesansowej koncepcji kościoły w Dąbrowie Zielonej i w Pabianicach, kościół parafialny w Brochowie (ok. 1560) i przebudowana kolegiata pułtuska, zaliczane do grupy kościołów renesansowych, choć przy renesansowych szczegółach zachowały one zwykle średniowieczne układy i późnogotycką bryłę – możemy stwierdzić, że niemal wszystkie budowle sakralne, które wówczas powstają, wierne są tradycjom gotyckim. Dzieje się tak nie tylko na opóźnionym w rozwoju Mazowszu, ale i w Małopolsce, i w Wielkopolsce – od fary w Bieczu poczynając (do 1521), poprzez rozbudowywaną farę w Szamotułach (1513–1542), kościół w Krzcięcicach, zbudowany przez Albertusa z Krakowa (1531–1542) i kościół w Wągrowcu, wzniesiony przez Piotra z Szamotuł w połowie stulecia, po kryształowe i sieciowe sklepienia w cysterskim kościele w Pelplinie (1558).

Odmiennie kształtowała się sytuacja w dziedzinie malarstwa; przede wszystkim dlatego, że działalność artystów włoskich nie odegrała tu żadnej roli; także dlatego, że była to dziedzina sztuki rozwijająca się wyjątkowo intensywnie na przełomie XV i XVI w., zwłaszcza w środowisku małopolskim. Istotne znaczenie miało malarstwo miniaturowe, pozostające pod przemożnym wpływem Niderlandów, reprezentujące nurt najbardziej progresywny, nie tyle przejmujące formy włoskiego renesansu, ile tworzące dość konsekwentny typ nowożytnego obrazu. Miniatury *Kodeksu* *Behema* – zbioru przepisów cechowych (ok. 1505) – ukazują barwną panoramę miasta, przepełnioną realiami życia codziennego, a równocześnie zawierają mieszczańską, cechową symbolikę, metaforę i alegorię; prezentują właściwy temu środowisku sposób myślenia.

Podobnie dzieje się w malarstwie tablicowym. Przede wszystkim uderza znaczna liczba malarzy znanych z nazwiska, z którymi złączono szereg wybitnych dzieł. Tak działa wówczas np. Joachim Libnaw – zapewne autor augustiańskiego poliptyku św. Jana Jałmużnika (1504), Jan Gorejski, Marcin Czarny – twórca m.in. tryptyku w Bodzentynie (1508), Jan Wielki, Mistrz Łazarz – sygnujący ołtarz w Cegłowie na Mazowszu (1510), związany ze śląskimi dziełami Mistrza z Gościszowic, Mistrz Jerzy – którego dziełem jest „Zwiastowanie” (1517) z katedry na Wawelu. Równie wyraźnie rysują się indywidualności anonimowych artystów, jak choćby twórcy ołtarza w Kobylinie Wielkopolskim (1518) oraz tryptyku z Szamotuł (1521); w dziełach tego mistrza w wysoce interesujący sposób zaznaczyły się wpływy malarstwa północnowłoskiego, weneckiego.

Analizując owo malarstwo dochodzimy do wniosku, że jest to sztuka w ogromnej mierze żywa, idąca w kierunku wytyczonym przez rozwój realizmu szczegółu, sytuacji i akcji, przez swoistą, często spotęgowaną, dramatyczną ekspresję, tonowaną silniejszymi czasem wpływami malarstwa renesansu włoskiego, czy będącej pod jego wpływem części malarstwa środkowoeuropejskiego. Znamienna jest dla tych obrazów estetyka zatłoczonych, wąskich estrad, będąca wyrazem dążenia do pewnej intensyfikacji wydarzeń, a nie braku umiejętności budowy przestrzeni, o czym przekonuje choćby Ołtarz św. Jana Jałmużnika.

Czołowe miejsce w dziedzinie malarstwa zajmuje cysters, Stanisław Samostrzelnik, czynny w l. 1519–1541. Miniaturzysta, twórca malowideł ściennych i obrazów tablicowych, korzysta szeroko z dorobku grafiki i malarstwa niemieckiego – z lekcji Schongauera, Dürera, Cranacha, Baldunga Griena, Altdorfera, Suessa. Wprawdzie główne jego dzieła to iluminacje rękopisów, ale malarz nadaje im charakter niemal samodzielnych kompozycji, bliskich malarstwu tablicowemu, rozwijając obok tematyki *par excellence* religijnej także portret.

O ile działający w Polsce malarze włoscy: Jan Baptista Ferro z Padwy, Giovanni del Monte, Piotr Venetus – autor „Ukrzyżowania” w ołtarzu katedry krakowskiej (1546) – nie mieli większego znaczenia, o tyle twórczość malarzy niemieckich zaznaczyła się mocno. Byli to: Michał Lentz z Kitzingen, czynny w Krakowie w l. 1507–1523, tworzący głównie w oparciu o ryciny Dürera, Hans Dürer,

228 twórca – wraz z Antonim z Wrocławia – wawelskich „krańców", a przede wszystkim Hans Suess z Kulmbachu, dzięki któremu pojawiły się i rozpowszechniły w środowisku krakowskim zdobycze malarstwa włoskiego, ujęte poprzez pryzmat malarstwa norymberskiego: smukły kanon postaci, harmonijnie komponowane sceny oraz szerokie tła pejzażowe.

Rozwój tego malarstwa, wiernego tradycjom Północy, trwa do lat trzydziestych XVI w. Zadania jego wówczas się kończą. Malarstwo miniaturowe wyparte zostaje przez grafikę książkową, często schematyczną, posługującą się tymi samymi klockami dla zilustrowania różnych przedmiotów. Malarstwo religijne, związane głównie z ołtarzami, zanika wraz z brakiem zamówień na te dzieła; jako pojedyncze przedstawienia dewocyjne przetrwała rzeźba.

Powoli natomiast rozwijać się będzie malarstwo portretowe, niejako równolegle do rozwoju rzeźby pomnikowej. Są to chyba najbardziej znaczące symptomy przemian epoki. Warto zauważyć, że ani portret, ani nagrobek nie były u nas rozwinięte w w. XV; import płyt brązowych świadczy o braku miejscowych warsztatów, które mogłyby podobne dzieła wykonać. Wprawdzie w pierwszej połowie XVI w. portret stanowi zjawisko wyjątkowe, a liczba powstających pomników nie jest wielka, liczy się jednak fakt, że obydwa te gatunki, w przeciwieństwie do rzeźby i malarstwa kultowego, cechuje tendencja zwyżkowa.

Renesans włoski na dworze Jagiellonów

Rozpoczęcie przez Franciszka Włocha, sprowadzonego z Budy florentczyka, prac nad renesansową obudową grobowca króla Jana Olbrachta i przebudowa zamku wawelskiego w r. 1502 wyprzedza dzieła renesansowe w krajach ościennych Polski, a równocześnie stanowi podstawę negatywnej odpowiedzi na stawiane niegdyś w nauce polskiej pytanie, czy to królowej Bonie Sforzy, żonie Zygmunta od r. 1518, zawdzięczamy pojawienie się sztuki renesansowej w Krakowie. Powiązania rodzinne miały tu zresztą istotne znaczenie, ale poprzez brata króla, Władysława Jagiellończyka, zasiadającego od r. 1490 na tronie węgierskim. W każdym razie mecenat królewski Aleksandra oraz Zygmunta I przesądził o losach nowego kierunku stylowego w Polsce.

Początkowo zresztą zjawiska te występowały – jak była już o tym mowa – w ściśle okreś-

lonym kręgu krakowskiego dworu królewskiego. Dwie zwłaszcza fundacje króla zaważyły decydująco na dalszych dziejach sztuki polskiej, wyznaczając równocześnie Zygmuntowi, zwanemu później Starym, zaszczytne miejsce w szeregu wielkich fundatorów królewskich: gruntowna przebudowa zamku wawelskiego, rozpoczęta jeszcze za Aleksandra, lecz z inicjatywy Zygmunta, oraz budowa przy katedrze wawelskiej kaplicy grobowej, wraz z umieszczonym w niej pomnikiem królewskim; w obydwu przypadkach były to dzieła architektów i rzeźbiarzy włoskich.

Zamek wawelski należał do typu złożonych, wielopałacowych rezydencji, na które składały się odrębne w znacznym stopniu budowle, zwykle powstałe w różnym czasie, wspólnie tworzące kompleks licznych elementów, o stosunkowo dużych rozmiarach. Podobnie było w Budzie i na Hradczanach. Tym też różnił się Wawel od powstających w jednym rzucie renesansowych pałaców włoskich i dlatego właśnie nie mógł stanowić wzoru do naśladowania; mogły stać się nim budowle prostsze.

Kształt zamku wawelskiego łączy się wyraźnie z dziejami jego budowy: w l. 1502–1507 227 powstaje pałac pałac królowej Elżbiety, wzniesiony przez Franciszka Florentczyka, pomyślany jako samodzielna budowla podłużna, bez zewnętrznej komunikacji krużgankowej. Następnie, już za Zygmunta, zostaje wzniesiony pałac północny, łączący Dom Królowej i gotycki pawilon zwany Kurzą Stopą. W l. 1521–1529 Benedykt Sandomierzanin buduje pałac wschodni i wreszcie Bartłomiej Berrecci (1527–1535) tworzy dziedziniec, wznosząc ślepą ścianę południową i spinając całość krużgankiem.

Zamek wawelski należał w owym czasie do najbardziej monumentalnych budowli; prezentował też najwcześniej w Europie Wschodniej – poza Węgrami – nowożytną koncepcję rezydencji założonej wokół rozległego dziedzińca, stanowiącej otwarte ku niemu wnętrze, otoczone trójkondygnacyjnym krużgankiem, służącym głównie komunikacji, ale równocześnie stanowiącym galerie dla widzów podczas odbywających się tu turniejów i innych uroczystości. Wewnętrzne elewacje dziedzińcowe miały ogromne znaczenie estetyczne, dzięki zastosowaniu nowego repertuaru renesansowej dekoracji i detalu architektonicznego oraz matematycznie wyliczanych proporcji. Pozbawiony funkcji obronnych w dawnym znaczeniu tego słowa – choć ciągle jeszcze mający charakter obronny – swobodnie integrujący rozmieszczone niegdyś na wzgórzu wawelskim budowle, był zamek wawelski przykładem maksymalnej

89

regularności i rytmiczności, choć równocześnie jego wnętrza, stanowiące układ ciągły, amfiladowy, komunikujące się dodatkowo poprzez krużganek, nie były podporządkowane zasadzie symetrii czy nawet rytmu, a ich wielkość i następstwo podyktowane były wyłącznie względami funkcjonalnymi.

Związek między rezydencją wawelską a miejskimi pałacami patrycjuszy florenckich był dość luźny; w Krakowie przejęta została krużgankowa wersja dziedzińca oraz antyczno-renesansowy repertuar detalu architektonicznego, czasem swoiście interpretowanego; jako przykład może posłużyć śmiałe spiętrzenie kolumn górnej kondygnacji, złączonych dekoracyjnym węzłem – dającym się odnieść do romańskich nodusów – i poprzez dzbanuszkowy nasadnik wspierających wysunięty okap dachu. Wysoki, monumentalnych rozmiarów dwuspadowy dach, z dekoracyjnymi akcentami barwnych dachówek, nasunięty na krużganki, nadał bryle zamku – wraz z pozostałymi ze średniowiecza basztami – zgoła nie renesansowy charakter. O oryginalności i odrębności budowli przesądziły tak wymiary turniejowego dziedzińca, jak i umieszczenie wnętrz reprezentacyjnych na najwyższej kondygnacji.

Oryginalna była także dekoracja. Najstarsza, w skrzydle zachodnim, dzieło Franciszka z Florencji, uderza plastycznością motywów panopliowych i arabeskowych, delikatnie formowanych, poddanych rygorowi symetrii, narzuconych na szerokie pola pilastrów. Ten sam typ dekoracji spotykamy w wykonanej 226 przez tegoż artystę oprawie niszy grobowca Jana Olbrachta. Średnią fazę stanowią złożone kompozycje portalowe Benedykta San-229 domierzanina. Znamienne przy tym było nie tylko powierzenie artyście z Północy pieczy nad budową rezydencji, ale także zaakceptowanie jego swoistej dekoracji, nie zatracającej swej wymowy nawet w zetknięciu z sugestywnymi dziełami włoskich rzeźbiarzy. Mistrz Benedykt należy do nielicznych, wybitnych twórców tego czasu, wiernych tradycji, na której gruncie podejmuje dzieło artystycznej interpretacji italskich nowości.

Trzecią wreszcie fazę wyznacza bardzo dyskretna, a zarazem strukturalna forma architektonicznego detalu Bartłomieja Berrecciego z Florencji.

Królewska rezydencja stanowiła centrum politycznej myśli państwowej. Stąd oczywiste było eksponowanie w jej obrębie najważniejszych treści ideowych. Zachowane do dziś plastyczne realizacje złożonych programów świadczą o głębi zawartych w nich myśli filozoficznych i moralizatorskich, o oryginalności koncepcji i talentach artystów.

Na krużganku drugiego piętra znajdowały się wizerunki piętnastu „rzymskich imperatorów": od Teodozjusza Wielkiego, poprzez Karola Wielkiego i Ottona III, do Filipa Szwabskiego, oraz – zapewne – ich matki i sióstr; były to dzieła Dionizego Stuby z r. 1536. Nie miał ten zespół znaczenia genealogicznego, nie był podyktowany tylko panującą wówczas modą na przedstawianie „rodziny władców". Stanowił wyraz cesarskich ambicji Jagiellonów, ich przynależności do konkretnej rodziny cesarskiej – do Habsburgów, może nawet wiązał się z myślą o spadku po nich. Trudno dziś ustalić, jaki był związek tych dzieł z malowanymi zapewne przez Hansa Dürera, ok. 1530, m.in. w sypialni królowej, popiersiami męskimi i żeńskimi, przedstawionymi w *corona radiata* lub w wieńcach laurowych. Byli to zapewne władcy i *uomini famosi* – „sławni mężowie".

Wnętrza zamkowe wypełnione były sprzętami, a w górnych partiach częściowo przysłoniętych oponami ścian znajdowały się ozdobne „krańce" – malowane fryzy. Dzieła te wykonali: Antoni z Wrocławia oraz Hans Dürer, brat wielkiego Albrechta. Fryz „turniejowy", wraz z przedstawieniem przeglądu wojsk, stanowił barwną ilustrację wydarzeń z życia rycerstwa – turniejów, rozgrywających się często na wawelskim dziedzińcu, oraz wojen, stanowiących najtrudniejszy rycerski obowiązek.

Natomiast w Sali Poselskiej ściany obiegał kraniec będący próbą rekonstrukcji starożytnego malowidła w świątyni Kronosa, fundacji 228 Cebesa Pitagorejczyka, znanego z dialogu *Tabula Cebetis*. Jest to wykład stoickiej etyki, propagującej dojście do prawdziwej wiedzy poprzez pielęgnację cnót, przy rezygnowaniu z nieumiarkowania i zmysłowości, oraz przez pogodzenie się z kapryśną Fortuną; opanowanie samego siebie miało stanowić najpewniejszą drogę do panowania nad swym losem. Nie przeszkadzało to istnieniu w pokoju Łaziebnym króla malowideł z przedstawieniem Trzech Gracji.

Aspekt etyczny miały także umieszczone nad główną bramą zamku malowane alegorie: Iustitia, Fortitudo i Libertas, obok św. Floriana jako patrona Krakowa i św. Wacława jako patrona katedry.

Nie zachowały się malowidła o treści astrologicznej, z przedstawieniami dekanów, bogów astralnych, ale sens astrologiczny miał również – jak się wydaje – najbardziej oryginalny w skali europejskiej zespół głów, umieszczo-230 nych w kasetonach stropu Sali Poselskiej, w bezpośrednim sąsiedztwie ilustracji dzieła Cebesa. Z pierwotnych 194 głów zachowało 23 się zaledwie 30; stanowią one dzieło Seba-

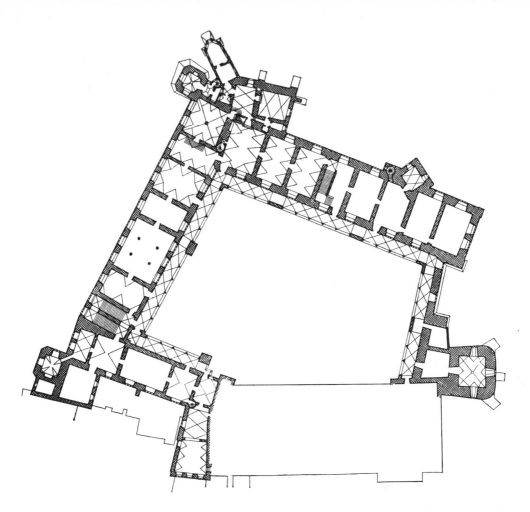

Zamek Królewski na Wawelu, plan I piętra, 1507–1536

stiana Tauerbacha z Wrocławia i jego współpracowników, m.in. Hanusza. Fragmentaryczność tego zespołu – nie przetrwały także składniki heraldyczne – utrudnia pełniejszą rekonstrukcję programu, ale podstawowe jego idee udało się ustalić.

Głowy wawelskie uderzają siłą ekspresji, w części tylko mającej charakter portretowy; eksponują przede wszystkim zróżnicowania antropologiczne, także etniczne, a zwłaszcza charakterologiczne: cechy wieku, płci i środowiska społecznego; stanowią wnikliwy obraz stanów duchowych, nastrojów emocjonalnych – od głębi i statycznej zadumy do dynamicznego ożywienia. Rozpoznajemy w tym zespole dostojne głowy królewskie, twarze dworzan, uwieńczonych laurem uczonych, wesołych młodzieńców i zalotnych panien dworskich, przedstawicieli mieszczaństwa.

Jest to więc na pewno panoramiczna galeria typów społeczności polskiej, pierwsza w dziejach naszej sztuki i równocześnie wyjątkowo szeroko pojęta i trafna; także swoisty zbiorowy portret dworu królewskiego i galeria słynnych mężów – według humanistycznego zwyczaju wchodząca wówczas w modę.

Można przecież dopatrzeć się w tym dziele głębszego sensu astrologicznego – nie wykluczającego zresztą pozostałych – i ten wydaje się podstawowy. Centrum pierwotnego stropu zajmowały herby dynastii i państwa, a rozwijający się wokół nich program stanowił wykładnię oficjalnej, królewskiej filozofii społecznej. Umieszczenie go na sklepieniu, zastąpionym tu przez strop, stanowi pierwszą wskazówkę, zwłaszcza że przedstawienia figuralne występują w kontekście rozet, czyli gwiazd. W takim ujęciu główny sens zespołu polegałby na powiązaniu kosmiczno-planetarnej determinacji psychofizycznej natury człowieka z jego społecznym uwarunkowaniem, poprzez włączenie go w hierarchiczną strukturę obowiązującego porządku społecznego.

Pojawienie się na zamku królewskim programu sformułowanego w tym języku możliwe było w środowisku krakowskiej „szkoły astrologicznej", a główne źródło inspiracji stanowiło zapewne dzieło Theophrasta von Hohenheim, zwanego Paracelsusem. Zresztą bez trudu rozpoznajemy w niektórych głowach personifikacje planet: głowa młodzieńca z baranimi rogami odnosi się do gwiazdozbioru Barana, głowa kobieca ze skrzydełkami we włosach – do gwiazdozbioru Panny. Wobec znikomości stanu zachowania nie można się pokusić o pełniejszą rekonstrukcję tego dzieła. Bezpośrednie natomiast sąsiedztwo krańca według *Tabula Cebetis* ma tu znaczenie ogromne: na stropie ukazano metafizyczny aspekt życia ludzkiego, uzależnionego od obiektywnych sił astralnych, na krańcu – etyczny dylemat człowieka, siłą swej woli dokonującego wyboru między złem a dobrem.

232–
238 Po śmierci pierwszej żony, Barbary z Zapolyów, w r. 1515, podjął król Zygmunt myśl wybudowania kaplicy-mauzoleum. Projekt – poddany ocenie już w 1518 r. – i wykonanie dzieła (ukończonego w r. 1533) powierzył Bartłomiejowi Berrecciemu, z którym współpracował zespół rzeźbiarzy włoskich.

Sam pomysł nie był nowy. Zwyczaj wznoszenia kaplic-mauzoleów znano od dawna na naszych ziemiach – przypomnijmy kaplicę lubiąską, fundowaną w r. 1311 – ale należał on do zjawisk wyjątkowych. Nie był też przyjęty przez królów polskich, których pomniki umieszczano z reguły w głównej przestrzeni sakralnej. Dopiero Kazimierz Jagiellończyk z żoną oraz Jan Olbracht pogrzebani zostali w wyodrębnionych kaplicach.

Na tym tle kaplica Zygmuntowska pozostaje dziełem niezwykłym i oryginalnym, tak w sensie ideowym jak i artystycznym.

W poszukiwaniu bezpośredniego wzoru nadaremnie trudzi się polska historia sztuki już od kilku generacji. Może rzeczywiście najbliższy tej „perły renesansu włoskiego na północ od Alp" wzór w zakresie architektonicznego kształtu stanowi rysunek Leonarda da Vinci, ale nie znajdujemy na terenie Italii kaplicy grobowej tak bogato i w ten sposób zdobionej, a zawartej w niej program ideowy jest w pełni indywidualny.

Powszechnie i od dawna sławiona „klasyczna" doskonałość tego dzieła nie łączy się przecież ani z prostotą kształtu artystycznego, ani też z jednolitością, a nawet jasnością wykładu jej głównych idei. W obydwu tych kwestiach ostatnie badania wniosły wiele

nowego. Obserwacja narastania głównych składników kompozycji kaplicy wzdłuż osi pionowej – od sześcianu korpusu poprzez ośmioboczny, od wewnątrz wsparty na kole tambur, półeliptyczną, a nie półkolistą kopułę, po latarnię i zwieńczenie – pozwala stwierdzić swoisty wertykalizm całości, nie godzący się z klasyczną harmonią. Wbudowany w sześcian korpusu plan krzyża greckiego wprowadza tu inny porządek przestrzenny, ujęty w elewacje o dobitnie akcentowanej strukturze łuku triumfalnego, mającego określone znaczenie. Przy tym osadzenie odcinkowych gzymsów łuku na różnych poziomach, niepokrywanie się pasów podziału kopuły z pilastrami tamburu, stosunek spłaszczonego łuku ściany tarczowej do obwiedzionej podkowiastym łukiem partii środkowej – wszystko to wprowadza swoisty niepokój, świadczący o przełamaniu norm klasycznej harmonii i korzystaniu z zasad kontrastu i dysonansu. Berrecci najwyraźniej nie czuł się skrępowany estetyką klasyczną, a doskonałość wykonania tego dzieła, staranność architektonicznego detalu, precyzja dekoracji rzeźbiarskiej, dobrej klasy rzeźba figuralna, a przede wszystkim niezwykle przemyślany program całości – nie dopuszczają myśli o przypadku. Całokształt form kaplicy jest wynikiem nadania znaczenia każdej formie.

Miało to dzieło pełnić dwie podstawowe funkcje ideowe: sepulkralną i kultową – ściśle ze sobą powiązane, kompensujące się. Obydwie te funkcje rozumiano w sposób nader złożony, do czego przyczynił się intelektualny poziom twórców programu i jego realizatora – Berrecciego oraz związek tego programu z osobą króla. Już na pierwszy rzut oka dzieło uderza bogactwem form plastycznych, zwłaszcza we wnętrzu, wypełnionym rzeźbą figuralną i ornamentalną, wykonaną w różnych, barwnych materiałach, oraz swoistą elegancją i doskonałością realizacji, przemyślanym doborem każdej formy, nadaniem określonego sensu każdemu motywowi.

Centralny plan budowli, łączący kwadrat z krzyżem greckim oraz kołem kopuły, wyraża neoplatońską wiarę w harmonijną budowę świata, w jego matematyczny porządek jako przejaw doskonałości boskiej natury. Kopuła jest obrazem nieba, w sensie kosmicznym i religijnym, a latarnia stanowi *empireum*, czyli niebo nieba; pojawienie się tu właśnie sygnatury Berrecciego słusznie uznano za wyraz wywyższenia artysty. Wsparta na pendentywach kopuła tworzy baldachim nad umieszczonym w krypcie grobem królewskim, podkreślając w ten dawny sposób jego królewską godność w wymiarze ziemskim i niebieskim, doczesnym i wiecznym.

Podporządkowanie tej godności Bogu, przypomnienie boskiego pochodzenia władzy królewskiej zaznaczone zostało dobitnie w zwieńczeniu latarni, gdzie na królewskiej koronie i jabłku wspiera się aniołek z krzyżem.

Z osobą króla, określoną przez zespół umieszczonych na pendentywach kopuły herbów dynastii i królestwa, wiąże się szereg innych wątków programu – uniwersalnych i osobistych, religijnych i politycznych. Widać to zwłaszcza w doborze posągów, umieszczonych w niszach. Figury św. Piotra i św. Pawła pojawiły się z racji ich książęcej pozycji w hierarchii kościelnej; św. Zygmunt i św. Jan – to patronowie króla Zygmunta i króla Jana Olbrachta (lub Jana Bonera, królewskiego doradcy). Najciekawszą parę stanowią św. Florian i św. Wacław, przy wnęce nagrobkowej: przedstawienie patrona miasta oraz katedry zdaje się akcentować małopolski partykularyzm programu. Wprawdzie w ołtarzu pojawiły się przedstawienia św. Wojciecha i św. Stanisława – wyraz integracji dwóch podstawowych i często konkurencyjnych kultów – ale przecież plastyczna waga tych przedstawień jest niepomiernie mniejsza.

W sześciu medalionach znalazły się przedstawienia czterech ewangelistów, których nauka stanowiła podstawę religii chrześcijańskiej, oraz dwóch proroków: Salomona i Dawida. Pierwszy, o rysach twarzy króla Zygmunta, uosabia cnoty królewskie: mądrość i sprawiedliwość. Drugi, prorok – natchniony autor psalmów, pojawił się może przede wszystkim ze względu na muzyczny program kaplicy, na rozbrzmiewający w niej śpiew mansjonarzy, ale także ze względu na muzykę kosmiczną, rozbrzmiewającą w doskonałym świecie-niebie, zgodnie z kosmogonią pitagorejską, właściwą neoplatonizmowi.

Zapewne także do charakterystyki osoby króla odnieść należy umieszczone pierwotnie na zewnątrz kaplicy figury Judyty i Dawida, starotestamentowych bohaterów, odznaczających się męstwem i zdolnością do najwyższych poświęceń.

Program eschatologiczny kaplicy koncentruje się w obrębie pomnika nagrobnego. Ale przejawia się także np. w ołtarzu, w którym scena „Zaśnięcia Marii" stanowi precedens „dobrej śmierci", po której przyjdzie najwyższa nagroda; występuje również w dekoracji ścian tarczowych, których podział nawiązuje do wzoru antycznego. Próba widzenia w tej dekoracji nieskrępowanego wyrazu laickiej renesansowo-pogańskiej postawy artysty musiała zostać odrzucona. Przypomniano, że Thiasos, czyli orszaki morskich nereid, trytonów i delfinów – echo dawnej eschatologicznej podróży morskiej w zaświaty – zdobiące rzym-skie sarkofagi, były naśladowane przez twórców renesansowych i miały określony sens i funkcje sepulkralne. Zapewne i w kaplicy Zygmuntowskiej nie były one wprowadzone tylko dla ukazania pięknych, giętkich, nagich ciał kobiecych w dynamicznych ujęciach, i dla ich antycznej stylizacji, lecz także ze względu na związek z ideą zbawienia, choć ma on charakter bardzo ogólny i, można powiedzieć, odległy, a relacja jest dość zawiła; może należy traktować owe przedstawienia jako obraz podróży w zaświaty, skojarzony ogólnie ze sztuką sepulkralną motyw śmierci i życia pozagrobowego. Występujące w obramieniach okien delfiny są najpewniej symbolami zbawienia i dążenia duszy ku niebu.

Przedstawienia na ścianach tarczowych starano się ostatnio zinterpretować na nowo. Obok bowiem scen morskich igraszek trytonów z nereidami, znanych nam ze sztuki sepulkralnej, pojawiają się tu sceny walk; występujące w nich postacie, uważane dotychczas za trytony, to – być może – giganci. W niektórych partiach pól tarczowych ukazano by zatem walkę bogów olimpijskich, pod wodzą Jowisza i przy udziale Herkulesa, z gigantami, przy czym przedstawienie to należy rozumieć alegorycznie, jako chrześcijańską walkę ze złem, które reprezentują nie tylko giganci, ale także – w sposób symboliczny – harpie, smoki i węże, występujące w dekoracji kaplicy.

Być może ta ogólna myśl miała także bardziej aktualny sens i odnosiła się do mających miejsce w r. 1525 buntów mieszczan gdańskich na tle religijnym, stłumionych i zakończonych zwycięskim wkroczeniem wojsk króla Zygmunta do Gdańska. Przy takiej interpretacji, biorący w gigantomachii udział Jowisz – to Bóg chrześcijański; towarzyszący mu Herkules – to król, *miles christianus*, a zło, przeciw któremu się ta walka kieruje – to gdańscy luteranie. Konkretnej sytuacji historycznej nadano więc sens ogólniejszy, a wyrażono go w stworzonym ad hoc alegorycznym i symbolicznym języku mitologii antycznej i renesansowej. Można by to więc uznać za przejaw krótkotrwałych prób kreowania koncepcji humanizmu chrześcijańskiego, którego autorem w Polsce był sekretarz królewski, Andrzej Krzycki. Byłby to bodaj jedyny wyraz artystyczny tej myśli i tego „modusu", gdyż jeszcze w czasie prac nad kaplicą zrezygnowano z jego stosowania; niósł ze sobą zbyt wiele niebezpieczeństw.

Bez względu na ostateczną interpretację tego fragmentu stwierdzić można, że posłużenie się alegorią antyczną nie przyczyniło się do jasności wyrażenia myśli. Dotyczy to także innych fragmentów dekoracji kaplicy, których antyczny rodowód udało się ostatnio wykazać. Można sądzić, że rozpoznane w tej dekoracji postacie Kleopatry i Dafne odnoszą się do pojęć moralnych; w pierwszym przypadku dzięki nawiązaniu przez motyw *Venus pudica* do postaci grzesznej Ewy, w drugim – jako akceptowany w średniowieczu symbol czystości: Dafne uciekała przed Apollinem w obronie swojego dziewictwa.

Na ostateczną interpretację programu kaplicy przyjdzie jeszcze poczekać. Podkreślić przecież warto różnicę między dobitnością znaczeń, wątków i tematów chrześcijańskich a niejasnością i pewnym zagmatwaniem wybranych motywów antycznych. Było to spowodowane nie tylko większym semantycznym ich oddaleniem od idei chrześcijańskich, którym w tym dziele miały służyć, lecz także wyrwaniem ich z pierwotnych kontekstów i budowaniem z nich wypowiedzi jak z elementarnych jednostek językowych, co jest zjawiskiem normalnym w momencie kształtowania się nowej poetyki, ale co równocześnie niesie ze sobą różne niebezpieczeństwa, gdy poetyka ta jeszcze się nie utrwali i nie upowszechni.

237 Umieszczony w kaplicy nagrobek króla – dzieło Bartłomieja Berrecciego, wykonane według umowy z r. 1529 – stanowił *novum* nie mniejsze niż kaplica, przede wszystkim ze względu na formułę postaci zmarłego, przedstawionego w pozie niedbałego spoczynku, z uniesioną na prawym łokciu górną partią ciała, ze skrzyżowanymi kontrapostowo nogami, z lewą ręką opartą na udzie, z twarzą w stanie uśpienia, zwróconą ku górze. Całość znamionuje pewne skomplikowanie układu, statyczna dynamika, a i wyraz twarzy nie odznacza się spokojem; jeśli jest to sen, to w każdym razie nie jest to sen spokojny.

Posąg króla budził dyskusje odnośnie do czasu powstania i autorstwa; wywołał odmienne oceny wartości artystycznej, przede wszystkim jednak frapował nowością idei i kształtu ikonograficznego. Podjęcie w Krakowie koncepcji sformułowanej przez Andrea Sansovino w nagrobkach biskupich w Santa Maria del Popolo w Rzymie około r. 1505 świadczy o wyraźnym dążeniu do uzyskania dzieła nowoczesnego, niezależnego od średniowiecznej tradycji, a także od utrwalonej przez dwa wieki tradycji królewskich pomników na Wawelu.

Właściwe zrozumienie wątku snu w tym ujęciu stanowi sedno interpretacji tej koncepcji i możliwe jest chyba tylko na gruncie filozofii neoplatońskiej, kultywowanej i rozwijanej w dobie quattrocenta, a przynoszącej oryginalne wyniki w sztuce sepulkralnej dopiero w czasach późnego renesansu i manieryzmu. Sen jako konterfekt śmierci – według słów Szek-

spira, jako równoważnik krótkiej śmierci – według Cezarego Ripy, czy wreszcie jako chwilowe oswobodzenie duszy i ciała – według Ficina, co można interpretować w duchu chrześcijańskim jako śmierć nie będącą stanem ostatecznym, a tylko okresowym, do momentu powtórnego złączenia duszy z ciałem w dniu zmartwychwstania, ów sen jest zatem oczekiwaniem na zmartwychwstanie.

Natomiast dynamikę upozowania, w tym zwłaszcza motyw wsparcia ciała na ręce, skrzyżowanie nóg, grymas twarzy – po części zresztą przejęte z przedstawień antycznych – należy interpretować głównie jako sposób obrazowania stanu snu, przeciwstawionego statycznemu ujęciu postaci człowieka zmarłego.

Próby rozpatrywania tego typu nagrobka w aspekcie apoteozy, heroizacji, laickiej retrospektywności itp. pozbawione są uzasadnienia. W celu wyrażenia takich treści znano wówczas korzystniejsze artystyczne sposoby; wystarczy przypomnieć rozpowszechniony typ przedstawienia zmarłego jako żywego, w pozycji stojącej, siedzącej lub konno, zwykle w otoczeniu alegorii charakteryzujących go cnót. Koncepcja wybrana dla pomnika wawelskiego, niezbyt słusznie zwana sansovinowską, miała przede wszystkim tę zaletę, że łączyła neoplatońską koncepcję śmierci z chrześcijańską eschatologią.

Trudno oczywiście rozsądzić, w jakim stopniu stworzenie tego pomnika było zasługą Berrecciego, a w jakim króla i jego otoczenia. Zapewne rzeźbiarz przedstawił projekt do dyskusji, ale najpewniej koncepcja ta przyjęta została ze zrozumieniem jej wielostronnych znaczeń.

Posąg króla – niezależnie od tego, że jego wartość artystyczna słusznie chyba budzi wątpliwości – nie był wiernym powtórzeniem dzieł Sansovina; był w pewnym stopniu samodzielną próbą interpretacji neoplatońskiej koncepcji, dla której to dzieła włoskie stanowiły precedens i impuls, ale nie obowiązujący w szczegółach wzór. Bliższy dziełom włoskim, przede wszystkim przez motyw oparcia głowy na dłoni, jest nieco później powstały posąg biskupa Piotra Tomickiego. Dalsze dzieje 2 polskiego nagrobka renesansowego w znacznej mierze zamykać się będą między tymi dwiema redakcjami.

„Renesans północny" w Polsce. Tradycja i kontynuacja

Fundacje królewskie na Wawelu były dziełami znakomitymi, ale ich oddziaływanie, zwłaszcza początkowo, było raczej znikome. W pierwszej połowie XVI w. renesans włoski stanowił tylko małą część panoramy ówczesnej sztuki polskiej. Tworzyły ją przede wszystkim dzieła związane z tradycją, wyrastające organicznie z miejscowych środowisk artystycznych i przynajmniej częściowo rozwiązujące w sposób twórczy problemy, jakie niosły ze sobą ważne przemiany ideowo-społeczne. Przemiany te odsuwały na bok wiele dotychczasowych, także najważniejszych zadań i przynosiły nowe, dla których należało stworzyć właściwy kształt plastyczny. Stosowane jednak czasem dla określenia tych zjawisk pojęcie „renesansu północnego” nie wydaje się uzasadnione.

Jest rzeczą znamienną, jak mało właśnie ta sztuka, o której ilościowym nasileniu i niebagatelnej klasie artystycznej przekonuje nawet pobieżne przejrzenie katalogów zabytków, respektowana jest w ujęciach syntetycznych, jeśli nawet jest przedmiotem badań monograficznych. Przekonanie o „przełomie” w początkach XVI w. niemal ją dyskwalifikowało, jak gdyby cecha nowości była kryterium najważniejszym. W pierwszej połowie XVI w. dzieła renesansu włoskiego w Polsce można policzyć niemal na palcach: stanowią one wąsko płynący nurt w jej krajobrazie artystycznym. Dominowała sztuka tradycyjna, miejscowa, która trwała w środowiskach pozadworskich, choć czasem i tych wyżyn sięgała, rozwijająca się według własnej dialektyki, której jednym z ważnych komponentów był związek z twórczością środkowej Europy, a także – w różny sposób – ze sztuką Italii.

Sztukę tę charakteryzowały cechy zasadniczo odmienne od nurtu renesansu włoskiego. Przede wszystkim tradycyjność formy i ekspresji religijnej, wyrażająca się w opozycji narracyjnego i reprezentacyjnego ujęcia. Dominuje więc obrazowe opowiadanie prostych treści legend dotyczących świętych, z właściwym tym legendom aparatem dramatycznym, realnym otoczeniem, napiętą sytuacją emocjonalną, pozwalające odbiorcy na uczestniczenie w owym teatrze.

Drugą ważną cechą jest szczególny rodzaj realizmu. Sztuka ta nie przyjmuje zasad klasycznej formuły włoskiej. Ale nie oznacza to trwania w kanonie późnogotyckim. Zachowując, a czasem nawet rozwijając koncepcję ekspresjonistycznego symbolizmu, operuje pogłębioną wiedzą o świecie postrzegalnym, dysponuje środkami malarskimi i rzeźbiarskimi zdolnymi ukazać widoki miast, życie zbiorowe grup społecznych, rzeczowe, także portretowe przedstawienie konkretnego człowieka. Jest to opis zwykle bardzo drobiazgowy, jak gdyby właśnie owe postrzegalne realia stanowiły jedną z najistotniejszych wartości. Taka postawa twórcza upoważnia nas do

posłużenia się opozycją: sztuka klasyczna – sztuka bezpośredniej obserwacji, przy czym właśnie to drugie jest charakterystyczne dla interesującego nas nurtu. Nie wyrażamy tu wiary w istnienie sztuki czystej obserwacji, ale brak w niej ram klasycznej konwencji, a ramy istniejące w większym stopniu dotyczą cech duchowych niż postrzegalnych, co zapewnia większą swobodę formowania i zarazem większą skłonność do uwzględniania wartości związanych ze zmysłową stroną świata.

Ta cecha musi być rozważana łącznie ze skłonnością do ekspresji, z dążeniem do poruszenia widza, do tego by ułatwić mu dostrzeżenie i zaakceptowanie przedstawionych treści, tak intelektualnych jak i emocjonalnych, które zdają się być ważnym składnikiem tej sztuki.

Należy wreszcie zwrócić uwagę na szczególny typ dekoracyjności. Zamiłowanie do ornamentyki jest cechą znamienną wczesnych dzieł włoskiego renesansu w Polsce. Odrębność zasobu form dekoracyjnych w nurcie północnym nie polega tylko na swoistych motywach, w ogromnej większości przejętych z grafiki książkowej, nieraz będących swobodną trawestacją motywów włoskiego renesansu lub też połączeniem ich z późnogotyckimi, czasem zaś przetworzeniem tych ostatnich w duchu włoskim. Zasadnicze znaczenie miała integracja owej dekoracyjności z innymi warstwami dzieła, swoista jednorodność tego, co jest czystym ornamentem i co nim nie jest. W sztuce włoskiego renesansu ornament ujęty jest w rygory tektoniczne, w ramy architektoniczne; dopiero w dobie manieryzmu porządek ten zostaje rozbity (w Polsce np. w dziełach S. Gucciego i jego „szkoły”). W sztuce nurtu północnego ornament potencjalnie przenika wszystkie przedmioty, może się pojawić nieledwie w każdym punkcie kompozycji. Dekoracyjna może być struktura dzieła, układ postaci, uformowanie stroju; często trudno odróżnić dekoracyjną i ekspresyjną funkcję danej formy, czasem obydwie występują równocześnie.

W końcu XV w. rosnące zapotrzebowanie na monumentalny pomnik nagrobny zaspokajane było częściowo przez import płyt brązowych z Norymbergi. Do Wielkopolski sprowadzono z warsztatu Vischerowskiego płyty: Łukasza (zm. 1475) i Uriela (zm. 1498) Górków, Feliksa Padniewskiego (zm. 1488) oraz Bernarda Lubrańskiego (zm. 1499), reprezentujące dwa podstawowe późnogotyckie schematy nagrobkowe. Zmiana zaznacza się dopiero w płycie Andrzeja Szamotulskiego (zm. 1511) – przede wszystkim we wprowadzeniu swobodnej, kontrapostowej pozycji oranta oraz dekoracji złożonej z igrających

241

putti w typie flötnerowskim, umieszczonych w zieleni bordiury towarzyszącej łukowi arkady. Podobną formę reprezentuje krakowskie dzieło giserni Vischerów, nagrobek Piotra Kmity (po 1505), choć tu kontrapost postaci jest jeszcze sztywniejszy, a w dekoracyjnej architekturze towarzyszą zmarłemu postacie św.św. Piotra i Pawła. Ważne jest przecież w tych dziełach położenie nacisku na prezentację osoby zmarłego, stanowiącą jak gdyby wartość autonomiczną. Potęguje się to w nagrobku brązowym Mikołaja Tomickiego (zm. 1478), z ok. 1524 r., w którym postać umieszczona jest wyraźnie w niekatedralnej, renesansowej architekturze, ze sgraffitową rustyką na cokole i antycznym porządkiem w obramieniu, z dekoracją groteskową.

Możliwość takiej przemiany implikowana jest przez rozwój w tym czasie, także w Polsce, portretu malarskiego, z którego wzoru (np. z dzieł Dürera) korzystano i którego sens przenoszony był na przedstawienia nagrobkowe. Ważne, że ujęcie to pojawia się później także w kilku wielkopolskich nagrobkach kamiennych, np. Ambrożego Pampowskiego w Środzie (zm. 1510), Mikołaja Tomickiego w Tomicach (zm. 1478); późniejsze dzieła tego rodzaju w Wielkopolsce wskazują na oddziaływanie pobliskiego środowiska śląskiego, będącego w w. XVI ważnym centrum tego typu nagrobków. Kontynuowany jest w Wielkopolsce także swoisty typ nagrobka, stosowany w pomnikach kanoników, np. Jana Grota w Gnieźnie (1532). Znane nam nagrobki Bonerów w Krakowie mieszczą się także na tej linii rozwojowej. W ten sposób jesteśmy na tropie nowożytnej interpretacji dzieł, które niejako ewolucyjnie wyrastają z założeń i kształtu sztuki późnogotyckiej.

„Sansovinowski” typ nagrobka nie tyle przeciął tę linię, ile spowodował jej ograniczenie do kręgu głównie duchownych fundatorów; rycerstwo, czyli szlachta, opowiedziało się po stronie królewskiego wzoru.

Interesującą, jednak całkowicie odosobnioną próbę stworzenia nowego typu pomnika stanowi nagrobek Barbary z Rożnowa Tarnowskiej, w Tarnowie (ok. 1520). Jest to niezwykła wręcz kompilacja motywów późnogotyckich i renesansowych. Schemat całości nawiązuje do dzieł renesansowych, poszczególne jego składniki rozmieszczone są prawidłowo, ale plastyczna interpretacja elementów tak dekoracyjnych, jak i figuralnych jest typowo późnogotycka, granicząca zresztą z wirtuozerią (np. wstęga inskrypcyjna w zwieńczeniu), a typ postaci zmarłej oparty został na schemacie ikonograficznym Matki Boskiej Bolesnej.

Nieco inaczej, choć podobnie, kształtuje się sytuacja w zakresie rzeźby ołtarzowej, dla której tradycja ma większe znaczenie. Powstały ok. 1517 r. Tryptyk z Pławna utrzymany jest niemal całkowicie w nurcie sztuki północnej; nie pojawiają się tu ani motywy dekoracji renesansowej, ani też próba perspektywy geometrycznej. A przecież różni się to dzieło od późnogotyckich nowym kształtem kwater, zwłaszcza w scenie głównej, i zamykających je łuków, nowym stosunkiem postaci do przestrzeni (np. w scenie „Zabójstwo biskupa Stanisława", gdzie równocześnie pojawia się konsekwentnie przedstawione sklepienie siatkowe), realnością typów, aktualnością strojów, szeroko rozwiniętą narracją, rezygnacją z ekspresyjnego dynamizmu, daleko posuniętą redukcją wyrazowej funkcji szat.

Niemal współcześnie, w r. 1518 powstaje ołtarz Jana Chrzciciela w kościele św. Floriana w Krakowie, dawniej w kaplicy Bonerów w kościele Mariackim. Perspektywiczne kształtowanie przestrzeni, precyzyjne rozmieszczenie w niej przedmiotów i ludzi, staranne odtworzenie współczesnych strojów, realistyczna charakterystyka twarzy – nadają temu dziełu walor nowożytności. Ale nie ma tu śladu stylizacji antykizującej czy klasycyzującej; dosadność rzeźbiarskiego rysunku, ekspresyjny dynamizm postaci, ślady późnogotyckiego łamania draperii świadczą o północnej proweniencji twórcy.

Stylistyczne tendencje Tryptyku z Pławna, którego skrzydła malował Hans Suess z Kulmbachu, rysują się wyraźniej na tle srebrnego ołtarza z kaplicy Zygmuntowskiej, importowanego z Norymbergi dzieła Petera Flötnera, przeniesionego w srebro przez Melchiora Baiera (1531–1538): analogiczny jest podział na kwatery, zbliżone zasady kompozycji scen i formowania figur, mające jeszcze wiele ze sztuki późnego gotyku. Ale równocześnie w ołtarzu z kaplicy pogłębiła się przestrzeń określona geometryczną perspektywą architektury; przestrzeń ta zyskała zarazem swoistą autonomię dzięki kompozycji grup postaci; ich postawa, ruch, ubiór zdradzają lekcję klasycznego renesansu. Renesansowe są także formy architektury i dyskretny ornament.

O trwałości tych tendencji świadczy powstanie jeszcze w r. 1544 poliptyku Wieniawskiego, silniej związanego z tradycją późnogotycką we wszystkich aspektach. A przecież powstał on w wiele lat po pojawieniu się w Krakowie tzw. Ołtarza z Zatora (ok. 1521) i był współczesny głównemu ołtarzowi katedry, obecnie w Bodzentynie, z l. 1545–1548, wiązanemu z Janem Cinim i Janem Marią Padovanem. Daleko posunięta obserwacja i rea-

239

247

24[

21[

lizm wiążą się w tym ołtarzu z późnogotyckim formowaniem figur, pejzażowe tła – ze złoconymi; renesansowe motywy dekoracyjne pełnią funkcje spełniane dawniej przez maswerki.

Nurt ten obejmuje także inne, nietypowe dzieła, czego dobrym przykładem jest omówiony już wcześniej w aspekcie programu zespół głów w kasetonowym stropie Sali Poselskiej na zamku wawelskim, dzieło wrocławianina Sebastiana Tauerbacha i Hanusza, być może Jana Jandy z Krakowa. Dość ostry sposób cięcia tworzywa, uzupełniający rysunek, dobitna, czasem przesadna charakterystyka (wynik bezpośredniej stylizacji natury, a nie kanonu, np. antycznego), realizm, a czasem i portretowość tych głów świadczą o niezwykle szerokim kącie obserwacji w aspekcie fizycznym, duchowym, społecznym, stanowym i charakterologicznym. Wszystko to dowodzi niezwykłej wartości tego zespołu, który wyrasta z tradycji późnogotyckich, z kręgu wielu ołtarzy powstających na Śląsku jeszcze w pierwszej ćwierci XVI w.

Nie mając nic wspólnego ze współczesnym italianizmem – choć służąc humanistycznemu programowi – sztuka ta stworzyła własne wartości, dające się porównać z malarstwem środkowoeuropejskim tamtych czasów.

Na terenie malarstwa zachodziły nie mniej interesujące przemiany, choć oddziaływały inne warunki – przede wszystkim ze względu na brak dzieł i znaczącej działalności włoskich malarzy; miejscowe środowisko malarskie zasilane były głównie przez twórczość malarzy niemieckich. Czołowe miejsce zajmują dzieła miniatorskie: *Kodeks Behema* (1505), *Graduał Jana Olbrachta* (1501–1506), *Pontyfikał Erazma Ciołka* (ok. 1515).

Pierwszy, będący właściwie księgą statutów cechowych, jest interesujący dzięki złączeniu we wspólnym obrazie nader złożonych treści symbolicznych, związanych głównie z wykonywaniem prac rzemieślniczych i dotyczących ich przekonań, sądów, przesądów, zwyczajów, wierzeń. W dziele tym zawarta została niezwykła wręcz doza wiedzy i obserwacji „życia codziennego" miasta, jego ulic i okolic, przede wszystkim zaś wnętrz, w których toczy się życie i praca rodziny rzemieślniczej: sklepu, warsztatu. W opisie tych realiów autor miniatur jest mistrzem niezrównanym; znakomicie zna wygląd, strukturę i fakturę każdego przedmiotu, jego użyteczność zawodową, dysponuje wielką wiedzą o typie zachowań, o zwyczajach różnych grup zawodowych, ich wewnętrznym, społecznym zróżnicowaniu, także o ich mentalności, przekonaniach itd. Dzięki temu wiele codziennych

przedmiotów i rodzajowych epizodów zyskuje głębszy sens, jak choćby owa koza w warsztacie nieuczciwego krawca, którą za karę należy karmić, czy też ów niezbyt obyczajnie zachowujący się pies w obejściu grabarza, uświadamiający przykre strony tego rzemiosła. Mamy tu więc do czynienia z typowo późnogotyckim symbolizmem, ale odnoszącym się nie do systemu teologicznego, lecz do pewnego kompleksu wiedzy i myśli, związanego z praktyczną działalnością człowieka. To właśnie należy uznać za nowe i ważne, różne od średniowiecznego światopoglądu.

W znakomitym *Pontyfikale Erazma Ciołka* spotykamy właściwie już niemal w pełni zintegrowany obraz świata, na którego tle odbywa się akcja – działalność człowieka, instytucji i grup społecznych. Wprawdzie niektóre religijne przedstawienia w tym dziele, np. „Ukrzyżowanie Chrystusa", cechuje znamienny dualizm: scena religijna ukształtowana jest według zasad tradycyjnej ikonografii, natomiast „aktualny" – przedmiotowo, treściowo i artystycznie, to znaczy w sposobie jego konkretyzacji – obraz świata, umieszczony jest na drugim planie; ukazuje on z niezwykłą precyzją zaobserwowany i rysowany widok miasta, odległy pejzaż z wodami i górami itd. Z pewnością jest to obraz w dużym stopniu fantastyczny, a przy tym można w nim wyśledzić liczne konwencje artystyczne, ale przecież zastosowane w połączeniu z wysoko rozwiniętą obserwacją konkretnego otoczenia człowieka. Natomiast miniatury ukazujące uroczystości świeckie i kościelne przekazują nam nie tylko ich zobrazowany rytuał, ale także realny obraz, czasem wzbogacony o nader interesujące składniki rodzajowe: od typów dostojników do grup gawiedzi włącznie.

Miniatura była także ważną domeną działalności cystersa Stanisława Samostrzelnika, czynnego w l. 1519–1541 (m.in. modlitewniki Zygmunta I – 1524, Krzysztofa Szydłowieckiego – 1524, królowej Bony – 1527, A. Gasztołda – 1528, następnie *Liber geneseos* Szydłowieckich – ok. 1530, *Żywoty biskupów gnieźnieńskich* – 1530–1535, *Ewangeliarz* P. Tomickiego – 1534), korzystającego ze wzorów graficznych Schongauera, Dürera, Cranacha, Baldunga Griena, Altdorfera oraz czynnego w Polsce Hansa Suessa z Kulmbachu. Samostrzelnik tworzył dzieła o tematyce religijnej, w których często przejawiał się spóźniony mistycyzm, zwłaszcza w odniesieniu do kultu ciała Chrystusa, związanego z ideą eucharystii, w sposób znamienny dla antyhusytyzmu. Obraz jest konkretnie cielesny, realistyczny, często wręcz brutalny – właściwy sztuce ok. r. 1500. Malarz celuje w realności wizji, niezmąconej występującym w dziełach dynamicznym ekspresjonizmem. Ta wierność wobec rzeczywistości charakteryzuje także tworzone przezeń portrety Zygmunta I, rodziny Szydłowieckich, w których artysta, wolny od konwencji gotyckiej, stwarza przedstawienia bliskie naturze, kładąc nacisk na wartości przedmiotowe: podobieństwo twarzy, wygląd atrybutów, nie podejmując przecież próby pogłębienia tego obrazu w warstwie duchowej; wykracza to poza możliwości twórcy. Odejście od formuły późnogotyckiej w portretowaniu zdaje się przeczyć tezie wiążącej z jego osobą powstanie tablicowego 275 portretu biskupa Piotra Tomickiego, w krużgankach krakowskich franciszkanów.

Samostrzelnik był także znakomitym dekoratorem, co widać nie tylko w dość konwencjonalnych bordiurach jego kodeksów, ale przede wszystkim w świetnych roślinnych dekoracjach, o delikatnym rysunku i świeżym ulistnieniu, na sklepieniach klasztoru w Mogile, które to dekoracje są doskonale zharmonizowane z kształtem siatki żeber.

Powstały w r. 1518 malowany tryptyk w Kobylinie, z legendą św. Stanisława, stanowi do pewnego stopnia odpowiednik rzeźbionego Tryptyku z Pławna. Jest to ten sam kierunek przetwarzania dawnych schematów ikonograficznych w duchu rzeczowości, zgodności z danymi zaobserwowanymi w zakresie struktury przestrzeni, typów ludzkich, stroju, zachowań itd. Znamienna jest także próba przełamywania granic rzeczywistości obrazu i widza, przejawiająca się w upartym nawiązywaniu z nim kontaktu przez wpatrzone weń marginalne postacie obrazu, tak jak i widz, niejako z przypadku, stanowiące wspólną klasę spektatorów. Autor potrafi wykorzystać tradycyjną wiedzę, choćby w dynamicznej scenie głównej, ale bardziej symptomatyczna dlań jest możliwość stworzenia bogatej galerii postaci. W tym celu operuje swoistym „historyzmem”: wykorzystuje współczesne stroje orientalne dla charakterystyki otoczenia króla. Twórca tryptyku w Kobylinie korzystał z malarstwa Hansa Suessa i z ilustracji Miechowity. Zapewne słusznie upatruje się w twarzy młodzieńca w scenie „Kupna wsi” malarskiego autoportretu, którego zamieszczenie oczywiście rzuca światło na osobowość twórcy.

Dla ówczesnego malarstwa w Polsce zasadnicze znaczenie miały importy, głównie ze środowiska niemieckiego. Szczególną rolę – obok twórców zatrudnionych przy dekoracji zamku wawelskiego – odegrał Hans Suess z Kulmbachu, czynny w Krakowie od r. 1514, twórca m.in. malowanych skrzydeł Tryptyku z Pławna oraz poliptyku z legendą św. Kata-

rzyny. Reprezentował on sztukę w znacznej mierze oswobodzoną ze schematów późnogotyckich, ale bliższą dziełom manieryzmu niż renesansu – poprzez wysmukłe proporcje ciał, wyszukaną elegancję póz i ruchów, liryzm postaci kobiecych, daleki od dociekliwego naturalizmu tego czasu. Miejscem akcji malowanych przezeń wydarzeń jest zwykle poprawnie budowana przestrzeń wnętrza lub otwarty pejzaż, niemal protoromantyczny.

Z importów pojedynczych wymienić warto obraz przedstawiający „Bitwę pod Orszą” z 24 ok. 1518 r., którego anonimowy twórca pozostawał pod silnym wpływem Cranacha St.; być może tworzył to dzieło jako naoczny świadek wydarzenia. Obraz wyłamuje się bowiem z konwencji powstających wówczas panoram bitewnych; jest znakomitym studium realiów militarnych, konkretnego przebiegu bitwy; stanowi zbiór nie tylko typów żołnierskich, ale także portretowych przedstawień wodzów. W aspekcie informacyjnym jest to dzieło wyjątkowo cenne.

Działalność innych malarzy, jak Hansa Dürera, Georga Pentscha, Michała Lentza z Kitzingen, miała znacznie mniejszy zakres; nie stworzyli oni na naszym terenie własnego środowiska artystycznego, ani też nie wywarli większego wpływu na twórczość malarzy miejscowych – jak to stało się w przypadku włoskich rzeźbiarzy.

Twórczość malarska zresztą powoli wygasa w tradycyjnym zakresie; stopniowo otwierają się przed nią nowe perspektywy; i tak np. zaczyna rozwijać się malarstwo portretowe. O wyrazie twórczości malarskiej często decyduje tradycja, czego świadectwem mogą być malowane partie ołtarza z Wieniawy (ok. 1544), zgodnie uważane za dobry przykład żywiołowego, brutalnego stylu w dobie rozkwitu Odrodzenia, w jego wersji północnej; powstały one zresztą na podstawie graficznych wzorów Dürera i Cranacha. Mimo zmniejszającej się liczby dzieł, ówczesne malarstwo stanowić będzie ważny łącznik z epoką manieryzmu; wiele jego cech odnajdujemy w obiektach z końca XVI w.

Na osobną uwagę zasługuje odrębny rodzaj malarstwa na drewnianych stropach kościelnych. Generalnie rzecz biorąc, stanowi ono rezerwat tradycyjnej dekoracji i ikonografii, a także formuł malarskich, co było uzasadnione przez ścisły związek z prowincjonalnymi środowiskami kościelnymi. Odnosi się to przede wszystkim do tzw. typu figuralno-roślinnego, charakteryzującego się operowaniem bogatymi splotami wiciowymi motywów roślinnych, wśród których, czasem na wyodrębnionych medalionach, pojawiają się motywy i sceny figuralne, jak np. w Kozach

(1516–1520), Libuszy (1523), Krużlowej (po 1520) czy w Grębieniu (1520–1531). Genezę tych dekoracji zdradza w znacznym stopniu ich charakter stylowy. Złożyły się na nią motywy jeszcze romańskie – znane nam zresztą z innych dzieł „rodzimego" wczesnego renesansu – i gotyckie, przejęte z miniatur, malarstwa ołtarzowego, tkanin, grafiki, a także z malarstwa ściennego. Główną ideą było ukazanie stropu jako Ogrodu Rajskiego. Pojawiający się w tych dziełach symbolizm jest z reguły bardzo tradycyjny; jest to np. symbolika zwierzęca, zapomniana i nie występująca niemal w sztuce późnego gotyku; tu odżywa dzięki odwołaniu się do dekoracji romańskich kodeksów. Najmniej w tych dziełach treści i obserwacji płynących z codziennych, życiowych doświadczeń i z nowych doświadczeń intelektualnych; tych ostatnich po prostu nie było zarówno wśród twórców jak i fundatorów i odbiorców; te pierwsze starannie oddzielano od sztuki, która nie miała być domeną ludzkiej codzienności, lecz boskiej niezwykłości.

Pojawienie się zatem w dekoracji w Grębieniu frapujących wielu badaczy postaci muzyków: dworskiego, grającego na lutni i ludowego, muzykującego na skrzypcach, jest interesującym świadectwem oddziaływania zainteresowań rodzajowych, autentycznej obserwacji, ale przykładem zupełnie odosobnionym; jest to zresztą motyw wpleciony w całość kompozycji o tradycyjnej wymowie ideowej.

Kwaterowy, a następnie kasetonowy typ dekoracji, choć znany z wyjątkowych przykładów już wcześniej (nie zachowany strop w Pniewach, po 1506 r.), wiąże się zapewne z wpływami włoskimi, stąd jego rozwój następuje nieco później; wpływy te dotyczyły tylko najogólniejszej zasady artykulacji płaszczyzny i stosowania podstawowego motywu dekoracyjnego, jakim była rozpowszechniona rozeta; jej plastyczna formuła związana była oczywiście z tradycją gotycką. Na wpływ tej tradycji wskazuje zwłaszcza typ przedstawień figuralnych.

Po połowie XVI w. powstają dekoracje o znacznie wzbogaconych podziałach geometrycznych (np. w Modlnicy, 1562) – być może w związku z włoskimi zdobieniami stiukowymi na sklepieniach – stanowiące do pewnego stopnia przygotowanie do rozwoju dekoracji tzw. typu lubelskiego.

Dwór – kaplica – nagrobek.
Trzy tematy artystyczne „złotego wieku"

Zamek wawelski z racji swego obszernego i skomplikowanego założenia nie mógł stać się popularnym modelem siedziby szlacheckiej.

Powstające w XVI w. zamki, budowane zawsze dla najzamożniejszych i najwyżej w hierarchii społecznej stojących fundatorów, dalekie były od dzieła wawelskiego, mającego wszelkie cechy utworu jednorazowego. Były to zresztą raczej obronne warownie, jak arcybiskupi zamek w Uniejowie czy Oporowie. Podobny charakter miał także zamek w Drzewicy, wzniesiony w l. 1527–1535 dla arcybiskupa M. Drzewickiego, założony wokół kwadratowego dziedzińca, zamkniętego potężnym murem, ze skośnie wtopionymi w naroża wieżami, z jednym skrzydłem mieszkalnym i usytuowaną naprzeciw niego kaplicą. Szczyty budowli zamkowych dekorowane były saskim motywem półkola. Zbudowany dla Bonerów zamek w Ogrodzieńcu (1530–1540) składał się z dwóch pałaców, połączonych wykutym w skale dziedzińcem. Dopiero w połowie wieku pojawiają się próby kształtowania budowli zamkowych według klasycznych reguł osiowości i symetrii. Przykładem może być zniszczony zamek w Wyszynie, a przede wszystkim powstała w l. 1550–1571 rezydencja Zygmunta Augusta w Niepołomicach – wynik podjęcia renesansowych koncepcji Francesca di Giorgio Martiniego – jedna z pierwszych w Polsce budowli pałacowych realizujących jednolitą myśl architektoniczno-przestrzenną. 253, 254

Wydaje się zatem, że nie pałac czy zamek, lecz skromniejsza siedziba – dwór stanowił główny temat architektury rezydencjonalnej w Polsce renesansowej.

Zastanawiając się nad siedzibą szlachecką tego czasu, należy sobie uzmysłowić, że znane są nam tylko nieliczne zachowane dwory murowane. Były one wznoszone przede wszystkim w drewnie, także przez najzamożniejszych: biskupów, a nawet króla, choć miernikiem zamożności była zawsze budowla murowana.

Dwory polskie tego czasu reprezentują trzy główne typy: „wieżowy" – zapewne najbardziej popularny, związany z nim typ tzw. „kamienicy", i wreszcie „kasztelowy".

Dwór wieżowy łączył funkcje mieszkalne, obronne i reprezentacyjne, jako symbioza trzech członów feudalnego zamku: domu mieszkalnego, wieży obronnej i sali recepcyjnej. Geneza tego układu sięga odległego czasu – po londyński White Tower (do 1071) – łącznie z funkcjonalnym przeznaczeniem poszczególnych kondygnacji na cele gospodarcze i obronne, dworskie, mieszkalne, reprezentacyjno-urzędowe, sakralne. Istotne znaczenie dla ukształtowania i spopularyzowania tego typu siedziby miały donżony, czyli wieże mieszkalne, a także bergfriedy (belfriedy), czyli słupy – wieże mające głównie znaczenie

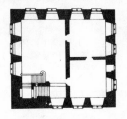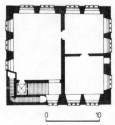

0   10

Benedykt Sandomierzanin, zamek królewski w Piotrkowie, plan I i II piętra

obronnego refugium; ta rozmaitość pierwowzorów zdaje się świadczyć o głębszej wspólnocie dążeń zleceniodawców i o funkcjonalnych zaletach tego rodzaju siedziby. W w. XIV i XV było to rozwiązanie obiegowe w całej Europie. Podobny typ, ewoluujący w kierunku powiększenia przestrzeni mieszkalnej, reprezentowany jest przez wieżowy pałac Jadwigi i Jagiełły na Wawelu, tzw. Pawilon Gotycki lub Kurzą Stopę (po 1386). Kolejny skok dokonał się na przełomie XV i XVI w., czego doskonałym przykładem w Polsce może

251 być królewski pałac w Piotrkowie. Przekształcenia zmierzały w kierunku nadania poszczególnym piętrom domu odmiennych funkcji, przy czym przyziemie ze składowo-obronnego stało się gospodarczym, pierwsze piętro zachowało charakter mieszkalny, na drugim piętrze – w miejsce izby strażniczej – pojawiła się sala reprezentacyjna, górna zaś kondygnacja zachowała swój charakter obronny. Wszystkie piętra połączone zostały wewnętrznymi schodami. Należy też wyjaśnić, że narożne baszty, ryzality itp. nie miały znaczenia wyłącznie obronnego, ale mieściły piony komunikacyjne, (*cubicula* (alkowy), *loci secreti* (ubikacje), kuchnie, kaplice itd. Czasem, w procesie redukcji, pomieszczenia mieszkalne łączone były z reprezentacyjnymi.

Zdaje się nie ulegać wątpliwości, że mamy tu do czynienia z modelem tradycjonalnym, a o jego konserwatyzmie świadczy m.in. to, że dopiero ok. połowy w. XVI pojawiają się w obrębie tych budowli motywy dekoracji renesansowej. Tradycjonalizm ów można tłumaczyć nie tylko trwaniem dawnego stylu mieszkania i utrzymywaniem się właściwego mu programu funkcjonalnego, ale także aktualnością ideowego znaczenia tego typu budowli, które da się sprowadzić do nadrzędności społecznej pozycji właściciela i użytkownika.

Położenie w r. 1512 przez Zygmunta I fundamentów pod wieżowy pałac w Piotrkowie miało znaczenie decydujące dla popularności i odrodzenia tego modelu rezydencji. Zbyt

często zapomina się o tym czwartym – obok zamku wawelskiego, kaplicy i nagrobka – dziele wzniesionym przez królewskiego fundatora.

Zbudowany w l. 1512–1519 przez Benedykta Sandomierzanina pałac wieżowy, świadoma redukcja zamku przynależnego suwerenowi, był przede wszystkim wyrazem nadrzędnej pozycji monarchy wobec zbierającego się w Piotrkowie sejmu rzeczypospolitej szlacheckiej, sformułowanym w języku artystycznym świadomie tradycyjnym, trafiającym do każdego.

Dla dziejów wieżowego dworu w Polsce miał Piotrków znaczenie wzorca odradzającego i aktualizującego z wielką siłą model dawny, potwierdzającego jego użyteczność praktyczną i sens ideowy. Pałac powtarzał bowiem zwykły dla tych budowli program użytkowy. Założony na rzucie kwadratu, czterokondygnacyjny, z podziałem każdej kondygnacji na trzy wnętrza; dolna kondygnacja mieściła urządzenia gospodarcze i magazyny, kondygnacja druga – mieszkanie dla urzędnika, trzecia – mieszkanie dla króla, na najwyższej zaś mieściły się wnętrza reprezentacyjne. Kondygnacje połączone były wewnętrzną, wygodną klatką schodową.

Powołanie do wykonania tego dzieła mistrza Benedykta wydaje się bardzo znamienne. Powstawały dla króla równocześnie dwie rezydencje, realizowane w dwu odmiennych modusach – włoskim i północnym. Powierzenie wkrótce potem Benedyktowi prowadzenia budowy zamku wawelskiego jest ważnym dowodem akceptacji jego piotrkowskiego dzieła ze strony króla.

Wieża piotrkowska nie była przecież budowlą gotycką. Wskazuje na to choćby stosunek powiększonych otworów okiennych do ścian, wprowadzenie równomiernego światła do wnętrz – decydującego o ich charakterze – jak też nadanie większego niż dotychczas znaczenia funkcjom mieszkalnym. Novum stanowi także całościowe traktowanie elewacji.

Dzieło to otwiera całą serię podobnych budowli, nie zawsze zresztą realizujących ten sam program. Przebudowana w r. 1518 wieża przybramna w należących do Górków Szamotułach – nie będąca zresztą domostwem – doprowadziła do utworzenia w górnej kondygnacji tej głównie obronnej budowli reprezentacyjnego wnętrza z widokowym wykuszem. Także w wyniku przebudowy powstała wieża w Wojciechowie, o bardzo skromnym, uproszczonym programie mieszkalnym, i odbudowana przez Kościeleckich przed r. 1565 wieża obronno-mieszkalna w Jasińcu Nowym na Pomorzu.

Około r. 1560 powstaje dwór Rafała Leszczyńskiego w Gołuchowie, niegdyś jedna z najznakomitszych rezydencji w dobie renesansu w Polsce. Na planie prostokąta, czterokondygnacyjny, z ustalonym już trójpodziałem kondygnacji, z czterema ośmiobocznymi basztami narożnymi, mieszczącymi alkierze. Dwór ten wyróżniał się bogactwem programu architektonicznego, a pierwotnie także detalu dekoracyjnego. Jak się wydaje, w dziele tym funkcje mieszkalne ustępowały na plan dalszy wobec reprezentacyjnych i obronnych. Potężne baszty narożne – przy wydłużonym kształcie wyniosłej całości – i obecność ganków strzelniczych nadawały temu dziełu wyjątkowo czytelny charakter budowli rycersko-zamkowej.

Powstawały oczywiście także dzieła znacznie skromniejsze, czego dobrym przykładem może być dwór w Jeżowie w swej pierwszej fazie (do ok. 1525), czterokondygnacyjny, ale o dwóch tylko wnętrzach w każdej kondygnacji. Dopiero ok. r. 1544 powiększono go niemal dwukrotnie w planie, zmniejszając równocześnie wysokość. Tego rodzaju prostych siedzib powstawało wiele, a niektóre z nich znajdowały się na pograniczu wież gospodarczych, jedynie przystosowanych do mieszkania.

Osobny, choć pokrewny typ stanowi „kamienica" – budowla zwykle jednopiętrowa, pozbawiona zatem charakteru wieżowego, o planie powtarzającym model wieży; może być uznana za redukcję modelu poprzedniego. Ale równocześnie kamienica jest często – biorąc pod uwagę faktyczne dzieje konkretnych obiektów – rozwinięciem najprostszych siedzib, czego dobrym przykładem jest Jeżów II. Uproszczony w pewien sposób program użytkowy łączył się często także ze zmianą ogólnego charakteru budowli: obniżona w stosunku do domu wieżowego o dwie kondygnacje, zatraciła „kamienica" swój dawny feudalny charakter zamkowy i stała się przez to bliższa systemowi proporcji ukształtowanemu na gruncie estetyki renesansowej, a w całości – budowlom willowym.

Za przykład takiej kamienicy może służyć dwór w Łopatkach, datowany na drugą ćwierć XVI w., powtarzający dość ściśle plan pałacu w Piotrkowie i przypisywany zresztą warsztatowi Benedykta, oraz dwór w Jakubowicach (ok. 1550), reprezentujący wyjątkowo dobry poziom architektury i detalu.

Trzeci wreszcie typ stanowi kasztel, którego południową wersję reprezentuje najlepiej dwór w Szymbarku nad Ropą, wzniesiony dla rodziny Gładyszów. Jest to dzieło oryginalne i w Polsce odosobnione, powstałe ok. połowy w. XVI, zwieńczone attyką w końcu stulecia. Dwór zbudowany na wydłużonym, prostokąt-

nym planie, z trójdzielnym podziałem wnętrz, dwukondygnacyjny, podpiwniczony, ma wtopione w naroża alkierze, wsparte na nieco mniejszych stopach. Alkierze te służyły celom mieszkalnym i widokowym, ale także obronnym. Zaopatrzone w machikuły i strzelnice, w parterowych stopach mieściły komory i, zapewne, skarbiec.

Interesujące, choć proste funkcjonalnie rozwiązanie kasztelu szymbarskiego nie zostało uzupełnione bogatymi formami detalu rzeźbiarskiego; o urodzie obiektu decyduje przede wszystkim urozmaicający bryłę system alkierzy i attyka, która – być może – zastąpiła pierwotny krenelaż. Podobnie jak w Gołuchowie, względy reprezentacji górują tu nad wygodą mieszkania. W sumie jest to dzieło archaizujące. Genetycznie wywodzi się zapewne z budowli kasztelowych północnych Włoch, przy czym attyka i zastosowanie dekoracji sgraffitowej ma źródła spiskie.

Drugą odmianę kasztelu reprezentuje dwór kapituły biskupiej w Pabianicach, dzieło Wawrzyńca Lorka, z l. 1565–1571. Jest to budowla jednopiętrowa, założona na planie kwadratu, z dwoma alkierzami na przekątnej i z ryzalitem pośrodku krótszego boku. Nader charakterystyczne jest opięcie elewacji szkarpami, na których wspiera się wysoka attyka, kryjąca pogrążony dach. Kondygnacje dzielą się na cztery wnętrza w dwu traktach, z szerszym traktem frontowym, z dekorowaną polichromią „wielką sienią" i reprezentacyjną „izbą stołową". W dziele tym uderza wysunięcie na plan pierwszy funkcji mieszkalnych. Słusznie zauważono, że genetycznie wiąże się ono z architekturą renesansowych kościołów mazowieckich z kręgu Jana Baptysty z Wenecji, na co wskazuje zwłaszcza rodzaj rozczłonkowania elewacji, stosowany przez Wenecjanina we wnętrzach tych kościołów.

Typ murowanego dworu wieżowego i kamienicy utrzymuje się długo jeszcze w w. XVII – mimo ukształtowania się nowej koncepcji siedziby o kompozycji osiowej reprezentowanej przez twórczość Santi Gucciego. Jako przykłady tego trwania możemy wymienić tzw. Wieżę Firlejów w Broniewicach czy lamus w Branicach (ok. 1603), powstały zresztą w warsztacie S. Gucciego. W manierystycznej interpretacji pojawiła się koncepcja kamienicy w dworze w Poddębicach (1610–1619).

Przedstawione tu główne typy siedziby szlacheckiej przeżyły swój rozkwit w dwóch środkowych ćwierciach XVI w., a zatem w okresie pełnego rozkwitu demokracji szlacheckiej; mogą być też najlepiej w tym kontekście społecznym rozważane.

Inaczej kształtowała się sytuacja w odniesieniu do drugiego tematu sztuki renesansowej w Polsce, do kaplicy-mauzoleum.

Kaplica-mauzoleum należy do najbardziej charakterystycznych zjawisk polskiego pejzażu artystycznego doby nowożytnej. Zrealizowana po raz pierwszy jako obiekt z fundacji królewskiej, przeżywa swoje apogeum na przełomie XVI i XVII w., trwa jednak po w. XVIII i XIX, przechodząc różne zmiany w aspekcie funkcji, progamu ideowo-artystycznego związanego ze społeczną pozycją fundatorów, typu architektury i wystroju, charakteru stylowego, powiązań warsztatowych.

Wzór zygmuntowski był dziełem szczególnym ze względu na złożoność programu i język artystyczny, ad hoc dla tego dzieła utworzony. Mógł być naśladowany przez fundatorów nielicznych, najwyżej w hierarchii społecznej osadzonych, reprezentujących wysoki poziom kultury i dysponujących odpowiednimi zasobami materialnymi. Wydaje się niemal naturalne, że dalsza droga recepcji tego wzoru mogła być tylko drogą redukcji. Współcześnie już taką możliwość wskazał sam Berrecci w kaplicy biskupa Tomickiego (1524–1530). O ile w kaplicy Zygmuntowskiej konfrontacja podstawowych funkcji: sepulkralnej i liturgicznej, reprezentowanych przez pomnik nagrobny i ołtarz, występowała w bogatym kontekście ideowo-artystycznym, o tyle w kaplicy Tomickiego odbywa się ona na pozornie neutralnym tle sakralnej przestrzeni.

Nie licząc kaplicy Grobu św. w Miechowie (ok. 1530–1534), poza dwoma dziełami krakowskimi powstaje w pierwszej połowie XVI w. tylko wolno stojąca kaplica przy katedrze gnieźnieńskiej (po 1518 – przed 1523), fundowana przez prymasa Łaskiego, założona na kolistym planie, z trzema półkolistymi aneksami. Plan taki nie został później podjęty i chyba nie tu należy szukać wyjaśnienia odrębnego, wielobocznego planu kaplic grupy wielkopolskiej.

Z powstałych do r. 1590 ośmiu kaplic aż sześć ufundowanych zostało przez biskupów: Tomickiego i Maciejowskiego w Krakowie (ok. 1550), Noskowskiego w Pułtusku (1553–1554), Zebrzydowskiego (1562–1563) i Padniewskiego (po 1572–1575) w Krakowie, Uchańskiego w Łowiczu (1580–1583); trzy ostatnie są dziełami Jana Michałowicza z Urzędowa. Pozostałe dwie – to kaplica Zygmuntowska i kaplica miechowska.

O takim stanie rzeczy nie decydowała akceptacja humanistycznego programu kaplicy królewskiej przez dostojników kościoła. Program ten nie został przez nich podjęty. Doceniono natomiast trzy podstawowe cechy dzieł tego rodzaju: monumentalność, zdolność łączenia programu pomnikowo-sepulkralnego z liturgicznym oraz akcentowania indywidualności fundatora. Wobec niezachowania się wystroju większości, zwłaszcza wcześniejszych kaplic, trudno odpowiedzieć na pytanie, w jaki sposób były konkretyzowane i rozwijane podstawowe funkcje tych dzieł. Dziś dominują w nich pomniki nagrobkowe, ale analiza np. pełniej zachowanego malarskiego wystroju kaplicy pułtuskiej świadczy, jak silnie rozwinięty był program liturgiczny, zespolony z programem sepulkralnym. Nad nie zachowanym ołtarzem znajdowała się scena „Sądu Ostatecznego", w ołtarzu – obraz „Opłakiwanie Chrystusa", a winna latorośl na kopule, symbolizującej ład kosmosu, trwający dzięki ofierze Chrystusa, odnosi się bezpośrednio do ofiary i eucharystii; łączy się to z przechowywaniem w kaplicy Sakramentu św. i z wątkiem sepulkralnym, zaznaczonym wyraźnie przez ustawienie naprzeciw wejścia monumentalnego nagrobka fundatora. Także ujawnione niedawno w kaplicy Zygmuntowskiej wątki „retrospektywne" nie istnieją w oderwaniu od „prospektywnych"; charakterystyka osoby króla i jego czynów stanowi uzasadnienie zbawienia, osiągalnego poprzez Kościół, nie bez pomocy liturgii.

W ciągu następnych czterdziestu lat powstało około 80 kaplic, przy czym między l. 1590 i 1600 – 12, a w następnych dziesięcioleciach – 23 do 26. Są to liczby znaczne. Wznoszone kaplice reprezentowały różne odmiany: występowała więc rzadsza wersja tamburowa, powtarzająca układ kaplicy Zygmuntowskiej (np. kaplica Myszkowskich w Krakowie, Tęczyńskich w Staszowie), oraz wersja beztamburowa (nawiązująca do kaplicy Tomickiego); ta ostatnia pojawiała się znacznie częściej – dla przykładu wymienimy kaplicę 26 Firlejów w Bejscach, P. Marii we Włocławku, Branickich w Niepołomicach, Lubomirskich w Krakowie. W kaplicy Boimów we Lwowie 25 pojawiło się wyjątkowe rozwiązanie – z po- 26 zornym tamburem. Występuje on jedynie w elewacjach zewnętrznych, co zapewniło dziełu bardziej klasyczne proporcje. We wnętrzu natomiast kopuła wsparta jest bezpośrednio na pendentywach, osadzonych na znacznej wysokości, przez co uzyskano manieryczną smukłość przestrzeni kaplicy i większy stopień dematerializacji kopuły – nieba.

Kaplice stanowiły początkowo element suwerenny w stosunku do wnętrza kościoła – otwarte doń, w zasadzie nie korespondowały z układem całości. Zmienia się to z chwilą pojawienia się par kaplic, które stanowią bądź nakryte kopułami zamknięcia naw bocznych, bądź – w kościołach jednonawowych zwłaszcza – jak gdyby zajmują miejsce transeptu. W obydwu przypadkach ich rola w organizacji przestrzeni całości była znaczna; odpowiadając tendencjom współczesnej architektury manierystycznej, prowadziły do swoistych efektów przestrzennych: do niespodzianego rozbudowania wnętrza wszerz i wzwyż, akcentowanego przez bogate wyposażenie kaplic, oraz do szczególnych efektów świetlnych, związanych m.in. z wprowadzeniem w tych partiach światła poprzez latarnię kopuły.

Do najwcześniejszych przykładów tego typu rozwiązań należy para kaplic przy kościele parafialnym w Małogoszczy (ok. 1595 i ok. 1602) czy przy kościele Reformatów w Pińczowie (przed 1615–1621), gdzie jednak związek z wnętrzem jest jeszcze bardzo słaby. Inaczej dzieje się w projektowanym przez Jana Jaroszewicza kościele parafialnym w Turobinie (ok. 1620–1623), gdzie wykonane przez Jana Wolffa kaplice otwierają się szerokimi arkadami do nawy, a zwłaszcza w Uchaniach (ok. 1625, również J. Jaroszewicz i J. Wolff), gdzie dużych rozmiarów sześcioboczne kaplice złączone są z zachodnią partią chóru; w obydwu przypadkach kaplice zostały włączone w przestrzeń kościoła; łączność tę podkreśla wspólna dla całości bogata dekoracja stiukowa.

O znaczeniu i upowszechnieniu tej formy architektonicznej świadczy zastosowanie jej przy budowie krucht zachodnich, np. w kościele podominikańskim w Klimontowie (1617–1620). Jest to nawiązanie do średniowiecznego zwyczaju pochówku w krucht, będącego wyrazem pokory lub aktem pokutnym, wypływające z kontrreformacyjnej religijności.

Proces redukcji dotyczył także wystroju wnętrza i w skrajnych przypadkach prowadził do zupełnego usunięcia dekoracji rzeźbiarskiej, jak np. w kaplicy Tęczyńskich w Staszowie (ok. 1610–1618), lub do pozostawienia tylko nisz z posągami, jak np. w kaplicy Tarnowskich w Łowiczu (1609–1611). Ważne są przemiany dotyczące ideowych programów kaplic. Czasem są to mauzolea i zarazem miejsca gloryfikacji rodu, jak np. kaplica Myszkowskich w Krakowie, dzieło warsztatu S. Gucciego: w dolnym kręgu kopuły, a więc już w strefie niebiańskiej, wyróżnionej przez zastosowanie białego wapienia, pojawiły się popiersia członków rodu Myszkowskich. Wzór Galerii Antenatów w pałacu Gonzagów w Sabbionecie koło Mantui dotyczył tylko motywu, gdyż w Krakowie galeria wprowadzona została do wnętrza sakralnego. Wobec braku nagrobka główną treść kaplicy stanowią funkcja liturgiczna,

wyrażona najpełniej w Ołtarzu Zbawiciela, oraz gloryfikacja rodu jako zbiorowości. Przy tym rezygnacja z pomnika nagrobnego odebrała temu dziełu aspekt indywidualny, a zastosowanie form popiersi i wprowadzenie ich w strefę kopuły nadało owej gloryfikacji charakter chrześcijański, a nie laicki.

Jest to jednak przykład odosobniony. Regułę stanowi narastanie treści religijnych. W lwowskiej kaplicy Jerzego Boima (1609–1611, 259 konsekracja 1615) Jan Pfister wprowadza do kopuły popiersia proroków, ewangelistów, ojców Kościoła i aniołów, a w latarni umieszcza przedstawienie Trójcy św. Jest to zresztą dzieło wyjątkowo zapełnione religijnymi przedstawieniami, zarówno we wnętrzu, gdzie olbrzymi ołtarz sięga kopuły, górując nad epitafium rodziców fundatora, jak i na zewnątrz, co należy do wyjątków. Na elewacji zachodniej pojawia się niezwykle bogaty zespół przedstawień: w przyziemiu widnieją królowie i prorocy, ojcowie Kościoła i ewangeliści, wyżej – sceny cyklu pasyjnego, a na latarni – postać Chrystusa Frasobliwego, w redakcji ukształtowanej i spopularyzowanej w późnogotyckiej rzeźbie początku XVI w.; można uważać tę postać za przeciwieństwo

Gołuchów, dwór Rafała Leszczyńskiego, plan parteru i II piętra

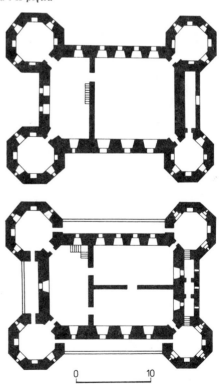

putta zdobiącego latarnię kaplicy Zygmuntowskiej. Autorem programu był zapewne dziekan kapituły katedralnej lwowskiej, Walenty Wargocki.

Rzeźba na fasadzie występuje także w drugiej słynnej kaplicy lwowskiej – rodziny Kampianów – rozpoczętej przed r. 1600, a kończonej w l. 1619–1629. Tu zdecydowanie wysuwa się na czoło program sepulkralny, o czym świadczy obecność dwu wielkich epitafiów we wnętrzu oraz umieszczenie na zewnętrznych elewacjach wybranych scen z cyklu pasyjnego i chwały Chrystusa po Pasji: „Złożenie do Grobu", „Zmartwychwstanie" i „Noli me tangere".

Nasuwa się refleksja, że o charakterze ideowo--artystycznym dzieła decyduje nie wzajemny stosunek wątku liturgicznego i sepulkralnego, ale ich szczegółowa interpretacja: w tym przypadku przewaga tego drugiego nie oznacza wcale glorii fundatora czy jego rodziny w aspekcie ziemskim i ma wszelkie cechy kontrreformacyjnej pobożności.

W początku XVII w. przedstawienia religijne decydują o programie kaplic, bez względu na społeczną pozycję fundatora. W kaplicy Opalińskich w Radlinie (ok. 1590–1605), we wnętrzu kopuły znajdowały się zapewne medaliony z prorokami; w kaplicy Gostomskich w Środzie Wielkopolskiej (ok. 1598–1602) w obramieniach stiukowych mieściły się malarskie motywy religijne i emblematy. W kaplicy Sieniawskich w kościele zamkowym w Brzeżanach (ok. 1619 – ok. 1627) – poza monumentalnym nagrobkiem i ołtarzem, wzniesionym w drugiej ćwierci XVII w. przez J. Pfistera – pojawia się niezwykle bogata dekoracja stiukowa kopuły (ok. 1640): w ośmiu plakietach i medalionach, na przemian prostokątnych i owalnych, otoczonych bogatym ornamentem, znalazły się przedstawienia świętych; wybór ich podyktowany został najpewniej dewocyjnymi upodobaniami Katarzyny Sieniawskiej – znamienny dla kontrreformacji wyraz indywidualizmu religijnych skłonności fundatorki.

Przeszło stuletni okres powstawania kaplic związany jest z ważnymi przemianami stylu, rozumianego jako rodzaj języka artystycznego; ten ramowy temat przechodzi mutacje renesansowe, manierystyczne i barokowe. Jest to mniej widoczne w przemianach kształtu architektonicznego, bardziej zaś wystroju rzeźbiarskiego.

Wzorzec kaplicy Zygmuntowskiej jest wyjątkowo trwały, mimo pojawienia się także innych koncepcji. Swoiście renesansowym charakterem odznacza się kaplica Kościeleckich w Kościelcu koło Inowrocławia: na rzucie prostokąta, nakryta sklepieniem lune-

towym, z attyką wieńczącą elewację. Wersja wieloboczna, która wystąpiła po raz pierwszy w kaplicy Drohojowskich przy katedrze w Przemyślu, w r. 1578, została rozwinięta w kilku kaplicach wielkopolskich: w Radlinie, Środzie i Żerkowie, przy czym decydujące znaczenie miał wzornik Serlia.

W zakresie architektury przemiany modelu zygmuntowskiego są początkowo nieznaczne. Proporcje wnętrza ulegają zmianie w kierunku większej smukłości, jak na przykład w Kodniu, w Uchaniach, czy w lubelskich kaplicach Firlejów, przy czym zmienia się także ramowa dyspozycja elewacji wnętrza: w miejsce klasycznego trójpodziału pojawia się pojedyncza arkada, ujęta w zdwojone podpory. Właściwie dopiero barok przyniesie istotne zmiany, kiedy to w kaplicy Zbaraskich pojawi się kopuła oparta na planie elipsy.

Ta rzucająca się w oczy trwałość podstawowego modelu związana była z odnoszeniem nowo tworzonych dzieł do wzorca wyjściowego. Miarą jego funkcjonowania w sferze ideowej było dość wierne powtórzenie w kaplicy Wazów przy katedrze krakowskiej zewnętrznego kształtu kaplicy Zygmuntowskiej – nie tylko dla stworzenia kompozycyjnego *pendant*, ale także dla wyrażenia przekonania o równorzędności obydwu dynastii.

Przemiany stylowe rysują się wyraźniej, gdy pod uwagę weźmiemy dekorację rzeźbiarską i jej stosunek do architektury. Przykład wawelski i pod tym względem był wyjątkowy. Kaplicę Zygmuntowską cechuje zresztą szereg antynomii, przeczących jej klasycznemu charakterowi na korzyść manieryzmu. W zupełnie inny świat wprowadza nas dekoracja kaplicy w Bejscach. Stosunek do płaszczyzny ściany jest tu pozbawiony owej harmonii i klasycznego umiaru, co widać zwłaszcza w sposobie osadzenia nagrobka, burzącego układ architektury. Klasyczny porządek został tu w znacznej mierze zamieniony na dekoracyjny. Istotne znaczenie ma sama rzeźba: dekoracja obrastająca i niszcząca strukturę architektoniczną, dynamiczna bujność ornamemtów uszu w partii impostowej, przenikanie się i zlewanie motywów architektonicznych, roślinnych i zwierzęcych, odrywanie się od architektonicznej podstawy i agresywne wręcz przenikanie w otaczającą przestrzeń (motywy roślinno-zwierzęce w partii naczółka), bogactwo motywów rollwerkowych, arabeskowych, girland i festonów. Wszystko to wprowadza nas w świat manierystycznej fantastyki, nieskrępowanej kanonami klasycznej estetyki renesansowej. Jest to zjawisko częste na przełomie XVI i XVII w. (kaplica P. Marii we Włocławku, Firlejów w Bejscach, kaplice lwowskie), ale równocześnie pojawia się tendencja przeciwna: akcentowanie klasycznego, czysto architektonicznego porządku, realizowanego czasem przy zastosowaniu wręcz płaskich i linearnych form, jak np. w kaplicy Lubomirskich w Krakowie czy Tęczyńskich w Staszowie. W kaplicy Myszkowskich czysty architektoniczny porządek dolnej partii skontrastowany jest świadomie z bogactwem ornamentyki i przedstawień figuralnych partii tamburu i kopuły.

Interesującym zjawiskiem jest swego rodzaju historyzm: pojawia się ornamentyka sprzed 50–70 lat, często wprost nawiązująca do dekoracji kaplicy Zygmuntowskiej; przykładem mogą być panoplia i pary delfinów na tamburze kaplicy Myszkowskich, czy arabeski w kaplicy św. Jacka w Krakowie, których nie można wytłumaczyć tylko długotrwałym korzystaniem z wzorników Serlia.

W zupełnie inny, rodzimy – jak zwykło się mówić – świat wprowadza nas stiukowa dekoracja kaplic w Uchaniach, Turobinie, Lublinie, Leżajsku, Kazimierzu Dolnym i wielu innych w południowo-wschodniej części Rzeczypospolitej; mające renesansową genezę geometryczne formy, złączone we wspólną siatkę kół, owali, prostokątów, wieloboków, serc, gwiazd i ich części, obwiedzione stiukowym wałkiem dekoracyjnym, czasami wzbogacone motywami heraldyki, wypełniają sferyczne płaszczyzny kopuł.

Wreszcie pojawia się operowanie kolorystycznym kontrastem użytych marmurów, według nowych założeń estetyki kontrreformacyjnej i barokowej, jak np. w kaplicy Zbaraskich przy kościele Dominikanów w Krakowie.

W końcu XVI w. zmienia się sfera fundatorów i – często – intencja budowy kaplicy. Wczesne fundacje miały zwykle charakter osobisty; wiązały się też ze społeczną pozycją zleceniodawcy, a zwłaszcza jego przynależnością do elity duchowieństwa. Obecnie pojawiają się fundacje dla osób trzecich, zwłaszcza dla różnych bractw religijnych. Wyjątkowo są to fundacje wyższego duchowieństwa, dominują natomiast obiekty wznoszone przez przedstawicieli najwybitniejszych rodów szlacheckich, takich jak Braniccy, Tęczyńscy, Lubomirscy, Myszkowscy. Właściwie można mówić o rozpowszechnieniu się dopiero w tym czasie idei kaplicy w społeczności szlacheckiej; równocześnie trzeba zauważyć, że nastąpiło to jedynie w obrębie najwyższych sfer.

Trzecim najbardziej popularnym typem sztuki był nagrobek – pomnik sepulkralny, którego rozwój wypełnia niemal całkowicie dzieje rzeźby polskiej w dobie renesansu, manieryzmu i wczesnego baroku. Ważne są przy tym zarówno odmiany, proporcje liczbowe, jak i swoista stratygrafia socjalna nagrobków.

Główne typy pomników sepulkralnych w Polsce to: nagrobek z postacią stojącą, z postacią leżącą (w dwóch podstawowych odmianach: tradycyjnej i tzw. sansovinowskiej), dość wyjątkowo pojawiający się nagrobek z postacią siedzącą, dalej typ popiersiowy i medalionowy, dość późno pojawiający się i zyskujący z czasem na popularności nagrobek z postacią klęczącą, wreszcie epitafium ze sceną religijną.

Nagrobek z leżącą postacią zmarłego w wersji tradycyjnej reprezentował dwa główne warianty: przedstawiał postać zmarłego jako żywą, z otwartymi oczyma, czasem z innymi symptomami życia – nawiązując w ten sposób do gotyckiej tradycji środkowoeuropejskiej – lub też zmarłą, w bezruchu i z zamkniętymi oczyma – o genezie włoskiej. Reprezentowany jest przez nieliczne przykłady, głównie z pierwszych dziesiątków XVI w. Wariant północny stanowią np. nagrobki biskupa Konarskiego i biskupa Lubrańskiego w katedrze wawelskiej, natomiast włoski – nagrobki rycerskie powstałe w warsztacie de Gianotisa. Podział ten jest charakterystyczny i świadczy nie tyle o konserwatyzmie sfer kościelnych, ile o chęci eksponowania symbolicznych treści religijnych, których rzeczowe ujęcie wariantu drugiego jest pozbawione.

Nagrobek z postacią stojącą to w Polsce odmiana zanikająca, związana z feudalną tradycją gotycką, w w. XVI kontynuowana głównie w postaci importowanych płyt brązowych, pochodzących z norymberskiej pracowni Vischerów, w rzeźbie kamiennej reprezentowana przez wyjątkowe przykłady z Wielkopolski. Rzecz znamienna, że na terenie pobliskiego Śląska jest to niezwykle popularny typ nagrobka rycerskiego, występujący w setkach egzemplarzy. Zauważone ostatnio związki wielkopolskich dzieł tego rodzaju z reprezentacyjnym portretem en pied pozwalają sądzić, że był to pomnik najbardziej odpowiadający tradycyjnym wyobrażeniom o gloryfikacji, heroizacji, eksponowaniu laickich wartości człowieka, że stwarzał najlepsze możliwości ujęcia zarazem reprezentacyjnego i portretowego. Towarzyszące partii figuralnej obramienie mogło pomieścić różne programy akcydentalne, stwarzało możliwość łączenia dzieł w zespoły. Nierozwinięcie się tego typu nagrobka w Polsce, mimo istniejących precedensów w kraju i w środowiskach sąsiednich, domaga się wyjaśnienia.

Nagrobek z postacią siedzącą, reprezentowany przez pomniki Kryskich w Drobiniu, należy do zjawisk wyjątkowych. Powstał pod

258
267
265

wpływem florenckich grobowców Medyceuszy Michała Anioła i zdradza podobny, alegoryczny charakter. Podjęcie tej koncepcji można wyjaśnić tylko konkretnymi, osobistymi zainteresowaniami i możliwościami fundatorów.

Typ popiersiowy stanowi *novum* w obrębie nagrobków renesansowych, choć jego geneza sięga przynajmniej zjawisk protorenesansu i wczesnego humanizmu włoskiego. Rozwinął się jako pomnik humanistów – poetów i pisarzy. Na terenie Polski pojawił się dość późno, przy tym głównie w kręgu patrycjatu miejskiego (reprezentowany np. przez zespołowe nagrobki krakowskich rodzin Montelupich i Cellarich); także jako pomnik średniego duchowieństwa katedralnego i kolegiackiego, wreszcie jako nagrobek dla humanistów (np. Jana Leopolity, zm. 1572, w Krakowie). Pozornie tylko stanowiąc redukcję pomnika zmarłego w pełnej postaci – miał bowiem odrębne źródła w antyku rzymskim – różnił się od tego rodzaju pomnika osłabieniem wartości reprezentacyjnych i zaakcentowaniem, poprzez ujęcie portretowe, osobowości zmarłego.

Ważną cechą nagrobka popiersiowego lub ukazującego postać zmarłego w półfigurze było zmniejszenie dystansu w stosunku do widza, eliminacja granicy estetycznej między rzeczywistością sztuki a rzeczywistością świata realnego. Pozbawiony wszelkich aluzji do śmierci, był przez swoją obiektywną rzeczowość wyrazem swoistej gloryfikacji osobowości ludzkiej, niejako wyłącznie ze względu na jej walory duchowe, na sposób prawdziwie humanistyczny. Jeśli typ ten nie rozwinął się w Polsce silniej, to przyczyną tego był jego związek z określonymi warstwami społecznymi; mieszczaństwo polskie przeżywało bowiem wówczas kryzys, a aspiracje humanistyczne należały do zjawisk raczej wyjątkowych. Przy tym odrodzenie religijności mieszczańskiej, czy to w duchu katolickim czy protestanckim, najpełniej wyraziło się w rozwoju epitafium.

Nagrobek z przedstawieniem medalionowym, stosunkowo rzadki, wiązany z działalnością warsztatu Santi Gucciego, nie jest bynajmniej redukcją poprzednio omówionego typu. Charakteryzuje się szczególnie pomnikowym względem – dzięki stylizacji przedstawienia *all' antica* i umieszczeniu go na *par excellence* pomnikowej formie – symbolizującym wieczność obelisku.

Niezwykłą wręcz popularność zyskał sobie nagrobek typu „sansovinowskiego", występujący w dwu wariantach, jakie reprezentują wawelskie nagrobki króla Zygmunta i biskupa Tomickiego. Szczególną odmianą tego na-

grobka stał się nagrobek podwójny, a wyjątkowo nawet potrójny, zwykle rodzinny, zwłaszcza braterski i małżeński. Pierwszym zachowanym przykładem tego rodzaju jest nagrobek Kościeleckich w Kościelcu, koło Inowrocławia, z ok. 1559 r.

Przedstawianie uśpionych postaci w pozie swobodnej czy wręcz niedbałej – zwykle dalekiej od dworskiej elegancji – pojedynczo lub parami i umieszczanie ich na jednej lub dwu osobnych płytach, pierwotnie w bogatym obramieniu architektoniczno-dekoracyjnym, stało się zjawiskiem typowym. Częstotliwość występowania jest znaczna, choć liczba tego rodzaju nagrobków nie przekracza dwustu.

Nagrobek typu „sansovinowskiego" fundowany był przede wszystkim dla feudałów świeckich, rzadziej kościelnych, a wówczas raczej dla biskupów niż średniego duchowieństwa. Powiększająca się w drugiej połowie XVI w. liczba zamówień była przyczyną „towarowego" wytwarzania tych dzieł – produkcji „na zapas" z grubsza opracowanych posągów, następnie wykańczanych odpowiednio do konkretnego zamówienia.

Tylko najbardziej wykształceni, a tych nie było wielu, zdawali sobie sprawę z głębokiego i złożonego sensu tego rodzaju przedstawień. Powstaje zatem pytanie, w jakim zakresie dzieła te funkcjonowały wobec przeciętnego odbiorcy i jakie przyczyny spowodowały, że ten typ pomnika stał się popularny. Wydaje się, że decydującą przyczyną była chęć naśladowania pomnika królewskiego, jako wyraz kształtowania się demokracji szlacheckiej, przekonania o szlacheckiej równości, o wspólnocie klasowej – program tak silnie akcentowany w pismach politycznych Stanisława Orzechowskiego.

Prawidłowość społeczno-artystyczna wyraża się w podjęciu tego typu dzieł początkowo przez biskupów i przedstawicieli najmożniejszych rodów, np. Tarnowskich, a następnie dopiero przez rody pomniejsze. Także zanik tego rodzaju nagrobka w początkach w. XVII miał przyczyny polityczne, zresztą bardzo złożone: z jednej strony wiązał się z osłabieniem demokracji szlacheckiej za Zygmunta III, z drugiej – z nasileniem się kontrreformacyjnych nastrojów religijnych, których wyrazem w zakresie rzeźby sepulkralnej stał się nagrobek z postacią klęczącą.

Popularyzacja typu „sansovinowskiego" nie prowadziła do pogłębienia jego najważniejszych treści; funkcjonował on właściwie w innej płaszczyźnie. Uderza w tych dziełach brak indywidualizacji na korzyść typizacji (zakuta w zbroję postać rycerza prezentuje przede wszystkim określony stan społeczny), także uogólniony typ twarzy, bardzo do siebie

266
237
224

podobnych, o charakterystycznym wyrazie „zbrojnego męża". Komentarz alegoryczny jest zwykle bardzo skromny, uniwersalny i banalny: obejmuje alegorie cnót teologicznych, i moralnych, symbole *Vanitas*. Wyjątkiem – niemal jedynym pod tym względem – jest pojawienie się na nagrobku Tarnowskich w Tarnowie obok personifikacji *Iustitii* i *Prudentii* także *Victorii* i *Glorii*, w kontekście dodanych później reliefowych przedstawień wojennych czynów hetmana.

Stereotyp panuje także w nagrobkach kobiecych, w których pojawia się typ pobożnej matrony, pozostający zresztą w pewnej sprzeczności ze swobodną, niemal frywolną pozą, będącą konsekwencją dość ścisłego powtórzenia układu postaci męskich. Jedynym niemal odstępstwem od tej reguły jest
270 posąg Barbary z Tęczyńskich Tarnowskiej, w którym piękno kobiece ujęte zostało w harmonijny kanon klasyczny, o łatwo widocznym nawiązaniu do tematu śpiącej Wenus, którego dzieło tarnowskie jest ikonograficznym przekształceniem.

Nagrobki z figurami klęczącymi w pozie modlitewnej, z rękoma złożonymi do modlitwy, pojawiły się w Polsce dopiero pod koniec w. XVI, rozwinęły zaś w pierwszej połowie XVII w.; wznoszone głównie dla duchowieństwa, stopniowo wyparły nagrobek typu sansovinowskiego. Brak popularności nowego rodzaju nagrobka wśród szerokich rzesz szlacheckich spowodowany był tym, że nie spełniał on dotychczasowych oczekiwań: nie był nagrobkiem „królewskim" i nie zawierał dawnych treści pomnikowych.

Nagrobek z figurą klęczącą występował w dwu zasadniczych odmianach: pierwsza charakteryzowała się ujęciem postaci w profilu, na płaskim tle, w architektonicznym obramieniu; druga – ujęciem figury jako oranta *en face*. Rozwinęła się niemal wyłącznie pierwsza odmiana, zwykle zresztą w wersji reliefowej lub półplastycznej, a wyjątkowo tylko w wersji pełnoplastycznej, której przykład mogą stanowić nagrobki Kosów w Oliwie czy Bahrów w Gdańsku. Dominują układy asymetryczne – gdy klęcząca postać zwrócona jest w bok ku przedstawionemu przedmiotowi dewocji, ale zdarzają się także symetryczne – gdy dwie postacie klęczą po obu stronach krucyfiksu; takie ujęcie zbliżone jest do przedstawień epitafijnych.

Przedstawienie postaci klęczącej *en face* należy do wyjątków; przykładem jest nagro-
272 bek prymasa Wojciecha Baranowskiego (zm. 1615) w Gnieźnie. Różnica nie sprowadza się tylko do zagadnień kompozycji plastycznej: ujęty *en face* klęczący orant prezentuje się wprawdzie widzowi, ale zwrócony jest ku

wszechobecnemu Bogu, z którym łączy go bezpośredni, wewnętrzny kontakt; dlatego zbyteczne staje się wprowadzenie przedmiotu dewocji, np. Ukrzyżowania. Geneza tego ujęcia jest włoska; kontekst ideowy, w którym powstawały te pomniki, uległ zasadniczej przemianie. Główną treścią tych dzieł jest nie neoplatońska parabola o śmierci-śnie, ale realny, retrospektywny obraz człowieka zatopionego w nieustającej modlitwie, cechującego się pobożnością, stanowiącą najpewniejszy środek wiodący ku zbawieniu. Zbyteczne jest dodawać, jak bardzo oddalono się od postawy ideowej renesansu.

Związek sztuki polskiej z klasyczną estetyką włoskiego renesansu był słaby i nie trwał długo. Wyraził się w nielicznych dziełach, z których niemal każde było w pewien sposób skażone. Sytuacja taka panowała w wielu krajach poza Italią, które szybko odchodziły od krępującej koncepcji klasycyzmu, będącego dorobkiem sztuki włoskiej, jej humanizmu i archeologicznego scjentyzmu oraz rozwijającej się tam filozofii neoplatońskiej. Na Północy wcześnie stwierdzono nieprzydatność klasycyzmu dla wyrażenia własnych idei i postaw; nie był tu zresztą z trudem osiąganym ideałem, lecz gotowym darem, który można było potraktować jedynie jako wartość w przejściowym etapie kształtowania własnej koncepcji sztuki. Z tych powodów, choć niemal w każdym powstającym wówczas dziele można stwierdzić obecność składnika italskiego, sztuka Północy stopniowo zyskuje swój odrębny wyraz.

We Włoszech w w. XVI główną rolę odgrywał manieryzm – kierunek w tym samym stopniu teoretyczny, co i artystyczny, preferujący subiektywizm, wizyjność, fantazję (*disegno interno*), wirtuozerię (*disegno artificiale*), swobodny stosunek do natury, do wszelkich norm (zwłaszcza właściwych klasycznemu antykowi, obok którego odkryto już przeciwstawny antyk hellenistyczny), prawo swobodnego wyboru środków wyrazu – tak linii jak i barw – wyboru płaszczyzny lub głębi, dynamiki lub statyki, form skomplikowanych lub prostych, przy czym właśnie operowanie kontrastem, odwrócenie istniejących czy dotychczas uznawanych porządków zyskiwało szczególne znaczenie.

W przeciwieństwie do renesansu nie był manieryzm w Polsce kierunkiem propagowanym przez wielkiego mecenasa i podległy mu warsztat artystyczny. Pojawił się w czasie, gdy nastąpił ilościowy rozwój sztuki – w drugiej połowie wieku, a zwłaszcza ok. r. 1600, gdy rozszerzył się znacznie krąg fundatorów i obok dworu krakowskiego na wielką skalę rozwinęła się mecenasowska działalność magnaterii, Kościoła i duchowieństwa, miast i mieszczaństwa. Poszerzył się wówczas geograficzny zasięg działalności artystycznej i obok Krakowa znaczną aktywność przejawiać zaczęły i inne środowiska, m.in. miasta na wschodzie Polski (z Lwowem i Lublinem na czele) i Gdańsk na północy; odrębność swą zaznaczyła też Wielkopolska, ponadto nastąpił rozwój Warszawy i Mazowsza jako środowiska artystycznego.

Obok licznych Włochów pojawiają się jako równorzędni partnerzy artyści z krajów północnych – Niderlandczycy i Niemcy (zwłaszcza z terenu Saksonii), zaopatrzeni w znakomite wzorniki Cornelisa Florisa, Vredemana de Vries, Salomona de Bros i in., dysponujący niezwykłą biegłością techniczną, przyzwyczajeni do stosowania nowych materiałów, takich jak np. miękki alabaster, który zwykło się także złocić i polichromować, oraz wielobarwne marmury; twórcy to niezwykle dynamiczni, zaradni, ruchliwi. Wreszcie zaczynają pojawiać się także artyści miejscowi, znani z imienia, jak Jan Michałowicz, Jan Wolff, Jan Jaroszewicz, Jakub Balin, W. Lorek, S. Czeszek, J. Trwały, J. Biały, J. Zaręba, S. Świętkowicz, S. Kulik-Wędzimucha, W. Stefanowski, J. Szwankowski i in. wybijający się z masy twórców cechowych. Powstają też dzieła wielu artystów, których zadaniem było powielanie w miarę swych umiejętności, zwykle dość miernych, posiadanych lub podsuwanych wzorów znanych i uznanych.

Wszystko to spowodowało wielkość inicjatyw i kierunków artystycznych, ale równocześnie było przyczyną znacznego zróżnicowania poziomu wykonania. Nie można mówić o wspólnocie stylowej tego czasu, zwłaszcza że w dobie kulminacji różnych odmian manieryzmu czy tzw. nurtów „rodzimych”, „odrodzenia gotyku” w architekturze i rzeźbie „ok. r. 1600” – pojawia się sztuka baroku, o zupełnie odmiennym programie ideowym i artystycznym: powadze jej treści towarzyszy nowa architektoniczność, zwarta i monumentalna, nowe kształtowanie formy plastycznej, kolorystyki i przestrzeni, nowe typy budowli sakralnych i rzeźby pomnikowej. Jest to sztuka przystosowana do pełnienia funkcji liturgicznych i wyrażania treści kontrreformacyjnych.

Architektura baroku, która w ciągu w. XVII zyskała pełną supremację, ok. r. 1600 nie była jeszcze nurtem wiodącym. Nie stanowiła nawet kontrpropozycji, gdyż nie pozostawała w opozycji do innych nurtów artystycznych. Nad treściami sztuki kościelnej czuwał popierany przez państwo Kościół; w płaszczyźnie artystycznej taki autorytet nie istniał.

Złożoność sytuacji powiększało pojawienie się z jednej strony kierunku niderlandzkiego, w różnych zresztą wersjach, z drugiej – zróżnicowanie nurtu italskiego, do niedawna jeszcze wyłącznie florenckiego, a teraz także wenecko-lombardzkiego: artyści z tzw. Kraju Jezior, tzn. z Lombardii, poprzez Śląsk, Poznań, Warszawę docierali aż do Lwowa. Nie tak perfekcyjni jak florentczycy, za to bardziej elastyczni, wnosili nowe wartości; zawsze gotowi respektować miejscowe tradycje i spełniać życzenia fundatora, przyczynili się do rozwoju odmian prowincjonalnych, a ich współpraca z fundatorami i miejscowymi artystami czy rzemieślnikami prowadziła do wytworzenia się pewnej swojskości czy rodzimości powstających dzieł sztuki.

Tolerancja religijna utrzymywała się w Polsce długo, mimo oficjalnego przyjęcia wskazań soboru trydenckiego. Architektura żydowskich bóżnic – po raz pierwszy uzyskujących tak pełny wyraz architektoniczny – nie miała może większego znaczenia, ale ideologia protestancka, luterańska i kalwińska wywarły silny wpływ na sztuki przedstawiające w środowisku gdańskim, toruńskim oraz w Wielkopolsce, doprowadzając do wytworzenia się odrębnych tematów i typów dzieł sztuki. Przy tym, o ile sztuka katolicka, korzystając głównie ze sztuki italianizującej, sięgała także do kierunków niderlandyzujących, o tyle sztuka protestancka niemal wyłącznie wyrażała się poprzez te ostatnie. Przyczyny tego były złożone, ale przede wszystkim wiązały się z napływem niderlandzkich dysydentów, którzy szukali schronienia w tolerancyjnej Polsce, korzystając z opieki możnych mecenasów; przybysze ci przynosili ze sobą zarówno wzory plastyczne, jak i gotowe schematy ikonograficzne, odpowiadające ideowym potrzebom sekt innowierczych, a zwłaszcza programy starotestamentowe i alegoryczne. Ważną rolę odegrał w tym procesie Gdańsk – będący równocześnie środowiskiem luterańskim i katolickim – poprzez swoje kontakty z Niderlandami, a także Śląsk.

Na złożoność sytuacji wpływały również czynniki społeczne: sztuka niderlandyzująca, służąca ideologii protestanckiej, szerzyła się przede wszystkim w środowiskach mieszczańskich, skupiających zwolenników nowej wiary, podczas gdy klasa feudałów – generalnie rzecz biorąc, trwająca przy katolicyzmie – związana była raczej z nurtem italianizującym. Nałożyły się na to jeszcze podziały etniczne i powiązania rodzinne: mieszczaństwo Krakowa, w poważnej części pochodzenia niemieckiego, łączyły silne związki z protestanckim mieszczaństwem Śląska, a podobne powiązania miał Gdańsk i nawet

Lwów. Należy także wziąć pod uwagę zróżnicowania topograficzne: np. występowanie luterańskich skupisk szlachty w Wielkopolsce, z Górkami i z Leszczyńskimi na czele, a ok. r. 1600 braci czeskich, arian w Ziemi Sandomierskiej itp.

W aspekcie ekonomicznym ważnym zjawiskiem było tworzenie się magnackich fortun ziemskich na wschodnich terenach Rzeczypospolitej; w powstających tu latyfundiach mnożyły się okazałe fundacje kościelne i świeckie, z reguły podporządkowane wielkim feudałom, którzy z jednej strony zaspokajali podstawowe potrzeby użytkowe i ideowe, z drugiej – szukali potwierdzenia swojej tożsamości poprzez tworzenie własnego, indywidualnego świata; przykładem mogą być Zamoyscy. Dysponując ograniczoną wiedzą, a jednocześnie działając w pewnym oddaleniu od centrów, które mogłyby być probierzem ich mecenasowskich poczynań, powoływali do życia sztukę według swego gustu, swobodnie i nieskrępowanie. Być może dlatego w niej właśnie najsilniej wyraził się indywidualny smak polskich feudałów z początku XVII w. Jest to zarazem czas, w którym świadomość wiodącej warstwy społecznej, magnaterii, wyraziła się w utworzeniu własnego obrazu – portretu zwanego sarmackim, eksponującego obok cech indywidualnych niezwykle wyraziście wszelkie właściwości tej grupy.

Wizerunek Sarmaty

Wizerunek konkretnego człowieka znany był w Polsce już w dobie średniowiecza, różny przecież od nowożytnego portretu w trojaki sposób. Przede wszystkim nie mamy tu do czynienia z obrazem pełnym; umiejętności analizowania modela były ograniczone, nie przekraczały granic definiowania jego pozycji w hierarchii społecznej, typowych przymiotów, ogólnej charakterystyki psychofizycznej. Po drugie – artysta, nie dysponując koniecznymi środkami, aby wyrazić w obrazie pełniejszą charakterystykę człowieka, natrafiał na zasadnicze trudności, gdy zamierzał uobecnić nam przedmioty otaczającego nas świata, stworzyć pewien rodzaj iluzji. Po trzecie wreszcie – zindywidualizowany wizerunek nie był celem samym w sobie, nie służył tylko, a nawet przede wszystkim, prezentacji określonej osoby, lecz jako część takich dzieł jak nagrobek, obraz wotywny, epitafium itp. stanowił mniej lub bardziej nieodzowny składnik ich struktury, prezentując przede wszystkim adresata, do którego ważniejsze treści tych dzieł się odnosiły; wizerunek człowieka dla niego samego – nawet gdy był nim król – nie

wydawał się wówczas dostatecznie ważnym powodem powstania dzieła sztuki.

Ta rozbieżność – choć nie sprzeczność, funkcji gotyckiego i nowożytnego wizerunku człowieka nie wykluczała powiązań genetycznych między tymi dziełami. Zwłaszcza pojawiający się w Polsce dość często w końcu XV i na początku XVI w. figuralny typ nagrobka w postaci płyt brązowych, zamawianych najczęściej w norymberskiej pracowni Vischerów, zawierał przedstawienia postaci zmarłego *en pied*, potraktowanego jako żywego, w ujęciu reprezentacyjnym, z wyraźnymi cechami portretowymi (np. nagrobki M. Tomickiego i A. Szamotulskiego).   240 241
Nie był to wprawdzie ten typ nagrobka, który zrobił karierę w w. XVI w Polsce, charakterystyczny jest przecież fakt, że kontynuująca ten typ w Wielkopolsce grupa kamiennych nagrobków: M. Tomickiego (w Tomicach), A. Pampowskiego (zm. 1510, w Środzie Wlkp.) i J. Batorzyńskiego (zm. 1531, w Lądzie) korzystała nie tylko z dawnej tradycji norymberskiej, ale także z doświadczeń malarstwa portretowego. Należy przy tym zauważyć, iż pierwsze samodzielne renesansowe portrety w Polsce, przedstawiające króla Zygmunta I: z   274 Głogowa (oryginał z l. 1510–1515, zachowana kopia z drugiej połowy XVII w.), z Gripsholmu (oryginał z czasu ok. r. 1518, zachowana kopia z XVII w.), czy z Pławowic (ok. r. 1546), przypisywany mistrzowi Andrzejowi, a także z katedry krakowskiej (oryginał z ok. 1547 r., kopia z XIX w.), jak również pochodzący z r. 1559 portret żony Zygmunta Augusta, Katarzyny austriackiej, wreszcie datowany na ok. 1565 r. portret starosty barskiego, Bernarda Pretwicza, powstałe współcześnie z wymienionymi wyżej płytami, reprezentują zbliżony – generalnie rzecz biorąc – typ przedstawienia: ujęcie *en pied*, lekki zwrot w trzech czwartych, płytkie wnętrze, neutralne tło, brak znaczących plastycznie akcesoriów.
Głównymi elementami obrazu są przede wszystkim twarz oraz ręce, zwykle w jakimś potocznym geście, niczym specjalnie nie zajęte, oparte o pierś, o pasek, złączone trzymanym przedmiotem, mimo pewnej konwencji wiele mówiące. Twarz, zwrócona zwykle w trzech czwartych do widza, o utkwionych w nim oczach, wyrażających nawiązanie kontaktu, nieruchomych, spokojnych, wyczekujących, ale równocześnie badawczych. Rzecz charakterystyczna – nie jest to nigdy spojrzenie wyniosłe, władcze. Strój stanowi najczęściej długa szuba z szerokim, wykładanym futrzanym kołnierzem. Był to ubiór poważny i dostojny, ale przecież nie urzędowy czy nawet uroczysty.

Znamienne, że w żadnym z tych portretów nie pojawiają się ani herby, ani insygnia władzy; umieszczone na kopii głogowskiego portretu Zygmunta stanowią wyjątek, jeśli nie są dodatkiem kopisty; w każdym razie jest to składnik ledwie dostrzegalny. Podobnie dzieje się w przypadku portretu z ok. 1546, z koroną częściowo widoczną w głębi, po prawej stronie. Brak też w obrazach akcesoriów stanu rycerskiego.

Można powiedzieć, że jeszcze w pierwszej ćwierci XVI w. ukształtował się w Polsce portret – początkowo niemal wyłącznie królewski – o wyraźnie sformułowanym typie: nie będący portretem oficjalnym i uroczystym, ale przecież reprezentacyjny, a nie kameralny. Cechy reprezentacji, a nawet pewien majestat przedstawionego uwidaczniają się w ujęciu całej postaci, w jej pozie i zachowaniu, które nie są związane z żadnym rytuałem czy ceremoniałem – choć równocześnie nie ma w nich nic codziennego, trywialnego – w prostocie ubioru, w powadze oblicza i skupionym spojrzeniu. Wydaje się nader charakterystyczne, że majestat królewski nigdy nie był określany za pomocą symbolicznych przedmiotów, przysługujących monarsze. Należy to chyba uznać za wyraz nowożytnego stosunku do człowieka-władcy: wprawdzie zachowane portrety mają cechy reprezentacji, ale realizuje się ona poprzez obraz osobowości króla, a nie poprzez akcesoria jego stanu i stanowiska.

Te wczesne wizerunki polskie, z reguły zresztą anonimowe, zachowały się głównie w kopiach. O ich wartościach portretowych, takich jak wierność, trudno coś pewnego powiedzieć. Wydaje się, że charakterystyka fizyczna i psychologiczna nie była powierzchowna, przy tym zróżnicowana odpowiednio do wieku portretowanego; można porównać młodzieńczą twarz króla na portrecie głogowskim i poważną, zmęczoną, o dobitnej charakterystyce partii oczu i zaciśniętych pod wąsem ust na portrecie z ok. 1546 r. Były to w gruncie rzeczy portrety realistyczne, skupione na prezentacji indywiduum ludzkiego. Ich formowanie się było dość samodzielne; w początkach XVI w. portret *en pied* należał w Europie do rzadkości. Można więc sądzić, że genetycznie odwołano się tu w poszukiwaniu formy monumentalnego konterfektu m.in. do pomników rzeźbiarskich, a równocześnie korzystano z ogólnie dostępnej wiedzy portretowej, jakiej dostarczał współczesny portret malarski. Warto przy tym zwrócić uwagę, że datowane na ok. 1505 r. rysunki przedstawiające opatów mogileńskich czy miniaturowe portrety rodziny Szydłowieckich, dzieło Stanisława Samostrzelnika (1519–1532), ukazy-

wały członków rodu w całych postaciach – w przeciwieństwie do genealogicznych przedstawień w dziełach Miechowity czy Decjusza, gdzie mamy do czynienia z ujęciami w popiersiu, zapewne podyktowanymi oddziaływaniem jednego z wariantów tematu Drzewa Jessego.

Przyczyny uformowania się, a przynajmniej ugruntowania u nas ówcześnie tego rodzaju portretu rysują się dość wyraźnie na tle atmosfery panującej na dworze króla Zygmunta I: miał to być portret humanistyczny, kładący nacisk na ukazanie określonej osobowości, a zarazem reprezentacyjny – w opozycji do kameralnego – co wynikało z przedstawianego modela, którym był przecież król.

Połączenie idei humanistycznych (których obecność na dworze Zygmunta I w pierwszej ćwierci XV w. wielokrotnie można stwierdzić i których tak znakomitym wyrazem jest kaplica) z wymaganiami wizerunku majestatu królewskiego zdaje się być znamienne dla sztuki kręgu zygmuntowskiego. Można zatem oryginalną koncepcję wczesnych portretów polskich uznać za wierny w różnych aspektach obraz epoki.

Portrety kształtowały się jednak nie tylko na dworze królewskim; ważną pozycję w panoramie sztuki polskiej zajmuje galeria portretów biskupów krakowskich, znajdująca się w krużgankach klasztoru franciszkańskiego w Krakowie, podobna do gotyckich galerii biskupich w Kwidzynie czy mistrzów zakonu krzyżackiego w Malborku. Powstały ok. r. 1535 portret biskupa Tomickiego, łączony 27 przez niektórych ze Stanisławem Samostrzelnikiem, zdradza wyraźną zależność od płyt nagrobkowych, a jego architektoniczne obramienie naśladuje formy grafiki książkowej. Natomiast ujęcie postaci, wyrazista charakterystyka patrzącego w dal oblicza, wyrażającego dystans, łamane formy szat – wszystko to utrzymane jest jeszcze w tradycji późnego gotyku i nie ma nic wspólnego z portretami wawelskimi.

Typ królewskich wizerunków miał decydujące znaczenie dla dalszych losów portretu polskiego; przemożne działanie mecenasowskiego autorytetu króla jest charakterystyczną cechą sztuki polskiej w w. XVI, a nie mniej charakterystyczne jest ograniczenie tego oddziaływania niemal wyłącznie do klasy feudalnej.

Poza galerią franciszkańską nie spotykamy w Polsce portretów ani biskupów, ani wyższego duchowieństwa; także portrety mieszczan należą do zupełnych wyjątków. Takim właśnie cennym wyjątkiem jest podwójny portret Grzegorza i Katarzyny Przybyłów, ukazujący 27 te postacie w półfigurze, zwrócone ku sobie profilami. Odznacza się on przedmiotową rzeczowością zarówno w ujęciu twarzy, jak i strojów, natomiast wyraz psychiczny pozostaje raczej nie pogłębiony.

Portret mieszczański rozwinął się w końcu XVI w. w wielkich miastach. Jest przy tym niezwykle charakterystyczne, że o ile portret gdański i toruński wykształciły typ odrębny w stosunku do szlacheckiego, o tyle portret, np. Jerzego Boima, wybitnego mieszczanina lwowskiego (zm. 1617), właściwie całkowicie przejął cechy portretu szlacheckiego.

Nie rozwinął się w Polsce portret humanistów, pod względem typu bliski portretowi mieszczańskiemu. Wyjątkowy przykład: wizerunek Benedykta z Koźmina, z ok. 1559 r., świadczy, że istniały w naszym kraju takie dzieła, choć nieliczne. Odznacza się on bardzo dobrą charakterystyką wpatrzonej w widza twarzy, z wyrazem opanowanego sceptycyzmu i krytycyzmu w wąskich, zaciśniętych ustach, wysokich łukach brwiowych, zarysie dolnej partii nosa. Wizerunek ten świadczy o doskonałym opanowaniu warsztatu malarskiego, co widoczne jest zwłaszcza w miękkim modelunku twarzy, oddaniu zróżnicowanej faktury włosów i zarostu. Prezentacja osobowości uczonego profesora krakowskiego i poety wysuwa się tu na plan pierwszy, ale nie bez symbolicznego komentarza, a może przede wszystkim wyraźnego dążenia do podkreślenia godności portretowanego: przez wyodrębnienie jego postaci z krajobrazowego tła za pomocą kotary i przez wprowadzenie inskrypcji na ozdobnej tablicy.

Typ królewskiego portretu przyjął się w Polsce na długo; jego przemiany mogły oznaczać bądź doskonalenie warsztatu malarskiego, bądź rejestrowanie zmian, jakie zachodziły w modelach. I właśnie to drugie wydaje się ważniejsze: portret rejestruje dość wiernie przemiany osobowości szlachcica polskiego, jakie dokonały się w drugiej połowie XVI w. i w w. XVII.

Pojawiający się w drugiej połowie XVI w. portret szlachecki, w tym także królewski, w popiersiu lub w półfigurze nie tworzy odrębnego typu – w przeciwieństwie do popiersiowego portretu mieszczańskiego czy humanistycznego – gdyż jest w gruncie rzeczy rezultatem redukcji portretu *en pied.* Przykładem może być przypisywany Wojciechowi Stefanowskiemu, vel Stefanowiczowi, lwowski portret Stefana Batorego, datowany na r. 1576. Uderza w nim doskonałość charakterystyki twarzy, dość bezwzględny naturalizm, wyliczający przedmiotowe cechy wyróżniające modela. Nie stoi za tym obrazem ani wyobrażenie o typie oblicza władcy, ani też żaden antykizujący model heroiczny.

Ta rzeczywistość uderza także w innych ówczesnych portretach, np. w całopostaciowym wizerunku Batorego, malowanym przez Marcina Kobera ze Śląska, w r. 1583. Zastosowanie tła z kotarą, uwydatnienie bogatego stroju, w którym znakomicie zestawiono czerwień delii z czarną czapką oraz z żółtymi butami, spokojny dukt fałdów na pełnej bryle postaci – wszystko to nadaje całości cechę szczególnej, godnej monumentalności, ale ujęcie samej twarzy niczym się nie wyróżnia.

Nawet w portrecie słynnego zagończyka, starosty barskiego, Bernarda Pretwicza (zm. 1567), powstałym za jego życia (znana kopia z końca XVI w., zaginiona), decydujące znaczenie ma indywidualnie ujęta twarz szlachcica, której ważnym dopełnieniem jest strój. Podobne cechy nosi portret Romana Sanguszki, wojewody bracławskiego (zm. 1571), znany z kopii datowanej na początek XVII w. Piękna twarz młodego człowieka znakomicie koresponduje tu ze zdecydowaną postawą w lekkim rozkroku, z prawą ręką opartą na biodrze, z lewą na rękojeści karabeli, przy czym znaczną rolę odgrywa tu piękny strój: wzorzysty żupan i delia z długimi wylotami. Niewątpliwie zostały tu sformułowane cechy pewnej heroizacji, jednakże nie opartej na wyraźnych, zwłaszcza antycznych wzorach, ale w dużej mierze będącej wynikiem studium ówczesnej rzeczywistości Polski kresowej. Skłonność do podkreślania dekoracyjności stroju, a równocześnie do rzeczowej portretowości twarzy cechuje wiele wizerunków z końca XVI i początku XVII w. Przykładem może być znakomity portret wojewody ruskiego, Jana Daniłowicza; zróżnicowana, bogata czerwień delii kontrastuje tu z bogactwem kolorystycznym żupanu, a twarz o jasnej karnacji okolona jest miękko modelowanym zarostem. Kierunek ten utrzymuje się dość długo w w. XVII, czego znakomity dowód stanowi piękny portret młodego Stanisława Tęczyńskiego, pędzla obcego anonima.

Równocześnie, już ok. r. 1600, rozpoczyna się nowa era w dziejach polskiego portretu. W przeciwieństwie do okresu poprzedniego, który charakteryzował się operowaniem ogólnym typem portretu, w połączeniu ze zdecydowaną indywidualizacją modela, teraz zyskuje na znaczeniu określony typ osobowości, obowiązujący wzór człowieka; tworzy się wyobrażenie o ideale, do którego odnosi się poszczególne przypadki. Ta wspólnota nie dotyczy tylko stroju, sposobu jego noszenia, zachowania się, gestu. Zdaje się obejmować tak cechy fizyczne, jak i mentalność; w tym momencie możemy mówić o ukształtowaniu się obrazu polskiego szlachcica – Sarmaty.

Na pewno ogromne znaczenie miały tu kontakty z Bliskim Wschodem, rzutujące nie tylko na dobór tkanin i krój stroju, jego przybranie, zamiłowanie do klejnotów, na dobór broni, ale także – głównie dzięki naśladowaniu określonego typu uczesania i zarostu – na formowanie twarzy o długich, zwisających wąsach, wyrazistych łukach brwiowych, wysoko podgolonej czuprynie; portretowani zdradzają także swe zamiłowania kulinarne i ich bezpośrednie następstwa – krągłość oblicza i całej postaci. Specyficznie interpretowana orientalność zdaje się być bardzo ważnym komponentem ukształtowania wyglądu Sarmaty i jego bezpośredniego otoczenia.

Ten właśnie typ reprezentuje portret Andrzeja Firleja, kasztelana lubelskiego (ok. 1585), Jana Alberta Radziwiłła (zm. 1626), a przede wszystkim portret księcia Krzysztofa Zbaraskiego, powstały po jego wyprawie poselskiej w r. 1622 do Porty Tureckiej, kiedy to starał się, zresztą z najlepszym skutkiem, olśnić swych partnerów przepychem, który by wschodniemu nie ustępował. Wiemy skądinąd, że był to człowiek wykształcony, uczeń i wielbiciel Galileusza, co przecież nie wykluczało prawdziwie sarmackich cech w zachowaniu, myśleniu, a także w wyglądzie: sobiepańskiej dumy, pychy, zamiłowania do materialnego bogactwa. Nie jest bez znaczenia, że Samuel Twardowski, sekretarz legacji, w opisie tej wyprawy równie dokładnie podaje, co książę mówił, jak i co na siebie wdziewał. A więc zdobił go wspaniały strój: biały żupan, bladoniebieska delia z zielonkawym odcieniem i złotym wzorem, podkreślonym czarnym futrem; podwójna kita przypięta do futrzanej czapki szkofią z drogocennymi kamieniami. Orientalizm tego wizerunku łączy się z operowaniem grubą linią – podstawowym środkiem malarskim modelowania twarzy – być może pod wpływem malarstwa ikonowego.

Wydaje się, że ten typ wizerunku – nieco później reprezentowany przez portret Jakuba Sobieskiego (zm. 1646) czy portret zapewne niesłusznie związany z księciem Dymitrem Wiśniowieckim, zwanym Bajdą, z drugiej ćwierci XVII w., jak też szczególnie typowy portret Łukasza Opalińskiego (ok. 1635) – najlepiej opisuje przemiany osobowości Polaków, zwłaszcza magnatów kresowych wczesnego XVII w. Będzie też trwał aż po w. XVIII, występując zwykle w opozycji do innych konwencji portretowych, zwłaszcza operujących formułą obcą, wcześnie reprezentowanych np. przez portrety Zygmunta III Wazy.

Architektura miast

Wiek XVI nie był „złotym wiekiem" dla miast polskich; ich znaczenie – generalnie rzecz biorąc – słabnie. Ograniczenie dopływu ludności do miast, samowystarczalność folwarku, przejęcie przez szlachtę intratnego handlu tranzytowego, a w szczególności handlu zbożem – to najważniejsze przyczyny tego stanu rzeczy. Jednakże wiele miast oparło się działaniu tych czynników i one to właśnie przeżywały wówczas wyjątkowy rozkwit, w dużym stopniu kosztem owych wyrugowanych z życia gospodarczego. Były to na ogół miasta, które już w średniowieczu miały znaczenie pierwszorzędne, a po przetrwaniu szesnastowiecznego kryzysu utrwaliły swoją pozycję w dziejach Polski.

Należy do nich Kraków, przede wszystkim z racji powiązania z dworem królewskim. Miasto rozbudowuje się dzięki znacznym inwestycjom prywatnym, a także komunalnym, czego najlepszym wyrazem są Sukiennice – główna budowla handlowa. Przybiorą one teraz kształt, mający ogromne znaczenie dla dziejów polskiej architektury. Przebudowuje się środkową halę, uzyskując na jej piętrze monumentalne wnętrze reprezentacyjne, a zastosowany równocześnie pogrążony dach zasłania się ścianami attykowymi, zwieńczonymi grzebieniem, złożonym z obelisków i maszkaronów. Było to dzieło mistrza Pankratiusza, być może z Wenecji, skąd też najłatwiej wywieść generalnie motyw „attyki polskiej". Modele maszkaronów przygotował Santi Gucci (1557); boczne schody zaprojektował w r. 1558 Jan Frankenstein ze śląskich Ząbkowic, a drugie – Jan Maria Padovano. Zatrudnienie przy tej budowie najwybitniejszych artystów dało dobre wyniki: powstał nie tylko nowy motyw konstrukcyjno-dekoracyjny – attyka – znakomicie nadający się do tworzenia niezliczonych wariantów, ale równocześnie zupełnie nowa bryła budynku: z horyzontalnym dekoracyjnym zamknięciem, o motywach architektonicznych, geometrycznych, roślinnych i figuralnych, tworzącym główny akcent plastyczny. Obowiązek stawiania ścian przeciwpożarowych w Krakowie przyczynił się do popularyzacji attyki także w przypadkach, gdy argumenty estetyczne okazałyby się zbyt słabe. W ten sposób zapoczątkowany został pochód „attyki polskiej"; wkrótce potem pojawiły się jej najbliższe naśladownictwa: na ratuszu w Tarnowie, a ok. 1560 – w Sandomierzu.

Jednak nie tylko Kraków przyczynił się do uformowania attyki. W r. 1555 zakończona została przebudowa gotyckiego ratusza w Poznaniu. Giovanni Battista Quadro z Lugano wykonał tu m.in. fasadę oraz reprezentacyjną sień. Koncepcja fasady z trójkondygnacyjną loggią nawiązywała nie tylko do wzorów Serlia i zwykle jedno- lub dwukondygnacyjnych loggii w ratuszach północnowłoskich, ale także do kształtu dotychczasowego ratusza gotyckiego, który miał w fasadzie otwarty ganek; Quadro, być może na życzenie rady, nawiązał do istniejącego stanu rzeczy. Interesujące i oryginalne było wprowadzenie loggii trójkondygnacyjnej, z charakterystycznym dla Lombardii zdwojeniem liczby arkad ostatniej kondygnacji, oraz wsparcie na niej wysokiej attyki, związanej z trzema smukłymi wieżyczkami i tworzącej wraz z nimi obraz *corona muralis* – symbolu miasta, jego praw i ideologii. Nadaje to szczególny sens wprowadzonemu tu palmetowemu grzebieniowi attyki, będącemu nie tylko motywem dekoracyjnym, lecz zarazem rodzajem fleuronowej korony: być może właśnie owo znaczenie stanowiło – obok funkcji dekoracyjnych i użytkowych – podstawowy czynnik „formotwórczy". Analogiczny kształt attyki powtarza się w kaplicy Kościeleckich w Kościelcu k.

Inowrocławia (ok. 1559), wiązanej także z Quadrą.

Zachowana reprezentacyjna sień ratusza, ze sklepieniem wspartym na dwóch słupach, datowana na r. 1555, jest znakomitym, choć odosobnionym przykładem zastosowania humanistycznej, a zwłaszcza astrologicznej wiedzy jako języka wypowiedzi ideologicznej, sformułowanej być może przez uczonego lekarza poznańskiego, Józefa Struśka. Herby miasta, panującej dynastii i królestwa – Korony i Litwy – w otoczeniu przedstawień planet i alegorii cnót mówią, podobnie jak na zamku wawelskim, o przesądzonym przez siły astralne związku miasta z państwem i dynastią, o aspekcie etycznym tego powiązania, który dopiero nadaje mu właściwy sens. Cnoty obywateli, których suwerenność jako społeczności miejskiej zaświadcza symbolicznie *corona muralis*, sprzężone z władzą króla tworzą szczęśliwą konstelację, przesądzającą o szczęściu obywateli i królestwa.

Bernardo Morando, plan Zamościa, rekonstrukcja

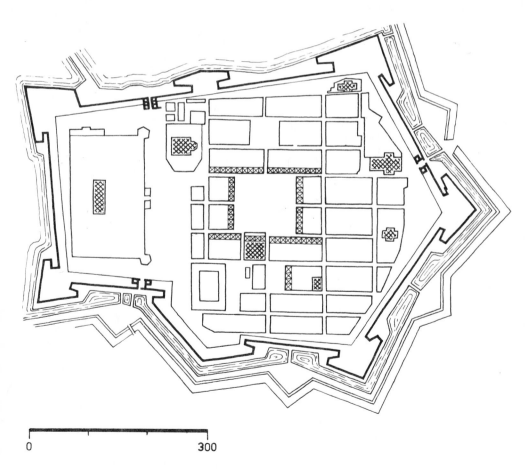

0   300

Koncepcja zewnętrznej loggii powtórzona została w Wielkopolsce jeszcze raz, w wersji zredukowanej, w nie zachowanym ratuszu w Koźminie.

283 Także w Chełmnie na Pomorzu została gruntownie przebudowana gotycka siedziba rady miejskiej (1567–1572). Uderzające jest tu w kompozycji fasady narastanie jej walorów plastycznych ku górze. Na parterze otwierają się do wnętrza trzy szeroko rozstawione, ujęte w kolumny portale; na pierwszym piętrze widnieje pięć okien w bogatych obramieniach, na wspornikach; całość zwieńczona jest ośmioosiową kondygnacją attykową, dzieloną kolumienkami na impostach i wspornikach, dźwigających belkowanie, na którym spoczywa szczycikowy grzebień attyki. Jest to dość swobodna kompozycja, wykorzystująca zarówno motyw małopolskiej attyki, jak i niderlandzkie w genezie formy szczycików, drobnych kolumienek itp. Odpowiada ona generalnie zasadom późnego renesansu i manieryzmu południowych ziem Polski, a nie estetyce nadmorskiej metropolii – Gdańska. Renesansowa i manierystyczna modernizacja objęła także inne miasta Polski, w różnym zresztą stopniu. Ukształtowały się przy tym zróżnicowane typy architektury komunalnej i mieszkalnej.

Na terenach ziem południowych królestwa powstał szereg typów budowli mieszkalnych, których wspólnym mianownikiem, jeśli nawet odległym, była sztuka włoska. W Krakowie, w kamienicach wznoszonych na gotyckiej parceli, zachował się układ trójosiowy; ich fasady były z reguły zwieńczone attyką, do dziś zachowaną wyjątkowo, jak np. na kamienicy Bonerów z trzeciej ćwierci XVI w., z maszkaronami pełniącymi funkcje kariatyd czy atlantów na ścianie attykowej i z grzebieniem o wykroju sterczynowym. Włoski model
290 kamienicy reprezentuje w Krakowie tzw. Prałatówka (1618–1625), dzieło Macieja Litwinkowicza i Jana Zatorczyka, o asymetrycznej elewacji, z portalem umieszczonym z boku i z charakterystycznym trójpodziałem horyzontalnym, w którego skład wchodzą boniowany parter, sgraffitowa rustyka na piętrze i wysoka attyka.

W ówczesnej stolicy Polski ukształtował się także typ kamienicy-dworu, mającej właściwie charakter małego pałacyku miejskiego.
287 Reprezentuje go tzw. Dziekanka przy ul. Kanoniczej (ok. 1592); założona na dość szerokiej działce, odznacza się ona niesymetrycznym układem okien – wynik braku symetrii w układzie wnętrz – i nieosiowym umieszczeniem portalu. Elewacja, zdobiona sgraffitowym boniowaniem, pierwotnie zapewne zwieńczona była attyką. Ważny ele-

ment tego budynku stanowi dziedziniec, otoczony piętrowym krużgankiem, na parterze kolumnowym, na piętrze zaś – z filarami, przeprutymi zdobionymi płycinami. Z jednej więc strony posłużono się manierystycznym odwróceniem porządku podpór, wznosząc filary nad kolumnami, z drugiej zaś – dzięki przepruciu tych ostatnich – zyskały one na lekkości.

Podobny typ reprezentuje przyrynkowa kamienica Orsettich w Jarosławiu (po 1581, przebudowana w w. XVII), podcieniowa, o szkarpowo dziś nachylonym przyziemiu i wysokiej attyce.

Szczególny charakter mają kamienice w Kazimierzu Dolnym, związane z nurtem „rodzimej" architektury. Kamienice Pod św. Miko- 286 łajem (ok. 1615) i Pod św. Krzysztofem (przed 1635) reprezentują również typ podcieniowego domu z attyką, niezwykła jest natomiast konkretyzacja tego typu. Wysokie attyki są tu wyższe niż kondygnacje piętra; detale architektoniczne, narożne pilastry czy impostowe odcinki ponad filarami przetworzone zostały w formy dekoracyjne. Zdumiewa rozmaitość pomysłów kompozycyjnych oraz źródeł dekoracji: antyczno-włoskie medaliony sąsiadują z niderlandzkimi motywami okuciowymi, a środek fasady zajmuje gotycka w genezie, położona wsporczo na boniowanej elewacji postać św. Krzysztofa. Na sąsiedniej kamienicy pojawia się pod oknami fryz ze zwierzętami, przypominającymi swą stylistyką rzeźbę romańską. Najbardziej przecież znamienna dla tych dzieł jest pewność siebie rzeźbiarzy, których umiejętności warsztatowe były raczej skromne i którzy nie tylko nie rozumieli nowych zasad kompozycyjno-estetycznych, ale nie potrafili także dokładniej zaobserwować i przyswoić sobie form poszczególnych motywów. Określenie tych dzieł mianem „ludowości" nie stanowi wyjaśnienia; jest to prowincjonalny prymitywizm artystyczny, dopuszczający połączenie w ramach jednej kompozycji elementów heterogenicznych. Charakterystyczne jest przy tym dążenie do efektów moralizatorsko-dydaktycznych, nakazujące dodatkowo wesprzeć obraz tekstem słownym.

Kamienica Celejowska (ok. 1635) stanowi dzieło bliższe konwencji ustalonej w dziełach tzw. typu lubelskiego. Dekoracja poddana jednak ku została większemu rygorowi architektonicznemu. Znamienne zresztą jest i tutaj wprowadzenie motywów religijnych (*Salvator Mundi* adorowany przez Marię, w otoczeniu drapieżnych orłów na delfinach i smoków, o jednoznacznie gotyckiej proweniencji), z częściowym pomieszaniem ich pierwotnych znaczeń. Powtarzające się na fryzach i pilastrach motywy akantów, cekinów itp. świadczą o lepszej znajomości wzorów i technicznym wykształceniu rzeźbiarza.

Inny zupełnie charakter kulturowy reprezentowały miasta wschodnich terenów Rzeczypospolitej, o większym zróżnicowaniu etnicznym (Polacy, Niemcy, Żydzi, Włosi, Rusini, Grecy, Ormianie) i religijnym, znajdujące się na pograniczu świata łacińskiego i prawosławnego. Zróżnicowana była też tamtejsza sztuka. Wpływy włoskie przejawiły się nie w wersji florenckiej, lecz lombardzkiej lub weneckiej. Istotne znaczenie miał tutaj także zaznaczający się od drugiej połowy XVI w. kierunek niderlandzki, reprezentowany przez Ślązaków, Niemców, Niderlandczyków, również Polaków. Nie brakło też składników ruskich i nawet orientalnych.

Widać to dobrze na przykładzie dekoracji lwowskich kamienic, w której obok motywów włoskich i niderlandzkich pojawiają się gotyckie, a także przejęte ze sztuki islamu. Zwłaszcza w końcu XVI w. coraz częściej modernizuje się kamienice na sposób włoski lub **88** niderlandzki. Tzw. Czarna Kamienica we Lwowie (1588–1589, później przebudowana) ma elewację pokrytą drobną, manierystyczną, diamentową rustyką. Tego rodzaju bogata rustyka stała się częstym atrybutem modernizowanych w XVII w. kamienic przyrynkowych, przy czym w późniejszym okresie do głosu dochodzą porządki architektoniczne, przy stale jeszcze utrzymującej się attyce. Motywy islamskie pojawiają się na kamienicy Ormian.

Miasto jako forma przestrzennej organizacji życia określonej grupy społecznej, o ustalonych w danym okresie składnikach i strukturze, ukształtowało się u nas w dobie gotyku jako wynik długotrwałego procesu. Nie było natomiast przedmiotem myśli artystycznej, ani też pełnego planowania, które uwzględniałoby rozliczne aspekty założenia urbanistycznego. Dopiero w dobie renesansu miasto stało się dziełem sztuki, uzyskując w pełni zaplanowany kształt, dostosowany nie tylko do funkcji użytkowych – handlowych, wytwórczych, obronnych, komunikacyjnych – i ideowych, zwłaszcza kultowych, a także reprezentacyjnych, związanych z życiem grup miejskich, ale równocześnie zgodny z przyjętymi zasadami plastyczno-przestrzennego formowania.

Nowożytny stosunek do świata oznaczał dążenie do jego przekształcenia, a także tworzenia jego nowego oblicza, według „odkrytych" przez człowieka zasad. Odnosiło się to np. do natury: renesansowy ogród kwaterowy czy manierystyczny labirynt ogrodowy są tego dobrym przykładem. Także do miasta. Dys-

kusja nad idealnym miastem trwała długo, zanim ukazał się pierwszy traktat na ten temat, napisany przez Giorgia Vasariego, bratanka wielkiego teoretyka sztuki, pod tytułem *Miasto idealne*. Renesansowa teoria urbanistyczna, podkreślająca znaczenie w pełni regularnej, jednorodnej przestrzeni, zakładająca operowanie kwadratem i kątem prostym oraz zasadą symetrii, zaznaczyła się w planie lokowanego w r. 1570 miasteczka Głowów (dziś Głogów): reprezentuje ono jednak w gruncie rzeczy najprostszy schemat średniowiecznej szachownicy, może bardziej konsekwentnie wyrysowanej. W kilka lat później dopiero powstaje dzieło bardziej złożone – Zamość.

Wychowanek uniwersytetu padewskiego i jego rektor, kanclerz i hetman wielki koronny – Jan Zamoyski – osobiście zetknął się ze sztuką włoską i teoretycznymi dyskusjami nad nią. Podjęcie przezeń zadania wzniesienia od podstaw nowego miasta rezydencjonalnego, które spełniałoby wszelkie funkcje użytkowe, reprezentacyjne i ideowe, a jednocześnie odpowiadałoby teoretycznym zasadom kompozycji urbanistycznej, było wydarzeniem wyjątkowym, dającym się porównać tylko z budową Palma Nuova w północnej Italii, której gwiaździsty plan był wynikiem nie tyle abstrakcyjnej geometryzacji, ile zastosowania teorii obronnych.

Zamoyski i Bernardo Morando z Wenecji, który się realizacji dzieła podjął, mieli jasno określone założenia projektowe: połączenie pałacu i miasta, które miało pełnić funkcje centrum międzynarodowego handlu tranzytowego (m.in. dzięki uzyskaniu prawa składu), także centrum wytwórczo-rzemieślniczego przy międzynarodowym zespole mieszkańców, co czyniło w konsekwencji miasto ośrodkiem wielu kultów.

O ostatecznej kompozycji dzieła zdecydowało kilka podstawowych założeń. Przede wszystkim zróżnicowano plan części mieszkalnej i obwodu umocnień obronnych: zabudowa rozwinęła się na planie regularnego prostokąta, wpisanego w pięciobok.

Rezydencja, na planie prostokąta, została związana osiowo z miastem, ale równocześnie odeń odsunięta: otaczający ją prostokąt obwarowań zewnętrznych oparty został o jeden z boków pięcioboku miejskiego.

Kompozycja całości jest w ten sposób wynikiem powiązania zasady centralności z osiowością. Plastyczne wyniesienie rezydencji, posiadającej własny system obrony, otwarcie ku niej miasta – wyraża przewagę właściciela i władcy.

Ośrodek części miejskiej stanowi kwadratowy rynek o wymiarach ok. 100 × 100 m, z ulicami 291

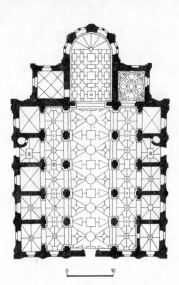

Bernardo Morando, plan kolegiaty w Zamościu,
1587–1600

wychodzącymi zeń na przedłużeniu pierzei
równoleżnikowych – przez co podkreśla się
osiowość założenia na linii zachód-
-wschód – oraz przecinającymi środek każdej
pierzei na linii północ-południe. Ulica pół-
nocna prowadzi do małego (50×50 m) Rynku
Solnego, południowa – do Rynku Wodnego.
Regularna zabudowa przewidywała kilka
wielkości działek o trzech szerokościach – 8,
10 i 12 m – oraz dwóch głębokościach: 40 m
(cała głębokość bloku) i 20 m (układ dwóch
działek w głębokości bloku). Odpowiadało to
zróżnicowanym potrzebom użytkowników:
głębokie i szerokie działki przeznaczone były
dla hurtowników, umożliwiając pełną zabudowę i dostęp do składu od tylnej uliczki;
płytka zabudowa została zaplanowana dla
siedzib rzemieślniczych.
Przewidziano wzniesienie w mieście ok. 200
domów i od razu też powzięto decyzję o
lokowaniu na przedmieściach ludności ubo-
giej oraz większych, uciążliwych przy gęstej
zabudowie miejskiej zakładów: browarów,
foluszy, młynów, itp. urządzeń poruszanych
siłą wodną.
Planowanie objęło nie tylko budowle użyteczności publicznej, ale także zabudowę indywidualną. Już w r. 1591 Zamoyski zamierzał
wznieść szereg domów wzorcowych; dla
rynku typowy miał być podcieniowy dom
piętrowy, o pogrążonym dachu z attyką, dla
ulic bocznych – zapewne domy parterowe,
dla przedmieść – podcieniowe domy drewniane; początkowo miasto miało także zabudowę
drewnianą. Standaryzacja dotyczyła tylko

ogólnych ram budowli: w szczegółach kamienice bardzo się między sobą różniły, przede
wszystkim dzięki dekoracji fasad, różnorakim
formom portali, ornamentacji kolumn międzyokiennych i wnęk okiennych, stiukom
sieni i sklepionych izb.
Znamienny jest rozkład głównych dominant
miasta. Wzniesiony ok. 1579 r. zamek miał
pierwotnie zapewne kształt dwutraktowej
budowli, z ryzalitem w części środkowej, nad
którą znajdował się belweder w kształcie
wieży oraz z dwubiegowymi zewnętrznymi
schodami. W pobliżu zamku stanął arsenał
(1582).
Na obrzeżu miasta, w części południowej,
powstał zwrócony fasadą w stronę zamku
kościół farny (1587–1600) oraz plebania, a w   289
części północnej – szkoła, późniejsza Akade-
mia (ok. 1590).
Ratusz (1591) – pierwotnie wieżowa budowla   291
podcieniowa, później kilkakrotnie przebudowany – umieszczony został na tle pierzei północnej rynku, będącego zarówno głównym
placem targowym, jak i reprezentacyjnym, w
rozumieniu renesansowym, placem miasta.
Umieszczenie ratusza w pierzei związane było
nie tylko z małymi wymiarami rynku, lecz
także z dążeniem do otwarcia perspektywy
widokowej na osi pałacu.
Międzynarodowy i wielowyznaniowy charakter Zamościa zakładał powstanie świątyń różnych wyznań. Po r. 1585 wzniesiono drewniany kościół ormiański; po r. 1588 powstała
bóżnica, zwieńczona attyką i ozdobiona sgraf-
fitami, oraz kościół grecki; na Przedmieściu
Lwowskim zbudowano cerkiew ruską oraz
kościół, klasztor i szkołę franciszkańską.
Większość tych obiektów uległa z czasem
przebudowie: w r. 1622 Jan Jaroszewicz przebudował ratusz, w l. 1628–1633 wzniesiono
kościół ormiański i dzwonnicę przy kościele
greckim; w r. 1637 – na miejscu zajazdu – nowy kościół i klasztor Franciszkanów;
w r. 1639 rozbudowano Akademię i wzniesiono osobny gmach Wydziału Teologicznego. Przy Rynku Wodnym stanął kościół i
klasztor Franciszkanek, w r. 1660 – szpital i
kościół Bonifratrów, a przy Akademii – kościół i klasztor Reformatów.
W r. 1591 miasto liczyło ok. 145 parcel, a w r.
1666 w mieście i na przedmieściach znajdowały się 253 domy oraz 63 domy należące do
zamku i do Kościoła. W ostatecznym wyniku
Rynek Główny otoczony został ośmioma
budowlami kościelnymi, zbudowanymi na
miejscu domów mieszkalnych. W ciągu
XVII w. powstała większość murowanej zabudowy miasta.
Zamość od początku miał charakter obronny;
przetrwał też zwycięsko czasy „szwedzkiego

potopu". Objęty został fortyfikacjami typu nowowłoskiego, z obszernymi bastionami – pięcioma przy mieście i dwoma przy zamku. Wały, początkowo ziemne, na przełomie XVI i XVII w. oszkarpowano cegłą. Znajdowały się w nich trzy bramy: Lubelska (przed 1588), Lwowska (1599), Szczebrzeska (1603).

Zamość ostatecznie nie był miastem dużym i takim pozostał; funkcja twierdzy ograniczała możliwość rozbudowy aż po w. XIX. Powierzchnia jego rynku była kilkakrotnie mniejsza od krakowskiego czy wrocławskiego. Także znaczenie Zamościa jako wzoru miast polskich nie było wielkie; nawiązano doń w rozplanowaniu Żółkwi (ok. 1594) i Stanisławowa.

Oligarchiczny charakter artystycznej kultury Polski doby renesansu zdecydował, że realizując teoretyczny model miasta renesansowego, stworzono miasto-rezydencję, funkcjonalnie i kompozycyjnie podporządkowaną zamkowi i jego właścicielowi. Wyrażeniu tej zależności służyły wszelkie środki artystyczne: plan, rozłożenie głównych dominant, stopniowanie akcentów plastycznych. Niezwykle charakterystyczne jest dla Zamościa umieszczenie w bezpośrednim sąsiedztwie zamku arsenału i głównych budowli pełniących funkcje ideologiczne i dydaktyczne – kościoła i szkoły w przestrzeni między zamkiem i miastem, przez co podkreślona została ich rola jako miejsc transmisji ideowej, pozostających na usługach właściciela. Znamienny jest przy zastosowaniu układu osiowego brak architektoniczno-urbanistycznej przeciwwagi zamku; usytuowany w pierzei ratusz nie stanowił pendant dla rezydencji – jak i rada miasta nie była partnerem dla jego właściciela, a tylko podległym mu organem administracyjnym.

Jednym z nielicznych – obok Krakowa i Lwowa – miast, które w w. XVI przeżyły swój „złoty wiek", był Gdańsk. Podstawę jego egzystencji i rozkwitu stanowiła autonomiczna pozycja w obrębie państwa, otwierająca przed miastem perspektywy międzynarodowe, głównie natury gospodarczej. Gdańsk nie stanowił siły morskiej; nie dysponował mającą znaczenie flotą handlową – transport odbywał się głównie na statkach holenderskich – nie był też faktorią dla towarów importowanych. Był natomiast portem; jego główna funkcja polegała na morskiej ekspedycji polskiego zboża na holenderskich statkach. Z tych powodów dla egzystencji Gdańska nieodzowny był swobodny, nie ograniczony podatkami i nie zakłócony konkurencyjnym działaniem sąsiednich miast napływ zboża oraz spokój na morzu. Spełnienie obydwu tych warunków spoczywało w rękach króla

polskiego. Decydujące zatem znaczenie miały właściwe stosunki między miastem a królem. Nie było to łatwe, gdyż nie ukształtował się w tradycji polskiej władzy królewskiej wątek polityki morskiej, zrozumienie dla spraw morza, dla gospodarki i handlu morskiego. Gdańsk – podstępnie zajęty przez Krzyżaków w 1308 r., a odzyskany przez Polskę w r. 1454, w wyniku wojny trzynastoletniej – był ok. 1600 r. miastem olbrzymim, liczącym blisko 50 tysięcy mieszkańców. Był też miastem etnicznie zróżnicowanym, opierającym się w tym czasie na przybyszach legitymujących się wiedzą i zawodami morskimi; zaledwie 20% mieszkańców pochodziło z ziem polskich.

Rozbudowa architektoniczna Gdańska na przełomie XVI i XVII w. niemal zupełnie nie dotyczyła budowli sakralnych, których znakomity rozwój zamknął się w w. XV. Nie znamy wprawdzie kształtu pierwotnego kościoła Jezuitów z ok. 1600 r., ale wzniesione wówczas kościoły: św. Gertrudy (1581–1582) i zredukowany korpus kościoła św. Józefa (ok. 1623) nie miały większego znaczenia. Dominowało budownictwo komunalne i prywatno-mieszkalne.

W l. 1559–1560 nastąpiła kolejna rozbudowa Ratusza Głównego Miasta – wzniesiono wówczas hełm. Zapewne w końcu XVI w. Antoni van Obberghen, pełniący obowiązki architekta miejskiego, dokonał przebudowy wnętrz Ratusza – Sieni, Wielkiej Sali Radnych, zwanej Letnią, i Sali Czerwonej. Prace te objęły przede wszystkim modernizację wnętrz. Sala Czerwona otrzymała wystrój nacechowany wyjątkowym rozmachem artystycznym i mający równocześnie dobitną wymowę polityczną. W r. 1593 Wilhelm van der Meer z Gandawy wykonał kominek z herbem Gdańska i napisem: „Do Rzeczypospolitej jak do ognia". Prace malarskie powierzono początkowo Janowi Vredemanowi de Vries (1594), który wykonał szereg tworzących fryz obrazów alegorii cnót: Sprawiedliwości, Stałości, Roztropności, Bojaźni Bożej, Zgody i Niezgody, umieszczając w centrum „Sąd Ostateczny". Niezadowoleni z prac malarza rajcy zlecili dalszą przebudowę sali. Szymon Herle wykonał prace snycerskie: ławy, boazerie i strop, który zakrył malowidła de Vriesa i na którym następnie umieszczono alegoryczny obraz Isaaka van den Blocke, słusznie ostatnio nazywany „Apoteozą łączności Gdańska z Polską". U podłoża tego dzieła legły nie tylko względy estetyczne, ale przede wszystkim chęć wyeksponowania programu o charakterze politycznym. W manierystycznej perspektywie ukazano panoramę miasta, umieszczoną na attyce łuku triumfalnego, ponad którą unosi się Biały Orzeł i nad

299

297

293

którą czuwa Oko Opatrzności; tęcza spina źródła Wisły i jej ujście do morza; na rzece odbywa się spław drzewa i zboża; przed Dworem Artusa, w otoczeniu rodzajowo potraktowanego tłumu mieszkańców, przedstawiono bratanie się gdańszczan i szlachty polskiej. Twórca operował równocześnie kilkoma planami i obrazami rzeczywistości; stosując w sposób niejako symultaniczny skomplikowaną, nie tradycjonalną symbolikę, m.in. symbolikę przestrzeni, wprowadził sceny potraktowane rodzajowo, podporządkowując całość czytelnej wymowie ideologicznej.

W latach 1587–1595 wzniósł Antoni van 294 Obberghen nowy Ratusz Starego Miasta. Budowla ta, oparta na wzorach niderlandzko--duńskich, zaplanowana została niezwykle funkcjonalnie, a równocześnie poddana rygorystycznej symetrii. Składa się ona jak gdyby z dwóch części, nakrytych osobnymi dachami; elewacje zwieńczone są niską attyką wnękową, a fasada główna flankowana charakterystyczymi dla tego terenu narożnymi ośmiobocznymi wieżyczkami; nad całością góruje umieszczona na kalenicy dachu wieżyczka z wysmukłym hełmem. Wnętrze mieściło na parterze Wagę, mieszkania i pomieszczenia pomocnicze, a na piętrze – izby Rady i Ławy oraz wielką salę.

Z innych budowli komunalnych wzniesiono wówczas Dom Poprawczy (ok. 1630) oraz Szpital św. Ducha (1647). Przebudowano także Dwór Artusa, który w l. 1616–1617 otrzymał nową elewację według projektu Abrahama van den Blocke, z portalem ozdobionym medalionami Zygmunta III i jego syna, przyszłego Władysława IV, nowym szczytem i umieszczonymi w elewacji figurami alegorycznymi. W wystroju wnętrza dominowały wątki etyczne i polityczne. Mistrz Adrian przedstawił m.in. alegorie cnót, Mistrz Paweł wykonał do r. 1542 cztery posągi królewskie, herby i pochód triumfalny, a Marcin Schoninck, w r. 1536, nową wersję „Oblężenia Malborka". W połowie XVI w. powstał konny posąg Kazimierza Jagiellończyka, a po r. 1585 Łukasz Ewert namalował „Triumfalny pochód Kazimierza Jagiellończyka po zdobyciu Malborka" – zapewne w związku z przywróceniem w tym właśnie czasie przez Stefana Batorego przywileju swobód portowych, nadanych miastu przez Kazimierza Jagiellończyka. Wreszcie w l. 1602–1603 A. Möller namalował dla Dworu Artusa „Sąd Ostateczny".

O potrzebach kulturalnych miasta może świadczyć powstanie ok. r. 1600 najstarszego zapewne budynku teatralnego – wprawdzie drewnianego i służącego równocześnie szkole fechtunku; wzniesiony został na rzucie kwadratu, z umieszczoną pośrodku sceną pod otwartym niebem i z krytymi galeriami dookoła.

Kolejnym monumentalnym dziełem van Obberghena, który dokonał także interesującej przebudowy Ratusza Toruńskiego, była Wielka Zbrojownia Głównego Miasta, zwana 298 Arsenałem (1601–1609). Jej wnętrze stanowi rozległa, czteronawowa, dwukondygnacyjna hala, kryta czterema dachami, osłoniętymi osobnymi szczytami o charakterystycznym wolutowym konturze – dzięki temu fasada składa się jak gdyby z czterech osobnych kamienic.

Odrębność architektury gdańskiej wyraziła się dobitnie w budownictwie mieszkalnym. Już w dobie gotyku ukształtował się tu typowy układ – podyktowany podstawowymi funkcjami i kształtem wąskiej, wydłużonej parceli – który przetrwał w głąb epoki nowożytnej. Były to budowle płytko podpiwniczone; wejście do piwnicy, nakryte daszkiem, tworzyło obudowany balustradą taras, tzw. przedproże. Reprezentacyjne wnętrze stanowiła dostępna bezpośrednio przez portal tzw. wysoka sień, kryta z reguły drewnianym stropem, oddzielona arkadami od wiodącej na górną kondygnację klatki schodowej i korytarza prowadzącego na podwórze. Na wyższych kondygnacjach znajdowały się pomieszczenia mieszkalne, a czasem także magazyny.

Wąskie wymiary działki decydowały o wertykalizmie kilkukondygnacyjnej fasady, zwykle trój-, czasem dwuosiowej, zwieńczonej zawsze szczytem o konturze wolutowym, zdobionym sterczynami i figurami. Charakterystyczną cechą elewacji, uformowaną już w gotyku, były duże otwory prostokątnych okien, wysokich zwłaszcza w kondygnacji reprezentacyjnej sieni.

Dekoracja fasady reprezentowała dwa podstawowe warianty. „Italski" charakteryzował ramowym ujęciem płaszczyzny w kratownicę pilastrów, półkolumn i fryzów, przy czym z reguły na fryzach skupiał się wystrój ornamentalny i figuralny. Dobrym tego przykładem jest dom przy ul. Długiej 45 (ok. 1560), o porządku toskańskim, czy kamienica Speymanna przy Długim Targu, zwana Złotą (1609–1617), o wyjątkowo bogatym programie figuralnym, z wizerunkami królów polskich umieszczonych w kontekście antycznych bohaterów, przez porównanie potwierdzających ich cnoty. Drugi typ, „niderlandzki", odznaczał się wykonaniem fasady bez podziałów architektonicznych, w nietynkowanej, starannie formowanej i ułożonej cegle, na której tle umieszczono kamienny detal obramień okiennych, fryzów międzykondygnacyjnych, na których skupiała się rzeźba figuralna, obramień szczytów itd. (np. kamienice przy ul. Chlebnickiej 1, z r. 1572; Długiej 30, z r. 1619; Elżbietańskiej 3, z r. 1612). Ten typ, silniej zakorzeniony w tradycji gotyckiej, dominował i on to właściwie decydował o charakterze miasta. Często występowały dzieła łączące oba wymienione typy. Znamienne jest przy tym silne przywiązanie do wertykalizmu, jako zasady kompozycyjnej kamienicy mieszczańskiej, odmienne od tego rodzaju budowli w innych miastach królestwa: nawet w przypadku połączenia pod wspólną zabudowę dwóch działek tworzono – jak w Arsenale – podwójne lub nawet potrójne fasady, złożone z trzech bliźniaczych segmentów, z których każdy zgodny był z zasadami kompozycji pojedynczej kamienicy.

Ustalone w dobie renesansu i manieryzmu systemy fasadowe przetrwały do epoki klasycyzmu – choć zmieniły się wykroje szczytów i pojawiła się artykulacja fasad za pomocą dużych porządków; owe dawne systemy stały się także tematem architektonicznych wariacji w dobie secesji.

Nowożytne inwestycje komunalne objęły także dawne urządzenia obronne; niektóre z nich uzyskały nową szatę architektoniczną i również nowe, nie tylko obronne, ale i reprezentacyjne funkcje. Dotyczy to Bramy Zielonej, wzniesionej w l. 1564–1568 przez drezdeńczyka Jana Kramera, i Bramy Złotej – dzieła Abrahama van den Blocke (1612–1614), zamykających ciąg Długiego Targu i ul. Długiej. Powstała jeszcze w l.

1575–1588 Brama Wyżynna – wczesne dzieło Willema van den Blocke – dzięki rustykowanej dolnej kondygnacji, odcinającej się swym obronnym charakterem od wypełnionej herbami kondygnacji fryzu, zyskała pełnię obronnej ekspresji.

Zamknięty bramami Zieloną i Złotą ciąg komunikacyjny, zwany Drogą Królewską, zyskał plastyczny akcent centralny w postaci tzw. Studni Neptuna, czyli fontanny: nad otoczonym kratą basenem góruje tam atletyczna postać Neptuna – Herkulesa, z trójzębem w dłoni. Projekt całości stworzył w r. 1606 Abraham van den Blocke; figura boga mórz jest dziełem Piotra Husena. 299

Można powiedzieć, że dzięki ogromnemu wysiłkowi inwestycyjnemu całej komuny miejskiej i działalności znakomitych artystów – częstokroć przybyszów, ale złączonych tu we wspólne, gdańskie środowisko artystyczne – zyskał Gdańsk na przełomie XVI i XVII w. oryginalne oblicze, aprobowane przez jego mieszkańców. Miarą tego może być częste występowanie widoków Gdańska w licznych obrazach tego czasu. Jan Vredeman de Vries umieszczał jeszcze alegoryczne sceny na tle idealnej scenerii architektury manierystycznej; w twórczości późniejszych: Isaaka van den Blocke („Apoteoza Gdańska", 1608), Antoniego Möllera („Grosz czynszowy", 1601), Jana Kriega („Widok Gdańska", ok. 1616), Bartłomieja Milwitza („Pożar na Długim Targu", ok. 1650) miasto występuje w pełni swej urody – nie tylko jako miejsce działalności jego mieszkańców, ale także jako godny kontemplacji przedmiot estetyczny. 295

Wiek XVII. Manieryzm i barok

Sztukę czasu „ok. r. 1600" – podobnie jak „ok. r. 1400" czy „ok. r. 1500" – cechuje znaczna różnorodność dążeń ideowych i kierunków artystycznych. Poczynając od ok. 1590 r., jest to okres nasilającej się twórczości artystycznej związanej głównie z natężeniem ideologicznej działalności potrydenckiego Kościoła katolickiego, posługującego się w tym celu na wielką skalę architekturą i sztuką, a także związanej z rozbudowanym mecenatem królewskim i rodów możnowładczych. To ostatnie wymaga podkreślenia: obok mecenatu królewskiego – Zygmunta III, Władysława IV, a wreszcie Jana III – który skupiał szczególnie utalentowanych artystów i dzięki któremu powstały wiodące dzieła, jak choćby krakowski kościół św.św. Piotra i Pawła, ważnym zjawiskiem tego czasu było szerokie oddziaływanie mecenatu magnackiego, którego zakres, rozległość horyzontów, nakłady finansowe można było równać z królewskimi; tak było w przypadku marszałka Mikołaja Wolskiego, wojewody krakowskiego Stanisława Lubomirskiego, Jana Dobrogosta Krasińskiego, a także Ossolińskich, Koniecpolskich i in.

Analizując epokę od strony nurtów stylowych, stwierdzamy obok dzieł manieryzmu rozwijający się nurt klasycznie barokowy, a przy nim tzw. nurt „rodzimy", silny zwłaszcza w dziedzinie architektury i jej dekoracji. Występują więc „style" i kierunki nowoczesne, ale trwają też dotychczasowe, przy czym odradzają się dawne modusy stylowe, jak np. gotycki. Pojawiają się także nowe typy dzieł, ale równocześnie obserwujemy interesującą przemianę dawnych. Wyodrębnia się i rozkwita nagrobek z klęczącą postacią zmarłego; upowszechnia się stosowanie marmurów pińczowskich i dębnickich, przy czym dominuje kolorystyka czarno-biała. W tym właśnie czasie powstaje najwięcej kaplic-mauzoleów, których formuła architektoniczna „ugina się" niejako w polu oddziaływania sztuki manieryzmu i baroku; zostaje wprowadzony barokowy plan eliptyczny; „czysta" architektura występuje obok dzieł nurtu rodzimego, z jego skłonnością do przeładowania stiukową dekoracją. Formuje się nowy typ rezydencji, doskonalony przez długi jeszcze czas. Pojawia się nowy – choć tak dobrze w tradycji osadzony – jezuicki typ kościoła; także erem kamedulski. Odżywa tradycja gotyckiego ołtarza; tradycje gotyckie dostrzegalne są w rzeźbie figuralnej, a także w malarstwie. Na nowych zasadach kształtuje się malarstwo dworskie.

Podobnie jak ok. r. 1500, tak i teraz istotne znaczenie ma mecenat królewski Zygmunta III Wazy, dla którego działał architekt Jan Baptysta Trevano, malarz Tomasz Dolabella, rzeźbiarz Ambroży Meazzi i in. Na zlecenie króla powstaje najdoskonalszy kościół jezuicki w Krakowie, odbudowuje się zamek wawelski, przebudowuje warszawski; wznosi się prywatną rezydencję królewską w Ujazdowie. Formują się wówczas zasady tzw. „stylu wazowskiego". 335

Powstające w oparciu o model rzymskiego kościoła Il Gesù liczne kościoły jezuickie oddziałują szeroko na budownictwo kościelne, nawet parafialne. Mniejsze znaczenie mają nieliczne eremy kamedulskie czy nawiązujące najwyraźniej do tradycji gotyckiej klasztory bernardyńskie (np. w Koźminie Wielkopolskim).

W ramach rozwijającego się w początkach XVII w. nurtu manierystycznego powstają bardzo różnorodne koncepcje architektoniczne, operujące często fantastycznymi niemal planami, wymyślnym kształtowaniem przestrzeni, plastycznymi wartościami architektury, grą światłocienia (np. kaplice Kalwarii 329 Zebrzydowskiej, kościół w Grodzisku i Siera- 330 kowie w Wielkopolsce, kolegiata w Klimontowie i in.).

Natomiast tzw. nurt rodzimy, w obrębie którego wykształcił się „typ lubelski i kaliski" w architekturze, wywodzi się z kolegiaty zamoj- 289 skiej, najpełniej sformułowany został w farze 332 w Kazimierzu Dolnym, a rozwijał się w 333 licznych warsztatach, przede wszystkim wznoszących kościoły na Lubelszczyźnie, wykazując dość daleko posuniętą zwartość typologiczną i stylistyczną.

Odżywające w tych dziełach tradycje gotyckie – np. operowanie szkarpami – silniej dochodzą do głosu w architekturze Wielkopolski, gdzie powstaje szereg ceglanych kościołów jednonawowych, z wyodrębnionym, wielobocznie zamkniętym prezbiterium i wieżą od zachodu; *novum* stanowi artykulacja wewnętrznych elewacji ślepymi arkadami i nakrycie całości stropem lub kolebką z lunetami. Pojawienie się tak wyraźnych reminiscencji gotyckich w architekturze świeckiej stanowi raczej wyjątek (np. kolegium Nowodworskiego w Krakowie, r. 1643).

U początków budownictwa rezydencjonalnego omawianej epoki znajdujemy ciąg manierystycznych pałaców wywodzących się z Ujazdowa (1606). Są to pałace typu dziedzińcowego: w Kruszynie (ok. 1630), Łańcucie (ok. 1640) i Rydzynie (ok. 1690) oraz pozbawione dziedzińca – w Białej Podlaskiej 358 (ok. 1622), Kielcach (1637–1641) i Podzamczu Piekoszowskim (ok. 1650).

Osobne miejsce zajmują bardziej indywidualne dzieła, jak pałac-willa w Czemiernikach (1617 – przed 1624), *palazzo in fortezza* w Podhorcach (1635–1640), wspaniała, wyłamująca się z wszelkich reguł, manierystyczna 360 rezydencja Krzyżtopór w Ujeździe Opatowskim (Wawrzyniec Senes, 1627–1644), czy 361 wreszcie nie zachowane pałace warszawskie, np. Ossolińskich bądź Kazanowskich.

W rzeźbie przełomu XVI i XVII w. dominuje nurt manierystyczny, początkowo rozwijający się na gruncie włoskim (ostatnie dzieła Santi Gucciego), a następnie w oparciu o wzory niderlandzkie, płynące poprzez Śląsk (twórczość J. Pfistera) i Gdańsk (dzieła van den Blocków). Jest to rzeźba często związana z architekturą, zarówno świecką (np. kamienice gdańskie), jak i kościelną. Przede wszystkim stanowi wyposażenie licznych kaplic-mauzo-264 leów, np. Firlejów w Bejscach (ok. 1600), 261 Myszkowskich w Krakowie (ok. 1614), Boi-262 mów (1609–1615) i Kampianów (ok. 1600–1629) we Lwowie.

Powstają monumentalne pomniki nagrobne, np. Ostrogskich w Tarnowie (ok. 1620) czy Sieniawskich w Brzeżanach (ok. 1640) – dzieła J. Pfistera. Przede wszystkim jednak rozpowszechnia się typ nagrobka klęczący; jego rozkwit przypada na pierwszą połowę XVII w. Poparty autorytetem nagrobków rzymskich, rozwija się u nas zarówno w wersji manierystycznej, z charakterystycznym bogactwem dekoracji i wielobarwnością tworzywa, z typowo manierystycznymi wątkami symbolicznymi, jak i w wersji kontrreformacyjno-barokowej – z położeniem nacisku na akt adoracji, przy ograniczeniu dekoracji i akcentowaniu struktury architektonicznej, z rzucającą się w oczy znamienną czarno-białą kolorystyką. Jest rzeczą nader charakterystyczną, że obydwie te tendencje pojawiają się w obrębie tego samego warsztatu, np. Willema van den Blocke (nagrobki Kosów w Oliwie, 1599 i 1618, i Bahrów w Gdańsku, 1620, oraz nagrobki Piotra Tarnowskiego w Łowiczu, po 272 1600, i arcybiskupa Wojciecha Baranowskiego w Gnieźnie, 1615).

Nurt barokowy reprezentuje – niezależnie od stosowania czasem tradycyjnych ty-315 pów – twórczość Sebastiana Sali (nagrobki Opalińskiego w Sierakowie, 1641, Oppers-310 dorfów w Głogówku, Ligęzów w Rzeszowie, ok. 1630, W. Gembickiego w Gnieźnie, 1638–1642).

Znana w renesansie forma nagrobka z popiersiem, związana zwykle z osobami humanis-tów i duchownych, kontynuowana w połączonych ze stallami nagrobkach krakowskich patrycjuszy, Cellarich i Montelupich, zastą-266 piona została przez typ pokrewny, mający bezpośrednią antyczno-renesansową genezę: nagrobek z portretowym rzeźbiarskim biustem zmarłego; np. taki jest nagrobek biskupa Szyszkowskiego (J. B. Trevano, 1631) czy Piotra Gembickiego (F. Rossi, 1654), obydwa 317 w katedrze wawelskiej w Krakowie.

Zaczyna się też rozwijać mało dotychczas stosowana figuralna rzeźba stiukowa, zwykle zresztą łączona z dekoracją (np. w dziełach Jana Chrzciciela Falconiego, pochodzącego z okolic Mediolanu), ciągle jeszcze utrzymująca się na granicy manieryzmu i baroku (Baranów, Bielany krakowskie, Łańcut, Niepołomice, Rytwiany, Wiśnicz, Krosno, Zamość, kościół Jezuitów w Krakowie, kościół w Tarłowie).

Pojawia się (w r. 1644) pierwszy w dziejach Polski pomnik w otwartej przestrzeni urbanistycznej – tzw. Kolumna Zygmunta (K. Tencalla, K. Molli, D. Tym) – i równie wyjątkowy zespół posągów Jagiellonów w wileńskiej kaplicy-mauzoleum, fundowany przez króla Władysława IV. Koncepcja tego drugiego nie tylko nawiązuje do sztuki włoskiej, lecz także do tradycji gotyckich na ziemiach polskich.

Ogromna rola przypadła rzeźbie drewnianej; ożywa forma ołtarza odwołująca się, przy wielu różnorodnych typach, do wzorów gotyckich bądź też do najbardziej nowoczesnej architektury.

Rozwija się malarstwo świeckie i religijne. W kręgu mecenatu królewskiego powstają portrety pędzla Adolfa Boya i Bartłomieja Strobla, także malarstwo historyczno-batalistyczne i alegoryczne.

Rozwój portretu przebiegał dwoma, dość odrębnymi torami. Nurt sarmacki, który uznać można za względnie samodzielny wytwór polskiej kultury, a w którego obrębie mieści się niezwykle ważny typ portretu trumiennego, znajdował oparcie w szerokich kręgach magnaterii i pośledniejszej braci szlacheckiej. Portret sarmacki może być rozważany – poza aspektem stylowym – pod kątem weryzmu i konwencji, rzeczowości i egzaltacji, realności i moralitetu. Nurt dworski natomiast ukształtował się w oparciu o normy zachowania i zwyczaje europejskich dworów, zwłaszcza hiszpańskiego i francuskiego, i asymilację tych wpływów na dworze polskim. Portret dworski był nie tylko wizerunkiem osobowości władcy i jego otoczenia, ale określał także pozycję społeczną, poglądy, stanowisko wobec ważnych problemów ideowych. Wybór przez zleceniodawcę portretu sarmackiego czy też dworskiego przekraczał granice osobistych upodobań i stanowił niemal deklarację społeczno-polityczną.

Malarstwo religijne związane było – podobnie jak i rzeźba – z potrzebami frontu kontrreformacyjnego. Pojawia się ono zarówno w centrach kościelnych, jak i w prowincjonalnych kościołach parafialnych, co w powiązaniu z liczebnością tej produkcji i wykonywaniem jej przez malarzy cechowych nie gwarantowało wysokiego poziomu artystycznego. Inaczej było w przypadku malarzy obcych lub spolszczonych.

Charakterystyczne jest dla tego okresu rozpowszechnienie się niektórych tematów religijnych, np. związanych ze św. Stanisławem, a także przedstawień maryjnych (zwłaszcza w formie cudownych wizerunków, np. w Częstochowie i Piekarach) oraz szeregu tematów mistycznych o genezie jeszcze gotyckiej, np. tematu „świętych obcowania", z zestawieniem sfery niebiańskiej i ziemskiej.

Obok znamiennej dla epoki dramatyczności, ekstatyczności, częstym zjawiskiem była aktualizacja przedstawień religijnych: przenoszenie wydarzeń biblijnych w realia polskie, co w tym czasie z reguły oznacza społeczeństwo szlacheckie, przy czym świętym nadawano rysy twarzy osób królewskich, a ich otoczenie miało wszelkie cechy zgromadzenia Sarmatów.

Kraków stanowi ważne środowisko malarskie – przede wszystkim dzięki działalności wszechstronnego Tomasza Dolabelli. (W kręgu jego oddziaływania powstaje m.in. cykl
323
historyczny z dziejów Kazimierza Odnowiciela [ok. 1643] u benedyktynek w Staniątkach.) Do jego uczniów należą: Wawrzyniec Cieszyński, Antoni Nozeni, Wojciech Maliśkiewicz, Stanisław Boja Wódka, Wenanty z Subiaco. W zespole kilkuset malarzy cechowych szczególnie cenieni byli Łukasz Porębski i Tyburcy Nowakowicz. Kierunek „niderlandzki" reprezentował m.in. antwerpczyk Jakub Mertens („Zwiastowanie" z r. 1609), uprawiający także malarstwo świeckie, zapewne mitologiczne.

Na znaczeniu zyskuje międzynarodowe środowisko lwowskie – miejsce ścierania się w malarstwie ideologii katolickiej i prawosławnej. Założone tu w r. 1595 bractwo malarskie podporządkowane było kurii rzymskiej. Malarstwo religijne reprezentował na tym terenie m.in. Jan Szolc Wolfowicz, a malarstwo świeckie – Szymon Boguszewicz. Stosowanie deski i operowanie złotym tłem było pierwszą oznaką tradycjonalizmu tego środowiska.

Szczególne znaczenie miało środowisko gdańskie, o wyraźnie zachodniej orientacji, korzystające z sił malarzy niderlandzkich (Jan Vredeman de Vries, Isaak van den Blocke, Antoni

Möller) oraz śląskich (Hermann Han, Bartłomiej Strobel, Adolf Boy). Malarze ci pozostawali przede wszystkim na usługach komuny miejskiej, tworząc wystrój gmachów publicznych, o treści alegorycznej i religijnej, zwykle silnie aktualizowanej, osadzonej w realiach stosunków gospodarczych i społecznych miasta. Znakomicie reprezentowany był w tym środowisku portret, uprawiany przez A. Boya i B. Strobla, a później Daniela Schultza i Andrzeja Stecha, korzystających ze szczytowych osiągnięć malarstwa flamandzkiego i holenderskiego.
369, 372, 371, 373, 374

W Wielkopolsce, w której na fali kontrreformacji najsilniej rozwijał się nurt neobizantynizmu, interesujący przykład stanowi malarstwo Krzysztofa Boguszewskiego, operującego
350
ściśle hieratycznym, abstrakcyjnym porządkiem, swoistą symboliką, a równocześnie szczególnym rodzajem autentyzmu otoczenia i jego realiów.

Mniej więcej w połowie XVII w. kończy się okres owej różnorodności stylowej i ideowo-artystycznej; zanika nurt manierystyczny, słabnie znaczenie tzw. nurtu rodzimego – można mówić o zwycięstwie baroku. Łączą się z tym ważne wydarzenia historyczne: zakończenie wojen szwedzkich i epoki tolerancji religijnej (1668: kara banicji za odstępstwo od wiary katolickiej). Sztuka pozostaje różnorodna, ale w obrębie wspólnej niejako postawy ideowo-artystycznej. Sprzyja to rozwojowi właściwej epoce dojrzałego baroku integracji wszystkich sztuk: architektury, rzeźby – zwłaszcza wykonywanej w stiuku – malarstwa ściennego, a także samodzielnej rzeźby i malarstwa sztalugowego, razem tworzących programy ideowe i wprowadzających widza w stan szczególnie nasilonych emocji.

Na ukształtowanie się nowej sytuacji w dziedzinie architektury wpłynęło – obok pojawienia się szeregu najwybitniejszych twórców – nie znane u nas dotychczas praktyczne oddziaływanie teorii artystycznej, w postaci *Krótkiej nauki budowniczej dworów, pałaców, zamków, podług nieba i zwyczaju polskiego* (1659) Łukasza Opalińskiego. Równocześnie duże znaczenie miała nauka architektury w kolegiach jezuickich, przyczyniająca się do popularyzacji wiedzy wśród społeczności szlacheckiej, a przede wszystkim do większego znawstwa i podwyższenia poziomu wymagań.

Na czoło wysuwa się twórczość Tylmana z Gameren (1632–1706) reprezentującego nurt klasyczny i monumentalny; przykładami mogą być takie jego dzieła, jak willa-pałac w Puławach (1671–1677), pałac Krasińskich w Warszawie (1677–1682), krakowski kościół św. Anny (1689–1704), centralne kościoły:
365, 307

303 Sakramentek (1688–1692) i Bernardynów na Czerniakowie (1687–1693), hale targowe na Marywilu. W kręgu oddziaływania Tylmana znaleźli się: Józef Szymon Bellotti, działający
384 z grupą budowniczych i sztukatorów (zamek w Rydzynie, 1694; kościół św. Krzyża w Warszawie, 1682–1696) i Józef Piola (kościół św. Ducha w Warszawie, 1707, kościół i klasztor Pijarów w Szczuczynie, 1697–1711).
362 Na usługach króla Jana III działał Augustyn
364, Locci, twórca architektury Wilanowa
367 (1677–1692), reprezentujący zupełnie inną orientację: lekkość, dekoracyjność, malowniczość.

W tym samym czasie powstają wybitne dzieła architektury kościelnej, będące często realizacjami oryginalnych koncepcji przestrzennych i plastycznych. Tradycyjne rozwiązanie reprezentuje bazylikalna kolegiata w Łowiczu (Tomasz i Andrzej Poncino, 1652–1668) i spóźnione manierystyczne dzieło Bonadurów – kościół Karmelitów w Poznaniu (1675). W dalszym ciągu powielany jest plan Il Gesù – np. w kościele Bernardynów w Krakowie, z fasadą dwuwieżową, projektu Krzysztofa Mieroszewskiego (1670–1680), w podobnym doń wileńskim kościele św.św. Piotra i Pawła na Antokolu, zaprojektowanym przez ,,Frigidianusa" (Ludwika Fredo) i wykonanym przez Jana Zaora (1668–1676). Na znaczeniu zyskują założenia centralne, z osią pionową wyznaczoną przez kopułę, która dotychczas była przede wszystkim nakryciem niewielkich kaplic-mauzoleów. Jako przykłady mogą posłużyć kościół Kamedułów w Pożajściu koło Kowna (1667–1690, projekt L. Fredy) czy bezpośrednio nawiązujący do
312, weneckiej S. Maria della Salute kościół Filipi-
311 nów w Gostyniu (1679–1698), wzniesiony przez Andrzeja i Jerzego Catenacich, a ukończony przez Pompeo Ferrariego. Szczególne
308 miejsce zajmuje kościół Jezuitów w Poznaniu – dzieło Bartłomieja Wąsowskiego, J. Catenazziego i P. Ferrariego, o rzymskiej monumentalności i znakomitym wystroju rzeźbiarskim i malarskim.
369, W dziedzinie malarstwa działają ciągle
372 wspomniani już portreciści: Bartłomiej Strobel, będący także autorem znakomitych obra-
371, zów religijnych, Daniel Schultz – twórca
373 świetnych pod względem psychologicznym
374, portretów, tworzonych pod wpływem Rem-
380 brandta, oraz Andrzej Stech, wykorzystujący doświadczenia van Dycka, zawarte w jego angielskich portretach, malujący także obrazy historyczne.

W zakresie malarstwa religijnego na czoło
325 wysuwa się Franciszek Lekszycki (zm. 1668), bernardyn, utalentowany amator, posługujący się sztychami Rubensa i van Dycka,

pracujący głównie dla kościołów swego zakonu. Decydujące jednak znaczenie mają twórcy malarstwa ściennego, wśród których przewodzi wybitnie utalentowany Michał Anioł Palloni (1637–1712), działający u kamedułów w
Pożajściu, w kaplicy w Wilnie, w kaplicy Pomisjonarskiej w Łowiczu, w 322 pałacu wilanowskim, w farze w Węgrowie, w kościele Kamedułów na Bielanach k. Warszawy. Łączył on malarstwo w integralną całość z architekturą i sztukateriami, dbając o wspólne działanie światła, o pełnię iluzji. Inni to: Karol Dankwart, działający na Śląsku, w Częstochowie, w kościele św. Anny w Krakowie, a następnie Franciszek Antoni Giorgioli (freski u bernardynów na Czerniakowie) i współpracujący z nim Mistrz legendy św. Antoniego. Rzeźba tego czasu umieszczana wewnątrz i na zewnątrz budowli kościelnych i pałacowych – jako ornamentalna dekoracja, figuralna płaskorzeźba i zespoły posągów – jeszcze silniej niż malarstwo łączy się z architekturą. Wyróżnić możemy szereg środowisk twórczych i różne orientacje: włoską, francuską i ,,północną". Kierunek włoski reprezentowali przede wszystkim przybysze z Italii,
np. Piotr Perti (Peretti) i Jan Galli, twórcy 319 wystroju wileńskiego kościoła św.św. Piotra i Pawła na Antokolu (1676–1686); niezwykle bogaty wystrój tego kościoła, ok. 2000 figur, uderza klasycznością formy, brakiem przeładowania i – przy pewnej dozie maniereczności – wykwintnością proporcji, pozy i gestu. Przedstawicielem tego samego kierunku jest współpracujący z Belottim tzw. Mistrz sieni wilanowskiej.

Zupełnie inną odmianę italianizmu reprezen-
tuje Baltazar Fontana, twórca szeregu dekora- 313 cji sztukatorskich w środowisku krakowskim (np. w kościele św. Anny) – dynamiczny, malarski, ,,berniniowski".

Orientacja profrancuska właściwa jest przede wszystkim gdańszczaninowi Andrzejowi Schlüterowi (zm. 1714), wykształconemu w Italii i Francji, ukształtowanemu jako twórca w Warszawie, pod przemożnym wpływem Tylmana Gamerskiego, z którym często współpracował. Schlüter pozostawił dzieła w Gdańsku (kaplica Królewska, 1682), Warsza-
wie (dekoracja pałacu Krasińskich, 1682– 366 1692), Fromborku, Węgrowie (krucyfiks), Żółkwi (nagrobki). Były to więc różne rodzaje rzeźby. (Projektował także monumentalną architekturę – zamek w Berlinie, plan Petersburga, pałac w Peterhofie.) Stworzył nader oryginalną, na gruncie sztuki francuskiej wyrosłą koncepcję klasycznej harmonii, ekspresji, realizmu i rodzajowości, zjednoczonych w ramach antycznej stylizacji. Podobny kierunek reprezentował Stefan Swaner.

W bezpośrednim otoczeniu króla Jana III rozwinęło się także i malarstwo; król założył w Wilanowie pracownię malarską – działającą obok zespołu rzeźbiarsko-sztukatorskiego. Należeli do niej: Jerzy Eleuter Szymonowicz-Siemiginowski (zm. 1711) – członek Akademii św. Łukasza w Rzymie, twórca malowideł w Wilanowie oraz portretów mitologicznych lub dworsko-sarmackich, heroizowanych, o pewnych cechach antykizacji; Jan Reisner (zm. 1713), studiujący w Rzymie, członek Akademii, twórca alegorycznego portretu królowej Marii Kazimiery i obrazów religijnych w manierze rzymskiego baroku; Marcin Altomonte (zm. 1745), czynny w Polsce w l. 1682–1702, malujący obrazy batalistyczne dla rezydencji królewskich, m.in. „Odsiecz Wiednia", a także obrazy religijne.

„Typ lubelski i kaliski" w architekturze polskiej XVII w. Problem rodzimości sztuki polskiej w epoce manieryzmu i wczesnego baroku

Intensyfikacja życia religijnego w Polsce – kraju tolerancyjnego katolicyzmu – będąca w znacznej mierze następstwem postanowień soboru trydenckiego, wiązała się także ze wzmożeniem aktywności artystycznej: sztuka ponownie, jak w późnym średniowieczu, zastosowana została do celów propagandy wiary i podobnie miała objąć swym działaniem kręgi najszersze. Obok zatem fundacji kościelnych, związanych przede wszystkim z zakonem jezuickim, a także z przejawiającym najwcześniej kontrreformacyjną działalność – zwłaszcza na terenie Wielkopolski – zakonem bernardyńskim, powstaje wiele budowli parafialnych, fundowanych przez możnowładców, gminy miejskie, prowincjonalne władze kościelne. Budowle te ujawniają istnienie szeregu nurtów artystycznych, wyrastających z odrębnych źródeł i prezentujących odmienne struktury stylowe, a równocześnie powiązanych ze sobą nie tylko wspólnym czasem występowania, ale także szeregiem głębszych zależności ideowo-artystycznych. U progu tych przemian stoi kilka wybitnych dzieł manierystycznych. Przede wszystkim kolegiata w Zamościu, budowana przez Bernarda Moranda w l. 1587–1600, na planie bazyliki, z nawami oświetlonymi poprzez towarzyszące im rzędy kaplic, z addycyjnie zaplanowanym prezbiterium, o rozświetlonym zamknięciu. To kontrastowe operowanie światłem koresponduje z przeciwieństwem między klasycznym belkowaniem – wspartym na koryńckich pilastrach

nawy głównej – oraz doryckimi pilastrami naw bocznych i kaplic z jednej strony a nieklasycznie dekoracyjnym sklepieniem z drugiej.

Doryckie arkady decydowały pierwotnie o kompozycji zewnętrznych elewacji budowli, ale szczyt fasady głównej miał formę niderlandyzującą.

Tenże typ szczytu zachował się do dziś w lwowskim kościele Bernardynów (1600–1617), dziele Pawła Dominiciniego, który zastosował tu redukcję kolegiaty zamojskiej; klasycyzujący porządek elewacji, opinający korpus nawy surowy fryz metopowy kontrastuje tu z fantazyjnym, wklęsło-wypukłym profilem wolutowych spływów półszczytów i szczytów, dekorowanych motywami okuciowymi. Charakterystyczny jest program figuralny szczytu nawy głównej, przypisywany Andrzejowi Bemerowi. Wątek uniwersalny (Chrystus ukazujący rany i Bóg Ojciec z gołębicą oraz postacie ojców Kościoła i krzyż w zwieńczeniu) łączy się z zakonnym (postacie świętych zakonu) i narodowym (herby Królestwa i Litwy po obu stronach postaci Chrystusa).

Do najbardziej interesujących dzieł manieryzmu należy zespół Kalwarii Zebrzydowskiej, budowany dla bernardynów na zlecenie Mikołaja Zebrzydowskiego, początkowo (1603) przez Jana Marię Bernardoniego, a następnie przez Pawła Baudartha, złotnika i architekta pochodzenia flamandzkiego. Pałacowy typ architektury tego klasztoru wzbogacony został w ciągu XVII w. o zespół kilkunastu kaplic Drogi Krzyżowej, rozrzuconych po lesistej górze; kilka pierwszych projektował Baudarth. Temat, w założeniu głęboko religijny, stał się okazją do stworzenia manierystycznej koncepcji architektoniczno-parkowej, pokrewnej włoskiemu Bomarzo. Kaplice o charakterze pawilonów wkomponowano w masyw leśny, umieszczając je na różnych osiach widokowych i komunikacyjnych, co miało naśladować rozplanowanie Jerozolimy. Kaplice te zostały wzniesione na różnych fantazyjnych planach: centralnym, eliptycznym – jak np. dom Kajfasza z 1609 r. – na planie krzyża greckiego, a także rozety; utrzymane w rozmaitych konwencjach ekspresji zyskały bogatą oprawę ornamentalną, głównie w formach niderlandyzujących. Inny zupełnie charakter miał zespół klasztorny kamedułów w Rytwianach, zwany Pustelnią Złotego Lasu (1625–1637), fundowany przez Gabriela i Jana Tęczyńskich. Prosty w bryle kościół odznaczał się niecodziennym układem wnętrza. Jednolita, wydłużona sala pełniąca funkcje chóru zakonnego, obudowana została z boków pomieszczeniami przeznaczonymi na kaplice, z nadbudowanymi otwartymi lożami. Tunelowe wnętrze, nakryte kolebką z lunetami, oświetlone jedynie przez okna w ścianach szczytowych, podzielone zostało pilastrami jońskimi, między którymi znajdują się stiukowe ramy.

327 Wnętrze to odznacza się – wbrew przepisom klasztornym – niezwykle bogatą dekoracją stiukową na sklepieniach, tworzącą ramy obejmujące różnokształtne pola przeznaczone na malowidła; wśród motywów zdobniczych znajdują się m.in. rozwinięte kartusze, girlandy oraz główki aniołków. Wybitnie manierystyczny charakter mają postaci aniołów na osi pilastrów, ukryte pod dekoracją, spod której widoczne są tylko głowy i stopy. Bujny ornament poddany jest dyscyplinie kompozycyjnej; wyraźnie przestrzegano granic między różnego rodzaju motywami.

Manierystyczny charakter miała fasada, zwieńczona szczytem o wykroju wolutowym, ze sterczynami na wzór szczytu kolegiaty zamojskiej.

Przy użyciu prawie czysto architektonicznych środków formował swe dzieła pochodzący z Padwy Krzysztof Bonadura Starszy, działa-
330 jący głównie w Wielkopolsce. Kościół w Grodzisku (1635–1648) jest przykładem operowania przede wszystkim złożoną kompozycją światła i przestrzeni: jednonawowe od strony zachodniej wnętrze, artykułowane filarami z potężnymi hermowymi pilastrami, ulega dalej rozszerzeniu przez dodanie z obu stron par kopułowych kaplic, połączonych ze sobą arkadą i owalnymi prześwitami; równocześnie w tej partii filary występują kulisowo do wnętrza nawy, wydłużając jej perspektywę. Związany z kaplicowymi aneksami szczególny efekt świetlny spotęgowany został w partii chórowej, nad którą wznosi się na ośmiobocznym tamburze, przeprutym dużymi oknami, najwyższa kopuła. Powstało w ten sposób znamienne stopniowanie przestrzeni.

Równie niekonwencjonalna jest bryła kościoła, mieszcząca się między dominantami wieży i kopuły chórowej, wzbogacona kopułami nad bocznymi aneksami. Elewacje zostały głęboko przeprute niszami i wnękami okiennymi, wyzwalającymi silną grę światłocienia. Poszukiwanie interesujących koncepcji przestrzennych znalazło wyraz także w innych dziełach Bonadury, np. w założonym na planie krzyża z kopułą kościele-mauzoleum dla Ossolińskich w Sierakowie (1624–1629).

Ogólnie biorąc, nurt architektury wykorzystującej mniej lub bardziej umiejętnie pomysły manierystyczne dotyczył stosunkowo nielicznego zespołu dzieł, reprezentujących równocześnie zróżnicowane rozwiązania.

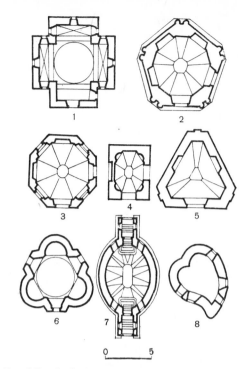

Paweł Baudarth, 1605–1614, i in., plany kaplic w Kalwarii Zebrzydowskiej. Objaśnienia na s. 243

Wzmagający się na przełomie XVI i XVII w. ruch budowlany, podobnie jak towarzyszące mu odrodzenie religijnej rzeźby i malarstwa, natrafiał na liczne trudności, zwłaszcza na brak żywej tradycji budowlanej. W dobie renesansu budowle kościelne powstawały – poza kaplicami grobowymi – tylko wyjątkowo; reprezentowały przy tym właściwie jeden typ. Powstające współcześnie nieliczne dzieła manierystyczne pustki tej nie wypełniały. Brakło też wzorów architektonicznych, poza rozpowszechnionym typem Il Gesù, związanym w tym czasie ściśle z Towarzystwem Jezusowym. Przede wszystkim jednak brakowało wykształconej kadry budowniczych, zarówno projektantów jak i wykonawców. Było to m.in. przyczyną rozlicznych problemów budownictwa jezuickiego, pełnego redukcji i uproszczeń.

W tej sytuacji otworzyły się możliwości dla twórców miejscowych; prowincjonalnych majstrów, zrzeszonych w cechach muratorskich, awansujących z wykonawców na projektantów. Powstaje zatem „architektura cechowa", charakteryzująca się ograniczonym horyzontem twórczym, korzystająca ze znanych pobliskich rozwiązań, zwrócona ku tradycji i przetwarzająca tradycjonalne roz-

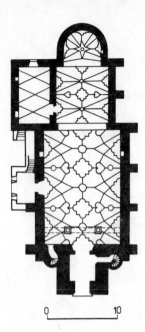

Plan kościoła św. Anny w Bolimowie, ok. 1635

wiązania. Muratorzy kierują się własnym gustem w zakresie dekoracji, swoiście pojmują jej rolę we wnętrzu i na elewacjach zewnętrznych; dobór i kombinacje motywów, przekształcanie ich w programy ideowe opiera się na własnym rozeznaniu projektodawców, ulegających w tym względzie jedynie życzeniom i sugestiom fundatorów.

Ilościowy wzrost tej sztuki oznaczał jej popularyzację, jej łączność z szerokimi kręgami odbiorców i użytkowników, co zgodne było z założeniami, ale równocześnie powodował daleko idące zróżnicowanie poziomu artystycznego; obok dzieł wybitnych powstawały twory dyletanckie, niemal prymitywne.

Geneza artystyczna tej architektury była złożona. Główne znaczenie miały dwa komponenty. Jednym z nich była tradycja gotycka, która podsuwała jako konkretny wzór układ jednonawowego kościoła z wieżą od zachodu, z mniejszym i niższym prezbiterium od wschodu, czasem – w kościołach grupy „kaliskiej" – zamkniętym wielobocznie. Z tradycją tą związane było także posługiwanie się uskokową skarpą – zwykle osłoniętą formami klasycznej podpory: filara lub pilastra – oraz wprowadzenie siatki podziałów na sklepienia (co miało złożoną genezę, w której jednak komponent gotycki był bardzo ważny). Z gotyku czerpano także pewne ogólne zasady kompozycji: wertykalizm proporcji całej bryły budowli, stosowanie trójkątnego, wyniosłego szczytu o schodkowej sylwecie i pionowej artykulacji, zachowywanie rytmicznych podziałów elewacji – także wówczas, gdy zamiast skarp pojawiały się pilastry. Drugim komponentem były wzory nielicznych kościołów renesansowych: porządki klasyczne, kolebkowe sklepienia.

Istotną cechą tej architektury jest, przy pewnej prostocie układu przestrzennego, dekoracyjność zarówno wnętrza, jak i elewacji zewnętrznych. Ornament pokrywa płaszczyzny, wchodzi na obramienie otworów okiennych i drzwiowych, decyduje o sylwetach szczytów i attyk wieńczących horyzontalnie elewacje kamienic. Pozostaje w zgodzie z układem architektonicznym, w sensie funkcjonalnym i konstrukcyjnym, lub też występuje jako wartość autonomiczna, wyraz bogactwa materialnego, obfitości dóbr ziemskich. Ornamentyka wykorzystuje porządki klasyczne i ich motywy, ale także łamie je, wprowadza własny porządek.

W imię dekoracyjności jako wartości autonomicznej twórca nie waha się przed korzystaniem z wszelkich motywów, różnorakich zasad operowania nimi, nie cofa się przed improwizacją. Spotykamy więc motywy gotyckie, renesansowe, manierystyczne, a także wczesnobarokowe w niezwykłych kombinacjach. Współdziałają ze sobą stylistyka włoska, niderlandzka i miejscowa, cechowa – najbardziej tradycjonalna. Wytwarza swoisty gust w zakresie dekoracji: króluje różnorodność, profuzja, przemienność elementu dekoracyjnego i figuralnego, obarczonych niejednokrotnie symbolicznymi znaczeniami, zwykle o charakterze religijnym, co łączy się z występowaniem dekoracji tego rodzaju przede wszystkim w dziełach architektury kościelnej.

Główne ośrodki tej sztuki mieściły się na terenach centralnych i wschodnich Rzeczypospolitej; było to związane z ożywieniem ruchu budowlanego w kręgach tamtejszej magnaterii. Także – choć w znacznie mniejszym stopniu – zjawisko to występowało w Wielkopolsce.

W latach 1603–1608 przebudowany został w Lublinie kościół Bernardynów, być może przez Jakuba Balina. Nie było to dzieło oryginalne; z kolegiaty zamojskiej przejęty został bazylikowy układ, z wysoką nawą i niskim, ciemnym prezbiterium. Rozczłonkowanie naw i tu opiera się na wielkim porządku korynckich pilastrów, których kapitele przerywają arkadowy fryz. Dekoracja ta wykonana została w zaprawie dość swobodnie i mało precyzyjnie, co stworzyło precedens tak ornamentalny jak i techniczny.

Pierwszorzędne znaczenie miała dekoracja sklepień. Podstawową jej formę stanowi wałek 32 wykonany w miękkiej zaprawie, ozdobiony motywami wolich oczu, pereł i akantów. Tworzy on na sklepieniu dekoracyjną siatkę, będącą dalekim echem siatkowych sklepień późnogotyckich. Forma tej siatki, w części dostosowana do kształtu sklepienia, wyznaczała jego artykulację, wzbogaconą wielokształtnymi formami obramień, wypełnionych czasem motywami stiukowymi, tworzącymi niejako własny porządek na sferycznej płaszczyźnie sklepiennej. Ten typ dekoracji rozpowszechnił się szybko w kościołach Lubelszczyzny.

Decydujące znaczenie dla wykształcenia się owego nurtu „rodzimego" miała twórczość Piotra Durie i Jakuba Balina. Czołowym dziełem, dość wiernie zachowanym, jest wyniosła fara w Kazimierzu Dolnym (1610–1613), wzniesiona na planie jednonawowym, z niższym i węższym prezbiterium, zamkniętym półkoliście. Do korpusu głównego przylega od północy dużych rozmiarów zakrystia, od zachodu aneks wieżowy, nie zasłaniający bogatego szczytu zachodniego:

332
333

trójkondygnacyjnego, z wnękami o pilastrowych obramieniach, profilowanego wolutowo, ozdobionego obeliskowymi sterczynami; podobny szczyt wieńczy nawę od wschodu. Korpus opięty jest na sposób gotycki szkarpami, przechodzącymi w pilastry zwieńczone kapitelami. Kolebkowe sklepienie z lunetami pokryte zostało typową dekoracją, wykonaną w zaprawie, częściowo z „prefabrykowanych" elementów, przy użyciu form.

Dalszy rozwój tej dekoracji prowadzi do jej całkowitego usamodzielnienia się, m.in. w stosunku do struktury sklepienia, traktowanego tylko jako sferyczne tło, na którym rozwija się ornamentalna kompozycja. Tworzy ją układ zróżnicowanych, fantazyjnych motywów w kształcie wieloboków, serc, gwiazd, rozet, krzyży, kół, owali, kartuszy itp. nanizanych na wzdłużne i poprzeczne osie, podległych zasadom symetrii i zróżnicowanych rytmów.

Jan Buszt, plan kościoła Dominikanów w Gidlach, 1644–1656

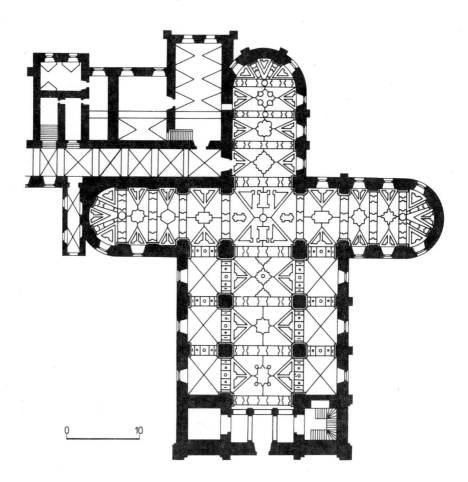

0   10

Już pierwsze dzieła tego rodzaju dysponowały znacznym repertuarem motywów, który z czasem został wzbogacony. Pojawiały się coraz liczniej prefabrykaty, rósł także udział rzeźby tworzonej „od ręki". Znaczenia nabierała iluzja dynamiki, uzyskiwana przez zagęszczenie motywów, oraz stopniowanie ich wielkości – zwłaszcza w budowlach kopu-
258 łowych, np. kaplicach kościoła w Uchaniach (ok. 1625). Stosunkowo powolny rytm dekoracji nawy i prezbiterium ulega tam przyspieszeniu w otwierających się do chóru kaplicach, a szczególnie spotęgowany jest w ich kopułach.

Ważnym czynnikiem było działanie światła, stałego komponentu dekoracji sklepiennych, różnicowane przez zwiększenia plastyczności motywów, ich zagęszczenie, przez wprowadzenie światła oknami bocznymi, a zwłaszcza dzięki operowaniu dolnym i górnym oświetleniem w sklepieniach kopułowych.

Posługiwanie się techniką prefabrykatów sprzyjało szybkości pracy, zwiększaniu liczby dzieł, ale także popularyzacji motywów, prowadząc równocześnie do obniżenia poziomu wykonania, a przede wszystkim do osłabienia inwencji twórczej.

Omawiany typ dekoracji, występujący równocześnie z klasycznymi porządkami elewacji zewnętrznych i wewnętrznych, z manierystycznymi w genezie szczytami, ozdobionymi niderlandyzującymi motywami, rozpowszechnił się także w małej architekturze, zwłaszcza wśród licznych kaplic-mauzoleów, stając się jednym z ważnych składników artystycznego krajobrazu Polski w pierwszej połowie XVII w.

Rozwinięty na Lubelszczyźnie, przeniesiony został na teren Mazowsza (jako przykład wymienić można kościół św. Anny w Bolimowie z 1635 r., czy kościół św. Trójcy tamże, z 1667 r.). Znajdziemy go także na terenie Wielkopolski, w kościołach odmiany „kaliskiej", charakteryzującej się wielobocznym „późnogotyckim" zamknięciem prezbiterium. Tu jednak, ok. r. 1600, zasadnicze znaczenie miał nurt odrodzenia tradycji gotyckiej w dość purystycznej formie, w której mieściło się pokrewne renesansowi kształtowanie przestrzeni, ale nie owa kresowa profuzja dekoracji; jako przykład można wymienić kościół w Benicach koło Krotoszyna.

Odrębny charakter ma także dekoracja wielkopolskiej grupy kaplic-mauzoleów, zakładanych na planie ośmioboku, w których stiukowa dekoracja kopuł oparta jest na bardziej rygorystycznym operowaniu prostymi motywami geometrycznymi, pozbawionymi owej ornamentalnej fantazji właściwej dekoracjom
263 lubelskim (np. kaplica w Radlinie).

Nurt ten objął po części także budownictwo świeckie. Dwór w Poddębicach (1610–1617), 257 o bardzo swobodnie formowanej bryle, z dostawioną klatką schodową, poprzedzoną wieżą, z loggią w ścianie szczytowej, ma dekorację złożoną z innych motywów, ale o tym samym charakterze. Wspomnieć należy także o wspaniałych spichrzach w Kazimierzu 304 Dolnym. Osobny rozdział stanowi dekoracja kamienic mieszczańskich.

Sztuka w dobie kontrreformacji

Rzeczpospolita słusznie cieszyła się opinią państwa tolerancji religijnej; jako uzasadnienie tego sądu należy wymienić daleko posuniętą wolność praktyk religijnych czy zasiadanie w senacie pospołu senatorów katolickich i innowierców, a przede wszystkim fakt, że skierowane przeciw dysydentom mandaty królewskie wyjątkowo tylko przybierały realny kształt procesów i skazań, zwłaszcza na terenach tak przez nich opanowanych jak Wielkopolska.

Z różnych jednak powodów reformacja jako ruch masowy, który ogarnął także najwyższe sfery społeczeństwa – magnaterię, słabnie w końcu w. XVI i w początkach w. XVII traci właściwie swe pierwotne znaczenie. Następuje zwycięstwo kontrreformacji, choć należy równocześnie podkreślić, że procesy te w porównaniu z wypadkami w środkowej Europie przebiegały w naszym kraju wyjątkowo spokojnie.

Uchwały soboru trydenckiego i związane z nimi odnowienie Kościoła katolickiego łączyło się z ożywieniem fundacji kościelnych, dotyczących budowli sakralnych i ich wyposażenia, w tym w szczególności zapomnianych od dawna ołtarzy. Liczebny wzrost murowanych budowli kościelnych w końcu w. XVI był ogromny, przy czym charakterystyczna jest różnorodność stylowa tych dzieł, dająca się ująć zarówno w kategorie artystyczne, jak i instytucjonalne.

Wprawdzie pojęcie „stylu jezuickiego" dawno utraciło swą aktualność, ale trzeba przyznać, że kościoły Towarzystwa Jezusowego stanowiły w Polsce stosunkowo jednolite zjawisko artystyczne, choć nie zawsze dające się odnieść do typu rzymskiego Il Gesù. Jezuici pojawili się w Polsce wcześniej niż w innych krajach Europy: w r. 1564 w warmińskim Braniewie, następnie w Pułtusku, Wilnie, Poznaniu, Jarosławiu, Lublinie, Lwowie, Krakowie, Nieświeżu, Kaliszu. Plany wznoszonych przez nich kościołów zatwierdzane były każdorazowo w Rzymie, projektodawcami i realizatorami byli niemal wyłącznie architekci jezuiccy, istniał wreszcie ustalony typ kościoła – rzymski kościół Il Gesù (1568–1584), dzieło Vignoli z fasadą Giacomo della Porta, a przecież powstające w Polsce dzieła były zróżnicowane.

Rzymska świątynia miała kształt starannie wybrany w aspekcie zarówno użytkowym, jak symbolicznym i estetycznym. Został w niej połączony układ centralny – kopuła na skrzyżowaniu nawy głównej i transeptu, ujęta w cztery kopuły najbliższych kaplic, zgodnie z ideałem formy klasycznej i z koncepcją ideowego centralizmu – z podłużnym, związanym z łacińską, rzymską tradycją chrześcijańską. Szeroka nawa odpowiadała potrzebom kazuistyki, większemu zespoleniu w liturgii i także ewentualnym potrzebom ceremoniału religijnego. Zamienione na kaplice nawy boczne zapewniały użyteczną dla prywatnej dewocji separację; umieszczone w nich ołtarze umożliwiały równoczesne odprawianie szeregu mszy św., natomiast połączenie kaplic pozwalało na poprowadzenie wewnątrz kościoła procesji nawet przy wypełnionej nawie. Bezwieżowa fasada i brak wolno stojącej dzwonnicy symbolizowały skromność użytkowników i gospodarzy świątyni, popartą pierwotnie prostym wystrojem wnętrza.

Polskie kościoły jezuickie są zwykle redukcją typu rzymskiego, ale czasem o ich kształcie decyduje tradycja miejscowa.

W zaprojektowanym zapewne przez M. Christianiego kościele lubelskim (1586–1604) zrezygnowano z transeptu. W kościele kaliskim, wzniesionym przez Giovanniego Marię Bernardoniego (1587–1595), zastosowano odległy od wzoru rzymskiego typ bazyliki z emporami, przeznaczonymi dla nowicjatu; równocześnie poszerzono nawę główną i zmniejszono prezbiterium, w duchu scentralizowanych założeń jednoprzestrzennych. Podzielona poziomo fasada kościoła kaliskiego, bez zaakcentowania centrum, spiętrzony dwukrotnie szczyt o wolutowym konturze, bezceremonialne stosowanie porządków architektonicznych – wszystko to bliższe jest architekturze Północy niż Rzymu. W Nieświeżu ten sam Bernardoni zastosował plan rzymski (1598–1599), opuszczając tylko jedną parę kaplic przy nawie. W Jarosławiu (1591–1594) redukcja dokonana przez Józefa Briccio poszła w kierunku centralizacji – przez odcięcie nawy i pozostawienie skrzyżowania z jedną parą kopułowych kaplic.

Najbliższy rzymskiemu wzorowi jest kościół 35 św. św. Piotra i Pawła w Krakowie, fundowany przez króla Zygmunta III Wazę, budowany według projektu Giovanniego de Rossis przez Józefa Briccio i Jana Baptystę Trevano (1597–1619), ozdobiony sztukateriami Jana

Chrzciciela Falconiego; zrezygnowano tu jedynie z kopułowych kaplic przy skrzyżowaniu, powtarzając dość wiernie typ fasady i trzymając się ściśle klasycznych proporcji i porządków – przez co dzieło to nie wykazuje cech dyletantyzmu, którym razi np. budowla kaliska.

Powstały współcześnie (1604–1616) w Wilnie kościół św. Kazimierza posiadał pierwotnie tradycyjną, dwuwieżową fasadę. W Warszawie – zapewne ze względu na brak miejsca – wzniesiono w l. 1609–1626 wysoki koś- 334 ciół jednonawowy; oświetlenie apsydy po- przez umieszczoną nad nią kopułą jest tutaj 336 typowym motywem manierystycznym. We Lwowie, w l. 1610–1631, powstała bazylika emporowa, zbliżona do kaliskiej, z wielobocznie zamkniętym prezbiterium, bez transeptu i kopuły, częściowo z ostrołukowymi sklepieniami, a więc z pewnymi reminiscencjami gotyku. Kościół lwowski charakteryzował się wysmukłą, dynamiczną i dekoracyjną fasadą.

Biorąc pod uwagę zarówno elementy manierystyczne jak i gotyckie, można stwierdzić, że powstające w Polsce budowle jezuickie nie tylko nie reprezentowały jednolitego typu, ale także ich klasyfikacja stylowa nie jest jednoznaczna.

Dotyczy to także budownictwa innych, ważnych w tym czasie „wspólnot chrześcijańskich". Charakterystyczne, że nawet eremy kamedulskie, o tak ściśle określonej regule, wznoszone na pustkowiu i zupełnie obce idei apostolstwa, w założeniu służące wewnętrznej, duchowej odnowie Kościoła na drodze pustelniczej, prezentują różnorodne i wcale bogate rozwiązania. Przepisy zakonne określały dokładnie usytuowanie części laickiej oraz pustelni z celami, w postaci odrębnych domów, także – generalnie – kształt kościoła, do którego dopiero od drugiej ćwierci XVII w. dopuszczano osoby świeckie, w celu uczestniczenia w nabożeństwach, i to tylko w dni świąteczne.

Kameduli, sprowadzeni do Polski przez wybitnego mecenasa, marszałka Mikołaja Wolskiego, w r. 1605, wznosili swe siedziby w pierwszej połowie XVII w.: *Mons Argentus* – Bielany pod Krakowem (1605–1630), 338 *Silva Aurea* – Rytwiany (1621–1657) i *Monte Regio* – Bielany koło Warszawy, po 1641. Budowany od r. 1625, uprzednio już omówiony, kościół w Rytwianach był budowlą manierystyczną, z bogatą – wbrew przepisom – dekoracją wnętrza. Kościół podwarszawski 327 przebudowany został w l. 1734–1758. Natomiast powstały w l. 1609–1630 kościół podkrakowski, dzieło Andrzeja Spezzo, stanowi przykład budowli o cechach wczesnobaroko-

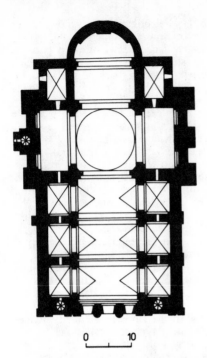

Giovanni de Rossis, plan kościoła Jezuitów p.w.
św.św. Piotra i Pawła w Krakowie, 1597–1619

wych, m.in. z uwagi na kierunkowość i osiowość założenia. Oparty na planie Il Gesù – co należy uznać za charakterystyczne zjawisko wobec tak zupełnie odrębnych funkcji kościoła kamedulskiego – bez transeptu i kopuły, ma obszerne wnętrze, o delikatnej artykulacji ścian, nakryte kolebką. Jest ono surowe w wyrazie i wykazuje stosunkowo słabą plastyczność. Fasada, o dość szeroko rozstawionych, lekko wysuniętych, niskich wieżach, ze środkowym ryzalitem, utrzymanym w dwóch płaszczyznach i zwieńczonym trójkątnym szczytem obwiedzionym balustradą, rozczłonkowana pilastrami dużego porządku, nosi znamię twardego i ostrego modelunku. Typ fasady zapewne wywodzi się z nielicznych północnowłoskich założeń dwuwieżowych, jak np. Santa Maria in Carignano w Genui.

Poprzedzenie tej fasady dojściem pomiędzy murami ogrodu nie tylko stwarza efekt manierystycznej „ucieczki przestrzennej", lecz także podkreśla osiowość założenia oraz naprowadza wzrok widza na jego centrum.

Z Hiszpanii sprowadzony został zakon karmelitów bosych. Ich kościół w Wiśniczu Nowym, dzieło Macieja Trapoli (1622–1634), powtarza schemat kościoła jezuickiego, choć równocześnie mnożą się tu podziały i zyskuje na znaczeniu dekoracja. W Czernej pod Kra-

kowem powstaje w l. 1631–1633 obszerne założenie klasztorne, na planie kwadratu, otoczone zabudowaniami i podzielone na cztery dziedzińce, z wpisanym w centrum kościołem na planie krzyża greckiego. Stanowi ono reminiscencję wielkich klasztornych założeń hiszpańskich (np. Eskurialu). W r. 1642 Jakub Sobieski, ojciec Jana III, funduje klasztor karmelitów bosych we Lwowie, który także przejął fasadę typu rzymskiego, kształtowaną w kilku płaszczyznach, dwukondygnacyjną, rozczłonkowaną pilastrami wielkiego porządku, z wolutowym szczytem, zwieńczonym trójkątnym naczółkiem i z portykiem o dwóch niemal pełnoplastycznych kolumnach. Autorem projektu wzniesionego w drugiej połowie XVII w. kościoła był Giovanni Battista Gisleni.

Znaczenie typu jezuickiego zaznacza się również w budowlach parafialnych. Jako znakomity przykład można wymienić kościół parafialny w Koniecpolu (1633–1640), o szeroko, horyzontalnie rozłożonej kompozycji całości. Zbudowany na planie Il Gesù i z analogiczną fasadą, flankowany jest dwiema dzwonnicami, umieszczonymi w narożach wysuniętego do przodu ogrodzenia, z umieszczoną pośrodku niego małą bramką, dla której tło stanowi wspaniała fasada kościoła. W kościele parafialnym w Tarłowie (1645–1655) złączono dwuwieżowy schemat fasady z typem jezuickim, przy czym natężeniu uległa plastyczność jej rozczłonkowania, zwiększająca efekty światłocieniowe.

Drugim „stylem" XVII w. jest tzw. „styl Wazów". Jego znaczenia nie można porównywać z oddziaływaniem jezuickiego typu kościoła, miał bowiem charakter elitarny: związany ściśle z dworem królewskim Zygmunta III Wazy, łączył się z prywatnymi czy półprywatnymi fundacjami władcy.

Był to właściwie jeden z nurtów wczesnego baroku, który wiele zachował z manieryzmu, z jego odmiany charakteryzującej się spokojem, powściągliwością, klasycyzmem, położeniem nacisku na strukturę architektoniczną, a nie na dekorację i jej bujną fantastykę. Była to sztuka odpowiadająca gustom wykształconego estetycznie i artystycznie mecenasa, amatora-złotnika i malarza, tworzona w powiązaniu ze swoiście powściągliwą i surową, poważną sztuką końca XVI w., panującą w Rzymie i w Hiszpanii. Pewne znaczenie miało tu także zaaprobowanie hiszpańskiej etykiety dworskiej, stroju itd. Jeśli przyjmiemy sąd, że sztuka ta była wyrazem absolutystycznych – na wzór hiszpański – dążeń króla, to należy dodać, że podobnie jak i one nie zdołała się szerzej rozwinąć.

Charakterystyczną jej cechą – obok architek-

302

tonicznie strukturalnej formy – było tworzywo, głównie marmur wydobywany w Chęcinach, o barwie rozbielonego brązu, oraz w Dębniku koło Krakowa, o barwie czarnej, której stosowanie znajdowało przykład w kontrreformacyjnej Hiszpanii. W materiale tym wykonywano ołtarze, nagrobki, portale, kominki – kształtowane w podstawowych formach – klasycznie poprawne, płaskie i linearne, o urozmaiconym profilowaniu, wzbogacone „architektonicznymi” ślimacznicami czy obeliskami; czasem ozdobione formami kartuszowymi, lecz bez tak charakterystycznej dla renesansu, czy niektórych odmian manieryzmu, ornamentalizacji formy. Dekoracyjnością natomiast odznaczały się partie stiuków, zwłaszcza umieszczone na sufitach, utrzymane z reguły w białym kolorze.

Styl ten zastosowano przy odbudowie spalonego w 1595 r. północnego skrzydła zamku wawelskiego: w sali Pod Ptakami, w prywatnej kaplicy królewskiej i w gabinecie króla – wnętrzach kameralnych, o niewielkiej skali. W czarnym marmurze wykonano kaplicę grobową Wazów przy katedrze wawelskiej, ukończoną dopiero ok. 1676 r. Wzniesioną przez Konstantego Tencallę kaplicę św. Kazimierza przy katedrze wileńskiej (1636–1641) wyłożono „dębnikiem”, dzieląc ściany prostymi listwami pilastrowymi, z alabastrową dekoracją fryzu oraz z wnękami, w których ustawiono srebrzone posągi Jagiellonów, w obramieniach ozdobionych białym marmurem.

Do najznakomitszych dzieł tego rodzaju należy kaplica Zbaraskich przy kościele Dominikanów w Krakowie (1629–1633), wzniesiona przez Andreę i Antonia Castellich, nakryta eliptyczną kopułą. We wnętrzu dominuje czerń porządków architektonicznych – z białymi akcentami kapiteli; czerń opanowała też portale, ołtarze i nagrobki, a całość podporządkowana została architektoniczno-linearnej stylizacji, o bogatym rysunku profili i załamań, ale bez ornamentyki.

Podobny styl i wyraz reprezentują kaplice: Kołudzkich w Gnieźnie, Denhoffów na Jasnej Górze oraz Oświęcimów w Krośnie (budowana ok. r. 1647 przez Wincentego Petroniego), a także liczne pomniki nagrobne, zwłaszcza z klęczącymi figurami, utrzymane w tej samej, głównie biało-czarnej gamie kolorystycznej, tchnące wyrazem skupienia, powagi, pobożności.

Czasem o znaczeniu dzieła nie decydowała jednolitość stylu i myśli plastycznej. Klasztor oo. Paulinów na Jasnej Górze w Częstochowie, cieszący się opieką kolejnych dynastii i władców od czasu swego powstania w r. 1382,

w ciągu w. XVII zyskał rangę głównego ośrodka religijnego w Polsce. Wiek XVII uczynił zeń nowoczesną, czterobastionową twierdzę, która oparła się szwedzkiemu potopowi, i przyniósł stopniowo przebudowę całego założenia. Poza wspomnianą już kaplicą Denhoffów zadbano przede wszystkim o kaplicę P.Marii z cudownym obrazem: w r. 1609 na gotyckim sklepieniu powstały freski Tomasza Dolabelli, a w r. 1644 – ze względu na rozkwit kultu obrazu dobudowano trójnawowy korpus; całość ozdobiono bogatymi stiukami. W r. 1650 Jerzy Ossoliński ufundował dla obrazu niezwykły ołtarz – z hebanu i srebra, dzieło Chrystiana Bierpfaffa. Niemal współcześnie, do r. 1647, powstała Sala Rycerska i wreszcie w l. 1690–1693, po pożarze, nastąpiła gruntowna przebudowa późnogotyckiej hali na bazylikę i ozdobienie jej bogatymi stiukami i freskami Karola Dankwarta; te ostatnie łączą dzieje Odnalezienia Krzyża Św. oraz dzieje obrazu Matki Boskiej Częstochowskiej w szczególną paralelę.

Świadectwem znamiennego dla tego środowiska wiązania myśli religijnej z ogólnymi dziejami są znajdujące się w klasztorze obrazy, przy czym szczególne znaczenie ma cykl w Sali Rycerskiej, z drugiej połowy XVII w., poświęcony dziejom Jasnej Góry. Po scenach: „Fundacji klasztoru”, „Napadu husytów” (którzy m.in. zniszczyli cudowny obraz) i daremnego oblężenia klasztoru przez Szwedów, pojawia się zespół scen z udziałem kolejnych monarchów, zakończony wiedeńską wyprawą Jana III Sobieskiego. Jest to bodajże najwcześniejszy w naszej sztuce historyczny „cykl królewski” – w tym wypadku spleciony z dziejami instytucji kościelnej. Cenne obrazy w Arsenale i w zakrystii mają wyłącznie religijny charakter.

W okresie wzmożonej ofensywy kontrreformacyjnej następuje silny ilościowy wzrost produkcji ołtarzy; tylko na terenie Małopolski powstaje ich w pierwszej połowie XVII w. kilkaset. Fundacje tych dzieł były dowodem nasilenia się religijności; w przeciwieństwie do nagrobków ołtarze nie służyły bezpośrednio upamiętnieniu osoby fundatora. Świadczyły o wzroście liczebności nabożeństw, zwiększeniu się liczby kleru itp. Powstawały przede wszystkim na terenie Małopolski i Wielkopolski. Ich wymowa ideowa była jednoznacznie katolicka: najsilniej – jak się zdaje – eksponowany był kult Marii Niepokalanie Poczętej lub Koronowanej w Niebie; rozwijała się także tematyka pasyjna, a obydwu towarzyszyły przedstawienia hagiograficzne. Dobór świętych dokonywany był na podstawie różnych kryteriów: przede wszystkim eksponowano patronów narodowych – Wojciecha i Stanisława, następnie opiekunów kościołów, wreszcie świętych związanych z miejscową tradycją. Wyjątkowo pojawiają się wątki wyraźnej polemiki antyreformacyjnej; decydujące znaczenie ma eksponowanie programu ideowego zleceniodawców, często przy zastosowaniu bardzo tradycyjnych schematów ikonograficznych.

Ołtarze reprezentują różne odmiany. Podstawowy jest typ architektoniczny; w dekoracyjnych ramach architektonicznych takiego ołtarza pojawiają się malowane i rzeźbione przedstawienia figuralne, przy czym w Małopolsce przewagę ma malarstwo, zwłaszcza na skrzydłach i w partiach bocznych, a w Wielkopolsce rzeźba. Jest to jeden z dowodów działania tradycji, sięgającej XV w., w Wielkopolsce zasilanej zresztą wpływami śląskimi.

Tradycyjny bywa także układ kompozycyjny ołtarzy. Do późnogotyckich tryptyków nawiązują ołtarze o ruchomych skrzydłach, co jest zjawiskiem dość wyjątkowym; przykładem może być ołtarz św. Barbary w Wierzbnie, w woj. kieleckim (1590). Czasem skrzydła bywają przytwierdzone do obracających się kolumn (Pleszów k. Krakowa, pocz. XVII w.) lub też są nieruchome. We wszystkich tych odmianach pojawiają się kolumny lub pilastry jako podstawowa forma architektury, z późnorenesansową lub manierystyczną dekoracją.

Drugi typ – najszerzej rozpowszechniony – oparty był na popularnym schemacie łuku triumfalnego i występował w kilkunastu wariantach. Początkowo związany z formą tryptykową, w dalszej ewolucji powtarza dość ściśle schemat bram z traktatu Sebastiana Serlia: łuk triumfalny z nadbudowaną nad środkową osią aediculą, z wnękami w dwóch poziomach w partiach bocznych (np. ołtarz główny kościoła św. Idziego w Krakowie, pocz. XVII w.).

Od r. 1600 rozpowszechniła się odmiana, dla której znamienna była zwieńczona naczółkiem wyższa arkada środkowa, przecinająca belkowanie. Schemat ten zastosowano w głównym ołtarzu katedry krakowskiej (1545–1548, obecnie w Bodzentynie), ale przyjął się on dopiero o 50 lat później (por. np. ołtarz główny w kościele parafialnym w Zebrzydowicach k. Wadowic, ok. 1600). Ulegał też różnym przemianom. Bardzo popularną, uproszczoną formę stanowił ołtarz w kształcie aediculi, ujętej w pojedyncze lub zdwojone podpory, czasem z nasadką.

Genezę schematu kompozycyjnego tych dzieł, zwykle o wyraźnej strukturze architektonicznej, można sprowadzić do tradycji gotyckiej i renesansowej oraz do wzorów graficznych, głównie włoskich, prezentujących opra-

cowanie elementów takich, jak np. portale bądź obramienia okienne. Nie korzystano w Małopolsce z graficznych wzorów ołtarzy, mimo znajomości traktatów Serlia czy Vignoli.

Natomiast w zakresie detalu architektonicznego i motywów dekoracyjnych stwierdzamy w pewnym stopniu oddziaływanie wzorników niderlandzkich: Cornelisa Florisa i Jana Vredemana de Vries.

Wpływ tych ostatnich jest wyraźniejszy w ołtarzach wielkopolskich, które w zasadzie reprezentują podstawowe typy znane w Małopolsce – tryptykowy, „triumfalny" i aediculowy. Wprowadzano także nowe warianty, np. zastępując kolumny figurami świętych, stosując na większą skalę obramienia uchate, o motywach niderlandzkich, i operując bogatą, dynamicznie formowaną dekoracją, konkurencyjną w stosunku do struktury architektonicznej. Ołtarze wielkopolskie silniej związane są z nurtem manierystycznym. Charakterystyczne jest przy tym zjawisko stosowania tutaj w większym zakresie rzeźby figuralnej: niemal z reguły wnęki skrzydeł wypełnione są figurami świętych, które często bywają też ustawione ponad kapitelami kolumn (por. np. ołtarz w kościele św. Wojciecha w Rosku k. Jarocina, ok. 1630).

Mówiąc o zależności schematu kompozycyjnego od tradycji gotyckiej, należy zwrócić uwagę na częste umieszczanie w nowo powstających ołtarzach fragmentów malowanych i rzeźbionych ołtarzy późnogotyckich. W niektórych przypadkach stworzenie nowego ołtarza związane było z myślą o wykorzystaniu i wyeksponowaniu reliktów dawnego (np. w Koźminie czy Kobylinie, ok 1600, obydwa koło Krotoszyna; w Lgowie k. Jarocina czy w Szydłowcu, z l. 1618–1627). Nie była to tylko sprawa wykorzystania istniejących, a użytecznych składników; zwraca uwagę wpływ rzeźby późnogotyckiej na formowanie rzeźby powstającej w pierwszej połowie XVII w. (np. w ołtarzu w Kościanie). Fakty te można wiązać z pewnego rodzaju historyzmem, mającym zarazem aspekt legitymistyczny: opowiedzenie się po stronie tradycji stanowiło wyraz restytuowania dawnej wiary w obliczu licznych przypadków odbierania kościołów z rąk innowierców i fundowania przy tej okazji nowych ołtarzy, w których relikty pierwotne pełniły rolę symbolicznego łącznika między pobożnością przedreformacyjną i kontrreformacyjną.

„Odrodzenie" tradycji gotyckiej dotyczyło nie tylko struktury ołtarzy i ich wyposażenia rzeźbiarskiego oraz niektórych nurtów architektury sakralnej. Przejawiło się także w malarstwie.

Nie wdając się w szczegółowe dysputy z innowiercami, którzy realizując podstawowe funkcje wiązane przez nich z obrazem, a więc dydaktyczne, zapełniali rzeźbione czy malowane epitafia wykładami teologicznymi – manifestowano wierność rzymskiemu Kościołowi poprzez tradycjonalizm malarstwa późnego XVI w. Tradycja ta zresztą już wcześniej dochodziła do głosu: w obrazie „Św. Anna Samotrzecia" ze Starogrodu (woj. kaliskie, ok. 1567) temat, aranżacja ikonograficzna, symbolika, a nawet złote tło nawiązują do gotyku, niezależnie od niderlandzkiego italianizmu, widocznego w postaci św. Jana. Analogiczne nawiązanie uderza z wielką siłą w „Nawiedzeniu" z Jordanowa, z końca XVI w., pochodzącym z nie zachowanego tryptyku: na tle pejzażu, ujętego od góry w łuk uformowany z obciętej gałęzi pędu winorośli (motyw typowo późnogotycki), umieszczono postacie w sposób dobrze znany z tradycji gotyckiej, przy czym manieryzm tego dzieła wzmaga dynamika form draperii, o podobnej proweniencji.

Dawne schematy ikonograficzne pojawiają się w wielu dziełach, jak np. w tchnącej bizantyńskim hieratyzmem „Sacra Conversazione" z Lublina, z ok. 1610 r., ukazującej Marię w typie Hodegetrii, depczącą węża na półksiężycu, w promienistej mandorli, na tronie o stopniach ozdobionych postaciami lwów, symbolizującymi *sedes sapientiae.* Podobne cechy kompozycji i ekspresji spotykamy w dziełach monografisty AS i w jego kręgu.

Warto zwrócić uwagę, że nawet tak znako-

mity malarz, jak działający w Gdańsku Herman Han, potrafił z całą świadomością zrezygnować z wykwintnej formuły malarskiej, jaką zastosował we „Wniebowzięciu Marii" w Pelplinie (1618), i stworzyć w obrazach „Koronacji Marii" w Oliwie i w Pelplinie (przed 1623 i ok. 1624) kompozycje schematyczne, wypełnione po brzegi treściami teologicznymi, w duchu potrydenckim. Już kielichowy kształt kompozycji ma sens symboliczny: Maria Niepokalana jawi się jako mistyczne naczynie, Koronacja Marii podkreśla jej związek z Kościołem Triumfującym, a Chrystus jako Baranek pośredniczy między Bogiem i Kościołem Triumfującym. Drugie dzieło – to malarska wykładnia katechizmu, przy czym Maria występuje w centrum jako pośredniczka i orędowniczka, Królowa Kościoła i Korony Polskiej. Obok ogólnego programu kontrreformacyjnej ideologii potrydenckiej przejawia się tu wyraźnie wątek polemiki z arianami. Ów polemiczny ton tłumaczy się przeznaczeniem wymienionych dzieł dla instytucji kościelnych, działających w protestanckim środowisku gdańskim. Nie można też wykluczyć aktualnego sensu politycznego – propagandy idei Zakonu Rycerzy NMP. Znamienne jest zastosowanie w obu malowidłach sposobów obrazowania właściwych sztuce gotyckiej: wprowadzenie hierarchicznych proporcji, występowanie anachronizmów, łączenie przedstawień osób ziemskich i niebiańskich.

Zbliżony charakter mają dzieła Krzysztofa Boguszewskiego – mistrza szlacheckiego pochodzenia, herbu Ostoja, proboszcza poznańskiego kościoła św. Wojciecha. Treść obrazu „Niebieskie Jeruzalem" (ok. 1628), nawiązu-

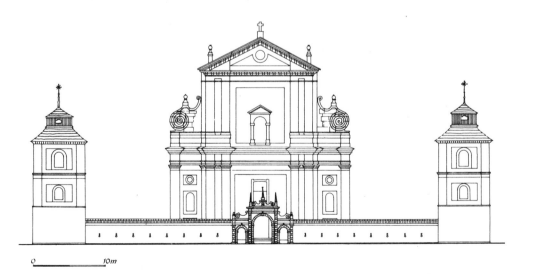

Koniecpol, zespół kościoła parafialnego, elewacja frontowa, 1633–1640

0   10m

345

43

jącego do utworu Hana, oparta jest na Apokalipsie św. Jana i skupia w jednym dziele wielki program teologiczny, któremu twórca nadał niezwykle konkretny, wizualny kształt. Konkretność ta, zbudowana według reguł irracjonalnych – hierarchii proporcji, ścisłej symetrii – odwołuje się do bizantyńskich motywów ikonograficznych (np. typ Marii). Średniowieczna wizja świata łączy się u Boguszewskiego z realnością składników miejsca i otoczenia wydarzenia: z panoramą miasta, aktualnością stroju, a nawet z portretowością 350 (np. obraz „Św. Marcin z Tours").

Do najbardziej niezwykłych zaliczyć należy koncepcję obrazu przedstawiającego św. Pawła jako apostoła narodów (ok. 1628); zasięg jego działalności ilustruje kolista mapa Ziemi, którą otaczają karty z tytułami dzieł – głównie listów – wędrującego apostoła. Związanie tych dzieł wspólnym sznurem, którego końce dzierży św. Paweł, nadaje całości charakter zwartego systemu wiedzy; klucz do niej spoczywa w rękach apostoła, a rangę jej podnoszą symbole ewangeliczne i Trójca Św., unoszące się ponad głową świętego. Boguszewski posłużył się w tym obrazie językiem abstrakcyjnych relacji; o racji bytu i znaczeniu danego wątku – elementu programu – nie decyduje naturalny porządek obrazowy, lecz miejsce w systemie, który można by ująć w schemat wyrażeń geometrycznych, takich jak okrąg, środek okręgu itp. – język znany np. ze średniowiecznych ilustracji *Biblii pauperum*.

Język ten nie upowszechnił się, choć posłużono się nim w kilku znakomitych dziełach, 349 m.in. w „Kole śmierci" z kościoła św. Katarzyny w Krakowie (ok. 1650), będącym kontrreformacyjnym moralitetem, wyrażonym w formie symbolicznych, ale i obrazowych, pełnych ekspresji przykładów, np. ukazujących zwłoki *in transi* (w stanie rozkładu); malowidło to zostało wykonane według drzeworytu sieneńskiego z r. 1588.

Omawiana metoda obrazowania, uprawiana w sposób twórczy i odkrywczy przez miejscowych malarzy, znajdowała się w opozycji do twórczości opartej na nowożytnych zasadach budowy obrazu, a związanej głównie ze sztuką włoską. Czołową pozycję zajmował tu Tomasz Dolabella (1570–1650), przybysz wykształcony w środowisku weneckiego manieryzmu, czynny od r. 1598 w Krakowie. Sprowadzony przez Zygmunta III, dla którego tworzył portrety, obrazy alegoryczne i historyczno-batalistyczne, później pozostaje na usługach Kościoła, pracując głównie dla krakowskich i okolicznych klasztorów.

Wykształcony na sztuce Tycjana, Tintoretta, Veronesa i Bassanów, z czasem związał się z nową ojczyzną; przejmując miejscowe gusta i gromadząc nowe informacje, stał się przedstawicielem sarmatyzmu w malarstwie polskim. Powstała ok. r. 1620 „Uczta w domu faryzeusza Szymona" (u krakowskich dominikanów) należy do grupy dzieł, które najsilniej zdradzają zależność Dolabelli od weneckiego środowiska. Świadczy o tym miękki modelunek, ciepły, złocisty koloryt, dramatyczna kompozycja zbiorowej sceny. Ale ten harmonijny, racjonalny świat nie jest trwały; niemal współcześnie powstają takie dzieła, jak np. „Msza dziękczynna" (kościół parafialny w Kraśniku, ok. 1626), w którym współistnieje strefa ziemi i nieba, mieszają się różne wątki tematyczne, gmatwa akcja, choć zarazem pojawiają się realia, stroje i typy polskie. W „Śmierci św. 34 Władysława" (ok. 1633–1635, Bielany krakowskie) występuje nie wenecki, lecz północny symultanizm. Równocześnie ukazane zostały zróżnicowane w czasie epizody: śmierć i opłakiwanie św. Władysława, unoszenie duszy do nieba przez anioły (w wersji średniowiecznej, zmąconej przez zastosowanie nowożytnego aktu), połączone z przedstawieniem króla polecającego swego syna Radzie królewskiej. Znakomite, realistycznie i portretowo malowane postacie szlachciców i pachołków oraz martwa natura pierwszego planu kontrastują z tradycjonalizmem całości.

Do najbardziej interesujących obrazów należy „Bitwa pod Lepanto" (1632) – zwycięstwo nad flotą turecką w r. 1571, odniesione – jak głosi legenda – dzięki procesji, odbytej w tej intencji w Rzymie. Złączenie owego wydarzenia ze śmiercią Chodkiewicza w czasie oblężenia Chocimia przez Turków stało się powodem umieszczenia na pierwszym planie obrazu polskiej procesji, z charakterystycznymi strojami i portretowo potraktowanymi postaciami, między innymi Stanisława Lubomirskiego.

Jeżeli powstały w Łowiczu (przed 1627) cykl maryjny udałoby się związać z Dolabellą, oznaczałoby to pojawienie się w sztuce tego malarza zupełnie nowej orientacji, łączącej wpływy niderlandzkie i caravaggionizm i przenoszącej obrazowanie z podium teatralnej sztuki weneckiej w świat bliski realności.

Rezydencje możnowładców w dobie manieryzmu i baroku

W czasach Odrodzenia dominuje dwór wieżowy, będący główną formą rezydencji szlacheckich, a także warstw najwyższych, jak o tym świadczy pałac królewski w Piotrkowie. 2: Powstające wówczas budowle pałacowe, zwłaszcza nie związane z osobą króla, należą do zjawisk wyjątkowych. Sytuacja ta ulega zmianie dopiero w końcu w. XVI, gdy wzrasta znaczenie magnaterii, dorównującej królowi potęgą finansową, a stopniowo i polityczną. Wytwarza się w tym czasie nowy typ mentalności społecznej owej warstwy, dążącej do tworzenia wartości ideowo-artystycznych nie tylko potwierdzających jej status społeczny, lecz wykraczających poza rozsądnie dające się ustalić granice, zgodnie z królewskimi ambicjami wielu jej przedstawicieli: fundacje króla i jego pozycja nie są już tylko wzorem do naśladownictwa, ale możliwym do osiągnięcia celem. Pojawiają się liczni fundatorzy okazałych rezydencji, będących naśladowaniem rezydencji królewskich i mających im dorównać. Dzieje się to w czasie, w którym funkcjonują rozmaite typy siedzib, oscylujące między pałacem, willą, zamkiem i twierdzą. Działalność ówczesnych mecenasów miała zresztą często większy zakres; obejmowała także budowle sakralne, w tym zwłaszcza klasztorne, wraz z ich wystrojem. Ale rezydencja mieściła się zwykle w centrum zainteresowań, przestając być tylko siedzibą czy miejscem obronnym; w połączeniu z ogrodem, a czasem i miastem, choćby tylko optycznie, umieszczona często w korzystnym widokowo miejscu, wzbogacona o wspaniałe wyposażenie, staje się ośrodkiem pełniej rozumianego życia dworskiego; pełni funkcje użytkowe, dekoracyjno-artystyczne, także ideowe: rodowe, państwowe, czasem religijne.

Wzniesiony przez Santi Gucciego, czołowego przedstawiciela włoskiego manieryzmu w Polsce, królewski zamek w Łobzowie (1585–1587) nie zachował się. Do dziś istnieje natomiast przebudowany przezeń i zakomponowany jako zespół architektoniczno-ogrodowy pałac Myszkowskich w Pińczowie: na górze – zamek, u podnóża – ogród z pawilonami, na sąsiednim wzgórzu – kaplica.

Drugim, lepiej zachowanym i bardziej konsekwentnie skomponowanym dziełem S. Gucciego jest rezydencja biskupa Piotra Myszkowskiego w Książu Wielkim, zwana Mirowem (1585–1595), stanowiąca realizację nowego typu rezydencji i pałacu. Na płaskowyżu, na terenie objętym murem, mieści się wyniosły blok pałacu, któremu towarzyszą dwa drobne w formie pawilony; po drugiej stronie pałacu założono kwaterowy ogród, a w narożach tarasu znajdowały się dekoracyjne bastiony.

Plan pałacu jest ściśle symetryczny; cechuje go przy tym trójstopniowa gradacja: występująca ryzalitowo część środkowa mieści salę reprezentacyjną; w partiach bocznych usytuowano po cztery małe pomieszczenia; w najniższych, dostawionych, znajdują się klatki schodowe. Ten sam podział zaznacza się w bryle budynku, którego elewacje pokrywa

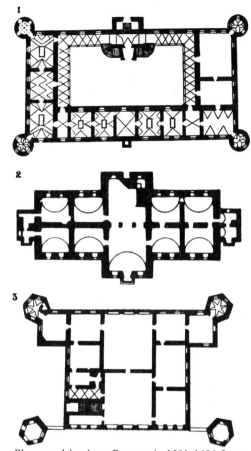

Plany zamków: 1 – w Baranowie, 1591–1606; 2 – w Książu Wielkim, 1585–1595 oraz 3 – pałacu biskupiego w Kielcach, 1637–1641

równomiernie stosunkowo drobna, choć plastyczna rustyka; pozbawione obramień otwory również nie posiadają żadnej artykulacji architektonicznej, poza linearnym gzymsem międzykondygnacyjnym.

Kontrast między wyniosłą bryłą budynku pałacu a pawilonami został pogłębiony dzięki ich bliskiemu umieszczeniu i odmienności formy elewacji: zwartej bryle pałacu przeciwstawiono lekkie, ażurowe loggie, o delikatnych formach architektonicznych, całkowicie przesłaniające bryłę pawilonów, których faliste zwieńczenie pozostaje w opozycji do wielobocznego zamknięcia. Dzięki pomieszczeniu w tych pawilonach kaplicy i biblioteki stworzono znamienne pendant w dobie kontrreformacji, a zarazem naukowej rewolucji Kopernika i Galileusza. Wprowadzenie tarasowego wywyższenia pałacu, ogrodu na jego zapleczu, dekoracyjnych bastionów i nanizanie tej całości na oś symetrii otwiera drogę do nowego typu rezydencji.

Prawdopodobnie analogiczna rezydencja powstała w Zamościu i nawiązująca do niej w Żółkwi (ok. 1600); obie związane były z miastem i systemem obronnym. Podobnie jak w Mirowie operowano i w tych przypadkach zwartą bryłą pałacu, uwikłanego w kontekst zewnętrzny, który stanowiło pełne założenie: ogród, pawilony oraz budynki użyteczności publicznej.

227
253,
254
Budowle królewskie, jak Wawel i Niepołomice, prezentowały wzór rezydencji uformowanej wokół wewnętrznego dziedzińca, zamkniętej i autonomicznej, o znamiennym obronnym charakterze. Także i ta koncepcja znalazła kontynuatorów.

354
353
Zapewne Santi Gucci projektował wzniesiony dla Leszczyńskich w l. 1591–1606 zamek w Baranowie. Trzy skrzydła jednotraktowe otaczają tu prostokątny dziedziniec o proporcjach 1:2, od strony czwartej, dłuższej, zamknięty ślepą ścianą. Piętrowy krużganek biegnie wzdłuż trzech boków dziedzińca – przy ścianie kurtynowej i wzdłuż krótszych skrzydeł. Pośrodku kurtyny znajduje się wieża bramna, kryjąca jednak nie przejazd, lecz schody na dziedziniec, a od strony dziedzińca została dostawiona do krużganka dwubiegowa klatka schodowa, nakryta daszkiem wspartym na arkadach. Przeciwległe skrzydło, bez krużganków, wyróżnia się wyjątkowo symetryczną dyspozycją wnętrza. W narożnikach bryły znajdują się otwarte do środka wieże, nakryte kopulastymi hełmami. Elewacje wieńczy szczycikowa attyka. W dekoracyjności przewyższają je niepomiernie obramienia wewnętrznych portali, ukształtowanych w duchu rozwiniętego „pińczowskiego” manieryzmu, z charakterystycznym przetworzeniem motywów architektonicznych w dekoracyjne, roślinne i zwierzęce. Jednakże o manierystycznym charakterze całości decyduje nie tylko dekoracja, lecz także pełna kontrastów i niespodzianek kompozycja architektoniczna: brama, która kryje schody na pozbawiony dojazdu dziedziniec, prostota i płaskość elewacji skrzydła przeciwległego, skontrastowana z bogatym układem schodów i krużganków ściany parawanowej, przestrzenna forma schodów kontrastująca z płaską dyspozycją krużganków, pseudoobronny charakter wyglądu zewnętrznego, przeciwstawiony dekoracyjnemu wnętrzu dziedzińca.

Zapewne Galeazzo Appiani przygotował projekt przebudowy zamku w Krasiczynie na wielką rezydencję dla Marcina Krasickiego. Dzieło wykonano w kilku fazach: ok. r. 1590 i w l. 1597–1603 (skrzydło zachodnie z bramą) oraz w l. 1607–1621 (m.in. stiuki kaplicy, ok.
356,
357
1614). W wyniku tych prac powstała okazała rezydencja, skupiona wokół kwadratowego dziedzińca, ze skrzydłami mieszkalnymi o komunikacji krużgankowej i z ozdobnymi zewnętrznymi schodami. Wzniesiona na osi wyniosła wieża zegarowa, poprzedzona budynkiem bramnym i mostem, tworzyła dominantę wertykalną. Umieszczone w narożach obszerne baszty, o zróżnicowanym kształcie, miały przede wszystkim znaczenie treściowe, symboliczne, wyznaczając cztery główne komponenty systemu „społecznej” hierarchii wszechświata. Wskazują na to ich nazwy, czasem funkcje i kształt zwieńczenia. Są to baszty: Boska (mieszcząca kaplicę), Papieska, Królewska (z hełmem w kształcie korony) oraz Szlachecka. Wprowadzenie do tego systemu wyodrębnionego składnika szlacheckiego – jeśli nawet na ostatnim miejscu – jest szczególnie znamienne w dobie pełnego rozkwitu demokracji szlacheckiej. Pojawienie się od strony dziedzińca sgraffitowych medalionów z popiersiami cesarzy bizantyńskich i rzymskich przypomina podobną koncepcję z zamku wawelskiego, ale tu zyskuje inny sens, w aspekcie rozpowszechnionego w owym czasie przekonania o rzymskiej genealogii Sarmatów; portrety królów polskich i rycerzy (ponownie wykonane w w. XVIII) pozwalają odnieść ten krąg przedstawień do konkretnej sytuacji polskiej. Włączenie do zespołu postaci świętych oraz scen ze Starego i Nowego Testamentu świadczy o wspólnocie komponentów świeckich, historycznych i religijnych, choć równocześnie każdy z nich legitymuje się własną historią i własnymi bohaterami.

Różnorodność znaczeń związana jest z różnorodnością formy baszt, czemu towarzyszy także zróżnicowanie pięknie dekorowanych attyk – zwłaszcza zwieńczonej oryginalnym, ażurowym, pierścieniowym grzebieniem. Cecha ta świadczy równocześnie o zdecydowanym przeciwstawieniu się podstawowym zasadom formowania renesansowego, o antycypowaniu koncepcji „architektury mówiącej”, o wprowadzeniu świadomej przewagi treści symbolicznych nad czystym porządkiem architektonicznym, a zarazem treści bliskich fundatorowi – nad ideami uniwersalnymi.

Pożar zamku wawelskiego w r. 1595 stanowił bezpośrednią przyczynę budowlanych inicjatyw Zygmunta III Wazy w Krakowie, ale przyczynił się także do podjęcia decyzji przeniesienia stolicy do Warszawy. Spowodowało to już wkrótce przemianę tego dotychczas prowincjonalnego miasta mazowieckiego we wspaniały ośrodek polityczny, kulturalny i artystyczny.

Rozpoczęto od przebudowy przez Jana Trevano zamku, dawnej siedziby wygasłej w r.

1526 linii książąt mazowieckich, na rezydencję króla, łączącą cechy dawnego zamku z nowoczesnym pałacem, zdolnym przejąć wszelkie funkcje reprezentacyjne. W l. ok. 1598–1619 powstało skrzydło zachodnie (łączone z Matteo Castellim), o niezupełnie regularnym rozkładzie dwudziestu osi okiennych, ujęte na narożach w boniowania, z nadbudowanymi małymi wieżyczkami, zwieńczonymi hełmami, i z wyniosłą wieżą zegarową na osi środkowej, występującą jako płaski ryzalit z lica elewacji, a mieszczącą przejazd na dziedziniec. Rozciągłość tej nieartykułowanej fasady, elegancja obramień otworów, delikatnie zaznaczona oś środkowa – wszystko to decyduje o charakterze omawianej budowli.

Trevano lub Castelli wzniósł podwarszawski pałac króla w Ujazdowie (od 1624) – niedużych rozmiarów, na planie czworoboku, z wewnętrznym dziedzińcem. Motywem tradycyjnym, ale w nowy sposób zastosowanym, były stykające się z narożami korpusu sześcioboczne wieże, a nowym – pięcioosiowy ryzalit w fasadzie wschodniej, z trójosiową loggią. Układ wnętrz był regularny, w pewnej mierze niemal symetryczny, o komunikacji amfiladowej i częściowo poprzez korytarze. Bryła pałacu – zwarta, o wyraźnym spiętrzeniu ku środkowi i o plastycznym rozczłonkowaniu elewacji – stała się wzorem dla szeregu

Galeazzo Appiani, zamek w Krasiczynie, 1590–1621

później powstałych dzieł. Ważnym komponentem tego rozwoju stał się pałac-willa w Czemiernikach, wzniesiony dla biskupa płockiego, Henryka Firleja, przed r. 1622. Prosta, zwarta bryła charakteryzuje się nader konsekwentnym zastosowaniem proporcji muzycznych: 1:2, 2:3, 3:4, nie tylko w planie, ale także w wysokościach wnętrz. Trzyczęściowy podział planu wyznaczał pośrodku reprezentacyjną sień, nad nią salę zajmującą całą głębokość budynku, z boków zaś mniejsze gabinety. W elewacji zaznaczyło się to poprzez trójarkadową loggię, otwartą do przedsionka, i trzy powiększone okna reprezentacyjnej sali.

Budowany po r. 1622 pałac w Białej Podlaskiej (zachowany w ruinie) i biskupi pałac w Kielcach (1637–1641), zapewne dzieło Trevana i Poncina, połączyły rozplanowanie Czemiernik z ujazdowską koncepcją bryły. W Białej Podlaskiej zachowano zwarty plan całości i ścisłe złączenie wież z bryłą korpusu, natomiast w Kielcach odsunięto wieże od zasadniczego korpusu pałacu, przy czym od strony frontu powiązano je z nim kurtynowymi ściankami, z bramkami i figuralnymi zwieńczeniami, a od strony ogrodu połączono je z gabinetami, poszerzającymi budynek w linii elewacji. Powstała w ten sposób nader urozmaicona bryła z wyjątkową fasadą: o dziewięciu osiach, z trójosiową loggią i powiększonymi oknami piętra w wysuniętej ryzalitowo części środkowej, flankowana odsuniętymi od korpusu wieżami. Ustawione na

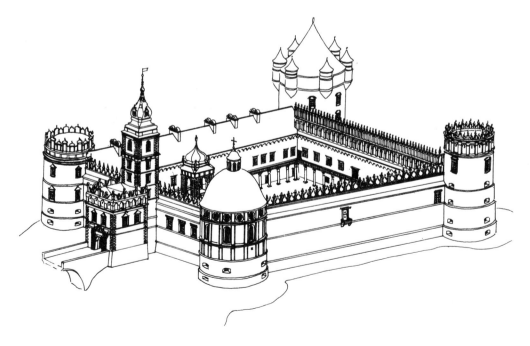

kurtynowych ściankach figury Szwedów i Rosjan przypominać miały o dyplomatycznych peregrynacjach fundatora, biskupa Jakuba Zadzika.

Ten model pałacu, w pierwszej połowie XVII w. kilkakrotnie powtórzony w różnych wersjach, choć nie stał się powszechnym, świadczy przecież o pewnej integracji środowiska artystycznego i mecenasowskiego. Nie bez znaczenia jest fakt, że i w tym przypadku ważny precedens stanowiła budowla królewska (Ujazdów).

Osobnym zjawiskiem były pałace będące wynikiem korzystania z wzorów architektury francuskiej, pałace, w których operowano m.in. narożnymi ryzalitami z pawilonami, charakterystyczne niegdyś dla Warszawy, w znacznej mierze zburzone w czasie najazdu 359 szwedzkiego. Należy do nich także pałac w Podhorcach, wzniesiony w l. 1635–1640 dla hetmana Stanisława Koniecpolskiego przez Andreę del' Aqua; związany z czterema obronnymi bastionami, jest niezwykle dobitnym przykładem typu *palazzo in fortezza*. Piętrowy korpus przecięty tu został pośrodku poprzeczną nadbudową, górującą o jedną kondygnację i występującą trzema bokami przed elewację korpusu. Łączą się z nim narożne wydatne pawilony-skrzydła, osadzone na podwyższonych o kondygnację przyziemia bastionach, ostro występujących do przodu, otoczonych balustradą, z małymi kioskami w narożach. Charakterystyczne jest umieszczenie korpusu tego *palazzo* na niższym poziomie tarasu ogrodowego, a pawilonów – na podwyższonych bastionach, przede wszystkim zaś należy zauważyć zespolenie pałacu z systemem bastionowym i osadzenie budowli w obszernym założeniu ogrodowym, osiowym i symetrycznym, rozłożonym na trzech poziomach, o układzie kwaterowym, z fontannami i z później dodanym boskietem.

Z fortecą zespolona jest także druga wspaniała 360, polska rezydencja tego czasu, Krzyżtopór w 361 Ujeździe, wzniesiona w l. 1627–1644 dla Krzysztofa Ossolińskiego, przez Wawrzyńca Senesa. Było to dzieło niezwykłe, nader pomysłowo, wręcz wymyślnie zaplanowane, o wspaniałym wyposażeniu, uderzające bogactwem zastosowanych materiałów, przepojone skomplikowanymi treściami symbolicznymi.

Pałac, wbudowany w pięcioboczne założenie bastionowe, szokuje swym niezwykłym kształtem, dostosowanym po części do planu założenia i tworzącym niemal urbanistyczny kompleks, o skomplikowanym, zawiłym układzie. Poprzedzony jest trapezoidalnym dziedzińcem, ujętym z boków skrzydłami, biegnącymi zgodnie z zarysem pięcioboku

założenia. Korpus pałacu, na planie kwadratu, przerwany został pośrodku przejściem – wąską uliczką, prowadzącą do umieszczonego centralnie małego, eliptycznego dziedzińczyka, otoczonego czterokondygnacyjnymi galeriami. Po drugiej stronie pałac powiększony jest przez wybiegające prostopadle ze środka elewacji skrzydło, mieszczące reprezentacyjne sale, a zakończone kolistą basztą. Wysokość pięter, sięgająca 10 m – przy siedmiometrowej wysokości okien – wskazuje na monumentalność założenia, a o niezwykłości wyposażenia budowli świadczyło m.in. urządzenie w kolistej baszcie sali, której szklany sufit był równocześnie dnem gigantycznego akwarium.

Symbolika rodowa zaznaczyła się w monumentalnych znakach Krzyża i Toporu przy zegarowej wieży bramnej, łączących symbol religijny z herbem rodu Ossolińskich. Pałac posiadał tyle baszt ile pór roku, wielkich sal – ile miesięcy, pokoi – ile tygodni, a okien – ile dni w roku, co miało symbolizować trwanie rodu w czasie, a związane z tym astrologiczne treści mieściły się zapewne w przedstawieniach znaków Zodiaku w dekoracji zewnętrznej. Opatrzona panegirycznymi napisami galeria przodków i przedstawicieli skoligaconych rodów, znajdująca się w międzyokiennych wnękach, stanowiła osobny punkt odniesienia tego programu. Poza pałacem znajdował się ogród z grotą, umieszczoną pod jedną z baszt bastionów, i z pawilonem. W dziele tym rodowa duma, której nadano aspekt kosmiczny, kontrreformacyjna propaganda wiary i sarmacki przepych złączyły się z manierystyczną wymyślnością, zaskoczeniem, udziwnieniem; ogrom założenia wiązał się z bogactwem szczegółu, a obronność z wygodą, mającą zaspokoić każdy kaprys. Obiekt to tylko w najogólniejszym sensie pokrewny słynnym założeniom europejskiego manieryzmu; w istocie całkiem oryginalny – tak przez zawarte w nim idee, jak i ich artystyczną konkretyzację.

W latach 1677–1679 miała miejsce pierwsza przebudowa dworu w Wilanowie, wspólne dzieło króla Jana III Sobieskiego i jego nadwornego architekta, Augustyna Locciego. W latach 1681–1682 nadbudowano piętro, galerię, dostawiono kolumnowy portyk; po r. 1692 nadbudowano nad korpusem salę recepcyjną i rozpoczęto skrzydło południowe; w w. XVIII istniały już obydwa skrzydła, tworząc założenie w kształcie podkowy, zamykające 364 wewnętrzny dziedziniec, otoczony od ze- 367 wnątrz francuskim ogrodem. W ten sposób ze skromnego dworu powstało rozległe założenie pałacowe, zachowujące przecież willowy, prywatny czy nawet intymny charakter.

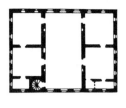

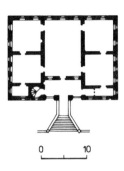

0   10

Czemierniki, plan willi bpa Henryka Firleja, do 1622

Rozbudowa ta świadczy nie tylko o przemianach architektury w owym czasie czy o artystycznych zainteresowaniach króla, lecz przede wszystkim o przemianach funkcji, jakie rezydencja ta miała pełnić. Może dlatego dzieło nie jest pozbawione pewnych niekonsekwencji: wielkość założenia całości, spotęgowana jego horyzontalnymi akcentami, kontrastuje z małymi rozmiarami zasadniczej budowli, przy czym ta stosunkowo niewielka bryła odznacza się silną, plastyczną artykulacją oraz znacznym bogactwem dekoracji stiukowej, ornamentalnej i figuralnej, w ujęciu pełnoplastycznym, mającym działać światłocieniowo.

Wzorowany na włoskich willach plan rozbudowany został do znacznych rozmiarów, a równocześnie kameralny charakter tej niejednolitej pod względem gabarytu architektury nie przeszkodził pomieszczeniu na jej elewacjach, także zresztą i wewnątrz, nader złożonego programu, z którego przypomnimy tutaj kilka tylko wątków. Na szczycie środkowego portyku fasady dziedzińcowej przedstawiono Minerwę, a w tympanonie, słońce i herby Sobieskich; elementy te symbolizowały – ogólnie rzecz biorąc – mądrość, roztropność i sprawiedliwość władzy królewskiej, także jej świetność; Minerwa była „strażniczką domu" Jana III. Przedstawienia w południowym łuku triumfalnym tej fasady głoszą chwałę króla: widzimy tu zbieranie gałęzi lauru i palm, pochód triumfalny Jana III, pochód jeńców tureckich; figury alegoryczne uosabiają cnoty

władcy: męstwo, odwagę, dzielność. Natomiast północny łuk triumfalny oddany został w służbę Apollina i królowej: przedstawienie Aurory odnosi się wprost do Marysieńki; jej postać przybrała Jutrzenka (Aurora) na plafonie wewnątrz pałacu; hory służyły Apollinowi, a Orion był piewcą jego czci.

Na fasadzie południowej, pośrodku, panuje posąg Apollina, flankowany w dolnej kondygnacji herbami Litwy i Korony; w niszach mieszczą się posągi Sybilli i herosów, w supraportach – sceny z *Odysei*, z boków alkierzy partii środkowej – postać Saturna z zegarem śmierci. Cały ten program ułożony został według nader enigmatycznego dzieła, *IV Eklogi* Wergiliusza. Zawarta w niej zapowiedź nowej epoki Saturna, którą ugruntuje ukazanie się dziewicy i nowo narodzonego dziecka, interpretowana bywała w duchu chrześcijańskim lub też alegorycznie. Właśnie ta druga możliwość stała się podstawą programu wilanowskiego, przy czym królowa złączona została z legendarną Astreą, odznaczającą się umiłowaniem sprawiedliwości i cnoty, z Herkulesem zaś łączono zapewne syna Sobieskich, Jakuba, z którym król Jan wiązał plany dynastyczne, a który miał być owym oczekiwanym dzieciątkiem. Zapowiedziana w *Eklodze* powracająca historia przedstawiona została w scenach z *Odysei*.

Inny charakter mają wnętrza pałacu, w całości poświęcone Apollinowi. Wykonane przez Siemiginowskiego plafony prezentują go jako władcę pór roku, w Gabinecie al Fresco snuje się opowieść o jego sielankowych i pasterskich przygodach, a w Wielkiej Sieni – o jego władzy nad światem. Na plafonie pędzla Callota pojawia się Jutrzenka, towarzyszka Apollina, o postaci królowej; w malowidłach na fasetach towarzyszą jej przedstawienia czynności gospodarczych, powiązanych z porami roku; są one przecież domeną władań Saturna, zaznaczającego swoją obecność także w alegorii Melancholii – personifikacji nauki ziemskiej. Ta dwoistość władania Apollina i Saturna ma swój odpowiednik w opozycji fasad – głównej i ogrodowej.

Na uwagę zasługuje fakt pojawienia się tak uczonego i skomplikowanego, nie zupełnie jeszcze przekonywająco wyjaśnionego programu, w dziele, które w zasadzie miało przecież służyć sielskiemu wypoczynkowi.

Programy takie nie były przecież w tej epoce zjawiskiem odosobnionym. Pałac Bielińskich w Starym Otwocku powstał, wraz ze swym wyposażeniem, bezpośrednio po r. 1682; przebudowany tylko częściowo w w. XVIII, łączony jest przez niektórych badaczy z Tylmanem z Gameren, na co wskazuje trzytraktowy układ willowy i ośmioboczny ryzalit środkowego salonu. Prezentował on interesujący program malarski, oparty na sztychach Ottona van Veen, nawiązujących do tekstów Horacego, a wykonany w technice *en grisaille.*

Dziesięć malowideł, których treść oparta jest na pieśniach Horacego, poświęconych zostało następującym tematom: wstrzemięźliwości, zadowoleniu ze swego stanu, niepokojowi sumienia, nieuchronności kary za zbrodnie, pochwale życia mimo nieodwracalnej śmierci, nietrwałości piękna i wartości tego świata, zwycięstwu niewinności, przeciwstawieniu cnoty i gnuśności, wartości milczenia, wreszcie nieśmiertelności, którą muzy zapewniają mężom godnym chwały. Program to wyraźnie etyczny, o zabarwieniu stoickim; jego spełnienie zapewnia nieśmiertelność – jak mówi ostatnia scena, rzucająca się w oczy wchodzącemu do sali widzowi. Program ów zapowiedziany został już w dekoracji rzeźbiarskiej tympanonu, obrazującej poprzez temat bachanaliów harmonię Natury; dostosowanie się człowieka do jej praw zapewni mu zdrowie i siły. Można zatem sądzić, że osiągnięcie upragnionej cnoty uzależnione jest przede wszystkim od prowadzenia życia zgodnego z Naturą.

W porównaniu z powyższym program trzeciego znakomitego dzieła tego czasu, pałacu Krasińskich w Warszawie, jest niepomiernie skromniejszy. Zaliczany do czołowych dzieł Tylmana z Gameren, powstał ten pałac w l. 1677–1682; prace nad wystrojem prowadzono w latach osiemdziesiątych (w r. 1689 Andrzej Schlüter wykonał rzeźby w tympanonach), a w r. 1695 zakończono prace nad obiektem.

Jest to jedna z najbardziej „holenderskich" prac królewskiego architekta, odznaczająca się złożonym, rozbudowanym planem. Znamienna jest tu ryzalitowa partia środkowa, skrzydła uzupełnione bocznymi aneksami, tworzącymi skrajne ryzality elewacji bocznych, a także charakterystyczne galerie i opięcie całości pilastrami wielkiego porządku.

Program rzeźby obydwu tympanonów ma charakter rodowy; poświęcony został legendarnemu protoplaście, Markowi Valeriusowi. Tympanon fasady głównej mieści scenę jego zwycięskiego pojedynku z wodzem Gallów, w której przychodzi mu z pomocą kruk – znak herbowy Krasińskich – flankowaną przez figury Pallas Ateny i Marsa; natomiast w tympanonie ogrodowym znajduje się przedstawienie jego triumfu. Wątek genealogiczny kontynuowany był także we wnętrzu: westybul pałacu został ozdobiony – na wzór antycznego atrium – sześcioma posągami antenatów fundatora, z Markiem Valeriusem na czele.

Program ten, oparty głównie na dziele Liwiusza, a także na innych dziełach starożytnych (wszystkie one znajdowały się w świetnej bibliotece Krasińskich), uderza prostotą i jednością myśli, jak też dorównującą jej jednolitością plastycznego wyrazu. Charakterystyczna jest tu antykizacja i tematyki, i formuły plastycznej rzeźb, korespondujących z antykizującymi formami architektury pałacu, łączącej motyw świątynnego portalu z motywem łuku triumfalnego, a więc operującej repertuarem form klasycznych XVI w.

Rezydencje magnackie XVII w. w Polsce cechuje zatem nie tylko rozmaitość architektonicznych rozwiązań i często niecodzienne bogactwo wyposażenia. Włączone w nurt wytyczony już w poprzednim stuleciu przez fundacje królewskie stanowią niemal z reguły bogate w treści ideowe i artystyczne *exposé* fundatora i twórcy, zawarte w kształcie architektonicznym obiektu oraz w malowanych i rzeźbionych programach symbolicznych i alegorycznych. Czasem mieszczą się one w granicach myślenia kategoriami rodowymi, często przecież świadczą o szerszych horyzontach filozoficznych i politycznych ambicjach. Ten rodzaj treści zajmuje nieraz w procesie estetycznej percepcji miejsce pierwszoplanowe, wyprzedzając inne treści i funkcje budowli, zarówno reprezentacyjne jak i mieszkalne, odciskając także na nich swoje ideowe piętno.

Portret polski w dobie baroku

Rozkwit malarstwa w Polsce w XVII i XVIII w. tylko w znikomej części udokumentowany jest przetrwałymi do dziś dziełami. Pierwotnie były to zasoby ogromne, ważące w kształtowaniu kultury artystycznej i umysłowej Polski, czego dowodów dostarczają źródła pisane. Zawierają one np. słowa potępienia ze strony Kościoła, kierowane pod adresem twórców i kolekcjonerów malarstwa mitologicznego (pod wpływem tej krytyki nakazał Mikołaj Wolski spalić swą galerię malarstwa włoskiego w r. 1630), jak również odnoszące się do nie dość ortodoksyjnego czy wręcz „nieskromnego" przedstawiania scen religijnych. Sądząc z tego, co pisali J. D. Solikowski, S. Petrycy czy F. Birkowski – owe „plugawe Wenery" występowały licznie i wszędzie. Synod krakowski z r. 1621 czuł się zmuszony do przestrzeżenia malarzy przed zbyt swawolnym malowaniem Adama i Ewy – jako postaci nagich – grożąc ciężkimi karami. Znaczenia malarstwa portretowego dowodzi częste wyszydzanie mody na rodowe galerie: „Słaby dowód szlachectwa obraz" – mówi W. Potocki, podpowiadając nam tym samym, jakie funkcje galerie te pełniły. Także S. Petrycy wyśmiewa słabość mieszczan do obrazów, których posiadali wiele, czego świadectwem pośmiertne inwentarze. Jakie rozmiary zbiory ówczesne osiągały, dowodzi galeria Hieronima Floriana Radziwiłła, człowieka o wielkich ambicjach i możliwościach, która w r. 1760 obejmowała zawrotną liczbę 600 dzieł; był to zapewne przypadek wyjątkowy.

Barokowe malarstwo w Polsce nie reprezentowało wszystkich podstawowych gatunków. Mimo ewidentnych związków ze środowiskiem holenderskim i flamandzkim, tak bardzo rozpowszechniony tam pejzaż czy martwa natura nie były niemal zupełnie dla polskiego fundatora malowane ani przeź zakupywane. Rozwijało się przede wszystkim malarstwo religijne, zwłaszcza od końca XVII w. freskowe, i malarstwo portretowe; w znacznie mniejszym stopniu – historyczne czy batalistyczne (wiadomo nam m.in. o obrazie „Bitwy pod Grunwaldem" malowanym przez Boguszewskiego dla gdańskiego ratusza), a także mitologiczne; wyjątkowość zachowania się dzieł tego rodzaju jest w pewnym stopniu wynikiem zniszczeń. Obrazy historyczne ginęły często ze względów politycznych, mitologiczne – na skutek działań katolickich purystów, a obydwa rodzaje – ze względu na duży format, utrudniający ratunek w przypadku wszelkiego rodzaju kataklizmów.

Wielki rozwój malarstwa portretowego wyraża się przede wszystkim w liczbie zachowanych dzieł, mimo znacznych strat w dobie dawnych klęsk militarnych i nowszych przewrotów społecznych. Przedstawienia konkretnych osób przenikają także do malarstwa o tematyce religijnej, a portret zbiorowy uzyskuje często formę mitologicznej i przez to dodatkową warstwę znaczeniową. Tworzy się wreszcie szczególny rodzaj portretu, pełniącego funkcje religijne – portret trumienny, występujący niemal wyłącznie w Polsce.

Liczebność powstających portretów, związanych z różnymi warstwami społecznymi – choć w ogromnej większości ze szlachtą – łączy się ze znaczną różnorodnością dzieł. Malowane przez artystów miejscowych i przez różnych przybyszów, reprezentują niemal wszelkie orientacje artystyczne tego czasu: holenderską, flamandzką, galijską i italską. Tworzone przez malarzy cechowych i królewskich serwitorów, wykazują bardzo zróżnicowany poziom artystyczny: od dzieł znakomitych do wręcz prymitywnych. O roli tego gatunku może świadczyć fakt, że „konterfekt człowieka całego" był obowiązującym majstersztykiem cechu malarzy lwowskich z r. 1595.

Miał zatem portret szansę, by się stać „wizerunkiem narodu" – we właściwym dla epoki rozumieniu tych słów. W aspekcie socjologicznym, w jego polu widzenia mieści się przede wszystkim szlachta, a zwłaszcza magnateria, z królem i jego rodziną na czele, także duchowieństwo, rzadziej mieszczaństwo (w tym zakresie stan zachowania jest szczególnie zły). Są to wizerunki zawierające nie tylko obraz poszczególnych osobowości, ale w równym stopniu obyczaj i stosunek do ważnych obszarów ówczesnej ideologii, wyrażany często poprzez medium religii lub mitologii.

Dzieje portretu polskiego w dobie baroku wyznacza opozycja wizerunku sarmackiego i kolejnych prób „europeizacji" tego gatunku malarstwa, będących równocześnie wyrazem dążeń do zmiany mentalności szlachcica, a przynajmniej uświadomienia sobie przezeń takich możliwości.

W pierwszej połowie XVII w. pojawia się obok tradycyjnego portretu, reprezentowanego np. przez „Portret królewicza Władysława Wazy" (po 1621) czy wspomniany już „Portret Stanisława Tęczyńskiego" (1634) – dzieła obcych malarzy, łączące elementy portretu flamandzkiego czy północnowłoskiego z polską tradycją – holenderska koncepcja portretu w twórczości Petera Danckersa de Rij. Reprezentacyjny monumentalizm łączy się tu z rzeczową obserwacją modela, pozbawioną zupełnie dworskiej idealizacji (portrety gdańskiej rodziny patrycjuszy lub oficerskiej, ok. 1640). Uderza holenderska aranżacja przedstawienia: postać stojąca obok nakrytego dywanem stołu, krajobrazowe tło, czego nie należy łączyć z mieszczańskim zapewne pochodzeniem sportretowanych; podobny charakter miały także wizerunki królewskie Danckersa, będącego nadwornym portrecistą króla Władysława IV. Dworski, a nie mieszczański charakter tych dzieł rysuje się dobitnie w zestawieniu z portretami rajcy gdańskiego, Christiana Henningka z żoną i córką (ok. 1630), z kręgu Hermana Hana, czy z podobnym – choć przedstawiającym parę szlachecką – portretem Jerzego i Anny Konopackich (ok. 1625). O charakterze tych obrazów zadecydowało w znacznym stopniu ich epitafijne i wotywne przeznaczenie; znamienne jest przecież, że przyjęcie formuły wytworzonej w środowiskach mieszczańskich miało decydujące znaczenie dla charakterystyki przedstawianych osób; zacierało faktyczne różnice klasowe i środowiskowe.

Być może w kręgu oddziaływania Danckersa powstały wizerunki Stanisława Oświęcima i jego ukochanej siostry, Anny, o wyraźnych cechach holenderskiego i niemieckiego portretu. Konwencjonalna poza dworska, strój,

370

279

368

376

zachowanie osób odcinają się tu od sarmackich portretów innych członków rodziny, w tej samej kaplicy rodowej, przy kościele Franciszkanów w Krośnie. Jak się zdaje, fundator – Stanisław Oświęcim – z całą świadomością wybrał formułę portretową, która akcentując tę odrębność, określiła go równocześnie jako człowieka wykształconego, związanego z kulturą europejską, nie zaś tkwiącego w polskim, zaściankowym sarmatyzmie.

Podobnie dworsko-holenderski charakter mają portrety Bartłomieja Strobla, takie jak
372 np. wizerunek młodego szlachcica, być może Władysława Dominika Ostrogskiego (ok. 1635), w którym konwencjonalna poza otyłego młodzieńca łączy się z dobrą charakterystyką psychofizyczną twarzy; jej krągłość i podwójny podbródek, przeciwstawione drobnym ustom, podkreślają wyraz ospałości modela. Nad wszystkim góruje niezwykle drobiazgowe, raczej rysunkowe niż malarskie odtworzenie wspaniałego stroju, z jego koronkowym przybraniem.

369 Zestawiając to dzieło z portretem Wilhelma Orsettiego (ok. 1650), można stwierdzić, że analogiczna konwencja portretowa, zastosowana w tym wizerunku kupca i bankiera z Lukki, nie przeszkodziła malarzowi w dokonaniu wnikliwej analizy portretowanego – choć i tu rzeczowa obserwacja przedmiotu zdaje się przeważać nad stworzeniem wrażenia duchowej obecności człowieka.

Najwybitniejszym portrecistą trzeciej ćwierci XVII w. był bezsprzecznie Daniel Schultz młodszy, przede wszystkim dzięki umiejętności dostosowania właściwej koncepcji portretowej do przedstawianej osoby. Wykształcony w Holandii – gdzie zetknął się ze sztuką Rembrandta – a może i we Flandrii, był od r. 1649 nadwornym portrecistą Jana Kazimierza, następnie zaś Michała Korybuta i Jana III Sobieskiego; w późniejszym okresie malował też obrazy animalistyczne i martwą naturę.

371 W „Portrecie Jana Kazimierza" (ok. 1650) monarcha ubrany jest w strój polski i w całej jego postaci, również w geście odrzucenia płaszcza, mieści się swoiście sarmacki wyraz; obraz ten jest zrozumiały tylko na tle tradycji
280 polskiego portretu *en pied* – poczynając od wizerunków Batorego. Artysta potrafił znakomicie uchwycić i wyrazić ów znamienny dla szlachty polskiej rys odrębności nie tylko zewnętrznej, lecz także głęboko przenikającej psychikę człowieka, odrębności, której ujawnienie wymaga wnikliwej analizy. Możemy to prześledzić np. w portrecie jednego z Krasińskich (ok. 1650), w którym „sarmacka" charakterystyka postaci wykracza poza prezentację bogatego stroju i realizuje się przede wszystkim poprzez wyraz twarzy, nie mający nic

wspólnego z dworską konwencją i manierą, choć też daleki od częstej w portrecie sarmackim buńczuczności i powierzchownej heroizacji.

Inny charakter ma „Portret Jana Kazimierza" 37.
sprzed r. 1669 – głębokie studium psychologiczne monarchy, który podjął decyzję o abdykacji. Porównując go z uprzednim wizerunkiem, łatwo zauważymy tożsamość osoby i równocześnie różnice, będące wynikiem doświadczeń z kilkunastu lat władania królestwem. Interesują nas zwłaszcza owe różnice, których wydobyciu sprzyja tu przyjęcie innej koncepcji portretowej – jako swoistego filtru, poprzez który artysta ukazuje tę samą osobę, podlegającą zarazem głębokiej przemianie. Bez wątpienia stan duchowy króla w owym czasie, powagę i tragizm jego sytuacji lepiej uwydatnia operowanie głębokim, „rembrandtowskim" światłocieniem, z którego wyłania się postać, formowana nasyconymi plamami zieleni i czerwieni, z akcentami bieli i różu.

Odmienny typ reprezentuje portret następcy Jana Kazimierza – króla Michała Korybuta 37.
(ok. r. 1669), być może portret koronacyjny, przeznaczony dla dworu wiedeńskiego. Funkcja wizerunku tłumaczy jego konwencję, zwłaszcza idealizację modela – pretendenta do ręki siostry cesarza Leopolda I, zamierzającego urodą, elegancją, dworską swadą i wspaniałością ubioru olśnić Eleonorę Marię. Wiąże się z tym zarówno wybór stroju – mody, jak i typu portretu, powszechnie przyjętego na dworach europejskich.

Lekcja holenderska znalazła wyraz w całym szeregu portretów, np. w wizerunku małżeństwa: Franciszka Karola i Ludmiły Maksymiliany Kolowrat-Liebsteinskich (1659, Pardubice, Státni Zámek) czy w portretach osób z rodziny królewskiej: Jana Kazimierza i Ludwiki Marii Gonzaga (przed 1667); w obrazach tych postaci na niemal neutralnym tle, ujęte w popiersiu, w skromnym stroju, w czarno-białej skali, uderzają rzeczową charakterystyką twarzy. Wymienione dzieła mają bardziej kameralny charakter.

Schultz potrafił także i w tej konwencji stworzyć niezwykle przenikliwy wizerunek, czego dowodem „Portret Konstancji Schumann" (po 1660) – pozbawione idealizacji studium kobiety o przeciętnej urodzie, ale pulsującej utajonymi emocjami. Obraz to malowany w sposób niezwykle wykwintny: dominująca gama czarno-biała uzupełniona jest delikatnymi tonami szarości i żółcieni, ze śladami różu i fioletu, wzbogacona pięknym, misternym rysunkiem delikatnych koronek i haftów na tiulu. Interesująca osobowość sprowokowała tu przetworzenie konwencjonalnego schematu.

Ten właśnie rodzaj zdolności obserwujemy u Schultza w jego obrazie „Sprzedawczyni dziczyzny", będącym w tym samym stopniu portretem, co i przedstawieniem rodzajowym (ok. 1666), jak również w portrecie Heweliusza – „uczonego w pracowni", łączącym elementy rodzajowości z reprezentacją (ok. 1667), czy w zbiorowym portrecie rodziny tatarskiego dostojnika, być może Dedesza Agi (1664, zaginiony).

Rozkwit nie znanych dotychczas w Polsce form portretowych następuje na dworze Jana III Sobieskiego, gromadzącym wielu artystów. Czołowym portrecistą króla jest krakowianin Jan Tricius, który kształcił się w Paryżu u Poussina i w Antwerpii u Jordaensa. W r. 1667 maluje on reprezentacyjny portret Jana III – skomponowany wedle wszelkich reguł portretu sarmackiego. Potężna postać władcy przedstawiona jest w kontrapoście, z lekko uniesionymi ramionami; podgolona głowa, twarz zwrócona w trzech czwartych do widza, z charakterystycznym wyczekującym wyrazem, a także strój – ciemnooliwkowy żupan przewiązany złotym pasem, purpurowa delia podbita czarnym futrem, żółte buty – wszystko to składa się na obraz króla, zarazem wojownika i polskiego szlachcica.

Podobny w gruncie rzeczy charakter ma portret króla w pozycji siedzącej, z r. 1676 – mimo pozorów antykizacji: Jan III ubrany jest tutaj w togę i rzymską zbroję, ale twarz modela nie pozostawia najmniejszych wątpliwości, że mamy przed sobą króla Sarmatów. Znamienne dla czasów Sobieskiego jest łączenie w oficjalnych – i nie tylko oficjalnych – wizerunkach cech sarmatyzmu z pozorami antykizacji.

Alegoryczny charakter ma „Portret Marii Kazimiery z dziećmi", być może dzieło Jerzego Eleutera Szymonowicza Siemiginowskiego (ok. 1683). Królowa występuje tu w roli bogini macierzyństwa, jako Gea-Rea, a pojawiające się obok jej dzieci lew i delfin – atrybuty dzieci Rei – oznaczają równocześnie męstwo synów i wdzięk córki. Umieszczone w głębi obrazu rzeźbione popiersie Jana III przypomina widzowi, że stoi wobec potomstwa i przyszłych spadkobierców króla-bohatera.

Myślenie alegoryczne przejawia się w całym wystroju pałacu wilanowskiego, także w połączeniu z wizerunkami rodziny króla – czego dobrym przykładem jest plafon z przedstawieniem Jutrzenki, malowany przez Claude Callota (ok. 1681), w którym obnażona bogini ma rysy twarzy królowej.

Dla dworu powstały także inne rodzaje portretów, m. in. zbiorowe przedstawienia całej rodziny królewskiej (np. portret z l. 1693–1694), a także portrety konne. Tu na czoło wybija się wizerunek króla w zbroi rzymskiej, na spienionym koniu, na tle bitwy pod murami Wiednia (po 1686), dzieło Siemiginowskiego – typowy dla epoki, oficjalny, heroizowany portret konny wodza-zwycięzcy; pod kopytami konia leży rzucona chorągiew turecka, a ponad jeźdźcem unosi się w locie Fama z tarczą herbową Janina – godłem rodowym króla.

Alegoryczny charakter ma portret dziesięcioletniego królewicza Konstantego, malowany w r. 1690, także przez Siemiginowskiego. Chłopiec przedstawiony jest w pozie bohatera, w pseudorzymskiej zbroi, przy czym napis na leżącej obok tarczy zawiera aluzję przyrównującą Jana III, obrońcę chrześcijaństwa, do wielkiego imiennika jego syna, cesarza Konstantyna.

Zwyczaj wprowadzania wizerunków konkretnych osób do dzieł o tematyce religijnej, czy mitologicznej miał dość szeroki zasięg i przynosił czasem niespodziewane zgoła efekty, jak to widzimy np. w obrazie „Mistyczne zaślubiny św. Katarzyny" – dziele malarza z kręgu van Dycka (1659) – w którym główne postacie mają rysy twarzy królowej Ludwiki Marii i Katarzyny Denhoffowej. Podobna skłonność zaznaczyła się w portrecie nieznanej rodziny, namalowanym przez Teodora Lubienieckiego (przed 1700) na wzór sceny mitologicznej. W arkadyjskim pejzażu, z pseudogreckim sarkofagiem na pierwszym planie i z pseudoantyczną świątynią w głębi, występuje teatralnie upozowana rodzina mieszczańska, w ujęciu praktykowanym w portrecie holenderskim.

Włosko-barokowy typ portretu reprezentuje Michał Anioł Palloni, np. w przypisywanych mu wizerunkach Jana Dobrogosta Krasińskiego (z ok. 1700 r. i z r. 1712). Zwłaszcza ten drugi łączy monumentalną aranżację otoczenia z dostojeństwem pozy i gestu, bogactwo materialne i kolorystyczne – szkarłatną czerwień płaszcza, znakomicie zestawioną ze złocistym frakiem, finezyjne koronki i biżuterię – z naturalistycznym opracowaniem twarzy, ze statycznym, ale pogłębionym wyrazem duchowym; całość nacechowana jest oficjalną powagą. Podobny charakter ma portret kardynała Michała Radziejowskiego (po 1698), powstały zapewne w kręgu Palloniego.

W końcu XVII i na początku XVIII w., w dobie panowania Sasów, formuła sarmacka zdaje się ponownie zyskiwać na znaczeniu, zarówno w portretach en pied, czego dobrym, dość tradycjonalnym przykładem może być wizerunek Janusza Radziwiłła (ok. 1690), jak i w ujęciu do pasa. Przy zastosowaniu tej drugiej formuły powstało szereg nader cennych dzieł, jak np. portrety Mikołaja i Teresy Woronieckich (ok. 1725), uderzające kaligraficzną precyzją opisu pięknych strojów, a także portrety malowane przez Hiacynta Olesińskiego, działającego zapewne we Lwowie, przedstawiającego – np. w anonimowym portrecie męskim z r. 1745 – niemal typową, z wszelkimi atrybutami, postać szlachcica kresowego. Podobny do nich – choć reprezentujący wersję rycerską – „Portret Boreyki", dzieło nieznanego malarza (ok. 1730), uderza niezwykle celną charakterystyką twarzy kresowego żołnierza, zdeformowanej odniesionymi ranami, rozświetlonej lekkim uśmiechem, w którym łączy się doza dobrotliwości i przebiegłości zarazem. Ten militarny modus pojawił się także w portretach Szymona Czechowicza (np. w portrecie Jana Tarły, 1744) oraz Józefa Rajeckiego (np. w wizerunku Jana Zygmunta Staniszewskiego, 1762).

382

Jak dalece portret sarmacki był świadomym typem wypowiedzi, malarskim sposobem charakteryzowania osoby, może świadczyć wykonany przez Czechowicza historyzujący, retrospektywny wizerunek protoplasty rodu Ossolińskich, Nawoja (zm. 1331), z trzema synami, ujętymi na modłę siedemnastowiecznych portretów.

Umiarkowanie dworską orientację reprezentował w swych portretach Augustyn Mirys, czego przykładem wizerunki Anny i Jana Bożego Krasickich (ok. 1750). Malarz potrafił stworzyć w jej ramach nader sugestywne portrety, np. młodego, dwunastoletniego „porucznika" Ignacego Cetnera (1740), czy poety

383

Kajetana Węgierskiego (1772). Zmysł obiektywnej obserwacji uwidacznia się także w jego autoportretach.

Wybitnie sarmacki charakter, złączony z teatralnie wręcz rozbudowaną barokową scenerią, zdradza „Portret Wacława Rzewuskiego" (ok. 1773); jest to apoteoza szlachcica, wodza i magnata, ukazanego we wspaniałym, biało--czerwonym stroju orderu Orła Białego, na tle namiotów obozowych, obok zgromadzonego oręża. Obraz ten może być uważany za wyraz świadomej opozycji w stosunku do zachodnioeuropejskiego, dworskiego portretu tego czasu, reprezentowanego np. przez znakomity „Portret Hieronima Radziwiłła", malowany przez Jakuba Wessla (ok. 1750), wykształconego w Berlinie u nadwornego malarza, A. Pesne'a. O wyborze formuły zdecydował tu na pewno sam portretowany – kresowy magnat, mający niezwykłe ambicje, sięgający po koronę królewską, utrzymujący niemal królewski dwór, teatr itd. oraz własną, dość znaczną armię. Obraz zawiera szereg aluzji, zawartych np. w leżącym na stole gronostajowym płaszczu, w stylizowanej na królewską koronę mitrze książęcej, czy umieszczonym na komodzie herbie Radziwiłłów na tle Orła Białego, a więc herbu królestwa.

Różnorodność ujęć wizerunków przetrwa czasy stanisławowskie, przy czym szlachecki portret polski także później pełnić będzie szczególną rolę ideową, nabierając nowych znaczeń w dobie rozbiorów i upadku Rzeczypospolitej.

215. Dziedziniec Collegium Maius w Krakowie, ok. 1519

216. Wnętrze kolegiaty w Pułtusku, ok. 1560

217. Nagrobek książąt mazowieckich, katedra w Warszawie, 1526–1528

Wiek XVI. Późny gotyk – renesans – manieryzm

218. Ołtarz główny katedry wawelskiej, obecnie w Bodzentynie, 1545–1548

219. Kościół paraf. w Brochowie, przebudow. ok. 1560

220. Nagrobek bpa Piotra Tomickiego, katedra na Wawelu, 1532–1535

221. „Lament opatowski",
fragment nagrobka K. Szy-
dłowieckiego

222. Nagrobek Krzysztofa
Szydłowieckiego, kolegiata w
Opatowie, 1533–1541

223. Bóżnica w Lubomlu,
XVII w.

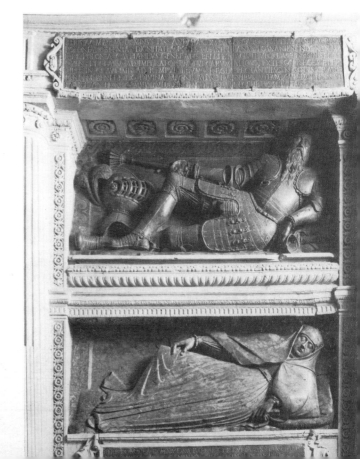

224. Nagrobek Urszuli Leżeńskiej, kościół w Brzezinach,
3. ćw. XVI w.

225. Nagrobek rodziny Górków,
katedra w Poznaniu, ok. 1576

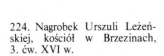

Renesans na dworze Jagiellonów

226. Nisza grobowa króla Jana Olbrachta, katedra na Wawelu, 1502–1505

227. Dziedziniec Zamku Królewskiego na Wawelu

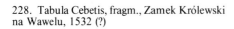

228. Tabula Cebetis, fragm., Zamek Królewski na Wawelu, 1532 (?)

229. Portal w Zamku Królewskim na Wawelu, 1524–1529

230. Głowy na stropie Sali Poselskiej, Zamek Królewski na Wawelu, 1531–1532

231. Głowa żołnierza w hełmie, strop Sali Poselskiej

Renesans na dworze Jagiellonów

232. Fragment wnętrza kaplicy Zygmuntowskiej

233. Kaplica Zygmuntowska przy katedrze na Wawelu, 1517–1533

234. Wnętrze kaplicy Zygmuntowskiej

235. Igraszki nereid, fragm. dekoracji kaplicy Zygmuntowskiej

236. Medalion z popiersiem Zygmunta I jako Salomona, kaplica Zygmuntowska

237. Posąg nagrobny Zygmunta I, kaplica Zygmuntowska, po 1529

238. Fragment dekoracji kaplicy Zygmuntowskiej

239. Nagrobek Barbary z Rożnowa Tarnowskiej, zm. 1518, katedra w Tarnowie

240. Nagrobek Mikołaja Tomickiego, Tomice k. Poznania, 1524

241. Nagrobek Andrzeja Szamotulskiego, zm. 1511, kościół farny w Szamotułach

„Renesans północny"
w Polsce

242. Nawiedzenie św. Elżbiety, fragm. srebrnego ołtarza w kaplicy Zygmuntowskiej, 1531–1538

243. Kupno wsi, fragm. Ołtarza św. Stanisława w Kobylinie, 1518

244. Stanisław Samostrzelnik, Św. Stanisław, miniatura z *Żywotów arcybiskupów gnieźnieńskich*, ok. 1530

245. Tryptyk z Pławna, 1515–1520

246. Ukrzyżowanie, miniatura z *Ponty-fikału Erazma Ciołka*, ok. 1515

247. Tańcząca Salome, fragm. Ołtarza św. Jana Chrzciciela w Krakowie, 1518

„Renesans północny" w Polsce

248. Malarze, miniatura w *Kodeksie Behema*, 1505

249. Bitwa pod Orszą, fragm., ok. 1518

250. Muzyk dworski, fragm. malowideł stropu kościoła w Grębieniu, 1520–1531

251. Zamek królewski w Piotrkowie, 1512–1519

252. Dwór w Jeżowie, ok. 1544

253, 254. Zamek króla Zygmunta Augusta w Niepołomicach, 1550–1571

Dwór – kaplica – nagrobek

255. Dwór w Szymbarku, po 1530 i ok. 1580

256. Dwór kapituły biskupiej w Pabianicach, 1565–1571

257. Dwór w Poddębicach, 1610–1617

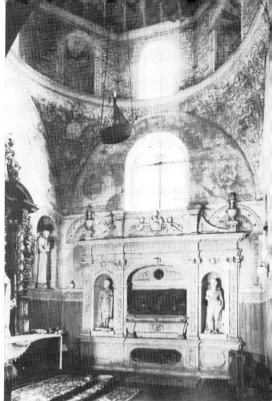

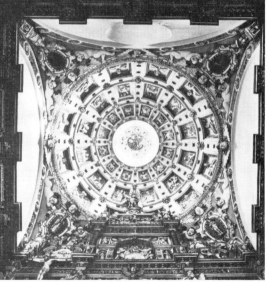

258. Dekoracja kopuły kaplicy w Uchaniach, ok. 1625

259. Dekoracja kopuły kaplicy Boimów

260. Kaplica bpa Noskowskiego przy kolegiacie w Pułtusku, 1553–1554

261. Kaplica Boimów we Lwowie, 1609–1611

Dwór – kaplica – nagrobek

262. Kaplica Kampianów we Lwowie, ok. 1600 i 1619–1629

263. Kaplica Opalińskich w Radlinie, 1590–1605

264. Kaplica Firlejów w Bejscach, 1593–1600

265. Nagrobek Kryskich w Drobiniu, 1572–1576

266. Nagrobki Montelupich w kościele Mariackim w Krakowie, pocz. XVII w.

267. Nagrobek bpa Jana Konarskiego, katedra na Wawelu, ok. 1521

Dwór – kaplica – nagrobek

268. Nagrobek Galeazzo Guicciardiniego,
zm. 1557, klasztor dominikanów
w Krakowie

269. Nagrobek Kościeleckich w Kościelcu
k. Inowrocławia, ok. 1559

270. Nagrobek Barbary z Tęczyńskich
Tarnowskiej w katedrze w Tarnowie,
ok. 1530

271. Nagrobek bpa Andrzeja Zebrzydowskiego, katedra na Wawelu, 1560–1563

272. Nagrobek prymasa Wojciecha Baranowskiego, zm. 1615, katedra w Gnieźnie

273. Nagrobek Stefana Batorego, katedra na Wawelu, ok. 1595

274. Portret Zygmunta I z Głogowa, 1510–1515 (kopia z XVII w.)

275. Portret bpa Piotra Tomickiego, klasztor franciszkanów w Krakowie, ok. 1535

276. Portret Benedykta z Koźmina, ok. 1559

277. Portret Łukasza Opalińskiego, ok. 1635

278. Portret Grzegorza i Katarzyny Przybyłów, ok. 1534

279. Portret Stanisława Tęczyńskiego, 1634

280. Marcin Kober, Portret Stefana Batorego, 1583

Architektura miast

281. Ratusz w Poznaniu, do 1555

282. Ratusz w Tarnowie, ok. 1560

283. Ratusz w Chełmnie, 1567–1572

284. Wielka Sień w ratuszu poznańskim, do 1555

285. Kazimierz Dolny

286. Kamienice Pod św. Mikołajem i Pod św. Krzysztofem w Kazimierzu Dolnym, do 1635

287. Dziedziniec tzw. Dziekanki w Krakowie, ok. 1592

288. Kamienica Czarna we Lwowie,
1675–1677

289. Kolegiata w Zamościu, 1587–1600

290. Tzw. Prałatówka w Krakowie,
1618–1625

291. Rynek w Zamościu,
XVI/XVII w.

292. Kamienica w Zamoś-
ciu

293. Isaak van den Blocke, Apoteoza łączności Gdańska z Polską, 1608

294. Ratusz Starego Miasta w Gdańsku, 1587–1595

295. Jan Krieg, Widok Gdańska, fragm., 1616

296. Kamienice gdańskie z XVI i XVII w.

297. Sala Czerwona w Ratuszu Głównego Miasta w Gdańsku, ok. 1593

298. Wielka Zbrojownia w Gdańsku, 1601–1609

299. „Droga królewska" w Gdańsku

300. Kościół Karmelitanek Bosych w Lublinie, po 1624

301. Kościół paraf. w Radzyniu, ok. 1641

302. Kościół paraf. w Wiśniczu, 1622–1634

303. Kościół Sakramentek w Warszawie,
1688–1692

304. Spichlerz w Kazimierzu Dolnym,
pocz. XVII w.

305. Kościół Wizytek w Krakowie, 1684–1695

306. Kościół Karmelitanek Bosych we Lwowie,
po 1642

Wiek XVII. Manieryzm i barok

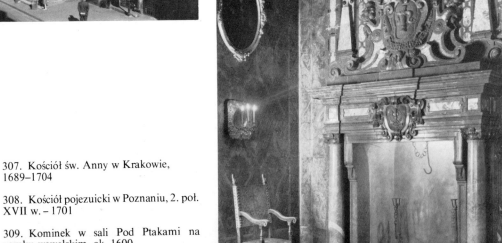

307. Kościół św. Anny w Krakowie,
1689–1704

308. Kościół pojezuicki w Poznaniu, 2. poł.
XVII w. – 1701

309. Kominek w sali Pod Ptakami na
zamku wawelskim, ok. 1600

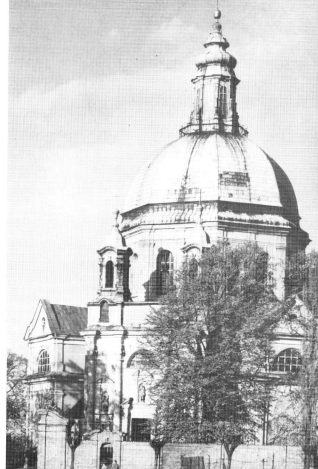

310. Posąg w mauzoleum Ligęzów w kościele Bernardynów w Rzeszowie, ok. 1630

311. Wnętrze kopuły kościoła Filipinów
w Gostyniu, ok. 1728

312. Kościół Filipinów w Gostyniu,
1679–1698

313. Św. Anna w kościele św. Anny w Krakowie

314. Nagrobek Firlejów w Bejscach, ok. 1600

315. Nagrobek Piotra Opalińskiego w kościele w Sierakowie, 1641

316. Fragment dekoracji stiukowej w kościele w Tarłowie, ok. 1650

317. Nagrobek bpa Piotra Gembickiego, katedra na Wawelu, 1654

318. Andromeda, fragm. dekoracji w Pokoju Kąpielowym w warszawskich Łazienkach

319. Św. Maria Magdalena, kościół św.św. Piotra i Pawła w Wilnie, 1676–1686

320. Andrzej Schlüter, Krucyfiks, kościół farny w Węgrowie

321. Wenanty z Subiaco, Chrzest w Jordanie, kościół w Rytwianach, ok. 1627

322. Michał Anioł Palloni, Otwarcie trumny św. Kazimierza, katedra w Wilnie, 1692

323. Kazimierz Odnowiciel zwyciężający Jaćwingów i Litwinów, kościół w Staniątkach, ok. 1643

324. Portret trumienny Stanisława Woyszy, 1677

325. Franciszek Lekszycki, Św. Anna nauczająca Marię, kościół Wizytek w Warszawie

„Typ lubelski i kaliski" w architekturze XVII w.

326. Sklepienie nawy bocznej w kościele Bernardynów w Lublinie, 1603–1608

327. Kościół Kamedułów w Rytwianach, 1625–1637

328. Kościół Bernardynów we Lwowie, 1600–1617

329. Dom Matki Boskiej w Kalwarii Zebrzydowskiej, 1612–1614

330. Kościół paraf. w Grodzisku Wlkp., 1635–1648

331. Kościół paraf. w Gołębiu, 1628–1636

332. Sklepienie fary w Kazimierzu Dolnym

333. Kościół farny w Kazimierzu Dolnym, 1589 i 1610–1613

Sztuka w dobie kontrreformacji

334, 336. Kościół Jezuitów w Warszawie,
1609–1626

335. Kościół jezuicki, p.w. św.św. Piotra
i Pawła w Krakowie, 1597–1619

337. Kościół i klasztor Karmelitów Bosych
w Czernej k. Krakowa, 1631–1633

338. Kościół i klasztor Kamedułów na Bielanach pod Krakowem, 1605–1630

339. Fasada kościoła Kamedułów
na Bielanach

340. Kościół Jezuitów w Kaliszu, 1587–1595

341. Ołtarz św. Barbary w Wierzbnie
k. Miechowa, 1590

342. Ołtarz główny w kościele w Zebrzydowicach k. Wadowic, ok. 1600

343. Nawiedzenie św. Elżbiety, kościół
paraf. w Jordanowie, kon. XVI w.

344. Ołtarz główny w kościele w Koźminie,
ok. 1600
345. Herman Han, Koronacja Marii, katedra
w Oliwie, przed 1623

346. Kaplica Zbaraskich przy kościele Dominikanów w Krakowie, 1629–1633

347. Kaplica św. Kazimierza przy katedrze wileńskiej, 1624–1636

Sztuka w dobie kontrreformacji

348. Tomasz Dolabella, Śmierć św. Władysława, kościół Kamedułów na Bielanach pod Krakowem, 1633–1635

349. Koło śmierci w kościele św. Katarzyny w Krakowie, ok. 1650

350. Krzysztof Boguszewski, Św. Marcin z Tours, katedra w Poznaniu, 1628

Rezydencje możnowładców w dobie manieryzmu i baroku

351. Rezydencja Mirów w Książu Wielkim, 1585–1595

352. Pawilon przy pałacu w Książu Wielkim

353, 354. Zamek w Baranowie, 1591–1606

355. Zamek Królewski w Warszawie, skrzydło zach., 1598–1619

Rezydencje możnowładców w dobie manieryzmu i baroku

356, 357. Zamek w Krasiczynie, 1590–1618

358. Pałac biskupi w Kielcach, 1637–1621

359. Pałac w Podhorcach, 1635–1640

360, 361. Zamek Krzyżto-
pór w Ujeździe, 1627–1644

362, 364, 367. Pałac królewski w Wilanowie, 1677–1692

363. Sypialnia królowej w pałacu wilanowskim

365. Pałac Krasińskich w Warszawie, 1677–1682

366. Tympanon pałacu Krasińskich, 1689

Portret polski w dobie baroku

368. Peter Danckers de Rij, Portret gdańskiego patrycjusza, ok. 1640

369. Bartłomiej Strobel, Portret Wilhelma Orsettiego, ok. 1650

370. Portret królewicza Władysława Wazy, po 1621

371. Daniel Schultz mł., Portret króla Jana Kazimierza, ok. 1650

372. Bartłomiej Strobel, Portret szlachcica, ok. 1635

373. Daniel Schultz mł., Portret króla Michała Korybuta Wiśniowieckiego, ok. 1669

Portret polski w dobie baroku

374. Daniel Schultz mł., Portret króla Jana Kazimierza, przed 1669

375. Jan Tricius, Portret króla Jana III Sobieskiego, 1676

376. Warsztat Hermana Hana, Portret Jerzego i Anny Konopackich, ok. 1625

377. Jerzy Eleuter Szymonowicz-Siemiginowski (?), Portret Marii Kazimiery z dziećmi, ok. 1683

378. Mistyczne zaślubiny św. Katarzyny, ok. 1659

379. Michał Anioł Palloni, Portret Jana Dobrogosta Krasińskiego, ok. 1700

380. Daniel Schultz mł., Sprzedawczyni dziczyzny, ok. 1666

Portret polski w dobie baroku

381. Jakub Wessel, Portret Hieronima Radziwiłła, ok. 1750

382. Portret Boreyki, ok. 1730

383. Augustyn Mirys, Portret Ignacego Cetnera, 1740

384. Zamek w Rydzynie, ok. 1694 – 2. poł.
XVIII w.

385. Wnętrze kościoła pocysterskiego
w Lądzie, 1728–1733

386. Kościół Misjonarzy w Krakowie,
1719–1728

Wiek XVIII. Barok – rokoko – Oświecenie

387. Pałac Pod Blachą w Warszawie, 1720

388. Pałac w Białymstoku, ok. 1730

389. Pałac w Radzyniu, ok. 1750

390. Kościół Trynitarzy (ob. Bonifratrów) w Krakowie, 1752–1758

391. Kościół w Tarnopolu, 1733–1778

392. Zbór ewangelicko-augsburski w Warszawie, 1777–1779

Wiek XVIII. Barok – rokoko – Oświecenie

393. Pałac Działyńskich w Poznaniu, 1780–1790

394. Pałac Wodzickich w Krakowie, 1777–1783

395. Katedra w Wilnie, przebud. od 1783

396. Kościół w Skierniewicach, 1780

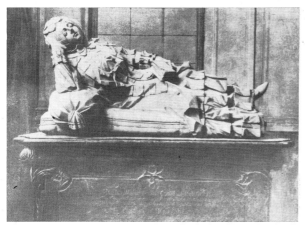

397. Anioł z ołtarza katedry w Kielcach, 1728–1730

398. Nagrobek Marii Amalii Mniszchowej w kościele paraf. w Dukli, 1773

399. Św. Onufry w kościele ormiańskim w Stanisławowie, 1750–1760

400. Matka Boska Bolesna w kościele w Hodowicy, ok. 1760

Wiek XVIII. Barok – rokoko – Oświecenie

401. Jakub Monaldi, Chronos z Zamku Królewskiego w Warszawie, 1786

402. Malowidła iluzjonistyczne w kościele pocysterskim w Jędrzejowie, 1734–1739

403. Św. Piotr z Alkantary w kościele Bernardynów w Opatowie, 1770–1775

404. Jan Piotr Norblin, Kąpiel w parku, 1794

405. Konstanty Aleksandrowicz, Portret Karola Radziwiłła, ok. 1785

406. Józef Faworski, Portret Jana Piędzickiego, 1790

Rokoko
w architekturze kresów
dawnej Rzeczypospolitej

407. Ratusz w Buczaczu, ok. 1750

408. Kościół Bazylianów w Poczajowie na Wołyniu, 1771–1779

409, 410. Kościół Dominikanów we Lwowie, 1745–1764

411. Kościół Pijarów w Chełmie Lubelskim,
1753–1763

412. Katedra św. Jerzego we Lwowie,
1744–1763

413. Kościół Misjonarzy w Wilnie,
1751–1753

Rokoko
w architekturze kresów
d. Rzeczypospolitej

414. Kościół Wizytek w Warszawie,
1727–1763

415. Kościół Jezuitów p.w. św. Jana
w Wilnie, 1756–1757

416. Kościół Bazylianów w Berezweczu,
1756–1763

417–419. Projekty przebudowy Zamku Królewskiego w Warszawie: J. Fontany, 1772; E. Szregera, 1777; D. Merliniego, 1788

420. Sala Audiencyjna w Zamku Królewskim w Warszawie, 1774–1777

421. Sala Rycerska w Zamku Królewskim w Warszawie, 1777–1786

422. Sala Balowa w Zamku Królewskim w Warszawie, 1779–1786

423. Victor Louis, projekt Buduaru
dla Zamku Królewskiego w Warszawie, 1766

424. Rotunda w pałacu Na Wodzie w
Łazienkach

425. Marceli Bacciarelli, Król Jan
III Sobieski oswabadza Wiedeń

426. Łazienki warszawskie

427. Sala Balowa w pałacu
Na Wodzie

428. Pałac Myślewicki w Łazienkach, 1775–1783

429. Pałac Na Wodzie w Łazienkach,
do 1793

430. Scena Amfiteatru w Łazienkach,
1786–1791

431. Pomnik Jana III Sobieskiego w Łazienkach, 1788

432. Jan Chrzciciel Lampi, Portret Szczęsnego Potockiego, ok. 1790

433. Marceli Bacciarelli, Portret koronacyjny St. Augusta

434. Józef Grassi, Portret ks. Józefa Poniatowskiego, ok. 1790

435. Canaletto, Krakowskie Przedmieście od strony Nowego Światu, fragm.

436. Canaletto, Krakowskie Przedmieście od strony placu Zamkowego

437. Pałac w Rogalinie, 1768–1773, przebud. do 1784

438. Pałac w Pawłowicach, 1779–1787

439. Sala Balowa pałacu w Pawłowicach,
1788–1792

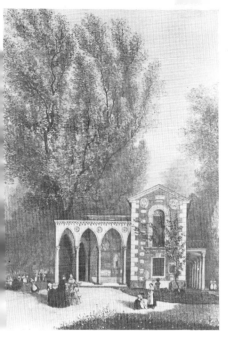

440. Domek Gotycki w parku
w Puławach

441. Pałac w Sierni-
kach, 1786–1789

442. Pałac w Śmieło-
wie, 1795–1800

443. Pałac w Lubostroniu,
ok. 1795–1800

444. Pałac w Dobrzycy,
ok. 1795–1800

445. Pałac Belwederski
w Warszawie, 1819–1822

Wiek XVIII. Barok–rokoko–Oświecenie

Rozważany w aspekcie dziejów politycznych, składa się wiek XVIII z okresu panowania w Polsce Sasów (1697–1763) oraz z okresu rządów ostatniego króla polskiego, Stanisława Augusta (1764–1795).

Czasy saskie to epoka coraz pełniejszej „europeizacji" sztuki w Polsce, m. in. dzięki ścisłym powiązaniom ze środowiskiem drezdeńskim, również czesko-austriackim i rzymskim, dzięki napływowi licznych artystów i zagranicznych projektów, a także – co bardzo ważne – dzięki coraz konsekwentniej przestrzeganej praktyce kształcenia się twórców polskich w centrach sztuki europejskiej, w tym zwłaszcza w Rzymie; wreszcie – i nie na końcu – w związku z europeizacją orientacji fundatorów, nie tylko w kręgu dworu królewskiego.

W tej sytuacji mogła sztuka polska włączyć się w pełni w nurt europejski – tak od strony zadań, jak i realizacji. Może jedynie w malarstwie portretowym tradycyjny nurt sarmacki nie poddał się tym naciskom, ale już religijne malarstwo ścienne łączy się w pełni ze wspólnymi dążeniami europejskiej architektury i rzeźby późnego baroku i rokoka.

W architekturze tego czasu na plan pierwszy wysuwa się kształtowanie złożonych koncepcji planów eliptycznych, przenikających się wzajemnie różnokierunkowych przestrzeni, układów dynamicznie piętrzonych brył, wklęsło-wypukłych płaszczyzn elewacji, wzbogaconych plastycznymi formami detalu architektonicznego i rzeźby figuralnej. Rzeźba charakteryzuje się dynamiką rozdrobnionej formy plastycznej, zyskującej sens jako malarska całość w ostrym działaniu światłocienia, wzmagającym ekspresję dzieła – zarówno jego warstwy obrazującej, jak i czysto plastycznej.

Zajęcie tronu przez elektorów saskich ułatwiło bezpośredni kontakt z rozkwitającym w tym czasie – także dzięki dochodom z królestwa polskiego – środowiskiem „francusko-drezdeńskim", sprzyjało napływowi artystów drezdeńskich i ich projektów, dotyczących zwłaszcza stołecznych budowli królewskich.

Przedsięwzięciom królewskim dorównywała mecenasowska działalność magnatów, zwłaszcza kresowych, nie skrępowanych ograniczeniami finansowymi, wznoszących wspaniałe budowle, będące wyrazem możliwości i ambicji, zamiłowania do przepychu i potrzeby reprezentacji. Wysoki poziom artystyczny i warsztatowy nie zawsze był dowodem estetycznej wrażliwości i artystycznego znawstwa fundatorów; istniała swoista zgodność głównych cech kultury sarmackiej i charakteru sztuki rozwiniętego baroku. Stąd w znacznym stopniu płynęło zamiłowanie szlachty polskiej do tej sztuki, która zaspokajała oczekiwania i wyrażała – najogólniej mówiąc – „ducha" czy mentalność czynnych kulturalnie warstw społeczeństwa. Zresztą ideowo-artystyczne funkcje tej sztuki były zróżnicowane: na terenie stolicy służyła ona przede wszystkim reprezentacji, zbytkowi życia. Na kresach Rzeczypospolitej łączyła się z ideologiczną walką Kościoła Zachodniego ze Wschodnim, stanowiąc równocześnie wyraz potęgi państwowej.

Wśród środowisk architektonicznych chronologicznie wysuwa się na czoło Wielkopolska, dzięki przybyłemu tu z Rzymu Pompeo Ferrariemu, działającemu głównie dla Leszczyńskich (w Lesznie: kaplica-mauzoleum, 1704; ratusz, 1712; przebudowa fary i zamku w 384 Rydzynie, 1694–1790; kopuła kościoła Filipi- 311 nów w Gostyniu, 1728; przebudowa kościoła 385 w Lądzie, 1728–1733; kościół w Owińskach). Ponadto przybyły ze Śląska Karol Marcin Franz tworzy na tym terenie kilka jednakowych, ale bogatych przestrzennie i plastycznie kościołów (Rydzyna, Zbąszyń, Krotoszyn).

W Krakowie czołowe miejsce zajmuje wykształcony w Rzymie Kacper Bażanka (zm. 1728) – autor m. in. kościoła Misjonarzy (1719–1728) i Pijarów (1724–1727), o stosunkowo prostych planach. Od roku 1742 działa tu przybyły z Rzymu poprzez Drezno Franciszek Placidi, autor fasady kościoła Pijarów (1759–1761), centralnego pałacyku w Grabkach Wielkich (1742), kruchty kościoła Mariackiego i kościoła Bonifratrów (d. Tryni- 390 tarzy, 1752–1758), o monumentalnych, wyrazistych formach jednowieżowej fasady.

Zupełnie odrębny charakter ma środowisko warszawskie, bardziej od poprzednich dynamiczne i zróżnicowane, dominujące także dzięki liczbie tworzonych tu dzieł. Istotne znaczenie miały inicjatywy królewskie, choć większość planów pozostała w sferze projektów. Także tu pojawia się plejada znakomitych architektów. Mateusz Daniel Pöppelmann przebudował pałac Morsztynów na rezydencję króla, tzn. pałac Saski, urządził ogród w typie Le Nôtre'a i wytyczył tzw. oś saską. Karol Bay – spolszczony Włoch – wzniósł pałace Mniszchów, Sieniawskich i Branickich, w typie założeń francuskich, na planie trójramiennym – „między dziedzińcem a ogrodem" – a także kościół Wizytek 414 (1727–1733), ze wspaniałą fasadą, ukończoną do r. 1763.

Do połowy w. XVIII wzniesiono lub przebudowano w Warszawie przeszło pięćdziesiąt
387 rezydencji. Powstają m. in. pałac Pod Blachą (1720), o wyjątkowo klasycznej fasadzie, rozczłonkowanej kolumnami i pilastrami według zasad wielkiego porządku, oraz Pałac Błękitny (1726) – reprezentujący typ saskiego rokoka – dzieło Daniela Joachima Chrystiana Jaucha, Jana Zygmunta Deybla i Karola Fryderyka Pöppelmanna, o korpusie poszerzonym pawilonami, z bocznymi skrzydłami. Z planów zamkowych zrealizowano skrzydło od strony Wisły, projektowane przez Gaetano Chiaveriego i wzniesione przez Jana Krzysztofa Knöffla (1746). W latach 1756–1759 Gottfryd Knöbel przebudowuje dawny pałac Ossolińskich na rezydencję ministra Brühla. Tak więc stolica opanowana była przez architektów saskich.

Poza Warszawą przebudowano ok. r. 1730, dla hetmana wielkiego koronnego Jana Kle-
388 mensa Branickiego, pałac w Białymstoku (zapewne autorstwa Deybla).

Na szczególną uwagę zasługuje działalność lombardzkiej rodziny Fontanów, zwłaszcza Józefa i Jakuba. Jakub Fontana wzniósł ok.
389 1750 r. rezydencję Potockich w Radzyniu Podlaskim i rozbudował pałac Bielińskich w Starym Otwocku. Nie mniej interesujące dzieła powstały w dziedzinie architektury kościelnej: Guido Longhi wzniósł w l. 1741–1763 kościół Jezuitów w Kobyłce, o dwuwieżowej, wklęsło-wypukłą fasadą, a Tomasz Rezler – kościół Pijarów w Chełmie, na planie eliptycznym (1753–1763).

Niewiele natomiast wiadomo o działalności architektów francuskich, choć zależność powstających w Polsce dzieł od sztuki francuskiej wskazuje na ich obecność.

Ważne inspiracje płynęły ze Śląska, gdzie splatały się ze sobą koncepcje architektury francuskiej i czesko-austriackiej. Wielu architektów tego środowiska działało także na terenie Rzeczypospolitej. Antoni Gerhard Müntzer z Brzegu współpracował przy wzniesieniu kościoła Paulinów Na Skałce w Krakowie (1733–1738), Antoni Gans z Karniowa przebudował kościół Cystersów w Jędrzejowie (1739–1754), Gotfryd Hoffman wzniósł
408 kościół Bazylianów w Poczajowie na Wołyniu (1771–1779), dokończony w r. 1785 przez Piotra Polejowskiego.

Na szczególną uwagę zasługuje architektura wschodnich kresów Rzeczypospolitej; tu powstają najbardziej monumentalne, a równocześnie śmiałe, niemal ekstremalnie wybujałe dzieła, tworzone przez wybitne indywidualności. Do nich należy Bernard Merderer, twórca wielu obiektów w okolicach Lwowa, np. kościoła Misjonarzy w Horodeńce (1743–

1760) z ukośnie ustawionymi wieżami, ratusza w Buczaczu (ok. 1750), a przede wszys- 407
tkim monumentalnej katedry św. Jerzego (św. 412
Jura) we Lwowie (1744–1763) – najdoskonalszego w skali europejskiej dzieła architektury rokokowej, pokrewnego dziełom austriackiego baroku. Z Holandii pochodził Jan de
Witte, autor eliptycznego kościoła Dominika- 409
nów we Lwowie (1745-1764). 410

Oryginalną odmianę baroku reprezentowała architektura wileńska – swobodniejsza, bardziej dynamiczna, lekka. Jej twórcy z upodobaniem operowali dwuwieżowymi fasadami o motywach włoskich, ale o proporcjach północnych, wertykalnych. Jako przykład możemy wymienić wileński kościół św. Katarzyny, dzieło Jana Krzysztofa Glaubitza (1741–
1743), fasadę kościoła Misjonarzy w Wilnie 413
(1751–1753), o wyjątkowo smukłych wieżach, i wreszcie znakomity kościół Bazylia- 41(
nów w Berezweczu (1756–1763), o wyjątkowo dynamicznym, światłocieniowym uformowaniu fasady.

Architekturze towarzyszy ilościowy rozwój rzeźby, często naśladowczej, reprezentującej mało zróżnicowane warianty, ale zwykle wykazującej dobrą, czasem znakomitą klasę, tworzącej złożone zespoły wystroju kościołów i budowli świeckich. Dominuje rzeźba związana z architekturą; nie rozwinął się pomnik w przestrzeni urbanistycznej, nie jest znana rzeźba „galeryjna". Działa olbrzymia liczba rzeźbiarzy i architektów; często architekt projektuje ołtarze, kazalnice, portale, tympanony.

Dominującą tendencją jest tzw. „rokokowy ekspresjonizm", polegający na dynamice, kontraście, asymetrii, rozdrobnieniu formy kubiczno-linearnej, na operowaniu nie tylko bryłą, ale i płaszczyzną, zwłaszcza ostro załamaną krawędzią, na ekspresji ruchu, ekspozycji stanów emocjonalnych osiągających stopień ekstazy. Inspiracje dla tego kierunku płynęły ze środowiska austriacko-czeskiego, południowoniemieckiego i śląskiego.

Opozycję stanowił mniej popularny nurt „klasyczny", charakteryzujący się ujęciami bardziej rzeczowymi, położeniem nacisku na formy anatomiczne, a nie na swobodne kształtowanie draperii, wykazujący wyraźne reminiscencje ideału klasycznego piękna, zwłaszcza w twarzach, oparty na operowaniu spokojną, zwartą bryłą o smukłych proporcjach.

Trzeci nurt – „umiarkowany" – ukształtowany pod wpływem rzeźby francusko-drezdeńskiej, odznaczał się większą wytwornością form, dynamicznym, ale nie przesadnie ekspresyjnym kształtem, pewną lekkością i dekoracyjnością, wdziękiem postaci i form.

Przy wyraźnych zależnościach od środowisk obcych i napływie zagranicznych rzeźbiarzy, charakterystyczna jest ogromna liczbowa przewaga działających w tym czasie wybitnych rzeźbiarzy polskich.

Nurt pierwszy rozwinął się na terenie całej Rzeczypospolitej. Miał oparcie w tradycji XVII w. (w Krakowie stanowiła ją np. twórczość Baltazara Fontany), a zasilany był przez wpływy rzeźby śląskiej i import artystów ze Śląska. W ramach tego nurtu w Krakowie działał Antoni Frąckiewicz (kazalnica w kościele św. Anny, dzieła w Kielcach, w Tarnowie, Zawichoście), w Częstochowie zaś najwybitniejszy rzeźbiarz śląski, Jan Jerzy Urbański, a w Gostyniu wielkopolskim – Ignacy Provisore i Jan Siegwitz. Z Drezna przybył Jan Jerzy Plersch, przedstawiciel skrajnego skrzydła omawianego nurtu, działający pod przemożnym wpływem Baltazara Permosera, twórca figur w Ogrodzie Saskim, autor rzeźb w kościołach w Warszawie, Łowiczu, także w Stanisławowie.

Szczytowe osiągnięcia tego nurtu wiążą się ze środowiskiem lwowskim, gdzie rozwinięto maksymalną dynamikę, malarskość bryły i powierzchni, ekstatyczną emocjonalność. Wiąże się to z ogólną orientacją tego środowiska, związanego także w dziedzinie architektury z kręgiem krajów habsburskich. Powstałe tu dzieła, głównie wykonane w drewnie, charakteryzuje oryginalna wersja „rokokowego ekspresjonizmu''. Do najwybitniejszych rzeźbiarzy należeli: Sebastian Fesinger, Antoni Osiński – dla którego charakterystyczna jest dynamiczna, krystalicznie łamana forma – oraz Pinzel, operujący bardziej syntetyczną, ciężką, choć również dynamiczną formą, działający głównie we Lwowie i okolicy.

Malarstwo nie dorównywało znaczeniem rzeźbie, choć właśnie utożsamianie się stylu życia i mentalności społeczeństwa szlacheckiego czasów saskich ze stylem dynamicznego baroku mogłoby sprzyjać rozwojowi malarstwa portretowego i rodzajowego, obok malarstwa religijnego.

Oczekiwania te spełnia jednak tylko malarstwo portretowe, reprezentujące różne postawy twórców – od rzeczowego naturalizmu, często równoznacznego z naiwnym i rzemieślniczym nastawieniem malarza, ujawniającego cechy osobowe modela, jego związek z kulturą sarmatyzmu – aż po reprezentacyjno-oficjalne ujęcia, z charakterystycznymi dostojnymi pozami, wyszukanymi i bogatymi strojami oraz akcesoriami, w szczególny sposób idealizowanymi twarzami, w których poprzez warstwę dworskiej stylizacji można często dojrzeć wspólny podkład sarmacki.

Skrzydło „sarmackie'' reprezentują np. portrety M. A. Woronieckiego (ok. 1725), portret 382 Boreyki (ok. 1730), portrety malowane przez Hiacynta Olesińskiego. Portret reprezentacyjny stanowi np. wizerunek H. Radziwiłła malowany przez Jakuba Wessla (ok. 1750), 381 czy portret Fr. Wielopolskiego, malowany przez Józefa Misiowskiego. Częstym zjawiskiem jest portret łączący cechy sarmackie i reprezentacyjne, np. anonimowy portret W. Rzewuskiego (ok. 1773), J. Z. Staniszewskiego, malowany przez Józefa Rajeckiego, czy umiarkowanie dworskie portrety Krasickich, malowane przez Augustyna Mirysa (ok. 1750).

W malarstwie religijnym zasadnicze znaczenie miały wzory malarstwa włoskiego, głównie rzymskiego, i tradycje rubensowskie. Do najwybitniejszych twórców należy Szymon Czechowicz (1689–1775), członek Akademii św. Łukasza w Rzymie, autor ogromnej liczby obrazów, zdolny i wykształcony epigon rzymskiego baroku, dysponujący dużym warsztatem i wieloma uczniami. Wybitnym i oryginalnym malarzem był Tadeusz Kuntze (1732–1793), wykształcony w Rzymie i Paryżu, działający w Krakowie, później w Hiszpanii i Rzymie, autor licznych obrazów religijnych, mitologicznych i alegorycznych, pejzaży, nowatorskich dzieł rodzajowych, samodzielny twórca własnych kompozycji, znakomity rysownik i malarz, operujący delikatnym, chłodnym kolorytem.

Na wielką skalę rozwija się iluzyjne malarstwo ścienne, choć nie wydało ono – na ile wiemy – równie wybitnych twórców. W dalszym ciągu przemożnym wzorem była w tym okresie sztuka Italii, często za pośrednictwem Moraw, Czech i Śląska. Ze Śląska przybył do Wielkopolski Jerzy Wilhelm Neunherz (Ląd, Gostyń, Rydzyna – gdzie powstała apoteoza rodu Sułkowskich). Działał też uczeń Siemiginowskiego – Adam Swach, a przede wszystkim bernardyn, Walenty Żebrowski. W środowisku lwowskim znaczenie zyskał bolończyk Karol Pedretti i ks. Benedykt Mazurkiewicz. W Małopolsce pracował przybyły z Moraw Franciszek Eckstein (kościół Pijarów w Krakowie, 1726–1730), a przede wszystkim współdziałający z nim Andrzej Radwański 402 (1711–1762), twórca licznych polichromii dla pijarów i cystersów, operujący swobodnie iluzyjnymi perspektywami architektonicznymi, kontynuacyjno-narracyjnymi kompozycjami grup postaci, rokokową dekoracją. Z Ecksteinem związany był także pochodzący z Brna Józef Meyer. Z Moraw i Czech przybyli też do Krakowa Józef Piltz i Piotr Franciszek Molitor.

Drugi okres w. XVIII to czasy panowania Stanisława Augusta, o z dawna już ustalonej odrębności. Jej charakterystyka napotyka trudności wobec pluralizmu kulturowego i artystycznego tego czasu, który tylko umownie może być nazywany epoką Oświecenia; z nią to zwykło się wiązać neoklasycyzm jako jej artystyczny odpowiednik. Neoklasycyzm stanowił jednak tylko jeden z nurtów obok trwającego jeszcze baroku i rokoka, przy czym antykizujące formy interpretowane były zarówno na gruncie założeń oświeconego racjonalizmu, jak i romantyzmu.

Stosowane do niedawna jeszcze pojęcie „stylu Stanisława Augusta" może oznaczać jedynie pewną wspólnotę fundowanych przez króla dzieł, tworzonych zresztą często przez ten sam krąg artystów. Nie ulega natomiast wątpliwości, że dla kształtowania się sztuki tego okresu mecenat ostatniego króla Polski miał szczególne znaczenie. Jego dwór stanowił centrum życia kulturalnego, on podejmował najważniejsze fundacje, skupiał teoretyczną myśl o sztuce, organizował życie artystyczne. Działalność mecenasowska króla Stanisława Augusta dotyczyła zarówno architektury, rzeźby, jak i malarstwa, przy czym rozwijały się nie tylko te rodzaje, które były bezpośrednio użyteczne dla reprezentacji monarszej. Jak i inne dziedziny działalności, zwłaszcza społeczno-polityczna, przepojona wówczas duchem reform, najpełniej wyrażonym w uchwaleniu chlubnej Konstytucji 3 maja – tak i dziedzina sztuki charakteryzowała się wówczas racjonalnym kształtowaniem wartości kultury, mających istotne znaczenie społeczne. Staraniom króla towarzyszyły poczynania arystokracji.

Twórczość artystyczna kształtowała się na obszarze ścierania się szeregu opozycji, różnego zresztą rodzaju. Były to przeciwieństwa: między racjonalnym klasycyzmem a romantyzmem; między tradycją sarmacką, utożsamianą z polskością i narodem, a tendencjami kosmopolitycznymi; między tradycją baroku a francuskiego rokoka i wreszcie klasycyzmu; między związkami artystycznymi z Italią, Francją, Anglią.

Wiodące znaczenie ma w tym czasie architektura rezydencjonalna, z którą wiąże się zarówno sama budowla, jej wystrój rzeźbiarski i malarski, urządzenie i wyposażenie wnętrz w przedmioty i sprzęty, niezbędne lub luksusowe, jak i cała organizacja otoczenia: ogród i park, jego kompozycja, czyli formowanie terenów zielonych, wód, perspektyw, wyposażenie w postaci różnych pawilonów, złączenie z otoczeniem gospodarskim, aż do szerszego otoczenia pozostającego w zasięgu wzroku, obejmującego pola uprawne, lasy itd. Architektura staje się częściej niż kiedykolwiek integralną częścią rozległego zespołu i tylko w takim kontekście może być właściwie rozumiana.

Architektoniczna działalność króla to przede wszystkim budowle królewskie: przebudowa i rozbudowa pałacu Ujazdowskiego przez Jakuba Fontanę i Dominika Merliniego (1766–1771), przebudowa pałacu Na Wodzie w Łazienkach (głównie D. Merlini, 1784–1788), projekty nowych wnętrz i fasad Zamku Królewskiego oraz przebudowa wnętrz Zamku (1774–1787), dokonana przez Merliniego przy współudziale dekoratora Jana Chrystiana Kamsetzera i malarza Jana Bogumiła Plerscha. Dominik Merlini wzniósł także dla brata króla, prymasa Poniatowskiego, rokokowo-klasycystyczny pałacyk w Jabłonnie oraz dla Izabeli Lubomirskiej pałac w Królikarni – pierwszy u nas przykład zastosowania palladiańskiej willi. 429

420-422

Warunki sprzyjały rozwojowi architektury, stąd tak wiele znakomitych dzieł i wielu wybitnych architektów, reprezentujących różne tendencje artystyczne; ich działalność sięga początków w. XIX.

Nurt klasyczny, dla którego formy klasyczne tworzyły zamknięty system, stając się niejako samodzielną wartością estetyczną, reprezentował Efraim Szreger, twórca m. in. kamienicy Teppera – pałacu bankierskiego (po 1774), rotundowego kościoła w Skierniewicach (1780). Skrajny klasycyzm reprezentował Wawrzyniec Gucewicz, wykształcony we Francji u Jacques Germain Soufflota i Claude-Nicolas Ledoux, autor katedry w Wilnie (od 1783). Podobną orientację wykazywał Szymon Bogumił Zug, twórca programowego dzieła: zboru ewangelickiego w Warszawie (1777–1779), a także pałacyku w Natolinie – którego owalny salon, otwierający się kolumnadą na ogród, wskazuje na romantyczny sposób użycia form klasycznych – oraz szeregu kościołów, m. in. w Kocku i Białej Podlaskiej. Ze Śląska pochodził działający w Wielkopolsce Karol Gotthard Langhans, twórca pałacu w Pawłowicach (1779–1787) i zboru w Rawiczu. Romantyczny sens uzyskiwały formy klasyczne w twórczości Stanisława Zawadzkiego, czego dobrym przykładem jest wielkopolski pałac w Dobrzycy (1795–1800). 396

395

392

438

44

Barokowy klasycyzm reprezentował gdańszczanin Ferdynand Nax, twórca pałaców w Nałęczowie i w Szczekocinach. Natomiast Jan Chrystian Kamsetzer, przede wszystkim znany jako autor wielu wnętrz pałacowych, stworzył na terenie Wielkopolski nowy typ pałacu niewielkich rozmiarów, który stanie się popularnym i ważnym typem rezydencji; przykładem Sierniki, Lubostroń, warszawskie Łazienki i wiele innych. 44
44

148

Swoisty historyzm, zainteresowanie legendą średniowieczną, wpływ współczesnej powieści angielskiej – stanowiły podstawę dla zainteresowania się także formami architektury gotyckiej, początkowo stosowanymi wyłącznie w architekturze ogrodowej. Znakomitym przykładem są tu dzieła „klasycysty" Zuga, np. w Warszawie na Solcu (po 1772), na Powązkach (1776), Mokotowie (1780) i – wspólnie z Henrykiem Ittarem – w Arkadii (1777). Dopiero później „styl gotycki" pojawia się w budowlach mieszkalnych o charakterze willowym, czego przykładem może być willa Bacciarellego (Zug i Kamsetzer).

Rzeźba służyła w tym okresie przede wszystkim wystrojowi architektury, przy czym decydujące znaczenie mieli rzeźbiarze sprowadzeni przez króla, zadomowieni w Polsce przybysze, np. z Austrii, jak Franciszek Pinck, **431** autor pomnika Jana III w Łazienkach, Flamand Andrzej Le Brun, prowadzący królewską „fabrykę" rzeźbiarską, wykonawca posągów dla Zamku i dla pałacu Łazienkowskie- **401** go, czy Giacopo Monaldi, działający następnie w Wilnie. Dla wileńskiej katedry i dla warszawskich Łazienek pracował Tomasz Righi. Związek z architekturą nie oznaczał, że była to rzeźba wyłącznie dekoracyjna. Rzeźba figuralna uzupełniała i dopowiadała symboliczną wymowę budowli, miała często znaczenie alegoryczne; pojawiały się także dzieła typu narracyjnego, o treści historycznej, tworzące złożone programy ideowe.

Rozwój malarstwa wiązał się ściśle z mecenatem królewskim. Utrzymywał się ciągle jeszcze nurt malarstwa sarmackiego, najsilniej reprezentowany w dziedzinie portretu (K. **405** Gaszyński, Krzysztof Radziwiłłowski, Kon- **406** stanty Aleksandrowicz, Józef Faworski, Stanisław Stroiński), kultywujący ideał osobowości szlacheckiej, operujący dosadnym rysunkiem i silną ekspresją. Decydujące znaczenie ma jednak nurt malarstwa dworskiego, przede wszystkim portretowego, zmieniającego stopniowo swój charakter. Początkowo jest to tradycyjnie barokowy portret, o pewnym zabarwieniu rokokowym, jak na to wskazują pierwsze oficjalne portrety królewskie **433** pędzla Marcelego Bacciarellego; później powstają także portrety alegoryczne – jak np. „Portret Stanisława Augusta z klepsydrą" (1793), czy wręcz romantyczne, nie bez **463** wpływu portretu angielskiego, jak „Portret generała Kossakowskiego", dzieło Kazimierza Wojniakowskiego (1794). Obok wyżej wymienionych działali: Aleksander Kuchar- **432** ski, Jan Chrzciciel Lampi, Józef Grassi, Józef **434** Kosiński, miniaturzysta Józef Pitschman – artyści z kraju i z zagranicy, w tym m.in. ze środowiska wiedeńskiego.

Drugi rodzaj stanowi rozwijające się od tego czasu coraz intensywniej malarstwo historyczne. Nową erę rozpoczyna cykl królewski Bacciarellego, a kontynuuje go Franciszek Smuglewicz, który podjął ambitną, nie spełnioną próbę stworzenia pełnego cyklu ilustracji według *Historii narodu polskiego* Adama Naruszewicza. O rozwoju tego rodzaju malarstwa decyduje polska koncepcja historyzmu, bezpośrednio związanego z aktualnymi wydarzeniami, a w szczególności z próbą przebudowy i odnowy wewnętrznej Królestwa na drodze konstytucyjnej przemiany ustroju (Konstytucja 3 maja); silny wpływ wywierają następnie na ów rozwój kolejne rozbiory i wreszcie pełna utrata samodzielnego bytu państwowego.

Ogromną rolę pełniło także malarstwo „rodzajowe", w szerokim znaczeniu tego słowa, prezentujące przedstawicieli poszczególnych stanów, ich obyczaje, specyficzny wygląd i zachowanie, bogactwo typów etnicznych, a nawet ukazujące współczesne wydarzenia dziejowe, związane np. z wypadkami warszawskiej rewolucji 1794 roku. Rzecz znamienna, że ten rodzaj malarstwa zapoczątkował u nas przybyły z Francji Jan Piotr Norblin, **477** początkowo wyznawca maniery Watteau, odkrywca rodzajowej sztuki Rembrandta, który znalazł w Polsce wielu naśladowców i kontynuatorów, takich jak Michał Płoński **476** czy Aleksander Orłowski. Tenże ro- **475** dzaj – choć zupełnie innymi treściami wypełniony – uprawiał działający poza granicami kraju gdańszczanin, Daniel Chodowiecki. Z wieloletnim pobytem w Warszawie Bernarda **435** Bellotta, zwanego Canalettem, wiąże się **436** rozwój weduty oraz malarstwa pejzażowego, przy czym znamienne jest, jak ten weducista coraz bardziej interesuje się elementami rodzajowym owych widoków, a nawet malarstwem „wydarzeń", o czym świadczy choćby przedstawienie elekcji Stanisława Augusta na Woli. „Czyste" widoki pałaców, parków, zabytkowej architektury i wedutę tworzył Zygmunt Vogel.

Rokoko w architekturze kresów dawnej Rzeczypospolitej Polskiej

Środowisko drezdeńskie miało decydujące znaczenie dla sztuki Warszawy, podobnie jak sztuka Rzymu dla baroku krakowskiego. Odrębne natomiast miejsce zajmuje architektura ówczesnych wschodnich kresów Polski, z dominującymi ośrodkami we Lwowie i Wilnie. W tych właśnie środowiskach rozwinął się najsilniej kierunek rokokowej architektury. Termin ten stosowany niegdyś – zgodnie ze swym pochodzeniem – wyłącznie do dekoracji, w nowszych badaniach oznacza kierunek architektury późnego baroku, którego naczelną zasadą jest odejście od założeń klasycznej tektoniki w stronę malarskiego, iluzyjnego kształtowania zarówno przestrzeni, jak i formowania wszelkich elementów przestrzeń tę wyznaczających.

Wzajemne przenikanie się jednostek przestrzennych, o mniej lub bardziej wyraźnym ukierunkowaniu, osiągnięte za pomocą różnych środków, wklęsło-wypukłe formowanie ścian, skośne ustawianie filarów lub par kolumn, przecinanie się gurtów sklepiennych, eliminacja ostrych kątów i dążenie do fazowania narożników, płynność wszelkich zarysów i konturów, operowanie kontrastem jednostek przestrzennych i form w przekrojach poziomych i pionowych – oto główne cechy architektury rokoka.

Charakterystycznym rysem ekspresji tych dzieł jest lekkość i wdzięk, oparte na operowaniu drobnymi, zmiennymi podziałami, liniami wklęsło-wypukłymi, łączonymi z odcinkami prostej w różnych kombinacjach, których ogólną zasadą jest różnorodność, a nie rytmiczna powtarzalność, falistość – a więc zmienność – a nie prostoliniowość.

Dotyczy to nie tylko podstawowych elementów architektury, ale także ustalonych od dawna typów przestrzennych, które ulegają daleko idącym przemianom. Celem twórców jest uzyskanie szczególnego rodzaju wyrazu, m.in. poprzez destrukcję istotnych dla danego typu relacji, np. w przypadku klasycznej bazyliki, lub też poprzez ich zaakcentowanie i rozbudowanie, jak w przypadku budowli centralnych.

Rozwój monumentalnej architektury na kresach Rzeczypospolitej polsko-litewskiej wiązał się z rozkwitem bogactwa tamtejszej magnaterii, dysponującej ogromnymi środkami materialnymi i równocześnie odznaczającej się wielkimi ambicjami, także ze znaczeniem kleru jako stałego, ważnego czynnika ideologicznego, o decydującym znaczeniu dla sprawowania władzy nad masami chłopskimi. Wiązał się wreszcie z konfrontacją Kościoła katolickiego i prawosławnego, która zresztą prowadziła do interesujących powiązań w sferze artystycznej.

Rozkwit ten nastąpił dość nagle; w ciągu trzydziestolecia 1740–1770 powstały niemal wszystkie ważne dzieła. Było to więc wyjątkowe skoncentrowanie środków materialnych i sił artystycznych, które w rezultacie przyniosło zasadniczą przemianę artystycznego krajobrazu tej części Rzeczypospolitej, także ze względu na niezwykłą wprost siłę wyrazu i estetyczną atrakcyjność tych dzieł, dosłownie i w przenośni wyrastających wysoko ponad

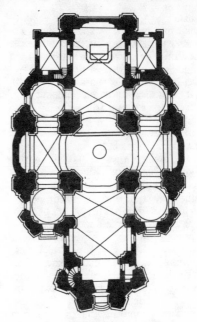

Bernard Merderer, plan katedry św. Jerzego we Lwowie, 1744–1763

dotychczasowy horyzont artystyczny tych terenów.

Twórczość ta skupiała się głównie wokół dwóch centrów: Lwowa i Wilna. W pierwszym przypadku decydujące znaczenie miały artystyczne związki z architekturą krajów habsburskich – Czechami i Austrią, z południowymi Niemcami i północną Italią. Natomiast architektura wileńska – przy wyraźnym powiązaniu z centrami sztuki barokowej Europy – ma równocześnie bardziej samodzielny charakter i wykazuje frapujące analogie do współczesnej architektury carskiej Rosji, w szczególności do Sankt Petersburga.

We Lwowie czołowe miejsce zajmuje architekt Bernard Merderer (z włoska Merettini, w spolszczeniu Meretyn), wiedeńczyk, twórca wielu dzieł, głównie sakralnych, m.in. kościoła farnego w Nawarii k. Lwowa (1739–1748), kościoła w Hodowicy (wzór dla kościołów w Buczaczu, Łopatynie i Kołomyi), kościoła Misjonarzy w Horodence (1743–1760), katedry unickiej św. Jerzego we 41 Lwowie (1744–1763), bazyliki w Tarnogrodzie (1750–1771) i ratusza w Buczaczu (ok. 40 1750).

Najwybitniejszym dziełem jest bez wątpienia katedra św. Jerzego – zwłaszcza na tle niewiele tylko wcześniejszego kościoła w Nawarii, o wyraźnie płaskim rozwiązaniu elewacji dość stereotypowej bazyliki. Skomplikowany plan katedry jest połączeniem układu podłużnego z centralnym; jego jądro stanowi założona na planie greckiego krzyża część centralna z pięcioma kopułami: na przecięciu się naw oraz między nimi, przy czym ramiona krzyża na osi wschód-zachód przedłużono. Fasada główna uformowana została z płaszczyzn wklęsło-wypukłych: wybrzuszona do przodu, z wklęsłymi, ściętymi narożami i z charakterystycznie spiętrzonym zwieńczeniem, mającym odpowiednik w spiętrzeniu schodów stanowiącym podstawę rzeźby św. Jerzego na koniu.

Dzieło to, wywodzące się poprzez środowisko austriackie z tradycji rzymskiej, odznacza się wielką koncentracją przestrzeni pięciokopułowego założenia, dynamicznie przeciwstawionego osi podłużnej. Dynamizm przejawia się także w szczegółowych zarysach wklęsło-wypukłych linii murów obwodowych. Operowanie rytmicznie sfalowaną masą muru dekorowanego pilastrami, łamanymi gzymsami, zwieńczonego balustradą z wazonami – decyduje o charakterze bryły budowli, zwłaszcza wobec osłonięcia ścianami kopuł, które właściwie nie są widoczne.

W tym samym duchu utrzymane jest drugie 407 znakomite dzieło Mereredera – ratusz w Buczaczu. Ponad zwarty blok piętrowego budynku, opiętego pilastrami, zamkniętego balustradą, z fasadą główną zaznaczoną przez zgęszczony rytm pilastrów, wyniosłe zwieńczenie oraz bogatą dekorację – wznosi się wysoka, dwukondygnacyjna wieża. Dolna kondygnacja została zwieńczona balustradą, nieco węższa górna – ozdobiona zegarowymi okulusami i wazonami. Przy całym bogactwie rozczłonkowania, widocznym np. w sfazowanych narożach ujętych w pilastry, uderza to dzieło zwartością i pewnego rodzaju płaskością. Jest to cecha znamienna także dla katedry św. Jerzego, gdzie o formie decyduje kształtowanie całej bryły, a nie plastyczność elementów artykułujących.

Trzecią kreacją, o jeszcze bardziej europejskim charakterze, jest kościół Dominikanów 409 we Lwowie, dzieło spolszczonego Holendra, 410 Jana de Witte (1745–1764), porównywane pod względem dyspozycji planu z wiedeńskim kościołem Karola Boromeusza, dziełem Fischera von Erlach. Eliptyczne wnętrze, ujęte w pary kolumn, poprzedzone jest przedsionkiem z dwoma bocznymi aneksami oraz przedłużone partią prezbiterialną. Oparte na klasycznych wzorach rzymskiego baroku, dzieło to wykazuje zupełnie inny charakter, m.in. dzięki natężeniu dynamiki i plastyczności wnętrza. Charakterystyczne są dlań silne akcenty pełnoplastycznych par kolumn oraz przełamanie klasycznego porządku przez

wprowadzenie na ich osi par figur świętych, zajmujących dodatkową kondygnację emporową. Dynamiczne opracowanie tych rzeźb – czołowych dzieł Antoniego Osińskiego – pozostaje w pewnej opozycji do klasycznej monumentalności architektury i pojawia się tu jako element dekoracyjny.

Może bardziej wybitne i oryginalne zarazem jest opracowanie fasady głównej. Jej „rewolucjonizm" polega na całkowitym zerwaniu z tradycyjnym pojęciem fasady – ściany zamykającej wnętrze i w pewien sposób będącej jego odpowiednikiem. Wywodząc się z jednoporządkowej kompozycji fasady palladiańskiej, reprezentuje szczytowe osiągnięcie rokokowej koncepcji, której ostatni rozdział stanowią właśnie dzieła polskiej architektury, takie jak np. fasada kościoła Kamedułów na Bielanach koło Warszawy (ok. 1750, przypisywana Jakubowi Fontanie). Fasada lwowska reprezentuje układ symetryczny, ale operuje kilkoma planami, zyskującymi znaczną odrębność. Wysunięta do przodu część środkowa, mieszcząca główny portal, ujęta w kolumny rozsuwające się na zewnątrz, stanowi część najbardziej plastyczną, wyniosłą; do niej dołączają się skromniejsze partie boczne, z małymi wejściami, o sfalowanym zarysie planu. Bogate profilowania, załamania, rozerwanie gzymsów i naczółków zwieńczonych rzeźbą figuralną – wszystko to decyduje o rzeźbiarskim, światłocieniowym charakterze dzieła, które całkowicie odeszło od klasycznej architektonicznej tektoniki, widocznej jeszcze w znakomitej fasadzie bielańskiej.

Obok Mereredera i Jana de Witte działali w tym środowisku także inni architekci, których dzieła reprezentowały pokrewne koncepcje. Obiektem o wręcz niezwykłym charakterze jest wielki, dominujący nad otoczeniem kompleks kościelny Bazylianów w Poczajo- 408 wie na Wołyniu, dzieło Gotfryda Hoffmanna ze Śląska (1771–1779) – niezwykle spiętrzona, scentralizowana bryła z dominującą kopułą, ze skośnie ustawionymi wieżami. Nieco zbliżony charakter ma kościół Pijarów w 411 Chełmie Lubelskim, wzniesiony przez Pawła Antoniego Fontanę (1753–1763), ze skośnie ustawionymi wieżami, w charakterystyczny sposób odsuniętymi od eliptycznego korpusu z obejściem i z wydłużoną prostokątną partią wschodnią.

W środowisku wileńskim oryginalność rozwiązań skupiła się przede wszystkim na fasadzie, zwłaszcza typu dwuwieżowego. Jeszcze w powstałej według projektu Jana Krzysztofa Glaubitza, w r. 1741, fasadzie kościoła Benedyktynek p.w. św. Katarzyny mamy przykład klasycznej harmonii, smukłej elegancji, delikatnej linearności rozczłonkowania. Zasadnicza przemiana rozpoczyna się wraz z powstaniem wież kościoła Misjonarzy w Wilnie (do 1753). Wieże te są nieco szerzej rozstawione, co przyniosło w konsekwencji niemal równorzędność obydwu par bocznych osi w tym pięcioosiowym układzie. Równocześnie wprowadzono rozdrobnioną artykulację szczytu, a wieże uzyskały już od podstawy znaczną smukłość – także dzięki silnemu zaakcentowaniu narożnych pilastrów, przy równoczesnym osłabieniu ażurowych partii środkowych. Nastąpiło tu niejako rozdzielenie konstrukcyjnego szkieletu i partii wypełniających – choć te zachowały jeszcze kształt prostych płaszczyzn. Jak się wydaje, najbliższą analogię do tych wież stanowią wieże soboru Aleksandra Newskiego w Sankt Petersburgu (1720–1723), dzieło Th. Schwertfegera.

Analogia do szeregu dzieł powstałych na terenie carskiej Rosji jest nader charakterystyczna. Z jednej strony istniała ideowa konkurencja między Kościołem prawosławnym a katolickim na wschodnich rubieżach ówczesnej Polski i na tym tle architektura tych terenów musi być zawsze rozważana; z drugiej strony – konkurencja ta wyraża się w pokrewnych formach tego samego języka plastycznego.

Może najwybitniejszym i najbardziej oryginalnym dziełem jest cerkiew Bazylianów w Berezweczu, z l. 1756–1763, mimo zachowanego kontraktu z mistrzem sztukatorstwa Janem Tobiaszem Dydreysztenem przypisywana J. K. Glaubitzowi – co jednak budzi wątpliwości, gdy porównamy to dzieło z wileńskim kościołem św. Katarzyny. W stosunku do poprzednich – fasadę berezwecką cechuje wzmożenie wartości plastycznych i związanych z tym efektów światłocieniowych, co jednak nie prowadzi do zatarcia porządku tektonicznego i nie oznacza nadmiaru dekoracji niearchitektonicznej. Fasada rozwiązana została niemal całkowicie przy użyciu form architektonicznych, kształtowanych zarówno linearnie, jak i plastycznie, czasem tworzących układy ażurowe, przy czym jednak podstawowym środkiem kompozycyjnego wiązania poszczególnych elementów jest operowanie symetrycznie formowanymi, wklęsło--wypukłymi płaszczyznami ścian. Funkcja tego sposobu kształtowania była dwojaka: wygięcie płaszczyzny w obrębie każdego z trzech podstawowych członów fasady – a nie na przestrzeni całej fasady – stwarzało gęsty rytm, delikatne falowanie fasady, ślizganie się światła i stopniowe narastanie półcienia. Równocześnie to samo wygięcie wyznaczało w planie skośną pozycję wszystkich elementów dźwigających – kolumn, filarów, pila-

strów, wolut – i prowadziło do całkowitego wyeliminowania geometrycznej płaszczyzny elewacji.

Fasada berezwecka stanowiła najbardziej konsekwentną realizację rokokowej zasady formowania architektury, przy czym o jej charakterze stylowym decyduje nie bogactwo dekoracji ornamentalno-rzeźbiarskiej, ale wyłącznie kształt architektoniczny. Stopień zaawansowania tego dzieła rysuje się najlepiej na tle porównywanej z nią fasady jezuickiego kościoła św. Jana w Legnicy, wiązanej z Kilianem Ignacym Dientzenhofferem: zwielokrotnienie falowania fasady berezweckiej decyduje o jej światłocieniowej lekkości i wysmukłości.

Rokokowe kształtowanie architektury wileńskiej nie było związane tylko z formą dwuwieżowej fasady. Porównanie bezwieżowej fasady kościoła Wizytek w Warszawie, powstałej w l. 1755–1763 i wiązanej z Jakubem Fontaną, z fasadą kościoła św. Jana (Jezuitów) w Wilnie, ukończoną w l. 1756–1757 przez J. K. Glaubitza, ukazuje nam całą różnicę. Dzieło warszawskie – przy całym jego bogactwie, plastyczności, wieloplanowości – charakteryzuje konsekwentne zachowanie porządku architektonicznego. W szeroko rozbudowanej fasadzie wileńskiej, której horyzontalność i parawanowość podkreślona jest przez wprowadzenie wysokiej kondygnacji cokołowej, nastąpiło daleko posunięte rozdrobnienie składników architektonicznych, zwielokrotnienie podpór, tworzących wiązki, w sumie składających się na falujący zarys fasady, spotęgowany przez wolutowe spływy i bogatą linię rozerwanych naczółków.

Analiza tych kilku wybranych dzieł architektury – a dodać należy, że sekunduje im z równym powodzeniem rzeźba, zwłaszcza w środowisku lwowskim – zdaje się przekonywać o przedstawionej w nauce tezie, że właśnie architektura kresów Rzeczypospolitej stanowiła realizację najśmielszych, najbardziej krańcowych pomysłów architektów doby rokoka; wyciągnięto tu konsekwencje, na które nie odważono się w środowiskach artystycznych np. krajów habsburskich, gdzie przecież powstawały dzieła znakomite.

Niełatwo fenomen ten wytłumaczyć. Można sądzić, że architekci mogli tu działać swobodniej, raczej dopingowani niż powstrzymywani przed zbyt śmiałymi pomysłami – choć zdarzały się wypadki zawalenia się nazbyt smukłych wież. Można też żywić przekonanie o nastawieniu fundatorów i użytkowników – którymi były przede wszystkim zakony – oczekujących dzieł, które zachwycały nie tyle niezwykłością rozwiązań na tle dotychczasowego rozwoju koncepcji przestrzeni czy fasad architektury sakralnej, co wspaniałością bezpośredniego wyrazu, bogactwem plastycznego ujęcia. Aby sobie to w pełni uzmysłowić, należy wziąć pod uwagę otoczenie tych dzieł, zwłaszcza powstających poza stosunkowo wielkimi organizmami miejskimi, jak Lwów czy Wilno: pejzaż parterowej, drewnianej zabudowy, na której tle owe wspaniałe świątynie stanowiły kreacje dorównujące niezwykłością gotyckim katedrom, wznoszonym w dwunastowiecznych miastach francuskich.

Sztuka w kręgu mecenatu króla Stanisława Augusta

Stanisław August, ostatni król Polski, był bez wątpienia najwybitniejszym mecenasem sztuki w dziejach królestwa – nie tylko dzięki liczbie i rozmiarom fundowanych dzieł; pod tym względem znalazłby godnych konkurentów. Decydujące znaczenie miało wysunięcie szeroko rozumianej działalności kulturalnej na plan pierwszy wszelkich poczynań monarchy, nie spotykana dotychczas jej rozległość. Pomijając na tym miejscu udział króla w życiu naukowym i literackim, stwierdzić należy, iż w dziedzinie sztuk plastycznych interesowały go wszystkie rodzaje twórczości, zajmowała jej organizacja, zabiegi o wykształcenie młodych (m.in. system zagranicznych stypendiów), pogłębianie wiedzy już doświadczonych twórców oraz jej modyfikowanie – zgodnie z aktualnymi trendami artystycznymi (np. stypendialne podróże Kamsetzera po Europie, w tym do Anglii). Wreszcie – i może przede wszystkim – zaznaczyć trzeba aktywny udział monarchy w powstawaniu konkretnego dzieła, nie tylko jego ideowego programu. Sygnowanie niektórych dzieł wg formuły „Stanislaus Augustus rex invenit, Marcello Bacciarelli pinxit" było w pełni uzasadnione.

Mecenat Stanisława Augusta miał charakter zorganizowany, także administracyjnie: np. funkcje pierwszego malarza i – po Auguście Moszyńskim – „dyrektora" budowli królewskich połączył Marceli Bacciarelli. Zamierzenia kulturalne króla były szerokie; obejmowały utworzenie muzeum narodowego i nowoczesnego oraz akademii sztuk pięknych (projekt z r. 1767); Musaeum Polonicum miało być wzorowane na Muzeum Brytyjskim. Dla tych celów, a także z myślą o potrzebach związanych z przebudową rezydencji, utrzymywał król ścisłe związki z grupą agentów, działających m.in. w Anglii, a przede wszystkim w Paryżu, czyniących w jego imieniu zakupy i dokonujących zamówień. W tym zakresie współpracował z królem m.in. Michał Wandalin Mniszech. Dzięki takim wysiłkom powstała galeria obrazów licząca około 2300 pozycji, zbiór rycin wynoszący ok. 30 000 pozycji, ponadto bogaty zespół gemm, kamieni, numizmatów i medali, a także odlewów gipsowych. Funkcje tych zbiorów były różne, m.in. służyły one jako wzorce i „pomoce dydaktyczne" w kształceniu nadwornych artystów.

Przede wszystkim udało się królowi pozyskać dla realizacji zamierzeń znaczny zespół wybitnych architektów, rzeźbiarzy i malarzy, zdolnych do stworzenia przy współpracy ze zleceniodawcą znakomitych dzieł. Nie było to zadanie łatwe, gdy zważymy wielkie wymagania stawiane przez władcę; były one przyczyną m.in. powstania wielkiej liczby projektów przebudowy zamku warszawskiego, z których właściwie żaden nie został zrealizowany, a także wprowadzenia zmian w wyposażeniu jego wnętrz, jak również ciągnących się długo prac nad przebudową Łazienki i parku Łazienkowskiego. Powodem był nie tylko brak zdecydowania ze strony możnego mecenasa, ale przede wszystkim przemiany jego postawy artystycznej, jego osobistego gustu, wiążące się zresztą z ewolucją ówczesnej sztuki europejskiej. 417– 419

Charakter sztuki stanisławowskiej łączył się z powszechną wówczas ideologią klasycyzmu – z przekonaniem o pięknie proporcji i miary, właściwym naturze rzeczy, przez to stałym i niezmiennym, wymagającym rozumu, wiedzy i wykształcenia, respektowania właściwych reguł, ujmujących to, co naturalne i proporcjonalne. Najpewniejszą drogą ku temu była wierność antykowi, przeradzająca się często w bezwzględny kult starożytności jako wzoru piękna, ale także innych wartości – filozoficznych i moralnych. W roku wstąpienia na tron Stanisława Augusta ukazało się dzieło Johanna Joachima Winckelmanna o sztuce antycznej, przetłumaczone przez Stanisława Kostkę Potockiego na język polski.

Jednakże przy świadomym działaniu króla – kształtowana w jego kręgu sztuka nie była wynikiem zastosowania teorii, lecz wytworem osobistego smaku fundatora, który cechował swoisty pluralizm, przy czym jego głównym komponentem był klasycyzujący barok XVII w. i nowy klasycyzm sztuki Ludwika XVI, obejmujący także motywy sztuki tureckiej, chińskiej i egzotycznej.

Zwrot ku klasycyzmowi nastąpił w Europie w początkach panowania króla, a związany był ze wzrostem zainteresowania antykiem, m.in. wskutek odkryć w Pompei i Herkulanum, ale na terenie działalności Stanisława Augusta dotyczyło to niepomiernie silniej architektury, zwłaszcza poprzez medium angielskiego palladianizmu, w znacznie mniejszym stopniu rzeźby czy malarstwa, reprezentujących kierunek baroku lub dworskiego rokoka. Wprawdzie około r. 1780 nastąpiło znaczne ujednolicenie w duchu klasycyzmu wznoszonych dla króla dzieł, ale i wówczas dotyczyło to raczej architektury i rzeźby.

Dla ukształtowania sztuki stanisławowskiej podstawowe znaczenie miały początkowo kontakty z Paryżem, skąd sprowadzano artystów, projekty architektoniczne, elementy wyposażenia, materiały. Poza kontaktami osobistymi ważną rolę odegrały wydawnictwa dzieł Winckelmanna, Passeriego, Inigo Jonesa, a z dawnych – Witruwiusza, Vignoli, Palladia, także wcale liczne dzieła artystów barokowych: Jana Bernarda Fischera von Erlach, Giuseppe Bibieny, Andrei del Pozza, Nicolas François Blondela. Szczególną pozycję zajmowały wydawnictwa angielskie: Williama Chambersa, Williama Halfpennyego, Roberta i Jamesa Adamów; sztychowane ilustracje dzieł antycznych (np. Piranesiego), zwłaszcza architektury i niedawno odkrytego malarstwa; także rysunki tworzone z natury przez działających w Polsce artystów. Ważne były podróże – do Francji, Italii, również do Anglii.

Stanisław August Poniatowski jeszcze w latach pięćdziesiątych zetknął się w Paryżu z nurtem Oświecenia. Osobiście poznał Monteskiusza, Fontenelle'a, d'Alemberta – *Wielka encyklopedia francuska* znajdowała się w wielu polskich bibliotekach – i Barthelemy'ego; znał dobrze dzieła Woltera i Rousseau. Interesował się także współczesną im sztuką. Ogromne znaczenie miała podróż późniejszego króla do Anglii (1754), gdzie zapoznał się zarówno z tamtejszą klasycystyczną architekturą, jak i z nowymi koncepcjami urbanistycznymi, np. w Bath, i założeniami krajobrazowego parku. Interesował się sztuką starożytnych i badaniami nad nią, m.in. kolekcjonując od r. 1762 *Antichità de Ercolano*.

Właściwy Oświeceniu racjonalizm, przekonanie o znaczeniu nauki i jej upowszechniania miały istotny wpływ na kształtowanie się nowych wartości, prezentowanych przez sztukę i architekturę. Obok dawnych ideałów religijnych pojawiają się nowe: naród, wolność, cnota; one to stają się treścią alegorii. Ideały oświeceniowe są obecne w sztuce Stanisława Augusta. Należy jednak podkreślić, że klasycyzm, często uznawany za artystyczny odpowiednik umysłowego prądu Oświecenia, jego racjonalności i intelektualizmu, funkcjonował także w ramach postawy preromantycznej.

Działalność mecenasowska Stanisława Augusta rozpoczęła się w momencie „postulacji" jego osoby na tron polski przez dwór rosyjski i pruski od przebudowy zamku warszawskiego. Na ten temat powstało wiele projektów. Cykl ów rozpoczął na nowo – po epoce saskiej – Jakub Fontana (1764), który przede wszystkim starał się o wzmożenie monumentalności zespołu za pomocą środków urbanistycznych. Zaprojektował m.in. wzniesienie owalnej Sali Senatu, nowego skrzydła teatralnego, modernizację wieży Zygmuntowskiej i Władysławowskiej. Zamiar utworzenia obszernego placu, flankowanego Bramą Krakowską i skrzydłami teatralnymi, wskazuje na znaczenie reprezentacji w poczynaniach przyszłego monarchy.

W latach 1765–1766 powstają projekty Victora Louisa. Nowej koncepcji Sali Poselskiej, Senackiej i Teatralnej towarzyszy pomysł utworzenia przed fasadą główną eliptycznego placu na wzór monumentalnych rozwiązań barokowych, ujętego w podwójną kolumnadę, częściowo wtopioną w korpus zamkowy, do którego miała prowadzić kolumnowa aleja poprzez zabudowę Starego Miasta. Zasadnicze jednak znaczenie miały projekty wnętrz, łączące tradycje barokowe z cechami francuskiego klasycyzmu. Tak więc np. Sala Senatu nawiązywała do koncepcji rzymskiego Panteonu: nakryta kasetonową kopułą o eliptycznym planie, otoczona kolumnami i balustradą; między kolumnami i na balustradzie miało stanąć 48 posągów. Program ikonograficzny całości nie jest nam znany – poza inskrypcjami i określeniami dotyczącymi królów polskich: Bolesława Chrobrego, Kazimierza Wielkiego, Władysława Jagiełły, Zygmunta I, Stefana Batorego i Jana III Sobieskiego; wiemy, że nad wyborem wzorów ikonograficznych czuwał osobiście sam król. „Cykl królewski" okazał się głównym tematem politycznym w fundowanych przez Stanisława Augusta dziełach. Ten narodowy, historyczno-polityczny program (nie zrealizowany) znalazł kontynuację w zespole wybranych przez króla obrazów historycznych o tematyce antycznej, mających sens alegoryczny i odnoszących się do postaw etyczno-politycznych. Były to następujące dzieła: „Wstrzemięźliwość Scypiona, wyrzekającego się branki na rzecz jej oblubieńca" (Joseph Marie Vien); „Skilures, król Scytów, pokazuje synom potęgę zgody na przykładzie strzał opornych na złamanie w grubej wiązce" (Noël Hallé); „Cezar przed posągiem Aleksandra Wielkiego" (J. M. Vien); „Cezar wobec ukazanej mu głowy zabitego Pompejusza" (Louis Lagrénée) – zamówione i wykonane w Paryżu przed r. 1768. Przeznaczone pierwotnie do tzw. Sali Dostojników, mającej poprzedzić sale sejmowe, ukazywały wzory godne naśladowania przede wszystkim przez władcę. W późniejszych projektach zastąpił je cykl z dziejów Polski w Sali Rycerskiej; historia, pozostając ciągle jeszcze przede wszystkim źródłem wzorów, staje się równocześnie łącznikiem z własnym narodem.

Niezwykły projekt opracował w l. 1767 i 1777 Efraim Szreger: plac zamkowy o kształcie wydłużonego trapezu zamknięty miał być po stronie dłuższych boków elewacją zamkową. Wejście na plac prowadziło przez triumfalną bramę, flankowaną kolumnami Zygmunta oraz Jana III, a w centrum placu mieścić się miał konny posąg Stanisława Augusta. W głębi, na osi, znajdować się miała owalna, kopułowa Sala Senatu, a za nią – monumentalna katedra na planie krzyża greckiego.

Dominik Merlini opracował kolejno sześć projektów, w l. 1773, 1778 i 1779; ostatnie miały już wszelkie cechy klasycyzmu. Projekt (5) z r. 1788 przewidywał pośrodku fasady zamkowej wysunięty do przodu piętrowy portyk kolumnowy, zwieńczony trójkątnym naczółkiem, flankowany kolumnadą, przechodzącą w pilastrową artykulację ryzalitów bocznych; całość miała być zwieńczona balustradą z posągami.

Żaden z projektów przebudowy zamku nie został zrealizowany – z wyjątkiem odbudowy po pożarze w r. 1767 skrzydła południowego przez Fontanę. Zasadnicze znaczenie miały natomiast projekty i realizacja przebudowy i wyposażenia wnętrz – kilkunastu reprezentacyjnych i prywatnych apartamentów króla w skrzydle od strony Wisły, powstających przez cały okres panowania monarchy. Prace te podzielić można na trzy etapy. W latach 1765–1775 powstają projekty V. Louisa, o cechach francuskiego klasycyzmu (zachowało się 58 plansz, uzupełnionych 63 planszami Jean-Louis Prieura i trzema G. Morota). Według projektów Louisa urządzono kilka wnętrz, przekształconych następnie przez Merliniego. W latach 1774–1777 Merlini projektuje szereg wnętrz, następnie zrealizowanych, stopniowo pozbawiając je cech baroku. W latach 1781–1792 w pracach nad wnętrzami decydujące znaczenie zyskuje J. Ch. Kamsetzer.

Do najważniejszych wnętrz zaliczyć należy Salę Audiencyjną, do r. 1777 służącą jako tronowa, powstałą w l. 1774–1777, oraz Salę Rycerską, z l. 1777–1786 – dzieła Merliniego i Kamsetzera; Salę Tronową, z l. 1781–1786 i Salę Balową, z l. 1779–1786 – wspólne dzieła obu wymienionych architektów.

Sala Audiencyjna jest wnętrzem dość znacznych rozmiarów, na planie prostokąta. W malowanych przez Bacciarellego supraportach mieściły się alegorie Męstwa, Mądrości, Religii i Sprawiedliwości, a na plafonach – „Apoteoza sztuki Geografii, Malarstwa, Kupiectwa, Snycerstwa i Rolnictwa w towarzystwie Geniuszu Polskiego i Pokoju".

Sala Rycerska należała bezsprzecznie do najwspanialszych wnętrz zamkowych. Prostota i powaga dekoracji łączyła się tu z ważnym programem ideowym. Miał on charakter historyczny i poświęcony był sławnej pamięci wybitnych mężów narodu polskiego, co zapowiadały ustawione w sali posągi wykonane przez Andrzeja Le Bruna i Jakuba Monaldiego, przedstawiające Sławę i Chronosa, nad którymi umieszczono portrety Marcina Kromera, wielkiego kronikarza i Mikołaja Kopernika, wielkiego astronoma. Osiem owalnych portretów pędzla Bacciarellego przedstawiało – poza kardynałem Hozjuszem – niemal wyłącznie kanclerzy, marszałków i hetmanów; także ustawione w narożach sali na postumentach cztery popiersia Le Bruna stanowiły wizerunki hetmanów. Dopiero wśród 22 głów, wykonanych w brązie przez Le Bruna i Monaldiego, znaleźli się obok wodzów, mężów stanu i biskupów także uczeni i poeci. Wyboru osób dokonał król osobiście, korzystając z konsultacji historyka, Adama Naruszewicza, i bibliotekarza, Jana Albertrandiego. W cyklu tym zwraca uwagę eksponowanie mężów stanu, zasłużonych na polu działalności politycznej i militarnej; dopiero na drugim planie pojawiają się humaniści – co zastanawia w przypadku fundatora, zasłużonego przede wszystkim w dziedzinie kulturalnej i tu skupiającego całe swoje siły.

Dotyczy to także umieszczonego na ścianach sali słynnego cyklu królewskiego Bacciarellego. Reprezentuje on tzw. „przedhistoryczną" fazę historiozofii, dla której przeszłość była przede wszystkim zbiorem przykładów i wzorów postępowania. Osobisty wybór króla padł nie tylko – jak to się często sądzi – na wielkie „dzieła cywilizacyjne" i na wydarzenia pokojowej polityki jego wielkich poprzedników. W cyklu znalazły się następujące obrazy: „Kazimierz Wielki słucha skarg chłopów i zaleca odbudowę miast"; „Władysław Jagiełło zakłada Akademię Krakowską"; „Zygmunt I udziela inwestytury Albrechtowi Pruskiemu"; „Zygmunt August łączy unią Litwę i Polskę"; „Zygmunt III zatwierdza zawarcie pokoju chocimskiego między Polską a Turcją"; „Jan III Sobieski oswabadza Wiedeń". Podjęte wątki historyczne są różnorodne, każdy z nich można komentować w bezpośrednim powiązaniu z aktualnymi kierunkami polityki królewskiej. Wspólnym mianownikiem tego programu było akcentowanie znaczenia osoby króla jako sprawczego podmiotu historii. Znamienną cechą programu jest przewaga tematów związanych z polityką zewnętrzną. Tylko dwa z nich mówią o działaniu pokojowym. Z czterech pozostałych – trzy odnoszą się do stosunków z państwami zaborczymi. Scena piąta, o wymowie pojednawczej, odnosi się do Turcji – kraju, który protestował przeciwko rozbiorom Polski. Scena szósta, niejako sprzeczna z poprzednią – wiktoria wiedeńska odniesiona została właśnie nad Turkami – przypomina na zakończenie całego cyklu dawną tezę o zasługach Polski jako przedmurza chrześcijaństwa wobec całego świata zachodniego.

Monarchiczny i – w kontekście umieszczonych w sali portretów – personalistyczny program, ograniczony do kręgu wybitnych osobistości społeczności szlacheckiej, jest zjawiskiem typowym dla ówczesnego społeczeństwa polskiego. Wiązał się też ściśle z gatunkiem malarstwa historycznego; można by niemal sądzić, że był to gatunek powołany do służenia personalistycznej koncepcji historii. Zrodził się na gruncie tradycji starożytnych *gesta* i może dlatego zaniknął dopiero w końcu XIX wieku, gdy nie tylko w nowszej historiozofii, ale i w powszechnej mentalności ten typ myślenia historycznego stracił swe znaczenie.

Szczególny charakter ma Sala Tronowa – niedużych rozmiarów prostokątne wnętrze z dwoma ściętymi narożami, zbiegającymi się ku tronowi, o wystroju niemal całkowicie niefiguralnym: nawet malowany plafon ukazywał tylko pogodne niebo, rozjaśnione od strony tronu; jedyną wartością eksponowaną w tym wnętrzu była osoba króla.

422 Największą salą była Sala Balowa, przeznaczona także na przyjęcia i koncerty. Otoczona podwójną kolumnadą z belkowaniem, zwieńczona była wysoką, mieszczącą okna fasetą, nad którą rozpościerał się wielki plafon z obrazem Bacciarellego „Rozwikłanie chaosu". Między kolumnami, we wnękach, umieszczono lustra. Wnęka wejściowa na osi poprzecznej, zwieńczona medalionem z popiersiem króla (A. Le Brun) w towarzystwie alegorii Sprawiedliwości i Pokoju (J. Monaldi), flankowana była posągami Apollina (o twarzy Stanisława Augusta) i Minerwy (o twarzy Katarzyny II), dziełami Le Bruna – o realistycznej, ale tragicznej w historycznej perspektywie wymowie.

Drugim wielkim przedsięwzięciem artystycznym króla, angażującym na wiele lat jego najwybitniejszych architektów, rzeźbiarzy i malarzy była przebudowa i rozbudowa zakupionego jeszcze w sierpniu 1764 r. Zamku Ujazdowskiego i związanego z nim Zwierzyń-

ca – terenów przeznaczanych dawniej na polowania – na letnią, a zarazem prywatną rezydencję królewską. Rezydencja ujazdowska stwarzała możliwość swobodnego komponowania na wielkiej przestrzeni założenia architektoniczno-parkowego – zgodnie ze znamiennymi dla tego czasu dążeniami i oczekiwaniami fundatorów; takich możliwości nie stwarzał „miejski" zamek warszawski.

Przebudowa Zamku Ujazdowskiego, prowadzona w l. 1766–1771 przez Fontanę, Merliniego i Moszyńskiego, przy udziale Stanisława Augusta, przerwana została w r. 1788 – wobec niezadowolenia króla z wyników. Większą uwagę poświęcono natomiast parkowi i znajdującym się tu budowlom. W ten sposób powstało założenie nazwane później Łazienkami.

Łazienki – to przede wszystkim ucieleśnienie 426 nowej koncepcji rezydencji podmiejskiej, koncepcji wyrosłej na fali protoromantycznego sentymentalizmu. Jej cechą znamienną jest nie tylko połączenie architektury z ogrodem – jako wyraz silnego zespolenia człowieka z naturą. Ważne jest przede wszystkim operowanie architekturą o niewielkich rozmiarach, niemal zminiaturyzowaną, rozdzieloną na szereg suwerennych pawilonów, pełniących różne funkcje, nie tylko mieszkalne, rozmieszczonych dość swobodnie w rozległej przestrzeni ogrodowo-parkowej. Przestrzeń ta organizowana jest za pomocą wody – sadzawek i kanałów, krętych ścieżek i prosto wytyczonych perspektyw alei, wiązanych wiaduktami, mostkami, chińskimi kioskami, z akcentami rzeźb i pomników.

Centrum założenia stanowił pałac Na Wo- 429 dzie, otoczony dwiema wydłużonymi sadzawkami; tę od strony północnej zamykał most z pomnikiem Jana III Sobieskiego, od strony 431 zaś południowej – Amfiteatr ze sceną na 430 wodzie. Poprzeczna oś pałacu, przedłużona na zachód tzw. Promenadą Królewską, trafia na Biały Domek, a w kierunku wschodnim – w przybliżeniu – na pałac Myślewicki. 428 Nie było to jednak założenie regularne, symetryczno-osiowe; przewagę miały płynnymi liniami wytyczone aleje i ścieżki, stanowiące miejsce spacerów, łączące poszczególne pawilony, otwierające zmienne perspektywy „naturalnie" ukształtowanego parku. Było to w sumie założenie w modnym stylu angielskim.

Pałac Na Wodzie przebudowany został z dawnej Łazienki Lubomirskiego, wzniesionej przez Tylmana z Gameren. W r. 1772 do Łazienki, przeznaczonej na mieszkanie dla króla, dobudowano taras północny i urządzono w stylu klasycystycznym niektóre wnętrza. W r. 1775 zbudowano ozdobne schody, prowadzące do otaczającej pałac od północy sadzawki; balustradę ozdobiły posągi starożytnych bóstw i satyrów. Następnie przystąpiono do pełniejszej przebudowy pałacu, nadbudowując piętro. Ale dopiero w r. 1784 Merlini dobudował trakt i fasadę południową – korzystając ze wzorów Neufforge'a – z wgłębnym, czterokolumnowym portykiem. Niewielkie rozmiary całości, delikatność form i ich artykulacji pozbawiły to dzieło tak znamiennej dla klasycyzmu powagi i surowości. Płaski dach z balustradą i figurami, otoczenie przez wodę i rozległy park decydowały o willowym, kameralnym, niemal intymnym charakterze budowli.

W latach 1778–1780 wzniósł Kamsetzer na moście Promenady Królewskiej wielką altanę chińską, a w r. 1793 połączył pałac kamiennymi mostkami o kolumnowych galeriach z pawilonami na stałym lądzie.

Nie mniej ważny był wystrój wnętrz. Przedsionek, uformowany na kształt groty, zachował z czasów Tylmana z Gameren rzeźby „Odpoczywającego Marsa" i kobiecą „Alegorię szczęśliwego wieku", która za czasów Stanisława Augusta została przekształcona na „Alegorię rozkwitającej Polski". W Pokoju Kąpielowym znajdowały się płaskorzeźby o tematyce zaczerpniętej z *Metamorfoz* Owidiusza, z historią Diany i Akteona, Andromedy i Perseusza, Danaid, Ariona i in. Salę Salomona, czyli Salon Królewski, zdobiły malowane przez Bacciarellego sceny z życia Salomona; m.in. na plafonie przedstawiony został młody Salomon śniący o wielkości, otoczony przez alegorie Sławy, Fortuny i Mądrości. Na ścianach znalazły się: „Poświęcenie świątyni jerozolimskiej" i „Ofiara Salomona". Przedstawienia te miały sens alegoryczny i odnosiły się do króla, Stanisława Augusta, którego rysy twarzy malarz nadał Salomonowi.

424 Najważniejszym może wnętrzem była Rotunda, o najbardziej monumentalnej – mimo małych rozmiarów – architekturze. W czterech niszach umieszczone tu zostały posągi królów Polski: Kazimierza Wielkiego (J. Monaldi), Zygmunta I, Stefana Batorego (Le Brun) i Jana III Sobieskiego (Fr. Pinck); nad drzwiami widniały popiersia cesarzy rzymskich z serii „dobrych pogan": Tytusa, Trajana (Le Brun) i Marka Aureliusza. Malowane przez Bacciarellego cztery tonda przedstawiały alegorie cnót: Marsa (o twarzy Stanisława Augusta), Minerwę, Temidę i Clementię, nałożone na wcześniejsze malowidła Plerscha, przedstawiające cztery pory dnia. Ta zmiana dowodzi przesunięcia akcentu programu wnętrza w kierunku polityczno-etycznym: wybrane postacie miały

być – zgodnie z napisem – wzorami „postawionymi tu na pożytek świata".

W Łazienkach stworzono jeszcze szereg innych znakomitych wnętrz, jak Sala Balowa, 427 zbudowana w r. 1788, urządzona w r. 1793 przez Kamsetzera, o wspaniale zharmonizowanej architekturze i dekoracji, z licznymi przedstawieniami antycznymi, zwłaszcza mitologicznymi i alegorycznymi, dotyczącymi m.in. żywiołów oraz czasu. Wymienić trzeba również Salę Jadalną (znaną m.in. ze słynnych obiadów czwartkowych), ukształtowaną przez Merliniego w l. 1772–1773, a powiększoną w r. 1784. Znalazły także miejsce w pałacu wspaniałe dzieła malarstwa – w Gabinecie Portretowym i w Galerii Obrazów.

Z czasów dawnych przetrwał w parku Łazienkowskim m.in. Belweder, dopiero w l. 445 1819–1822 przebudowany przez Kubickiego, oraz odbudowany w r. 1777 Ermitaż – niegdyś samotnia Lubomirskiego, a ówcześnie letnie mieszkanie faworyty królewskiej, Mme Lhullier. Przede wszystkim jednak powstało szereg nowych pawilonów, jak Biały Domek, pierwsza budowla wzniesiona na tym terenie przez Merliniego (1774), a także pałac Myśle- 428 wicki, rozpoczęty w r. 1775, a ukończony w r. 1783 także przez Merliniego; reprezentuje on jeden z wariantów założenia pałacowego typu palladiańskiego: niewielki korpus na planie kwadratu uzupełniony został ćwierćkolistymi skrzydłami, zakończonymi małymi pawilonami. Ostatecznie przeznaczono go na mieszkanie dla ks. Józefa Poniatowskiego.

W roku 1786 został założony, a w r. 1791 w pełni urządzony przez Kamsetzera Amfiteatr, 430 ze sceną na wyspie przybrzeżnej, o stałej scenografii w postaci kolumnowych ruin antycznych. Teatr mieścił się w Starej Pomarańczarni (1786–1788), ozdobiony rzeźbami Le Bruna, Monaldiego i Piotra Staggiego oraz iluzyjnymi malowidłami Plerscha; stał się on od r. 1791 miejscem działalności Wojciecha Bogusławskiego, uważanego za twórcę narodowego teatru polskiego.

Poza tym istniały jeszcze inne budowle: Stara Kordegarda, wzniesiona w r. 1793 przez Kamsetzera, i Nowa Kordegarda z r. 1780, dawniej pawilon rozrywkowy z grą „Trou-Madame", od r. 1782 przekształcony na teatr, zwany Komedialnią lub Teatrem Małym; w r. 1788 pawilon uzupełniony został przybudówką przeznaczoną na kordegardę; w r. 1830 przebudował go Stanisław Kubicki. Wielka Oficyna, która uzyskała obecny kształt ok. r. 1788, służyła jako mieszkanie dla służby i jako kuchnia. Później przekształcono ją na Szkołę Podchorążych; stąd wyruszył w r. 1830 pierwszy oddział powstania listopadowego.

Jednym z najważniejszych składników parku
431 Łazienkowskiego jest pomnik Jana III Sobieskiego, projektowany przez Le Bruna, a wykonany przez Pincka, odsłonięty w r. 1788 na
moście projektowanym przez Merliniego.
Należy podkreślić wielokrotne występowanie
w projektach i realizacjach fundowanych
przez Stanisława Augusta dzieł osoby tego
wodza i króla polskiego, który należał do
ulubionych postaci – wzorów naszego ostatniego monarchy.
W parku powstały także ujęcia wody – wodo-
zbiór w kształcie cylindra (ok. 1777), przebudowany w r. 1827 przez Chrystiana Piotra
Aignera, oraz ujęcie źródła, projektowane
przez Kamsetzera w r. 1784.
Nie zachowały się natomiast liczne niegdyś w
parku budowle chińskie, wznoszone zwykle z
nietrwałych materiałów, jak np. wielka alta-
na, dzieło Kamsetzera z l. 1778–1780, liczne
małe altanki, mostki, domki dla łabędzi .itp.
Nie zrealizowano dwu ważnych budowli, a
mianowicie zaprojektowanej przez Jakuba
Kubickiego, na wzgórzu ponad Łazienkami,
Świątyni Opatrzności, pomyślanej jako dzięk-
czynne wotum w związku z uchwaleniem
Konstytucji Trzeciego Maja w r. 1791, a także
świątyni-mauzoleum rodziców króla, przeznaczonej również na grób dla monarchy.
W działalności mecenasowskiej Stanisława
Augusta nie mniejszą rolę niż architektura
odgrywało malarstwo. Dzięki temu na Zamku
Królewskim powstała „malarnia", skupiająca
wielu malarzy przebywających tu okresowo,
wykonujących liczne zlecenia króla. Na czele
tego zmiennego zespołu stał Marceli Bacciarelli – główny autor dzieł figuralnych, w szczególności portretów i obrazów historycznych;
malowidła dekoracyjne wykonywał przede
wszystkim Jan Bogumił Plersch, a obok niego
także Jean Pillement.
Podstawowym obowiązkiem Baccarellego
było malowanie licznych portretów króla.
433 Około roku 1777 powstaje „Portret koronacyjny Stanisława Augusta", utrzymany w
konwencji barokowego portretu dworskiego,
malowany w wielu replikach, także w wersji
zredukowanej, przestawiającej modela do
kolan. Typ ujęcia, wspaniałość stroju, spotęgowana bogactwem faktury malarskiej, a przy
tym konwencjonalny wyraz twarzy – decydują o charakterze tego dzieła. Nie dowodzi
ono zresztą uzdolnień portretowych twórcy;
nie jest wynikiem pogłębionego studium psychiki modela, tak dobrze przecież znanego
Baccarellemu i – jak skądinąd wiadomo – interesującego pod tym względem. Nie zaważył
tu w decydujący sposób oficjalny charakter
wizerunku. Także w malowanym ok. r. 1793
słynnym „Portrecie Stanisława Augusta z

klepsydrą" uderza ta sama powierzchowność,
sztuczność upozowania i wyrazu twarzy
monarchy. Złączona z koroną klepsydra jednoznacznie symbolizuje przewidywany powszechnie i wiadomy samemu królowi
zmierzch jego władzy. Ale właściwie tylko
dzięki składnikom symbolicznym sytuacja ta
jest komunikowana widzowi – nie poprzez
obraz osoby modela.
Bacciarelli malował także zbiorowe portrety
rodziny królewskiej, licznych przedstawicieli
arystokracji polskiej – zwykle zresztą w konwencjonalnym układzie i otoczeniu, wyjątkowo tylko na tle krajobrazowym.
Zapotrzebowanie na portret dworski przekra-
czało oczywiście możliwości jednego twórcy;
w malarni królewskiej działało ich kilku. Od
roku 1788 czynny był na dworze polskim Jan
Chrzciciel Lampi, wykształcony w Italii i w
środowisku wiedeńskim. Malował przede
wszystkim portrety wybitnych osobistości
Sejmu Czteroletniego. Miał znaczną zdolność
psychologicznej analizy modela, uchwycenia
pełnej odrębności psychofizycznej portretowanego. Nie cofał się przed przełamywaniem
obowiązującej konwencji portretowej, zmierzając w kierunku pewnej romantyczności,
wprowadzając często do tła odległy krajobraz – np. w „Portrecie Szczęsnego Potockie-   432
go". Czasem pojawiał się w jego dziełach rys
pewnej intymnej swobody, zwłaszcza w wizerunkach kobiecych, np. w „Portrecie Korduli
Potockiej". Nieraz malarz nadawał portretom
zbiorowym charakter przedstawienia rodzajowego; taka jest np. scena w pracowni Lampiego w Tulczynie Potockich, gdzie najdłużej
rezydował. Artysta miał umiejętność swobodnego komponowania przedstawienia i tą
drogą osiągał wyraz dzieła; operował precy-
zyjnym rysunkiem, skromną skalą ciemnych
błękitów i brązów, delikatnym modelunkiem
światłocieniowym.
Trzecim znaczącym portrecistą dworu był
Józef Grassi, działający w Warszawie w l.
1790–1795, wykształcony w Wiedniu. Najbardziej oddalony od konwencji barokowej,
korzystał z lekcji portretu angielskiego – stąd
pojawiające się często w jego dziełach motywy
krajobrazowe, a także wyraźne w nich dążenie
do tworzenia nastroju całości obrazu, do
eksponowania emocjonalnego wyrazu modela, którego indywidualny, chwilowy stan
duchowy staje się ważniejszy nie tylko od
dawnej, oficjalnej konwencji, ale także od
czysto przedmiotowego wizerunku. Jest to
postawa zmierzająca w kierunku romantyzmu, o czym świadczą takie dzieła, jak np.
„Portret ks. Józefa Poniatowskiego" (ok. 434
1790) czy wizerunki Tadeusza Kościuszki
(1792), J. F. Moszyńskiego (1797), Izabeli z

Grabowskich Sobolewskiej (ok. 1800), w którym zresztą zaznacza się już empirowa i proitalska koncepcja portretu.

Portret nie był jedynym zadaniem stawianym przed malarzami na dworze Stanisława Augusta; ważnym, choć mniej licznie reprezentowanym gatunkiem było malarstwo historyczne. Bacciarelli stworzył na zamówienie króla dwa takie cykle – dla pałacu Łazienkowskiego, z przedstawieniami z życia Salomona, oraz dla Sali Rycerskiej zamku warszawskiego – o których była już mowa. Obydwa te cykle należy interpretować przede wszystkim w kategoriach alegorycznych.

Stosunek do rzeczywistości wyrażało także malarstwo rodzajowe i malarstwo poświęcone historii współczesnej, czyli malarstwo „wydarzeń”. Obydwa te rodzaje rozwijały się w Polsce w końcu w. XVIII jako niemal nowe zjawiska, z wielką siłą, także w kręgu mecenatu królewskiego. Malarstwo, którego tematem były wydarzenia współczesne, zasadniczo różne od malarstwa historii dawnej, w przeciwieństwie do malarstwa rodzajowego – nie zajmowało się typowymi, „charakterystycznymi”, powtarzającymi się zjawiskami w różnych dziedzinach życia społecznego, lecz wydarzeniami jednorazowymi, o szczególnej wadze, zwykle zresztą politycznej. Pojawia się ono już w twórczości Bacciarellego; taki jest np. obraz „Posłuchanie młynarza u króla”, związany z historią porwania monarchy, czy malowane już w początkach XIX w. „Nadanie konstytucji Księstwu Warszawskiemu”. Jest rzeczą godną uwagi, jak bardzo zmienia się twórczość tego malarza w konfrontacji z nowymi zadaniami, nie dającymi się włoczyć w konwencjonalne ramy, wymagającymi świeżego spojrzenia, nowej aranżacji. Wymogi te są główną przyczyną niezbyt udanych kompozycji tych dzieł, zwłaszcza „Posłuchania”, przy których tworzeniu malarz odrzucał wypracowane konwencje.

Pierwiastek rodzajowy występuje silnie w malarstwie Bernarda Bellotta, zwanego Canalettem, czynnego w Warszawie w l. 1767–1780, od r. 1770 w charakterze malarza nadwornego. Rozpoczął on działalność u nas już jako wytrawny weducista. Mniej dbały o wartości malarskie – w przeciwieństwie do np. Francesca Guardiego czy Antonia Canale, swego wuja – operujący ciągle tą samą szarozielonkawą lub żółtobrunatną gamą barwną, odznaczał się niecodzienną precyzją rysunku, rzetelnością szczegółowego odtworzenia przedmiotu, którym z reguły był panoramiczny lub fragmentaryczny widok miasta; tworzył obrazy-dokumenty.

Jest rzeczą nader znamienną, że w dziełach Canaletta od momentu przybycia artysty do Warszawy na znaczeniu zyskuje sztafaż ludzki, rozrastając się do scen rodzajowych. Można przy tym stwierdzić wcale dobry zmysł obserwacyjny malarza, zafascynowanego egzotyką pojawiających się tu typów ludzkich, niezwykłością scen, obejmujących przedstawicieli wszelkich warstw społecznych, ukazanych w codziennych i odświętnych sytuacjach życiowych. A zatem fascynuje go życie dworskie – od osoby króla i jego najbliższego otoczenia poczynając, poprzez wysokich urzędników, wojskowych, damy dworu, po służbę, z rzeźbiarzami odkuwającymi detale w kamieniu włącznie. Ale zajmuje go także życie ulicy, ze wspaniałymi zaprzęgami, jeźdźcami, mieszczanami, kramarzami i przekupkami, żołnierzami, żebrakami i włóczęgami, z chłopami przyjeżdżającymi na targ. 435 436

Wydaje się, że Canaletto, dotychczas zainteresowany przede wszystkim architekturą, dał się porwać niezwykłości całościowego obrazu miasta jako areny życia społecznego, wypełnionej pulsującym, różnorodnym tłumem. Wyjątkowo tylko malował obrazy historyczne („Wjazd Jerzego Ossolińskiego do Rzymu w r. 1633”) i z historii współczesnej („Elekcja Stanisława Augusta”). W tym ostatnim dziele realistyczne przedstawienie uwolnione zostało zupełnie z teatralnej konwencji panującej wówczas w malarstwie historycznym: pierwiastek „obserwacji” przeważył tu nad elementem „historiozoficznym”.

Nurt rodzajowej obserwacji rozwijał się w tym czasie intensywnie w twórczości działającego głównie w Puławach, u Czartoryskich, Jana Piotra Norblina i jego następców: Aleksandra Orłowskiego i Michała Płońskiego. Być może pod wpływem Norblina pojawiła się współczesna tematyka w szkicach Plersscha, nadwornego dekoratora królewskiego, zajmującego się także malarstwem scenograficznym. Również i jego pociągał egzotyczny motyw Kozaków, znany z rysunków Norblina. Próbował także większych kompozycji, czego dowodem „Wjazd Stanisława Augusta do Grodna”, a przede wszystkim szkicowany ok. r. 1795 obraz „Wzięcie do niewoli Kościuszki pod Maciejowicami”, będący wyrazem patriotycznej interpretacji najnowszych dziejów Polski. Jednakże generalnie rzecz biorąc – ten rodzaj twórczości rozwijał się w kręgu mecenatu króla najsłabiej.

Powstanie nowego modelu siedziby wiejskiej

W połowie XVIII w. panującym typem siedziby szlacheckiej był mały dwór drewniany, czasem tylko murowany, o prostym układzie, pozbawiony wszelkich wygód cywilizacyj-

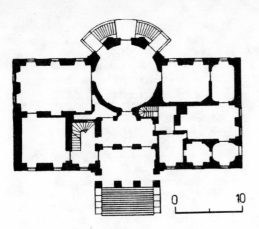

Jan Chrystian Kamsetzer, plan pałacu w Siernikach, 1786–1789

nych. Jego opozycję w wymiarze społecznym i artystycznym stanowił pałac, zwykle o monumentalnym założeniu, poprzedzony dziedzińcem i złączony ze starannie skomponowanym ogrodem typu francuskiego.

Takie monumentalne rezydencje powstają u nas często w ostatniej tercji XVIII w. – poza rozbudową siedzib królewskich, bo te były na specjalnych prawach. Jako przykład wymienić można dwie znakomite rezydencje wielkopolskie: Rogalin i Pawłowice.

437 Pałac w Rogalinie budowany był od r. 1768 dla Kazimierza Raczyńskiego, początkowo według planów Jana Fryderyka Knöbla z Drezna; typowo barokową bryłę korpusu, ze środkowym ryzalitem i dwoma ryzalitami bocznymi, z osobno stojącymi oficynami, poprzedzały dziedzińce; z drugiej strony przylegał do niej, w części zachowany do dziś, ogród francuski z „parnasem". Za *signum temporis* uznać można bardziej swobodne rozplanowanie budowli – choć jeszcze z centralnie umieszczoną klatką schodową, prowadzącą do dwukondygnacjowej Sali Balowej – oraz zrezygnowanie, zapewne już w trakcie budowy, z rokokowej dekoracji fasad. Bardziej znamienne jest, że zaledwie w dziesięć lat po powstaniu tej rezydencji, jeszcze przed r. 1784, następuje jej gruntowna przebudowa według „klasycznego antycznego gustu". Pojawiają się palladiańskie, ćwierćkoliste galerie, łączące oficyny z korpusem pałacu – być może według wzoru D. Merliniego; J. Ch. Kamsetzer przygotował projekt nowej dekoracji wnętrz; założono także park krajobrazowy.

Drugim monumentalnym założeniem był
438 nowy pałac w Pawłowicach, wzniesiony dla M. Mielżyńskiego przez Karola Gottharda Langhansa, wg projektu z l. 1777–1778. Baro-

kowy model został tu przekształcony w duchu architektury angielskiej; wprowadzono galerie i kolumnowy portyk wielkiego porządku, z attyką zwieńczoną posągami. Sala Balowa, z 439 monumentalną przyścienną kolumnadą i dekoracją będącą dziełem Kamsetzera z ok. r. 1788, jest świadectwem dość nagłej przemiany gustu, w wyniku której usunięto dopiero co wykonane wyposażenie i zastąpiono je nowym. Przypominając w tym miejscu liczne projekty i etapy prac nad zamkiem warszawskim i Łazienkami, częste zmiany koncepcji i już wykonanych partii, można stwierdzić, że wynikało to w tym samym stopniu z przyspieszonej dynamiki przemian artystycznych owego czasu, co i ze zdolności reagowania na nie polskich mecenasów i fundatorów.

Przełom nastąpił wraz ze wzniesieniem przez Jana Chrystiana Kamsetzera w l. 1786–1789 441 pałacu w Siernikach, dla Katarzyny z Raczyńskich Radolińskiej, zwanej „piękną Kasią". Dzieło to nie zostało zresztą ukończone na skutek śmierci fundatorki: nie wykonano galerii łączących pałac z oficynami i uproszczono dekorację wnętrz.

Pałac ten – to budynek niewielki, o spokojnej, zwartej bryle, wzbogaconej od frontu kolumnowym portykiem, z wielobocznym ryzalitem na osi elewacji ogrodowej. Plan parteru obejmował szereg dość swobodnie rozmieszczonych lokalności, reprezentacyjnych i mieszkalnych, w układzie dwu- i trójtraktowym. W centrum znajdował się od frontu westybul, a od strony ogrodu rotundowa sala, ozdobiona sztukateriami i malowidłami iluzjonistycznymi; pod nią, w suterenie, mieściła się okrągła sala kolumnowa, dostępna wprost z ogrodu; niskie piętro zajmowały wnętrza mieszkalne i gościnne.

Elewacje opracowane zostały z klasyczną powściągliwością, z zastosowaniem jedynie prostych podziałów i obramień architektonicznych.

Mała skala pałacu, wygodny rozkład wnętrz – na rzecz którego poświęcono dawną reprezentacyjność i barokowy splendor – spokojny, klasyczny, a dla współczesnych „prawdziwie antyczny" charakter całości – to główne cechy tej budowli, urządzonej niegdyś bardzo stylowo. W przekonaniu właścicielki nie miał to być pałac reprezentacyjny, lecz rodzaj prywatnego *refugium* (schronienia), położonego z dala od zgiełku oficjalnego i towarzyskiego życia. Temu też służyło parkowe otoczenie. Wprawdzie zachowano tu jeszcze tradycyjny układ osiowy: prosto wytyczona aleja trafia na ujęty w oficyny dziedziniec poprzedzający pałac, a po drugiej jego stronie oś ta znajduje kontynuację w postaci długiego kanału, lecz mimo to nie ma park siernicki nic wspólnego z założeniami francuskimi. Inna jest bowiem interpretacja tego podstawowego układu: wypełniające założenie drzewa ukształtowane są naturalnie, przez co oś owa tworzy perspektywę, w której pałac widnieje w oddali poprzez prześwit. Natomiast od strony ogrodu opadająca lekko polana, otoczona grupami drzew rozmaitych gatunków, kształtów i odcieni, ograniczona swobodnie przepływającym strumykiem – zdaje się już w całości tworem natury, nie zmąconym interwencją człowieka. Wrażenie to potęguje połączenie parku z otaczającym go lasem. Była to więc próba ukształtowania krajobrazowego parku angielskiego.

Ta stosunkowo niewielka siedziba, osadzona w naturalnie uformowanym parku, stanowiąc sielski zakątek o wszelkich cechach romantyzmu, wzniesiona – jak głosi napis nad wejściem – Sobie, Swoim i Przyjaźni, stała się wzorem nowego typu rezydencji.

Istotne jest, że zmianie funkcji architektury towarzyszy zmiana funkcji i kształtu ogrodu. Należy przede wszystkim zwrócić uwagę na kameralny charakter kształtowanych obecnie założeń, zwłaszcza w zestawieniu ze wspaniałymi założeniami ogrodowymi nieco tylko wcześniejszymi, takimi jak Powązki Izabeli Czartoryskiej (ok. 1770), Mokotów k. Warszawy marszałkowej Izabeli Lubomirskiej (ok. 1775), Aleksandria w Siedlcach hetmanowej Aleksandry Ogińskiej (1776–1781), Arkadia k. Nieborowa księżny Heleny Radziwiłłowej (1778–1821) czy wreszcie Puławy wspomnianej już księżnej Izabeli Czartoryskiej (1778–1810). Były to ogrody z reguły zakładane przy monumentalnych rezydencjach – wyjątkowo, jak w Arkadii, stanowiące samodzielne twory – wypełnione licznymi budowlami ogrodowymi, o różnych znaczeniach i funkcjach. W swobodnie kształtowanej zieleni, wśród grup starannie dobranych drzew, rozrzuconych na wzniesieniach, na otoczonych wodami wyspach o nieregularnym planie i naturalnej linii brzegowej, na polanach poprzecinanych strumykami – w tej niby naturalnej scenerii, będącej przecież wyrazem przeniesienia do natury wzorów krajobrazowego malarstwa XVII i XVIII w., umieszczano grobowce, sztuczne groty, studnie, pasterskie szałasy, wznoszono budowle w stylu mahometańskim, gotyckim, chińskie kioski, mauretańskie minarety, rzymskie akwedukty. Powiązane były one ze sobą snującymi się kapryśną linią ścieżkami. Podążającemu ku nim widzowi ukazywały się co chwila nowe perspektywy, prześwitujące zza drzew, z oddali, odbijające się w wodzie fantazyjne formy architektoniczne.

Był to oczywiście wytwór swoistego stosunku do świata, w tym zwłaszcza do „natury", przeciwstawianej – zgodnie z antynomią Jean Jacques'a Rousseau – „cywilizacji", dowód uznania roli tej pierwszej w życiu człowieka. W podejściu tym nacechowanym sentymentem i sentymentalizmem kryły się jednak filozoficzne uzasadnienia, głoszące szczęśliwość życia w stanie natury, pochwałę cnót osobistych i społecznych epoki starożytnych.

Założenia te były z reguły wielkie, a przynajmniej bardzo złożone. W zaprojektowanej przez Szymona Bogumiła Zuga Arkadii na stosunkowo niewielkim terenie zgromadzono wokół Świątyni Diany: ruiny Akweduktu z kaskadą wodną, Przybytek Arcykapłana, Dom Murgrabiego, Domek Gotycki, Jaskinię Sybilli oraz Cyrk (na wyspie). Znamienne, że Świątynię Diany nazywano również Świątynią Minerwy, Salomona, Przyjaźni, Harmonii, Mądrości, Przyrody, Miłości, a Domek Gotycki – Przybytkiem Nieszczęścia i Melancholii, w czym wyrażały się charakterystyczne – zróżnicowane w czasie – dążenia do nadania tym budowlom ideowego sensu; w ten sposób otwarcie lub poprzez antykizującą metaforę przekazywano swój światopogląd.

Czasem przecież dzieła te pełniły bardziej konkretne funkcje: wzniesione przez Chrystiana Piotra Aignera Świątynia Sybilli i Domek Gotycki (po 1800–1809) w parku Puławskim przeznaczone były na muzeum, którego głównym celem było przechowanie skarbów narodowych i pamięci o nich, a przede wszystkim propagowanie wartości, takich jak idea walki zbrojnej o niepodległość; treści muzeum były więc przede wszystkim patriotyczne.

Te ogromne założenia ogrodowe związane były zazwyczaj – bezpośrednio lub pośrednio – z monumentalnymi pałacami, reprezentującymi dawne, późnobarokowe koncepcje ideowe lub funkcjonalne. Znamiennym zjawiskiem jest udział w powstawaniu tych założeń – obok wybitnych architektów: np. Zuga czy Aignera – nie mniej wybitnych malarzy; tak więc Norblin projektował Powązki, a Orłowski był autorem arkadyjskiego Domku Gotyckiego. Przy tym niemal we wszystkich przypadkach fundatorem i *spiritus movens* tych skomplikowanych dzieł były kobiety; znawstwo w tej materii Izabeli Czartoryskiej wyraziło się w wydanym w r. 1805 dziele pt. *Myśli różne o zakładaniu ogrodów.*

Mała, kameralna skala pałacu w Siernikach, inny styl życia – domowego – wiązały się również z pomniejszoną skalą parku; także ze zmianą znaczenia pełnionych przezeń funkcji. Pozostając romantycznym, przestał być

440

wytworem sentymentalizmu, a przede wszystkim w mniejszym stopniu tworzył ów pozornie zamknięty w sobie, fantastyczny świat – wieloma więzami złączony ze sprawami realnego świata.

Podstawową funkcją nowego typu ogrodu było stworzenie romantycznego, naturalnego, czyli krajobrazowego otoczenia siedziby. Już przy wyborze miejsca na wzniesienie rezydencji coraz większą wagę przykładano do „malowniczości" okolicy, czyli do jej przydatności dla założenia parku krajobrazowego, poddając się naturze – gdy przedtem przede wszystkim przekształcano ją.

Proste stosunkowo założenia pałacowo-ogrodowe kameralnych siedzib nie były podyktowane brakiem funduszy, choć zapewne spopularyzowanie się tego rodzaju rezydencji wśród średnio zamożnego ziemiaństwa wiązało się ze stroną finansową tych przedsięwzięć. W przypadku bogatszych rodzin istotne było przede wszystkim kameralne przeznaczenie owych założeń; tworzone w celu zaspokojenia codziennych potrzeb mieszkańców nie miały stanowić tła dla rozbudowanego życia oficjalnego ani też dla tłumnych imprez towarzyskich, lecz miały być coraz bardziej wówczas cenionym *refugium* – oazą naturalnej ciszy, spokoju, miejscem odosobnienia.

Arkadia k. Nieborowa, plan ogrodu, 1839. Legenda na s. 243

Sierniki stały się modelem nowej rezydencji, który znalazł natychmiast naśladownictwa, najpierw w Wielkopolsce, a następnie w innych dzielnicach Polski. Niemal równolegle do budowy Siernik powstały dwa pałace. Pierwszy w Objezierzu (1786–1792), dla Anieli z Kwileckich generałowej Węgorzewskiej. Wykonany przez Antoniego Höhnego, wg planów Kamsetzera, zinterpretowanych w duchu baroku – choć nie powiązany z dziedzińcem, umieszczony został w krajobrazowym parku, niegdyś wyposażonym w pawilony i altany. Drugim był pałac w Lewkowie, wzniesiony w l. 1786–1791 dla Wojciecha Lipskiego, niemal replika Siernik, łącznie z wymiarami. Barokową pozostałością jest w tym dziele osiowe założenie, z dziedzińcem, oficynami i zabudowaniami gospodarczymi od frontu. Także pałac w Pakosławiu, najpewniej dzieło K. G. Langhansa, nawiązuje do Siernik.

Natomiast wzniesiony przypuszczalnie przez Merliniego pałac w Racocie jest wierniejszy wzorom francuskim niż angielskiemu palladianizmowi.

Miarą znaczenia omawianej koncepcji budowli może być przebudowa pałacu w Siedlcach, gdzie Kamsetzer m.in. dodał portyk, czy w Czerniejewie, gdzie poza portykiem wbudowano rotundową salę od strony ogrodu.

Do najbardziej oryginalnych dzieł w Wielkopolsce należały trzy pałace, wzniesione przez Stanisława Zawadzkiego w l. 1795–1800: w Śmiełowie, Dobrzycy i Lubostroniu. Pałac w 44

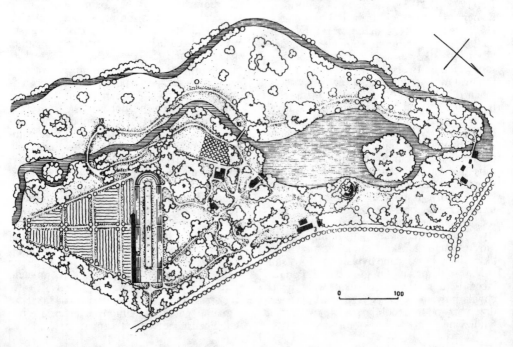

0   100

Śmiełowie, wzniesiony dla Andrzeja Gorzeńskiego, cechuje przede wszystkim piękne położenie: przed portykiem otwiera się rozległy widok na opadające w dół pola, zamknięty na horyzoncie pasmem Wzgórz Żerkowskich. Pałac ten nawiązuje do „modelu wielkopolskiego", choć równocześnie bryłę jego wzbogacają boczne ryzality, a miejsce rotundy zajął salon o ściętych narożach. Pojawia się tu stosowany już wcześniej w Wielkopolsce motyw palladiańskich galerii, łączących korpus z oficynami. W całości dzieło to, także przez zagęszczenie architektonicznej artykulacji, sprawia wrażenie zminiaturyzowanego monumentalnego pałacu, co w połączeniu z zupełnym odrzuceniem układu osiowego, zatarciem różnicy między piętrami i wprowadzeniem klasycystycznej dekoracji wnętrz, z mitologicznymi malowidłami Antoniego Smuglewicza nadaje mu szczególny charakter.

44 Pałac w Dobrzycy, wzniesiony dla Aleksandra Gorzeńskiego, jest szczególnym przykładem *architecture parlante*: jego plan – oparty na złączeniu pod kątem prostym dwóch nierównej wielkości skrzydeł – nawiązuje do wolnomularskiej węgielnicy, symbolu Prawa i Obowiązku; Gorzeński był zagorzałym wolnomularzem.
Układ wnętrz jest nieregularny, a szczególna malowniczość cechuje także elewacje. Nie mniej charakterystyczne jest usytuowanie pałacu, którego portyk, umieszczony w zbiegu obydwu skrzydeł, odwrócony od drogi dojazdowej, zwraca się ku krajobrazowemu parkowi – dziełu Giencza z Lipska – powiększonemu optycznie przez zręcznie poprowadzone „perspektywy".
Pałac w Dobrzycy łączył zatem funkcje prywatnego *refugium*, „cichego zakątka" o cechach romantycznych – na co wskazują także sztuczne ruiny w parku, antyczna świątynia-monopter na wyspie, oficyna mająca kształt „domu ogrodnika", Panteon zwany lożą masońską – z funkcjami społecznymi, choć utajonymi: pałac istotnie służył zebraniom loży wolnomularskiej.
Znaczenie tej budowli jest ogromne – należy ona do pierwszych w Polsce dzieł architektury romantycznej, która w samym swym kształcie zawiera symboliczny komunikat. Ważna jest także dzięki swemu decentralistycznemu planowi swobodnie formowanych wnętrz. Na uwagę zasługują wspomniane już znakomite, iluzjonistyczne malowidła ścienne, przedstawiające krajobrazy – dzieło Antoniego Smuglewicza.

3 Lubostroń wzniósł Stanisław Zawadzki dla Fryderyka Skórzewskiego, posługując się najdosłowniej tak bardzo rozpowszechnionym w

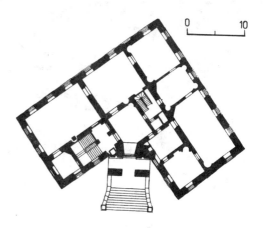

Stanisław Zawadzki, plan piętra pałacu w Dobrzycy, ok. 1795–1800

Anglii wzorem palladiańskiej Villa Rotonda i Villa Trissino. Pałac stanął w okolicy wybranej przez właściciela i urzekającej malowniczością. Złączenie parku z ogrodem od strony zajazdu, a przede wszystkim z otaczającymi polami uprawnymi, poprzecinanymi rowami nawadniającymi, z szeregami i kępami drzew doprowadziło do pełnej integracji pałacu, parku i „natury".
Także i w tym przypadku możemy mówić o swoistym połączeniu funkcji prywatnych i ogólniejszych, społecznych, co uwidacznia się w generalnym układzie wnętrz: zajmująca centrum trójkondygnacyjna rotunda zawiera 484 niepowtarzalny program o treściach politycznych; wokół niej grupują się wnętrza „użytkowe": jadalnia, salony (w tym także osobny salon ogrodowy), kolista, kopulasto sklepiona biblioteka oraz gabinety o połączeniu amfiladowym i poprzez rotundę. Mieszkalne lokalności piętra otwierają się do obiegającego rotundę korytarza, co stanowi praktyczne i wygodne rozwiązanie.
Rotunda – ukończona w l. 1800–1806 – stanowi znakomity twór architektury w stylu empire: prostota i surowość wyrazu wiążą się tu z formami kolumn wielkiego porządku i z silnym kontrastem czerwieni marmoryzowanych ścian oraz bieli elementów dekoracyjnych i rzeźbiarskich. Na wystrój poszczególnych wnętrz złożyły się iluzjonistyczne malowidła przedstawiające antyczne ruiny, a także motywy pompejańskich grotesek, obrazy i rzeźby.
Grupa wielkopolskich pałaców i ogrodów, zwykle dzieła warszawskich architektów, rozpowszechniła ów typ pałacu, który nieco później przyjął się i w innych dzielnicach Polski. Jako przykłady możemy wymienić pałac w Słubicach (przed 1789), wzniesiony

przez Hilarego Szpilowskiego, pałac w Igołomi (ok. 1800), projektu Ch. P. Aignera, a przede wszystkim dzieła Jakuba Kubickiego – pałace w Białaczewie (ok. 1800) i w Bejscach (ok. 1802) – który najpełniej sformułował ten poważny i monumentalny, a równocześnie prosty i stosunkowo małych rozmiarów typ architektury. Pozbawiona zupełnie dekoracji zewnętrznej – zawdzięcza ona swój wyraz jedynie środkom czysto architektonicznym: zwartości bryły o dobrze wyważonych proporcjach, surowej klasyczności kolumnowego portyku, prostocie rytmicznie umieszczonych otworów. Jako najbardziej znany przykład można tu wymienić Belweder w Łazienkach, przebudowany przez Jakuba Kubickiego w l. 1819–1822.

Artystyczne, ideowe i funkcjonalne znaczenie tego typu pałacu, jak i znaczny wzrost liczbowy takich budowli (w l. 1780–1830 powstaje ich ok. 100) skłaniają do dostrzeżenia tu nowego zjawiska, o znaczeniu wykraczającym poza wąsko rozumiane dzieje architektury, zjawiska, które domaga się wielostronnego wyjaśnienia. Jego przyczyny są różnorakie: sięgają głęboko, poprzez świadomość człowieka, w dziedzinę ekonomii, obyczajów i zwyczajów życia codziennego, rodzinnego i towarzyskiego oraz panujących osobistych upodobań estetycznych – w szerokim rozumieniu tego słowa.

Z punktu widzenia ekonomiczno-społecznego można sądzić, zwłaszcza na podstawie doświadczeń wielkopolskich, że w tym czasie ukształtował się pewien przeciętny model dobrze prosperującego gospodarstwa, który pozwolił nawet średnio zamożnemu właścicielowi ziemskiemu na fundację tego typu siedziby. Jest to jeden z ważniejszych, ale zewnętrznych warunków jego znacznej popularyzacji.

Wyjaśnienie natomiast istoty tego zjawiska wiąże się z nową pozycją społeczną fundatora, złączoną z nią zmianą w zakresie obowiązków publicznych, z tworzeniem się nowej stratygrafii społecznej, nowych kręgów społecznych, przekraczających ramy rodzinne, ale nie sięgających – zwłaszcza po upadku Królestwa – horyzontów urzędów królewskich; dalszą tego konsekwencją jest wytworzenie się nowej mentalności, nowego ideału życia.

Określenie „romantyczny" jest tu właściwe, ale często zbyt jednostronnie interpretowane. Pałac, pełniący niegdyś z reguły – jak jeszcze podpoznański Rogalin – obok funkcji mieszkalnych przede wszystkim funkcje reprezentacyjne i urzędowe, teraz służy niemal wyłącznie jako mieszkanie. Jeśli fundator pełnił ważny urząd w stolicy – miewał tam zwykle reprezentacyjną, obszerną siedzibę. W

odległej natomiast od stolicy, zacisznej wsi stwarzał sobie siedzibę prywatną. Przebywał tam nie w otoczeniu licznego dworu, lecz rodziny i odwiedzających go przyjaciół. Życie prywatne i rodzinne staje się teraz wartością dorównującą znaczeniem życiu publicznemu, które do niedawna jeszcze zajmowało pierwsze miejsce. Po utracie większych urzędów to wycofanie się w świat prywatny z konieczności wzmogło się.

Zmieniła się też dynamika społeczna: pięcie się ku górze, robienie publicznej kariery – poprzez pozycję na dworze i urzędy – zastąpione zostało bardziej horyzontalnym formowaniem się środowisk rodzinno-przyjacielskich i sąsiedzkich, w zaciszu domowym, które równocześnie, choć na małą skalę, było ośrodkiem życia kulturalnego; świadczą o tym wyjątkowo rozpowszechnione i nadspodziewanie wszechstronne biblioteki pałacowe, mieszczące dzieła ekonomiczne, filozoficzne, artystyczne.

Obniżeniu się poziomu reprezentacyjności towarzyszył wzrost poziomu wymagań z zakresu cywilizacji i komfortu; ceni się wygodny na co dzień rozkład wnętrz, ich dobrą wzajemną komunikację, ogrzewanie nie tylko przez kominki, ale i piece, oświetlenie lampami spirytusowymi, kanalizację. Z potrzebami tego typu wiązał się także ogród angielski, najlepiej odpowiadający ideałowi spokojnego, wiejskiego życia.

Czynniki te nie wyjaśniają w pełni artystycznego kształtu nowych siedzib, który – jak każdy twór kultury – nie daje się bezpośrednio wyprowadzić tylko z założeń funkcjonalnych i ideowych. Próby konkretyzacji nowego ideału życia znajdowały oparcie w dwóch głównie źródłach o charakterze ideowym i artystycznym: w kulturze i sztuce antycznego Rzymu – zwłaszcza w antycznym domu wiejskim, czyli willi – oraz we współczesnej kulturze i sztuce Anglii, a antykizujący palladianizm angielski stanowił artystyczny łącznik między nimi. Pojęcie „dobrego gustu antycznego" towarzyszy równocześnie przekonaniu o ideale życia wiejskiego w ujęciu Wergiliusza czy Horacego, Anglia zaś staje się w końcu XVIII w. krajem wszechstronnie modnym, coraz częściej odwiedzanym i podziwianym. Anglomania dotyczy systemów ekonomicznych i powieści angielskiej, stroju, powozu i palladiańskiego typu pałacu, angielskiej korespondencji i krajobrazowego parku. „Moda angielska" nie była modą powierzchowną, sięgała w głąb struktury kulturowej i formułowała osobowość człowieka, co uwidoczniło się dobitnie w angielskim typie portretu. Była to po części odpowiedź w sferze mentalności na aktualne w środowisku polskim potrzeby stworzenia nowego stylu życia w zmienionych warunkach polityczno-społecznych.

Z tych też powodów, choć wyposażenie nowo powstających pałaców pochodziło często z Francji czy z Niemiec, podstawowa koncepcja architektoniczna i ogrodnicza wywodziła się z Anglii. Stworzony w Siernikach prototyp tego pałacu-willi powstał bezpośrednio po podróży Kamsetzera do Anglii w r. 1782, a plan siernicki zdaje się pokrywać z połową planu Villa Rotonda Palladia – wzoru decydującego o kształcie angielskiej siedziby tego czasu, który to wzór stał się także podstawą projektu pałacu w Królikarni, dzieła Merliniego, jak i wiązanego z nim pałacu w Lubostroniu.

Prywatny charakter pałaców-willi wznoszonych w antycznym czy angielskim stylu nie oznaczał odżegnywania się ich fundatorów od związków ze współczesnymi wydarzeniami i z ogólniejszymi ideałami. Za znamienny symptom można uznać pojawienie się w szeregu tych pałaców ważnych programów historyczno-narodowych, po części wzorowanych na programach królewskich. Jest to dowód na przejęcie tych idei i obowiązku ich kultywowania przez osoby prywatne, gdy dwór królewski przestał istnieć. Mamy tu więc do czynienia z jeszcze jednym świadectwem przemian, jakim uległo społeczeństwo polskie na przełomie XVIII i XIX w.

Wiek XIX

Upadek Królestwa Polskiego, utrata samodzielnego bytu państwowego, podział kraju między Rosję, Prusy i Austrię (trzeci rozbiór w r. 1795) zbiegły się ze zmianami w politycznej i kulturalnej sytuacji Europy po rewolucji francuskiej. Nastąpiła dość gwałtowna przebudowa wewnętrznej struktury społeczno-politycznej kraju i mentalności narodowej. Pojawiły się nowe hasła ideowe i nowe ideały życia, a w sztuce – nowa ikonografia w malarstwie i rzeźbie oraz nowe funkcje, także użytkowe, co przejawiło się najpełniej w dziedzinie architektury. Patriotyzm, zainteresowanie krajem i jego przeszłością, rozwój zindywidualizowanego życia prywatnego, będący po części wynikiem dobrowolnej lub wymuszonej rezygnacji z urzędów państwowych i z udziału w życiu publicznym, podtrzymywanie nadziei na odzyskanie niepodległości i uzasadnianie na różne sposoby prawa do niej, odwoływanie się do własnej przeszłości, ale także do przeszłości i przykładów starożytnych – oto zasadnicze podłoże działań w sferze ówczesnej polskiej kultury. Cechą znamienną tej epoki, nazywanej zwykle romantyczną, stała się różnorodność postaw i dążeń.

W pierwszej połowie XIX w., po zaniknięciu mecenatu królewskiego, kształtuje się nowa sytuacja artystów, którzy z „serwitorów" stali się przedstawicielami „wolnych zawodów", wyjątkowo urzędnikami państwowymi – jako architekci czy profesorowie szkół artystycznych; znaczenie tych ostatnich należy szczególnie podkreślić.

Okres ten charakteryzuje utrwalenie się pluralizmu stylowego. W dziedzinie architektury zachowany zostaje dawny podział: antykizujący neoklasycyzm stanowi modus budowli rezydencjonalnych, zarówno wiejskich jak i miejskich, a także budowli publicznych, licznie powstających zwłaszcza na obszarze Księstwa Warszawskiego. Natomiast budowle willowe, również kościelne, czy wreszcie ogrodowe reprezentują różne wersje neogotyku, który w poszczególnych rodzajach tych budowli zyskuje różny sens ideowy: raz nawiązuje do tradycji średniowiecznej pobożności, to znów ma sens alegoryczny lub powieściowo-legendarno-romantyczny.

Równie znamienne dla pierwszej połowy w. XIX jest posługiwanie się odrębnymi formułami stylistycznymi w malarstwie: modusy klasyczny i romantyczny występują równolegle obok siebie, stanowiąc opozycję dwu różnych stanowisk ideowo-artystycznych.

W dziedzinie architektury w dalszym ciągu działają twórcy epoki Stanisława Augusta. Hilary Szpilowski tworzy klasycystyczne fasady kamienic i projekty neogotyckich fasad kościołów warszawskich. Chrystian Piotr Aigner, architekt i teoretyk architektury i sztuki, zainteresowany m.in. budownictwem wiejskim, uprawia „palladianizm" (fasada kościoła św. Anny w Warszawie, 1788), wznosi w Puławach pierwsze polskie muzeum w Świątyni Sybilli i Domku Gotyckim i w tym samym stopniu posługuje się formami neogotyku (np. projekt neogotyckich fasad pałacu w Łazienkach, ok. 1800). Wspomnijmy, że był on twórcą pierwszego pałacu z rotundą w narożu (w Zarzeczu, 1817–1819); motyw ten został później spopularyzowany i z czasem owe antykizujące rotundy, przesunięte z centrum w naroże, zamieniły się w historyzujące baszty (np. Góra Puławska, Marysinek, Zameczek w Łańcucie). Aigner był także autorem szeregu monumentalnych budowli, utrzymanych w formach klasycystycznych, jak np. pałac Radziwiłłów (1818–1819) czy centralny kościół św. Aleksandra (1818––1825) w Warszawie.

Utrwala się wcześniej ukształtowany typ willi-pałacu jako rezydencji wiejskiej szlachcica-ziemianina. Przyczynił się do tego zwłaszcza Jakub Kubicki, twórca m.in. pałacu w Białaczowie z palladiańskimi galeriami (ok. 1800), w Bejscach i Radziejowicach (1802) czy pałacu Belwederskiego w Warszawie (1819–1822). Wypracował on nową formułę, czysto architektoniczną, surową, linearną. Ten typ budowli, często w zredukowanych wymiarach, także w wersji drewnianej, spopularyzował się w całej Polsce, zwłaszcza na kresach wschodnich dawnej Rzeczypospolitej, stając się synonimem dworu polskiego i szlachecko-ziemiańskiej polskości.

Pierwsze formy neorenesansowe w architekturze wprowadził zapewne Fryderyk Aleksander Lessel, natomiast rysunkowe projekty Wilhelma Henryka Mintera, ucznia Davida Gilly'ego, łączą się z nurtem francuskiej „architektury rewolucyjnej", której ślady odnajdujemy w polskiej architekturze wojskowej, więziennej i przemysłowej.

Neoklasycyzm monumentalnych budowli publicznych rozwijał Antoni Corazzi z Livorno (czynny w Polsce do r. 1847), twórca pałacu Towarzystwa Przyjaciół Nauk w Warszawie (1820–1823), Teatru Wielkiego (1825–1842), kompleksu urbanistyczno-architektonicznego placu Bankowego. Styl ten stał się niejako obowiązujący przy wznoszeniu budynków urzędowych: ratuszy, poczt, instytucji wyższej użyteczności (Biblioteka Raczyńskich w Poznaniu); w skromniejszej skali rozpowszechnił się także na prowincji (np. ratusz w Łowiczu, dzieło Bonifacego Witkowskiego z l. 1826–1828).

Równolegle zyskuje na znaczeniu modus gotycki, będący wyrazem charakterystycznego dla romantyzmu zainteresowania odległym średniowieczem, jak i w znacznym stopniu architekturą angielską. W roku 1822 Henryk Marconi wznosi neogotycki pałac w Dowspudzie dla zainteresowanego Anglią Ludwika Paca. Zamek lubelski zostaje w l. 1823–1826 przebudowany na więzienie według planów Ignacego Stompfa, w stylu angielskich zamków gotyckich. Zamek w Kórniku, wzniesiony w l. ok. 1845–1858 wg projektu właściciela, Tytusa Działyńskiego, przy współudziale Karola Fryderyka Schinkla, oparty jest zarówno na formach gotyku wysp brytyjskich, jak i architektury Islamu. Na fali romantycznego historyzmu wznosi Karol Krauze po r. 1820 romantyczny zameczek dla gen. S. Klickiego w Łowiczu, a podobny powstaje w Opinogórze dla gen. Wincentego Krasińskiego. Neogotyk był głównym „stylem" w twórczości Franciszka Marii Lanciego, autora tak wyjątkowego dzieła – także w aspekcie stylu – jak Złota Kaplica przy poznańskiej katedrze. Adam Idźkowski tworzy w stylu angielskiego gotyku fasadę katedry św. Jana w Warszawie (1839–1842). Twórczość Karola Kramera oscylowała między budzącym niegdyś sprzeciwy porządkiem doryckim a neogotykiem. Neogotyk angielski, wspomagany przez tamtejszą romantyczną powieść, miał decydujący wpływ na wyposażenie wnętrz (np. pałacu w Starej Wsi, dziele Bolesława Podczaszyńskiego, 1859–1862).

W rzeźbie bezkonkurencyjnie panuje modus antyczny, znajdujący najbardziej bezpośrednie oparcie w spuściźnie starożytnych. Używanie białego marmuru, antykizująca formuła plastyczna, tematyka i alegoria antyczna dominowały w twórczości współczesnych klasycystów, takich jak Antonio Canova czy Bertel Thorvaldsen; ten ostatni był autorem szeregu dzieł w Polsce, m.in. pomnika narodowego bohatera, ks. Józefa Poniatowskiego, oraz Mikołaja Kopernika. Konwencja klasycystyczna znakomicie godziła się z dominującą wówczas przemianą w kierunku romantycznego historyzmu – gdy obok stereotypowej tematyki antycznej występowała, jako aktualny temat ramowy, gloryfikacja narodowych bohaterów, wielkich mężów czy uczonych. W Wilnie Kazimierz Jasielski (zm. 1867) wykonuje m.in. zespół popiersi profesorów uniwersytetu; pochodzący z Czech Paweł Maliński (zm. 1853) rzeźbi m.in.

popiersie Stanisława Staszica, spolszczony wiedeńczyk Józef Szmelcer (zm. 1871) tworzy popiersia Goethego i Mickiewicza, Kościuszki, Lafayette'a, Chłopickiego. Jakub Tatarkiewicz, uczeń Thorvaldsena, jest autorem znakomitych kompozycji neoklasycznych, ale równocześnie realistycznie scharakteryzowanych portretów, m.in. popiersi narodowych poetów, stanowiących rzeźby ogrodowe. Konwencja klasycystyczna łączyła się często ze zindywidualizowanym wizerunkiem – czego przykładem „Autoportret" Konstantego Hegla (zm. 1876). Przedmiotem portretów rzeźbiarskich stają się coraz częściej przedstawiciele mieszczaństwa i tzw. wolnych zawodów.

Rzeźba pełni funkcje społeczno-polityczne. Powstają dzieła alegoryczne, takie jak np. Karola Ceptowskiego „Polska w objęciach Francji" czy Władysława Oleszczyńskiego „Przyjęcie emigrantów polskich przez Francję", a także pomniki wybitnych współczesnych, np. Mickiewicza, Brodzińskiego (dzieła Oleszczyńskiego), Piotra Skargi, Naruszewicza (dzieła Tomasza Oskara Sosnowskiego). Henryk Kossowski wykonuje popiersie Kochanowskiego i Niemcewicza. Pojawia się także w pełni aktualna tematyka, jak np. sceny walk powstańczych Henryka Dmochowskiego.

Należy podkreślić liczebność powstającej w tym czasie dekoracji i figuralnej rzeźby fasadowej, jak również dzieł kultowych – jednak dla okresu tego znamienne jest wprowadzenie do rzeźby tematyki współczesnej, wypowiadanie treści patriotycznych i głoszenie romantycznych idei poprzez przedstawienia osób – podmiotów współczesnej i dawnej historii.

Jest to okres wielkiego rozwoju malarstwa. Opozycja klasycyzm – romantyzm zarysowuje się w tej dziedzinie szczególnie mocno. Powszechnie przywoływanym przykładem tego jest twórczość Wojciecha Kornelego Stattlera i Piotra Michałowskiego. Rozwój dotyczy wszystkich dziedzin malarstwa, choć panuje akademicka hierarchia, wysuwająca „kompozycje" starożytne na czoło. Malarstwo historyczne, jak i przedstawiające niemal współczesne wydarzenia – m.in. insurekcję kościuszkowską czy epopeę napoleońską – związane jest przede wszystkim z kształtowaniem się współczesnej mentalności narodowej, opartym m.in. na przemyśleniu własnych dziejów. Naiwne w wydaniu Michała Stachowicza, w twórczości Stattlera ujęte w klasyczną metaforę i przybrane w antyczny kostium, w obrazach Michałowskiego zyskuje spontaniczną, skrajnie malarską, romantyczną formułę.

Dla nurtu klasycystycznego, obejmującego zastygłe w bezruchu sceny z historii starożytnej i ze Starego Testamentu, a także współczesne wydarzenia, charakterystyczny był umowny sposób kształtowania artystycznego komunikatu, zawierającego często treści najwyższej wagi. Nurt ten dominował przede wszystkim w środowisku warszawskim i wileńskim, w twórczości Antoniego Brodowskiego, Antoniego Blanka, Aleksandra Kokulara. Ci sami malarze często byli autorami wnikliwych studiów portretowych, np. A. Brodowski, twórca znakomitego „Portretu brata" (1815).

464

W opozycji do nurtu klasycystycznego pozostaje przede wszystkim tradycja norblinowska, łącząca zainteresowanie dla współczesnych wydarzeń z obserwacją życia i obyczajów codziennych wszystkich, a zwłaszcza niższych warstw społecznych. Orientację tę reprezentują: Aleksander Orłowski, znakomity rysownik i karykaturzysta, Michał Płoński – inspirujący się sztuką Rembrandta, Jan Feliks Piwarski, zajęty nową wówczas tematyką wiejską, czy Feliks Pęczarski, śledzący głównie społeczne marginesy życia wielkomiejskiego.

475
476

Portret jest jednym z tych gatunków, który najpełniej ukazuje dokonane przemiany społeczne. Pod wpływem angielskim powstają romantyczne portrety na tle pejzażu, jak np. Walentego Wańkowicza „Portret Adama Mickiewicza" (1828). Osobne miejsce zajmuje portret biedermeierowski, z właściwą mu salonową elegancją (np. portret dwóch panienek z pieskiem Alojzego Rejchana, 1852). Portrety mieszczańskie często uderzają wyjątkową rzeczowością; taki jest np. „Portret kupca Pawła Pelizzaro", malowany przez Bonawenturę Dąbrowskiego. Przetrwał też oczywiście portret szlachecki, który nieco później przeżyje swoisty renesans w nurcie portretu neosarmackiego.

468

W tym też czasie, po zadomowieniu się u nas weduty i malarstwa architektury, rozwija się pejzaż, głównie pod wpływem malarstwa krajów alpejskich. Romantyczny stosunek do majestatu przyrody przejawił się w pierwszych próbach przedstawiania Tatr w twórczości Chrystiana Breslauera i Jana Nepomucena Głowackiego.

Druga połowa w. XIX – to niezwykle ważny okres w dziejach sztuki polskiej, zwłaszcza malarstwa. Nasz stosunek do architektury „epoki eklektyzmu" ciągle jeszcze nie jest pozytywnie zdefiniowany, a przecież właśnie architektura tego okresu do dziś ma decydujące znaczenie dla wyglądu naszych miast, przeżywających w owym czasie największy rozkwit.

Podział Rzeczypospolitej między trzech zaborców wywołał – mimo łączącej kraj ideowej wspólnoty – stopniowe zróżnicowanie, także w zakresie sztuki, w tym zwłaszcza architektury urzędowej, choć podstawowe zadania były wspólne. Niektóre z nich – to zupełnie nowe zjawiska, jak np. nie znane dotychczas dworce kolei żelaznej, które uzyskały formy pałaców lub dworów, w stylu neogotyku bądź neorenesansu (np. dworzec Kolei Warszawsko-Wiedeńskiej w Warszawie, dzieło Henryka Marconiego). Coraz częściej powstają różnego rodzaju monumentalne budowle o funkcjach publicznych: obok znanych od dawna ratuszy wznosi się gmachy banków, spółek handlowych, domów towarowych, także wielkie założenia fabryczne, a przy nich dzielnice robotnicze.

Kształtuje się też nowy typ pałacu: rezydencja fabrykanta, po części naśladująca dawne założenia feudalne, ale mająca inny charakter stylowy, często działająca bogactwem wyposażenia, przepychem przedmiotów zgromadzonych na małej przestrzeni.

Odpowiednikiem tego na wsi stają się coraz liczniejsze dworki – z charakterystycznymi kolumnowymi portykami, kontynuujące tradycję pałacu-willi wczesnego XIX w.

Na terenach zaboru pruskiego silniej niż w innych zaborach zarysowuje się różnica między wiejskim budownictwem polskim a kolonizacyjnym. Istotne znaczenie ma tu budownictwo urzędowe, a w szczególności – działalność berlińskiego biura architektonicznego, które zatwierdzało wszelkie plany urbanistyczne i architektoniczne, wiele projektując i przyczyniając się w ten sposób do znacznej standaryzacji architektury.

Różnorodność stylowa osiąga wówczas szczyt. Obok neoklasycyzmu w różnych wersjach i porządkach – od doryckiego po toskański – neogotyku i neoromanizmu powstają dzieła w stylu neorenesansu i neobaroku, a nawet odżywają wzory sztuki starochrześcijańskiej. Przy tym style te występują w licznych odmianach regionalnych; tak więc wyodrębnić możemy np. neorenesans rzymski i florencki, „niemiecki", czyli niderlandzki neomanieryzm itd.

Do wielkiej popularności tych stylów przyczyniła się niezwykła eksplozja budownictwa mieszkaniowego, w którym różne style artystyczne wiązały się z rozmaitymi wymaganiami i upodobaniami w urządzaniu mieszkania – od pretensji wielkiej burżuazji do potrzeb przeciętnego mieszczaństwa, od założeń pałacowych do czynszowych kamienic, powstających przede wszystkim z myślą o rentowności inwestycji.

Istotne znaczenie miał postęp techniczny.

Powszechnie stosuje się żeliwne i stalowe elementy konstrukcyjne, a bogate stiukowe dekoracje elewacji zewnętrznych i wewnętrznych prefabrykowane są przy użyciu form i następnie montowane na miejscu. Wprowadzenie na wielką skalę prefabrykacji elementów w miejsce rękodzieła spotkało się z pełną aprobatą, nie tylko ze względu na mniejsze koszta wykonania i większą perfekcję, wyrównanie poziomu, ale i z uwagi na pozytywne estetyczne walory produkcji fabrycznej, zauważalne także w innych dziedzinach działalności, np. w tkactwie.

Rzeźba – mało dotychczas zbadana – zdaje się nie odgrywać zasadniczej roli, przynajmniej w porównaniu z architekturą i malarstwem. Rzeźbiarze mieli za sobą z reguły solidne studia akademickie w kraju lub za granicą – w Petersburgu, Rzymie czy Paryżu. Z reguły tkwili oni w ramach obowiązujących konwencji artystycznego pluralizmu stylowego, między dominującym akademickim klasycyzmem a jego romantyczną lub realistyczną interpretacją, posługując się motywami antycznymi, renesansowymi, gotyckimi. Dłużej niż w malarstwie utrzymuje się tutaj akademicki klasycyzm i związana z nim tematyka antyczna.

456–460

Najbardziej rozpowszechnionym gatunkiem rzeźbiarskim jest portret, zwykle utrzymany w konwencji klasycznego romantyzmu (Henryk Stattler). Stosunkowo wiele wznosi się pomników, tak w kraju jak i za granicą, przy czym gloryfikacja nie odnosi się – jak dawniej – do władców i wodzów, lecz przede wszystkim dotyczy ludzi zasłużonych dla sztuki, nauki i społecznej służby narodowi. Jest to rodzaj mający najwyższą rangę, stanowiący wyraz publicznej nobilitacji autora. Wytworzył się wówczas, czy utrwalił, specjalny styl pomnikowy, łączący cechy akademickiego klasycyzmu z realistycznym przedstawianiem osoby, przy nasyceniu całości retorycznym patosem i często przy użyciu rzeźbiarskiego komentarza historycznego lub alegorycznego. Jako przykłady można wymienić: Cypriana Godebskiego pomnik Gautiera na Montmartrze w Paryżu i Mickiewicza w Warszawie; Teodora Rygiera pomnik Mickiewicza w Krakowie (1898); Stanisława Romana Lewandowskiego projekt pomnika Kościuszki dla Waszyngtonu.

Szczególny i rozpowszechniony rodzaj stanowiły dzieła alegoryczne, w których najsilniej i zarazem w monumentalnej formie przejawiała się tematyka i ideologia narodowo--polityczna; jako przykłady można wymienić: Teodora Rygiera „Wawel i Wisłę" (1887), Stanisława Romana Lewandowskiego „Słowianina zrywającego pęta" (1887), Piotra

459

Wójtowicza „Niewolnika" (1885), Piusa Welońskiego „Gladiatora" czy „Sclavus saltans". Podobny charakter miały dzieła o tematyce związanej z czczoną jak objawienie poezją narodowych wieszczów, czego przykładem „Grażyna" i „Lilla Weneda" Alfreda Dauna, choć równocześnie należy podkreślić, że dzieła te nie przekraczały zwykle granic zobrazowania fabuły owych utworów i nie sięgały głębszych warstw znaczeniowych. Znamienny był także stosunek do dzieł o tematyce antycznej, które często stanowiły pretekst do prezentacji pięknych aktów, jak w przypadku „Bachantki" Teodora Rygiera (1887) czy „Podszeptów miłości" Wiktora Brodzkiego.

456
460

Malarstwo drugiej połowy XIX w. w znacznej części kontynuuje zadania poprzedniego okresu; widoczne jest to zwłaszcza w niezwykle bujnym rozkwicie malarstwa historycznego, także portretu, pejzażu i malarstwa rodzajowego. Jest to jednak kontynuacja twórcza, dynamiczna, prezentująca ogromną rozmaitość tendencji. Można powiedzieć, że właśnie owa zdolność do niezwykle różnorodnego i wielostronnego rozwiązywania podobnych – generalnie rzecz biorąc – zadań jest cechą znamienną tego okresu.

Panującą tendencją stylową w malarstwie jest realizm – ale przejawiający się w wielu odmianach, oscylujący między weryzmem i akademizmem, dokładną obserwacją codzienności i teatralizacją, salonową apoteozą i krytyczną analizą społeczną.

Malarstwo historyczne przeżywa swe apogeum, reprezentując wyjątkowo bogaty wachlarz stanowisk ideowych, historiozoficznych i artystycznych. Można więc mówić o nurcie „kronikarsko-epickim", w którym znaczenie decydujące ma szeroki opis faktu (np. twórczość Januarego Suchodolskiego) i o nurcie „historyzmu teatralnego", dla którego znamienne jest to, że wydarzenie rozgrywa się jak gdyby na scenie i w teatralnej konwencji (np. Józefa Simmlera „Śmierć Barbary Radziwiłłówny", r. 1860). Materiałem dla przedstawień są dzieje legendarne (np. Maksymiliana Antoniego Piotrowskiego „Śmierć Wandy"), dawna historia bądź też wydarzenia niemal współczesne – jak w przypadku dzieł Artura Grottgera czy Maksymiliana Gierymskiego. Najbardziej przecież zróżnicowany był stosunek do owej dawnej lub bliskiej przeszłości. U Grottgera opowieść osnuta na tle dramatycznych najnowszych dziejów zyskuje sens symbolicznego uogólnienia (cykl „Wojna", 1866–1867). W twórczości Leona Kaplińskiego staje się alegorią („Szlachta i lud", 1863). Monumentalne obrazy Jana Matejki są wynikiem historycznej, syntetyzującej oceny

496

495

497
498

481

469

470

471

dziejów („Kazanie Skargi", 1864; „Rejtan", 1866; „Bitwa pod Grunwaldem", 1878). W twórczości Władysława Bakałowicza czy Henryka Siemiradzkiego, tematycznie wykraczającej poza dzieje narodowe, uwidacznia się swoisty historyzm „kostiumowy", dla którego istotną wartość stanowi barwna lub dramatyczna fabuła (np. Siemiradzkiego „Pochodnie Nerona", 1876). Dla Juliusza Kossaka czy zwłaszcza Józefa Brandta obraz historyczny – to przygodowa opowieść z Dzikich Pól: polski „eastern", osadzony zwykle w sarmackiej rzeczywistości XVII w. Natomiast M. Gierymski podejmuje próbę stworzenia realnego obrazu, który mógłby mieć znaczenie obrazowego dokumentu (np. „Pikieta powstańcza", 1871; „Alarm w obozie powstańczym", 1873).

Portrety maluje wielu wybitnych twórców. Przede wszystkim należy tu wymienić Henryka Rodakowskiego, który – wychodząc jeszcze z założeń portretu romantycznego („Portret generała Henryka Dembińskiego", 1852) – tworzy szereg nader wnikliwych studiów postaci ludzkich, zwłaszcza kobiet („Portret Matki", 1853, „Portret Leonii Blühdorn", 1871). Wiele portretów wykonał Józef Simmler, ale były to – z nielicznymi wyjątkami – bardzo powierzchowne i konwencjonalne wizerunki przedstawicieli szlachty lub warszawskiej burżuazji. Jan Matejko ukształtował charakterystyczny typ historyzującego portretu, łączącego dokładne studium modela z historycznym kostiumem (np. „Portret Piotra Moszyńskiego", 1874; portret „Żony artysty", 1879). Głębokie studia postaci ludzkich o pewnych cechach portretowych, zwykle włączone w starotestamentowe dzieje, zabarwione emocjonalną teatralnością, tworzył Maurycy Gottlieb (np. „Ahaswer – autoportret", 1876; „Portret Kurandy", 1878). Wśród mistrzów salonowego portretu, który w werystyczno-idealizującej formule prezentował postaci ze świata ówczesnych warstw wyższych wymienić należy Tadeusza Ajdukiewicza („Portret Heleny Modrzejewskiej", 1880), Kazimierza Pochwalskiego, Władysława Czachórskiego.

Niezwykle interesujące przemiany następują w malarstwie pejzażowym i rodzajowym. Dla krajobrazu decydujące znaczenie miały początkowo wzory szkoły barbizońskiej; kierunek ten reprezentowali: Franciszek Kostrzewski, Wojciech Gerson (np. „Krajobraz z Podhala", 1879), a przede wszystkim Józef Szermentowski (np. „Bydło schodzące do wodopoju", 1876) i Władysław Aleksander Malecki (np. „Wieś Białogon", 1870). Operując zasadami pejzażu barbizońskiego – z charakterystycznym dlań stosunkiem między

sztafażem i tłem pejzażowym, poddanym zwykle rygorom przyjętego a priori porządku kompozycyjnego – nie rezygnując z motywów i ekspresji romantycznej, wymienieni artyści malowali przecież w olbrzymiej części pejzaż polski. Przy tym rozwój ich sztuki, zwłaszcza Gersona, zmierzał w kierunku coraz większej konkretyzacji przedstawienia, wyzbycia się apriorycznej konwencji.

478
479

480

553
480

552

482

Malarstwo rodzajowe było domeną twórczości Kostrzewskiego, przede wszystkim jednak Aleksandra Kotsisa i Józefa Chełmońskiego, zainteresowanych życiem wsi – podkrakowskiej, ukraińskiej i mazowieckiej. Dla Kotsisa życie wsi – to pasmo nędzy i nieszczęść, to stałe zagrożenie przez chłód, głód, choroby i śmierć, budzące przerażenie i współczucie (np. „Matula umarli", 1868). Obok tego rodzaju obrazów tworzy też jednak kompozycje o zabarwieniu liryczno-sentymentalnym. Natomiast dla Chełmońskiego wieś to teren wartko toczącego się, barwnego i bujnego życia ziemiańskiego i chłopskiego, którego symbolem mogą być owe pędzące na widza zaprzęgi; czasem wieś jest też u niego synonimem spokoju, harmonijnego, choć czasem i dramatycznego zespolenia człowieka i natury (np. „Powrót z balu", 1873; „Na folwarku", 1875; „Babie lato", 1875; „Czwórka", 1881). O charakterze tych utworów decydują elementy neosarmatyzmu i „protochłopomanii".

Tylko Aleksander Gierymski potrafił wypracować pozytywistyczny stosunek do obserwowanej rzeczywistości społecznej, ukazując np. w „Trumnie chłopskiej" (1894) realny stosunek pary chłopskiej do śmierci, czy też przedstawiając w swoich miejskich obrazach, takich jak „Powiśle" (1883) czy „Święto Trąbek" (1888) rzeczywiste wydarzenia, w całym bogactwie ich warstwy zjawiskowej i społecznych treści.

„Wizerunek Polaków"

W dobie nowożytnej ukształtowało się wyobrażenie o Polakach, o ich przymiotach i właściwościach duchowych, o ich wyglądzie, stroju, zachowaniu. Utrwaliło się przekonanie o ich odrębności narodowej, która w znacznej mierze miałaby polegać na przewadze cnót moralnych, zwłaszcza rycerskich – będących wynikiem demokratycznego ustroju, „złotej wolności szlacheckiej". Osiemnastowieczna wykładnia powiedzenia: „Polska nierządem stoi" podkreślała demokratyczny udział każdego w rządach, potępiała „obcy naturze Polaków" absolutyzm. Wprawdzie zdawano sobie sprawę z intelektualnego i kulturalnego ubóstwa w porównaniu z krajami Europy Zachodniej, ale tłumaczono to praktycznym stosunkiem do życia – zainteresowaniem polityką, prawem, inżynierią, wojskowością, rolnictwem czy melioracją, wychodząc z przekonania o mniejszej przydatności w Polsce rozwiniętych gdzie indziej wartości kulturowych, wobec i tak bezprzecznej wyższości naszego ustroju oraz przysłowiowej tolerancji religijnej, nie przeszkadzającej zresztą utożsamianiu polskości z katolicyzmem. Chlubiono się niewystępowaniem w Polsce wojen religijnych, a po uchwaleniu Konstytucji Trzeciego Maja 1791 roku – także zdolnością do dokonania gruntownej reformy społecznej „bez ścinania głów".

W świadomości społecznej poczucie odrębności w stosunku do europejskiego Zachodu było silne – przy równie głębokim przekonaniu o pełnej przynależności do wspólnoty kultury łacińskiej, o śródziemnomorskiej genezie. Nie dostrzegano natomiast istniejących związków z kulturą Bliskiego Wschodu – rozwijanych po części za pośrednictwem Węgier – zwłaszcza związków z Turcją: w zakresie obyczaju, stroju, ozdób, uczesania, kuchni itd., decydujących przecież o wyglądzie Sarmatów.

Sarmata jest więc człowiekiem wolnym, katolikiem, który nawet niebu narzuca strukturę swojego państwa; jest przekonany, że swym zbożem żywi Europę; takiego też ukazuje nowożytny portret polski.

Rozbiory kraju zmusiły społeczeństwo polskie do gruntownej rewizji poglądów na temat miejsca w Europie, na temat cech, możliwości i aspiracji Polaków; wiek XIX upłynął na kształtowaniu się nowych wyobrażeń, poglądów, stanowisk, z reguły stojących w opozycji do słów Szczęsnego Potockiego o zniknięciu państwa polskiego i konieczności wyboru nowej ojczyzny.

Pozytywny program wskazywała już krytyka formułowana przez działaczy polskiego Oświecenia, skierowana przeciwko mitowi „przedmurza", „spichrza" i ustroju „złotej wolności". Przekonaniu Jean-Jacques'a Rousseau (1771) o niezmiennym umiłowaniu przez Polaków ojczyzny i wolności przeciwstawiał swój sąd Stanisława Staszica o polskiej magneterii, która jego zdaniem stała się lękliwa, podła i dojrzała do niewoli. Maurycy Mochnacki krytykował po raz pierwszy „słomiany ogień" Polaków, porywczych i śmiałych, zdolnych do wszelkich poświęceń, ale mało wytrwałych; zdolność wytrwania jawiła się jako cecha nieodzowna w nowej sytuacji kraju.

Najważniejszą potrzebą stało się w XIX w. ukształtowanie nowych, pozytywnych cech

Polaków – w obliczu niewoli i powtarzających się, a bezskutecznych zrywów powstańczych. Następowało ono w dialogu między w nowy sposób formułującą się postawą patriotyczną a postawą rezygnacji i kapitulacji, między dążeniem do odrodzenia niepodległości a próbami przystosowania się do współczesności, do budowania życia w warunkach wczesnego kapitalizmu. Idea wyzwolenia, jako wartość naczelna, odżywała w kolejnych generacjach. Starano się utrwalić przekonanie, że Polacy nie utracili zdolności – a nie tylko prawa – do samodzielnego bytu. Stąd akcentowanie obok takich cech, jak miłość kraju, zdolność do patriotycznej ofiary, bitność i odwaga – także wytrwałości, hartu ducha, braku podatności na zwątpienie.

Rozważając cechy Polaków, odnoszono je z reguły do szlachty. Wyjątkowo pojawiały się opinie, które upadek królestwa przypisywały tej właśnie klasie; krytyka narastała wprawdzie w ciągu XIX w., ale przecież jeszcze „Rejtan" Jana Matejki (1866) wzbudził ostry protest, m.in. ze względu na jawne potępienie zdradzieckich magnatów: Potockiego, Branickiego i Rzewuskiego. Wyjątkowo tylko „lud" – zwykle nie dość dokładnie określany – uważany był za siłę zdolną Polskę odrodzić. Przy tym nie był on traktowany w tym czasie jako siła przeciwstawna wobec szlachty, ale jako żywioł, który musi być do praw szlacheckich podniesiony, gdyż – jak mówił Norwid – szerokość przepaści między chłopem a szlachcicem jest miarą oddalenia od odrodzenia państwowości.

Niejasno rysowała się konieczność przemiany charakteru narodowego, jego „odmłodzenia". Dopiero w końcu stulecia słabnie znaczenie ideałów szlacheckich w konfrontacji z cnotami burżuazji.

Wizerunek człowieka tego czasu ukazują przede wszystkim portrety i przedstawienia rodzajowe. Tradycja portretu w XVIII obejmowała dwie podstawowe odmiany: dworską, mającą charakter kosmopolityczny, oraz rodzimą. Rzecz charakterystyczna – obydwie utrzymują się nader długo. Początkowo siłą inercji – dzięki działalności tych samych malarzy i ich uczniów, a więc tradycji Bacciarelego czy Lampiego, oraz w związku z występowaniem tych samych, w sensie społeczno-klasowym, modeli. W ramach tej tradycji dokonują się ważne przemiany w l. 1790–1815; jest to okres charakteryzujący się wielką dynamiką w życiu narodu; pojawiają się wówczas na arenie dziejowej nowi bohaterowie.

Dość nagle, po części dzięki wczesnoromantycznej koncepcji angielskiej, zanika dworska konwencja, potęguje się naturalność, portre-

497

towa rzetelność, indywidualizujący psychologizm. Jest to bezsprzecznie wynik nowej postawy w stosunku do modela.

Znakomitym tego przykładem jest malowany przez Kazimierza Wojniakowskiego w r. 1794 463 „Portret gen. Józefa Kossakowskiego", ukazujący nowego bohatera romantycznego bez osłonek konwencji czy idealizacji, ale w splendorze stanowiska, na tle romantycznego fragmentu natury. Podobnie ujęty został powstały w tym czasie „Portret Tadeusza Kościuszki", również pędzla Wojniakowskiego. W pełni tradycyjny typ reprezentuje dworski portret J. Sierakowskiego, dzieło Macieja Topolskiego (1804) – choć w mieszczańskich wizerunkach tego samego malarza znika dekoracyjność, dominuje prostota; model decyduje o charakterze dzieła. Przykładem przemian ok. r. 1800 są portrety Józefa Peszki: w końcu stulecia maluje on szereg portretów o cechach rodzimych (np. wizeru-462 nek Stanisława Kublickiego, 1791) lub dworskich (np. portret Hugona Kołłątaja, 1792), natomiast po r. 1812 prezentuje nam postaci z salonów empirowych (np. „Teresa Radziwiłłowa jako Hebe"). Podobny charakter mają portrety Franciszka Lampiego prezentujące damy epoki empiru (np. portret Osławskiej, 1806).

Wybitnym portrecistą był Antoni Brodowski, autor licznych kompozycji antykizujących w treści i klasycznych w formie. Jego portrety są niezwykle rzeczowe, obiektywne; pozbawione antykizującego kostiumu, stanowią wyraz refleksyjnej, psychologicznej analizy osobowości portretowanego („Portret włas-464 ny", 1813; „Portret brata", 1815). Znakomite opanowanie rysunku i delikatny światłocień, skupienie uwagi na twarzy i dłoniach modela decydują o charakterze dzieła. Brodowski portretuje arystokrację i przedstawicieli mieszczaństwa; różnice mają charakter obiektywny, wynikają z faktycznie istniejącej odmienności społecznej tych ludzi. Autor nie posługuje się żadną z konwencji portetowych wykształconych w poprzednim okresie w odniesieniu do wizerunków szlacheckich. Położenie nacisku na ukazanie duchowych wartości modela, uznanych za najważniejsze i równocześnie jak gdyby redukujące zewnętrzne cechy klasowe, stanowi jeden z ważnych symptomów dokonanej przemiany.

Rzeczowość charakteryzuje także innych malarzy-klasycystów, jak np. Antoniego Blanka (portret wynalazcy maszyny do licze-467 nia, Abrahama Sterna), Aleksandra Kokulara, Stanisława Marszałkiewicza, Jana Rustema czy Walentego Wańkowicza, którego dzieła zyskiwały pewne cechy romantyzmu, czego najlepszym przykładem słynny „Portret

Adama Mickiewicza" (1828) – wynik romantycznej interpretacji formy w założeniu neoklasycznej.

Związek z romantyzmem rysuje się wyraźnie w dziełach tworzącego pod wpływem nazarenizmu Wojciecha Kornelego Stattlera. Jego czołowe dzieło, utrzymane w konwencji antykizującej – „Machabeusze" – powstało za namową Mickiewicza i zostało wysoko ocenione przez Słowackiego. Natomiast w portretach cechowała go zwykle wielka prostota i rzeczowość (np. „Portret Ludwiki Kosteckiej"); 466 tylko czasem pojawiają się w nich motywy klasyczne. Podobne cechy właściwe były twórczości Rafała Hadziewicza, kopiującego czasem portrety sarmackie lub też nadającego swym dziełom znamiona romantyzmu. Ważnym rysem niektórych jego portretów była rodzajowość ujęcia (np. „Portret matki", 1850).

Skrzydło romantyczne reprezentuje dwóch znakomitych artystów: Piotr Michałowski i Henryk Rodakowski. Pierwszy, znany przede wszystkim jako malarz epopei napoleońskiej, tworzył także liczne portrety, malowane zwykle szkicowo, swobodnie kładzioną plamą barwną. Niezwykle charakterystyczne jest traktowanie przezeń niemal na równi przedstawicieli galicyjskiego ziemiaństwa, Żydów i chłopów. Z jednej strony było to podyktowane głębokim demokratycznym humanizmem, dążeniem do wydobycia pełni człowieczeństwa każdego modela, bez względu na jego społeczną kondycję. Z drugiej – romantyczną interpretacją, dzięki której – zwłaszcza w późniejszym, dojrzałym okresie twórczości Michałowskiego – te studia uzyskują równocześnie głębszy sens filozoficzny; najlepszym przykładem może być studium „Seńki' (ok. 1846) malowane w 465 związku z kompozycją poświęconą Don Kichotowi, mającą szczególne symboliczne znaczenie. O ekspresji tych dzieł decydowała w ogromnym stopniu impresyjna, „velazquezowska" technika malowania, swobodne prowadzenie pędzla, uwidocznienie faktury farby, śmiałe zestawienie silnie wyodrębnionych plam barwnych, bezbłędnie definiujących kształt przedmiotu i równocześnie współdziałających w bezpośrednim, ekspresyjnym formułowaniu wyrazu.

Romantyzm Henryka Rodakowskiego wyraził się najpełniej w „Portrecie gen. Henryka 469 Dembińskiego" (1852), bohaterskiego dowódcy, siedzącego na tle namiotu i rozległego widoku z wojskami rewolucji węgierskiej, pogrążonego w głębokiej zadumie, z oczyma utkwionymi w widza. Nastrój całości przedstawienia i wyraz twarzy generała mają znaczenie decydujące – poprzez nie charakteryzowana jest postać portretowanego. Jest ten portret znakomitą realizacją wszystkich podstawowych cech romantycznego wizerunku wodza, akcentującego jego wyniesienie, wynikające nie z urodzenia, lecz z przyjętych zadań i spełnianych obowiązków, z przywództwa w walce o wielką sprawę wolności. Ów obowiązek – wymagający wiedzy i doświadczenia militarnego – stanowi przede wszystkim ciężar duchowy, ujawniony w psychologicznej warstwie portretu.

Położenie akcentu właśnie na stronę psychologiczną jest stałą cechą tworzonych przez Rodakowskiego wizerunków, uderzających przy tym znakomitością malarskiego opracowania, zwłaszcza ujęcia twarzy i rąk. Należy tu wymienić przede wszystkim portret ojca 470 (1850), matki (1853), siostry Wandy (1858), pasierbicy Leonii Blühdorn (1871).

Monumentalność cechująca portrety Rodakowskiego nie jest wynikiem przyjęcia jakiejkolwiek formuły zewnętrznej w stosunku do portretowanego – dworskiej, antykizującej czy akademickiej – lecz konsekwencją tworzenia wizerunku człowieczeństwa modela, o którym decyduje bogactwo jego życia wewnętrznego, jego przymiotów duchowych: dobroci, życzliwości, miłości; odcięcie się niejako warstwami wielu przeżyć i przemyśleń. Jest to obraz człowieka znaczącego dzięki wartościom ściśle z nim samym związanym; one to kwalifikują go na właściwe miejsce w życiu osobistym, rodzinnym i społecznym.

To znamienne dla twórczości Michałowskiego i Rodakowskiego pogłębienie wartości duchowych człowieka jest świadectwem odrzucenia w sztuce dawnych kontekstów wartościujących. Jednakże tworzenie nowych postępuje z wielkim trudem. Wprawdzie „Autoportret" Rodakowskiego (1858), ukazujący malarza przy pracy przed sztalugami, w otoczeniu kilku zwykłych przedmiotów, jest wizerunkiem przedstawiciela „wolnego zawodu", podobnie jak malowany przez Blanka portret Sterna – ale są to zjawiska 468 wyjątkowe. Wyjątek stanowi także „Portret kupca Pawła Pelizzaro", dzieło Bonawentury Dąbrowskiego, uderzający przede wszystkim schludnością starannie dopiętego ubioru, zewnętrznym zadbaniem, mającym wywołać przekonanie o solidności osoby i prowadzonych przez nią interesów, czemu nie przeczy niezbyt urodziwa twarz pod cylindrem, a tylko nieco niepokoi badawcze, bystre – a może i sprytne – spojrzenie tego człowieka. Podobny charakter mają niektóre portrety nauczyciela Dąbrowskiego, Franciszka Pfanhausera, który kształcił się jeszcze u Bacciarellego (np. „Portret Julii Wiemanowej"). Z lekcji Dąbrowskiego korzystał natomiast

Józef Simmler, w którego dziełach – obok wspaniałych portretów związanych z angielskim romantyzmem, jak np. „Portret żony" 473 (1863) czy „Portret pułk. Fischera" – pojawiają się przecież liczne wizerunki warszawskiego mieszczaństwa, uderzające powierzchownością.

Zdaje się nie ulegać wątpliwości, że sztuka portretu z trudem nadążała za przemianami społecznymi. Zresztą mit rycerstwa polskiego, szlachty, a później ziemiaństwa trwał aż po w. XX. Świadczy o tym choćby silnie rozwijający się od połowy stulecia nurt neosarmatyzmu. Mieści się w nim całe dzieło Juliusza Kossaka, złączone głęboko z życiem szlacheckim na kresach Polski, a także jego „ziemiański" portret, zwłaszcza konny. Jest to ponowna apoteoza życia szlachty; wizerunki, pozbawione głębszej analizy osobowości, charakteryzowane są przede wszystkim poprzez kontekst owego życia, w którym rasowy koń i ekwipunek myśliwski stanowiły najważniejsze atrybuty (np. „Portret własny na koniu", 472 ok. 1859).

Podobną funkcję pełniło malarstwo Leona Kaplińskiego, zarówno ilustracje dzieła Mickiewicza (np. „Spowiedź Jacka Soplicy", ok. 1857), jak i wspaniale monumentalny, tradycyjnie „hetmański" „Portret Jana hr. Działyńskiego' (1864) – świadectwo pełnej aprobaty nie tylko osoby, lecz całej klasy ze strony malarza, związanego w tym czasie z kręgami arystokracji. Przedstawiający „typowego" szlachcica „Portret Adama Wyleżyńskiego" (1874), dzieło Andrzeja Grabowskiego, jest dowodem funkcjonowania tego ideału w szerokich kręgach portrecistów. Skłaniali się w jego stronę również twórcy najwybitniejsi – o czym świadczy malowany przez Rodakowskiego „Portret Włodzimierza Dzieduszyckiego" (1880), marszałka sejmu galicyjskiego. Także Jan Matejko, w portretach tzw. drugiej fazy, jak np. w „Portrecie Piotra 471 Moszyńskiego" (1874), tworzy znakomite wizerunki godnych najwyższego szacunku przedstawicieli polskiej arystokracji. Przy tym – co szczególnie uderzające – zarówno portretom rektorów, jak i zasłużonych działaczy krakowskich nadawał Matejko cechy arystokratyczne, dokonując w ten sposób ich szczególnej nobilitacji i ujawniając zarazem właściwe mu kryteria wartościowania.

Portret powstawał z reguły z inicjatywy modela i on to w ogromnym stopniu decydował o wyrazie całości, uważając wizerunek za tradycyjnie ustalony środek potwierdzania własnego miejsca w hierarchii społecznej klas dominujących. Nie służył natomiast portret „obiektywnej" rejestracji przemian społecznych. Często wręcz odwrotnie: związany ze szlachtą i arystokracją, był środkiem ideowej kompensacji, a także ideowej ofensywy w momencie faktycznego narastania znaczenia mieszczaństwa; właśnie w dobie pozytywizmu rozwija się w portrecie nurt neosarmacki. Obraz Polaków w XIX w., jaki dojrzeć możemy w polskim portrecie tego czasu, jest odbiciem w zwierciadle tradycji szlacheckiej.

Czy obraz ten jest pełniejszy w malarstwie rodzajowym? Uformowało się ono jeszcze w w. XVIII, m.in. w weducie Bernarda Bellotta, zwanego Canalettem. Stworzył on panoramę społeczeństwa polskiego – choć oglądanego tylko na arenie życia miejskiego – mającą wartość niemal obiektywnego dokumentu. W twórczości Jana Piotra Norblina powstaje obraz złączonego z „naturą" życia dworskiego, dla którego wzór stanowiło malarstwo Watteau; późnym tego przykładem jest przedstawienie Łazienek (1794). Ale równocześnie rysunki i szkice tego malarza ukazują niezwykle trafny i krytyczny zarazem obraz szlachty polskiej, np. w scenach sejmików. Dla Norblina egzystuje w Polsce tylko jedna klasa społecznie czynna: szlachta. Dlatego też krytyka malarza ma służyć jej poprawie. Ukazuje więc m.in. postacie i wydarzenia chwalebne, jak np. „Uchwalenie Konstytucji Trzeciego Maja". Szkice przedstawiające życie wiejskie, obraz małych miasteczek, liczne „typy" ludzkie, w tym także orientalne – to niejako odrębny gatunek sztuki Norblina, odnoszący się do innej rzeczywistości, poza ramami świata społecznie znaczącego, interesującej swoją niezwykłością, wzruszającej i budzącej litość – jak zawsze nędza ludzka – i ciekawość, a także śmiech (np. scena „Targu na konie").

U przedwcześnie zmarłego, w r. 1812, Michała Płońskiego dominuje ów w pełni już ukształtowany gatunek – rysunki „typów" żebraków, pijaków, tańczących chłopów, ukazujące zwykle ciemną stronę życia ludzkiego, tworzone według wzorów Rembrandta, w części tylko będące wyrazem bezpośredniej, krytycznej obserwacji aktualnego życia w Polsce.

Ten „rembrandtowski" nurt obserwacji rozwija się bardzo intensywnie w twórczości Aleksandra Orłowskiego, ucznia Norblina. Obok „typów" – zwykle stanowiących przykłady ekstremalne – pojawiają się sceny z życia drobnego mieszczaństwa: przygnębiający, rozpaczliwy obraz małych miasteczek („Rynek w miasteczku", 1799), a także po raz pierwszy chyba tak ostro, krytycznie potraktowany obraz szlachty polskiej, owych „Kołtunowskich" i „Mordów" – w rysunkach powstałych w l. 1818–1819 w Petersburgu, jak

gdyby osądzających decydującą o losach kraju warstwę, już po przeminięciu ery napoleońskiej.

Także Jan Feliks Piwarski tworzy ogromną liczbę rysunków i litografii „typów" (np. „Album... warszawski", 1840), bezsprzecznie charakterystycznych dla życia polskiego. Szczególne znaczenie mają jednak jego sceny z życia wsi i miasteczek, ukazane w ramach większych całości krajobrazowych czy wedutowych (np. „Karczma ostatni grosz" czy „Targ w Opatowie", 1845), które – pozbawione atrakcyjności, jaką niesie zwykle krańcowość „typów" – stanowią zobiektywizowany obraz życia „warstw niższych", wprowadzając je jako pozbawiony cech egzotyki temat artystyczny. Nie tak utalentowany jak Orłowski, tworzy przecież Piwarski całościowy obraz działania grup ludzkich we właściwym dla nich środowisku.

Podobne tendencje znajdujemy w malarstwie Józefa Szermentowskiego, malującego głównie pejzaże, często jednak traktowane jako miejsce życia i działalności człowieka. Tak np. obok scen parkowych („W parku", 1873) pojawiają się: „Odpoczynek oracza" (1861), „Pogrzeb chłopski" (1862), „Pieniny" (1868). Podobny charakter mają niektóre dzieła Franciszka Kostrzewskiego, ucznia Piwarskiego, np. „Cyrk na Saskiej Kępie" (1852), „Kamieniarze" (1862) czy „Przed burzą" (1869). W nurcie tym mieszczą się pojedyncze dzieła także innych malarzy, np. „Flisacy" Maksymiliana Antoniego Piotrowskiego, „Pożegnanie z koniem" (1856) Wojciecha Gersona, Wilhelma Leopolskiego „Targ o jałówkę" (1867).

Przede wszystkim jednak twórczość Aleksandra Kotsisa, która jest opowieścią o życiu wsi podkrakowskiej, nacechowaną silnym krytycyzmem o podkładzie sentymentalizmu („Głowa chłopa", 1861; „Matula umarli", 1868; „Lato", 1872). We wszystkich tych dziełach lud wiejski występuje jako samoistny obiekt – który identyfikujemy dzięki charakterystycznemu dlań obyczajowi, pracy, a przede wszystkim środowisku – a nie tylko jako przedmiot zainteresowania czy litości ze strony „warstw wyższych". Na tym tle mogą stać się zrozumiałe takie wyjątkowe wizerunki, jak np. „Głowa górala" Franciszka Tepy czy „Wójt spod Krakowa", malowany zapewne w latach siedemdziesiątych przez Andrzeja Grabowskiego, ukazujące pełne godności postacie z ludu. W pewnym stopniu pokrewny jest tym dziełom datowany na l. 1867–1868 „Album pałahicki" Rodakowskiego, zawierający dobrze scharakteryzowane postacie służby, włościan, Żydów. „Trumna chłopska" Aleksandra Gierymskiego (1894) stanowi jeden z późniejszych przejawów tego nurtu.

Utrzymuje się także nurt „norblinowski", przyjmujący coraz bardziej skrajną i odmienną postać. Feliks Pęczarski z upodobaniem maluje około połowy wieku lichwiarzy, karciarzy, szulerów, fałszerzy itp., posługując się efektami ostrego światła, sprzyjającego uwidocznieniu wyrazistego grymasu twarzy zdegenerowanych przedstawicieli marginesu społecznego. Franciszek Kostrzewski interesujący się charakterystycznymi „typami" wprowadza je często w kontekst środowiska. Przykładem tego mogą być obrazy takie jak „Cyrk na Saskiej Kępie" (1852), „Chłopi w karczmie" (1854) czy wspomniani już „Kamieniarze" (1862). Nie zabrakło w jego twórczości akcentów krytycznych (np. ilustracje w „Tygodniku Illustrowanym", 1860; „Obrachunek roboczizny", „Właściciel i budowniczy"), a także satyrycznych. Ale kierunek tej krytyki nie jest jednoznaczny; znamionuje ją wszechkierunkowość, a przez to powierzchowność. Przedmiotem ataków Kostrzewskiego było zarówno wychowanie młodzieży, jak i wyzysk robotnika budowlanego, pijaństwo chłopów i śmieszność miejskich balików. „Cyrk na Saskiej Kępie" – to interesujący obraz znakomicie podpatrzonej zabawy podmiejskiej, ale nie wynik głębiej przemyślanej analizy społecznej.

Linię Kostrzewskiego reprezentowali także niektórzy uczniowie Matejki, zwłaszcza Wacław Koniuszko, tworzący szereg scenek miejskich (np. „Szewski poniedziałek", 1881), będących często wynikiem nader trafnych obserwacji, choć nie prowadzących ku zasadniczym konkluzjom. Dopiero w końcu wieku, w twórczości Aleksandra Gierymskiego (np. „Powiśle", 1883), Stanisława Lentza i innych zarysuje się pogłębiony obraz klasy robotniczej, uznanej za ważną siłę społeczną.

Równolegle w malarstwie rodzajowym zyskuje znaczenie nurt neosarmatyzmu, przede wszystkim w twórczości Juliusza Kossaka. Tworzy on właściwie nowy rodzaj malarstwa, którego tematyką staje się „życie ziemiańskie" („Polowanie w Poturzycach", 1855; „Wyjazd na polowanie", 1876), a także życie ludu, w jego rozumieniu barwne, pełne radości, zabawy i swobody („Stadnina na Podolu", 1886; „Wesele krakowskie", 1894). Tej samej ideologii służy jego twórczość ilustratorska (ilustracje do *Trylogii* Henryka Sienkiewicza czy do poematów Wincentego Pola – np. *Rok myśliwca*). Mamy tu do czynienia z totalną pochwałą życia ziemiańskiego i wiejskiego.

Zbliżone funkcje pełniło niemal współczesne wyżej wymienionemu malarstwo Józefa Chełmońskiego, reprezentujące jednakże wyższą rangę malarską. A priori pozytywna ocena życia wiejskiego („Na folwarku", 1875) pozwalała artyście dostrzegać tylko jego sielską romantyczność („Babie lato", 1875); wyjątkowo przedstawiał bardziej prozaiczne strony bytowania wsi („Przed karczmą", 1877); przesłaniał je na ogół pęd wspaniałych wielokonnych zaprzęgów – do dziś funkcjonujących (np. w sztuce filmowej) jako symbol wspaniałego życia kresowego ziemiaństwa („Czwórka", 1881). W końcowym etapie twórczości malarza zastąpi je liryczny obraz wsi mazowieckiej („Jesień", 1897; „Bociany", 1900). Stąd już prowadziła prosta droga ku charakterystycznej dla sztuki modernistów „chłopomanii".

Nasuwa się zatem dość pesymistyczny wniosek, że artyści XIX w., tworząc wizerunek Polaków, czynili to przeważnie z pozycji tradycyjnych, z pozycji mitu rycersko-szlacheckiego, a później ziemiańskiego, i tylko w tej warstwie znajdywali „pozytywnych bohaterów". Wprawdzie klęski polityczne i militarne wyzwoliły spojrzenie krytyczne, ale dawny mit odżywał, tym łatwiej, że próba dostrzeżenia nowych sił społecznych, reprezentujących radykalne stanowisko, nie przynosiła pełniejszych wyników. „Niższe" warstwy społeczne stanowiły początkowo przedmiot zainteresowania na równi z egzotycznymi typami; później klasa robotnicza znajdowała się w najlepszym razie pod ochroną publicystycznej krytyki, natomiast włościaństwo albo budziło litość swą niedolą, albo też należało do ziemiańskiego obrazu sielskiej wsi. Nawet w dobie pozytywizmu nie wytworzył się też pełniejszy obraz mieszczaństwa ani tak ważnej dla późniejszych losów społeczeństwa polskiego nowej grupy, jaką stanowiła inteligencja.

Dominująca w w. XIX romantyczna tradycja była tradycją szlachecką.

Sztuka w służbie świadomości narodu

Powstające w kręgu mecenatu Stanisława Augusta dzieła, będące wyrazem panującej ideologii polityczno-społecznej, jeszcze przed ich ukończeniem bywały źródłem inspiracji; dowodzi to istnienia potrzeb tego rodzaju i wyjątkowo szybkiej reakcji.

W latach 1786–1787, jeszcze w trakcie prac nad Salą Rycerską zamku warszawskiego i przed ukończeniem łazienkowskiej Rotundy, powstaje wystrój rzeźbiarski Sali Czerwonej w pałacu Działyńskich w Poznaniu, wznoszonym dla Władysława Rocha Gurowskiego. W ozdobionej stiukami i kolumnami obszernej, niskiej, lecz monumentalnej sali recepcyjnej, przeznaczonej na oficjalne spotkania i zebrania, stanęły w niszach dwie grupy rzeźbiarskie: jedna przedstawiająca Władysława Łokietka, z mieczem i rózgami liktorskimi, atrybutami waleczności i sprawiedliwości, oraz Kazimierza Wielkiego, z księgą i globusem, mówiącymi o nim jako o twórcy statutów wiślickich i protektorze nauki, druga zapewne Władysława Jagiełłę i Witolda, podających sobie dłonie. W supraportach umieszczono medaliony z popiersiami Stefana Batorego i Władysława IV, rozdzielone wizerunkiem konnym Jana III Sobieskiego.

Był to typowy dla epoki „personalistyczny" zespół przedstawień historycznych, sławiących cnoty i zasługi wybitnych polskich władców; wystąpił tu także wątek aktualny, związany z osobą fundatora – nie tylko dzięki pojawieniu się aż trzykrotnie jego imienników. Grupę Władysława i Witolda, mówiącą o związku Korony i Litwy, będącym zapowiedzią późniejszej unii, można odnieść do sprawowania przez Gurowskiego od r. 1781 godności marszałka wielkiego litewskiego. Program stanowił zatem przemyślany kontekst dla osoby właściciela pałacu, występującego w tej sali w najbardziej uroczystych chwilach.

Posągi poznańskie były zapewne dziełem Augustyna Schöpsa, twórcy m.in. posągu Stanisława Augusta (1781–1783) z sali sądowej poznańskiego ratusza; posąg ten został wykonany w związku z przeprowadzoną z fundacji króla odbudową wieży i renowacją budowli.

Zachowane w prowincjonalnych pałacach wystroje mieszczą czasem bardziej tradycjonalne programy rodowo-genealogiczne. W pałacu Wojciecha Lipskiego w Lewkowie (do 1791) na program ten składają się monogramy, herby, portretowe medaliony oraz figury alegoryczne, umieszczone na elewacjach zewnętrznych. W Choczu, w pałacu przy „rodowej" kolegiacie Lipskich, wzniesionej przez prepozyta Kazimierza Lipskiego (ok. 1790), ci sami rzeźbiarze wykonali m.in. dekorację sali z portretami ośmiu infułatów i proboszcza kolegiaty, od jej założyciela Andrzeja Lipskiego (1629) po współczesnego fundatora i dobrodzieja, Kazimierza Lipskiego; portrety te otoczone zostały herbami, monogramami, insygniami władzy duchownej, przedstawieniami alegorycznymi. Program ów podyktowany był zapewne szczególnym poczuciem rodowej dumy Kazimierza Lipskiego, który od skromnego urzędu sędziego grodzkiego kaliskiego awansował do stanowiska generała adiutanta króla Stanisława Augusta. Tradycjonalizm programu nie wynika więc tylko z wczesnego okresu jego powstania.

Wątek „patriotyczny" – jako nowy składnik przekształcanego światopoglądu – wyrażały programy o alegorycznym i historycznym charakterze. Pojawienie się ich zarówno w wielkiej rezydencji Mielżyńskich w Pawłowicach, jak i w skromnych Mchach Sebastiana Bieńkowskiego może świadczyć o społecznej rozpiętości oddziaływania tych idei.

Powstały w latach osiemdziesiątych program pawłowicki obejmował – poza tradycyjnymi wątkami mitologiczno-alegorycznymi – także historyczno-alegoryczny program narodowy, reprezentowany głównie przez posągi w Sali Kolumnowej, projektowane przez J. Ch. Kamsetzera (1788–1789). Nie znamy treści wykonanych przez Giovacchino Staggiego do r. 1796 ośmiu posągów; ich fundacja nastąpiła zapewne pod wpływem Łazienek. Oddziaływanie fundacji królewskich trwało długo: ok. r. 1800 powstały kopie galerii portretów Bacciarellego, przeznaczone dla pałacu w Dobrzycy. W dobie upadku królestwa przedstawienia te zyskiwały nowe znaczenie historyczne.

Program ideowy rotundy pałacu w Mchach był – jak i całość tej rezydencji – dziełem właściciela dyletanta, a wykonany został przez zatrudnionego także w Pawłowicach Michała Ceptowicza (1792 lub 1799). Alegoryczne przedstawienia czterech pór roku łączą się tu z przedstawieniem „Polonii" – pod postacią kobiety karmiącej udostojnionego koroną orła.

Nie zachował się do naszych czasów znany tylko z niepełnych przekazów ikonograficznych wystrój Wielkiej Sali zamku Sułkowskich w Rydzynie. Ważna jest w tym dziele przemiana, jaka prowadzi od programu poświęconego gloryfikacji rodu (malowidła na suficie, pędzla Jerzego Wilhelma Neunhertza) ku treściom narodowym. W latach 1786–1790 wykonano 14 płaskorzeźb, uzupełniających istniejące już we wnękach figury alegoryczne. Jeśli słusznie w jednej z nich rozpoznano alegorię Polonii, a w związanej z nią scenie – Założenie Gniezna, moglibyśmy w tym zespole, przedstawiającym – jak nam wiadomo z relacji – sceny bitewne, hołdy i koronacje, dopatrywać się „wielkopolskiej" interpretacji dziejów Polski, podkreślającej tutejsze początki państwa. Nie wyjaśniona jest ciągle jeszcze obecność w tym zespole wspomnianego przez J. U. Niemcewicza „pocztu królów polskich".

Programy, które reprezentowały bardziej indywidualny stosunek do historii, takie np., które zawierały odniesienia do dziejów i sytuacji dzielnicy wielkopolskiej, należały do najciekawszych. Nie bez powodu dwa główne dzieła tego rodzaju powstały na krańcach wymienionej dzielnicy.

Pałac w Pakosławiu, położonym nad granicą

488

pruskiego wówczas Śląska i Polski, budował od r. 1791 dla Michała Krzyżanowskiego, kasztelana międzyrzeckiego, kawalera orderu Orła Białego, Karol Gotthard Langhans. W centralnej, ozdobionej wokół kolumnadą sali rotundowej, mającej charakter panteonu, opartej na palladiańskim wzorze willi Trissino, umieszczono cztery płaskorzeźby wg rycin Fr. Smuglewicza z 1791 r. Już sam wybór tematów był znamienny: Mieszko I niszczy posągi bóstw pogańskich; Wichman składa broń przed Mieszkiem I; Wbijanie pali granicznych na Sali i Łabie; Mieczysław II przyjmuje hołd zbuntowanych Pomorzan. A zatem – poza sceną pierwszą – pozostałe dotyczą podstawowych problemów zachodnich granic Polski, zwycięskich wydarzeń w stosunkach z zachodnimi sąsiadami. Nie ulega wątpliwości, że zestawienie to nie miało charakteru obiektywnego ukazania dziejów Polski, lecz zawierało sens przenośny, dający się odnieść do czasów współczesnych, i że było wyrazem polskiej racji stanu w interpretacji zorientowanej na Zachód Wielkopolski.

W Lubostroniu, położonym w bezpośrednim sąsiedztwie granicy Prus Wschodnich, powstała ok. r. 1800 dekoracja o programie politycznym, który w jeszcze bardziej interesujący sposób łączył wątki indywidualne z ogólnymi. W panteonowej sali, na posadzce której widnieją herby Korony i Litwy i którą obiega wieńczący fryz z ofiarnym pochodem, znajdują się cztery płaskorzeźby. Dwie z nich przedstawiają czyny wojenne: „Klęskę pod Płowcami, zadaną wojskom zakonu krzyżackiego przez Łokietka" oraz „Zwycięstwo Władysława Jagiełły nad Krzyżakami pod Koronowem"; głoszą zatem chwałę oręża polskiego w tej części Polski i przez to wyrażają swoisty patriotyzm lokalny, mający przecież aspekt ogólniejszy. Dwa następne przedstawienia – „Królowa Jadwiga nadająca prawa Krzyżakom w Inowrocławiu w r. 1396" oraz „Marianna Skórzewska przedstawiająca Fryderykowi Wilhelmowi do zatwierdzenia plany śluz w Bydgoszczy" – mówią o działalności pokojowej. Zestawienie Marianny z Jadwigą – noszące charakter przyrównania – i próba wyjaśnienia bliskich związków, jakie łączyły Skórzewską z Fryderykiem pruskim mają oczywiście znaczenie prywatno-rodowe; ważniejsze jest zestawienie dwóch scen wojennych z dwoma przykładami „pokojowego współistnienia", przynoszącego korzyści obydwu stronom. Ważne jest też, że w obu tych wypadkach szafarzem dóbr jest strona polska. Istnieje wreszcie wyraźna symetria między zatwierdzeniem praw przez Jadwigę i prośbą o zatwierdzenie planów przez Fryderyka Wielkiego.

Program ten zyskuje dodatkowy aspekt wobec utrwalonego w przekazach źródłowych faktu wykorzystania przy budowie pałacu w Lubostroniu detali architektonicznych przeznaczonych pierwotnie do Świątyni Opatrzności Bożej w Warszawie, która to świątynia miała stanąć jako wotum za uchwalenie Konstytucji Trzeciego Maja 1791 r. Gromadząc pamiątki narodowe, a także owe *spolia,* łączono w opinii współczesnych „kult przeszłości z nadzieją na lepszą przyszłość".

Upadek Rzeczypospolitej niemal natychmiast uprzytomnił potrzebę wykształcenia nowych instrumentów ideowych. W roku 1793 podjęła Izabela z Flemingów Czartoryska, wraz z gronem patriotów, którym przewodził Tadeusz Czacki, ideę przedstawionego w projekcie sejmowym w r. 1775, a nie zrealizowanego Musaeum Polonicum, ale już nie jako zwykłej instytucji kulturalnej, lecz ratującej symbole, pamiątki oraz skarby państwa i narodu przed rabunkiem i zniszczeniem przez zaborców. Szczególne okoliczności powstania i cel tej inicjatywy decydowały o jej pełnej oryginalności – mimo korzystania ze wzorów francuskich i angielskich.

Program wzniesionej staraniem Czartoryskiej Świątyni Sybilli w Puławach był przede wszystkim programem patriotycznym, a jego główną ideę stanowiła zbrojna walka narodu o niepodległość. Twórca architektury, Chrystian Piotr Aigner, posłużył się wzorem antycznej siedziby Sybilli – wróżki optymistycznej – w Tivoli. Istotne znaczenie miała panująca wiara w znaczenie owych symboli, znaków i dokumentów. Tu więc znalazły schronienie prochy bohaterów, klejnoty Korony, oręż, chorągwie, dyplomy, monety, medale, autografy itp. Tu zyskał oparcie kult legendy napoleońskiej, pamięć o bohaterach powstań, takich jak Kościuszko czy Józef Poniatowski, ku czci którego wzniesiono w krypcie świątyni obelisk – w miejscu przeznaczonym uprzednio na pomnik dla mężnych Polaków.

Nieco inny, bardziej międzynarodowy charakter, miały zbiory Domku Gotyckiego, 440 otwartego w r. 1809. Gromadzono tu zabytki i dzieła sztuki polskiej i obcej. Znajdowały się wśród nich obiekty najwyższej klasy, jak Leonarda „Portret damy z łasicą", Rafaela „Portret młodzieńca", Rembrandta „Krajobraz z Samarytaninem" i ... dziwne pamiątki, jak uschnięte kwiatki. Ważna była jednak nie tylko wartość artystyczna i historyczna tych przedmiotów, ale także zdolność wywoływania przez nie skojarzeń z osobami i wydarzeniami. Celem było w tym przypadku oddziaływanie ideowe – a więc patriotyczne, umoralniające.

Treści muzeum puławskiego funkcjonowały w określonym kontekście społecznym; była to próba rehabilitacji mijającego świata rycerskiej szlachty, tworzenie legendy sprzęgniętej z tradycją narodowych bohaterów. Treści patriotyczne i narodowe, jakie się tu pojawiały, związane były tylko ze szlachtą. Zbiory te uległy rozproszeniu po powstaniu r. 1831.

Nowa koncepcja ideowa nie zawsze przyjmowała tak wyraźnie „muzealną" postać jak w Puławach czy w powstałym w r. 1818 we Lwowie Zakładzie Narodowym Ossolińskich, obejmującym bibliotekę, archiwum i muzeum. W Rogalinie, w l. 1814–1816 powstaje „Zbrojownia" – w dawnej Sali Balowej, przebudowanej w duchu neogotyku, której plan mieścił w centrum jak gdyby formę panteonu. W „Zbrojowni" – głównym wnętrzu pałacu – zgromadzono militaria, ale także i inne pamiątki narodowe

Szczególny charakter miało *trophaeum* w siedzibie wodza legionów, Jana Henryka Dąbrowskiego – Winnogórze, powstałe najpewniej w l. 1815–1818, a zatem po kongresie wiedeńskim. Znane tylko z opisów, mieściło zbiór zbroi, chorągwi, starożytnych map i rękopisów. Na ścianach znajdowały się malowidła, przedstawiające groby poległych w sławnych bojach legionistów – m.in. F. Rymkiewicza, K. Liberadzkiego, E. Tremo – z datami bitew i zgonów, zwieńczone laurowymi girlandami, w otoczeniu panopliów, z herbami Królestwa i Litwy. Na marmurowych kolumnach widniały popiersia wielkich wodzów: Stefana Czarnieckiego, Jana III Sobieskiego, Napoleona Bonapartego.

Groby te były symbolami walki o wolność: z kości poległych miał powstać mściciel, sprawca odrodzenia Ojczyzny. Nastąpiło tu przetworzenie romantycznej wersji *Vanitas* (groby, cmentarze) i złączenie jej z chrześcijańską ideą zmartwychwstania z „pola suchych kości".

Ten narodowy, a dokładniej legionowy panteon był ściśle i konkretnie związany z wydarzeniami militarnymi najświeższej daty; służył ideologii patriotycznej – jako miejsce spotkań generała z oficerami i żołnierzami, zwłaszcza z Królestwa Kongresowego, a zapewne także członkami masonerii. Zresztą – bardzo krótko; po nagłej śmierci Dąbrowskiego w r. 1818 zbiory przekazane zostały Warszawskiemu Towarzystwu Naukowemu i wcielone do jego muzeum, otwartego w r. 1823.

Dekoracja malarska w Winnogórze nie była jedyną tego rodzaju; ok. r. 1816 powstały 486 historyczne malowidła w pałacu biskupim w Krakowie, wspólne dzieło księdza Jana Pawła Woronicza i malarza Michała Stachowicza, zniszczone w pożarze r. 1850. Składały się one z kilku zespołów. Poprzez „Salę Trzech Monarchów" – protektorów wolnego miasta Krakowa – wchodziło się do „Sali Dziejów Ojczystych". Część pierwsza tej sali unaoczniała przeszłość najbliższą – czasy Stanisława Augusta, insurekcję kościuszkowską z przysięgą Kościuszki, bitwę pod Racławicami i klęskę pod Maciejowicami, a następnie czasy legionów – od bitwy pod Mantuą do wyprawy na San Domingo, szturmu na Saragossę i szarży w wąwozie Somosierry. Dalej następowały dzieje Księstwa Warszawskiego z bitwą pod Raszynem i śmiercią ks. Józefa, zakończone przedstawieniem „stanu obecnego" – z wyobrażeniem cesarza Aleksandra.

W części drugiej pojawiły się dzieje legendarne – od Assarmotha, przodka Sarmatów, po epokę historyczną, przy czym dzieje od Lecha do narodzin Mieszka I liczyły aż 20 scen, umieszczonych spiralnie na dwóch kolumnach. Następnie znalazły się tu wizerunki królów, seria rycin Smuglewicza, sześć scen zwycięskich bitew nad najeźdźcami, kopie dzieł cyklu Bacciarellego i wiele innych.

Był to rzeczywiście rzadki przypadek *summae historicae* tego czasu, raczej jednak „gabinet historyczny" niż panteon, gromadzący jak gdyby całość dziejów, a nie ich wybór. W roku 1828 podjęto zamiar upowszechnienia tych zbiorów poprzez litografię.

W całości przeznaczony został na podobne cele pałac w Kórniku, powstały z opóźnieniem, w latach czterdziestych i pięćdziesiątych XIX w., według pomysłu Tytusa Działyńskiego, wykorzystującego plany Karla Friedricha Schinkla. Tu program polityczny wypowiedziany został m.in. w języku heraldycznym. W sali mieszczącej cenne zabytki piśmiennictwa polskiego i pamiątki narodowe pojawiły się herby królestwa i terytoriów lennych (miały być także herby ziem i województw), a na stropie Sali Jadalnej – herby 71 rodów szlachty polskiej, wg Jana Długosza *Klejnotów królestwa i rycerstwa polskiego*. Sens tego zbioru znalazł wyjaśnienie w komentarzu fundatora: fundacja, na kształt zamku wzniesiona, miała bronić „marzeń i nadziei", utrwalać umiłowanie ziemi ojczystej, głosić siłę i wielkość dawnej Polski, jej integralność i wolność – czyli to, czego wskutek rozbiorów zabrakło.

Polska Działyńskiego mieści się oczywiście wyłącznie w kategoriach szlacheckich – „ostatnich reprezentantów starożytnej Polski". Stąd autor tworzy komentarz do każdego herbu, przypominając najważniejsze czyny członków poszczególnych rodów. Taka była koncepcja ojczyzny i historii największych ówczesnych patriotów.

48

Szczególnie dojrzały przykład historyzmu jako narzędzia kształtowania świadomości społecznej stanowi Złota Kaplica przy poznańskiej katedrze – mauzoleum pierwszych władców Polski, Mieszka I i Bolesława I Chrobrego, ale przede wszystkim „pomnik ku czci narodu".

Podjęta w 1815 r. inicjatywa budowy tego obiektu, której przewodził ks. Teofil Wolicki, późniejszy arcybiskup, wiąże się ściśle z postanowieniami kongresu wiedeńskiego i utratą nadziei na szybkie wyzwolenie. Obecny kształt kaplicy, wzniesionej ze składek całego społeczeństwa, przy walnej pomocy Edwarda Raczyńskiego jest przede wszystkim dziełem tego ostatniego, jak również architekta Franciszka Marii Lanciego i rzeźbiarza Chrystiana Raucha. Powstałe ostatecznie dzieło, ukończone w r. 1840, stanowi obiekt przemyślany niemal w każdym detalu, przede wszystkim w aspekcie treści ideowych.

Centralny kształt kaplicy, obok ogólnych znaczeń religijnych, właściwych budowlom memoratywnym, wiąże się z architekturą Rawenny, a poprzez tamtejszy kościół San Vitale – także z cesarską kaplicą w Akwizgranie, dzięki czemu podkreślony został znany związek Bolesława I i Ottona III. Ważny impuls o charakterze historycznego uzasadnienia wynikał ze znajomości kształtu rotundy na Jeziorze Lednickim, gdzie Raczyński prowadził badania archeologiczne. Bizantynizujący styl kaplicy uznał fundator za jedyny uprawniony historycznie, bo należący do epoki pierwszego państwa polskiego, natomiast ogólne bogactwo dzieła, wyrażające się np. w złoceniach, znajdowało uzasadnienie w opisach zasobności dworu Mieszka i Chrobrego, zawartych w kronikach Thietmara czy Galla Anonima. Pod kopułą – niebem z malowanymi przez Müllera postaciami Pantokratora i świętych – umieszczono herby znamienitych rodów oraz biskupstw, w miejscu najwyższej chwały, jako wyraz przekonania, że naród polski tworzą świeccy i kościelni feudałowie. Orły na gniazdach w kapitelach przypominały herb królestwa, ale przede wszystkim odnosiły się do legendarnego początku i miejsca założenia państwa – do Gniezna. Ten rodzaj historyzmu przejawia się także w mało znaczących szczegółach: niektóre motywy dekoracyjne zaczerpnięto z Drzwi Gnieźnieńskich, uważanych zresztą wówczas za zdobycz Chrobrego w Kijowie, a liternictwo napisów – ze słupa drogowego, zachowanego w Koninie. Umieszczone w górnej strefie dwa obrazy ukazują: Mieszka I kruszącego bałwany (Januarego Suchodolskiego) oraz Ottona III i Bolesława Chrobrego u grobu św. Wojciecha (Edwarda Brzozowskiego). Pier-

wszy unaocznia zasługę wprowadzenia chrześcijaństwa, drugi zaś przedstawia dowód uznania władzy i pierwszego państwa polskiego przez cesarza, a równocześnie ilustruje sejmową tezę Raczyńskiego o konieczności współpracy, ale i pełnej odrębności narodów Polaków i Niemców. Umieszczona w ołtarzu „Assunta" wg Tycjana została opatrzona napisem: „Bogu Rodzica Dziewica", a więc słowami rozpoczynającymi najstarszą pieśń zwycięskiego rycerstwa polskiego. W dolnej strefie umieszczono „relikwie". – sarkofag ze szczątkami pierwszych władców – i grupę posągów Mieszka I i Bolesława Chrobrego, przy czym za niezwykle znamienne uznać należy, że wobec krytyki modelu zalecił Raczyński Rauchowi zmianę twarzy w posągu Bolesława na twarz ks. Józefa Poniatowskiego – współczesnego bohatera.

Dzieło to pełniło wyjątkowo ważne funkcje ideowe, wiążąc przeszłość z czasem teraźniejszym i przyszłym, dzięki posłużeniu się przez jego twórców rozwiniętym aparatem historii i historii sztuki. Była to zasługa osobistej wiedzy i zaangażowania Raczyńskiego, przy czym podkreślić należy, że treść wewnętrzna Złotej Kaplicy miała w całości wyłącznie historyczno-narodowy, patriotyczny charakter i pozbawiona była jakichkolwiek wątków genealogicznych.

Formowaniu ideowej świadomości społeczeństwa służyły nie tylko programy związane z architekturą. Były to zresztą przedsięwzięcia kosztowne i zwykle przeznaczone dla elity, często tylko najbliższego otoczenia fundatora. Wprawdzie sytuacja ta ulegnie zmianie, ale w czasach ich powstania były one bardziej wyrazem poglądów zamawiającego niż sprawnym narzędziem ich upowszechniania.

Pod tym względem przewagę miały malarstwo i grafika. W nich też ze szczególną siłą wyrażały się stanowiska historyczne – zawsze zresztą sięgające w przyszłość. Tak zwane malarstwo historyczne czy malarstwo wydarzeń nie było w tym czasie wyrazem neutralnych zainteresowań poznawczych, lecz w pełni uświadomionym środkiem kształtowania postaw światopoglądowych.

W dobie stanisławowskiej – nie bez dawniejszych precedensów – zarysowało się kilka kierunków. Powstał więc królewski cykl Bacciarellego (uprzednio omówiony) – przemyślany wybór z olbrzymiej materii historycznej, potraktowanej jako skarbnica wzorców, dobranych wg kryteriów fundatora. Są to przykłady osobowości, ale także wzory zachowań, mówiące o zasadach rozwiązywania międzynarodowych problemów.

Podobna koncepcja była podstawą twórczości działającego w Puławach, pod opieką Czartoryskich, Jana Piotra Norblina – takich jego dzieł jak „Furius Cresinus" czy „Diogenes i Aleksander Wielki"; tutaj budujący wzór zaczerpnięty został z historii antycznej. Wątpliwemu autorytetowi władcy-rozbójnika przeciwstawiona została rzetelna praca; przykład ten reprezentuje moralno-społeczne opinie oświeconej burżuazji francuskiej. Dzieła te, rozpowszechniane dzięki technice akwafortowej, przeznaczone były dla szerokiego kręgu odbiorców, dla odbiorcy nieznanego.

Podobnie było w przypadku podjętego w r. 1789 w pracowni Franciszka Smuglewicza zamiaru wydania cyklu ilustracji – ok. 100 miedziorytów mających ukazać dzieje Polski, w nawiązaniu do *Historii narodu polskiego* Adama Naruszewicza. Planowana liczba ilustracji świadczyła o zamiarze szczegółowego zobrazowania naszych dziejów; przedsięwzięcie to nie zostało zrealizowane – w sumie ukazało się tylko dziewięć rycin. Odegrały one – jak wiadomo – istotną rolę, stając się wzorami także dla rzeźby monumentalnej, jak np. w Pakosławiu. Znamienne jest, że fiasko omówionego przedsięwzięcia nie przekreśliło dość ożywionej działalności Smuglewicza w zakresie tworzenia malarskich cyklów genealogiczno-historycznych, na zamówienie często zgoła przeciętnych rodzin szlacheckich, jak np. rodziny Siemieńskich w Ropach (ok. 1796). Zespoły te stanowiły czasem rozwinięcie „cyklu królewskiego", do którego włączano wydarzenia związane z daną rodziną – dobitny dowód rodowego i personalistycznego myślenia. Jednakże dzięki temu historyczna ikonografia Smuglewicza weszła na stałe do repertuaru „malowanych dziejów". Jemu to zawdzięczamy znaczną popularyzację królewskiego cyklu, który od tej pory, wielokrotnie powtarzany, stanowić będzie długotrwały nurt w naszej sztuce.

Tymczasem dramatyczne wypadki dziejowe – uchwalenie Konstytucji (1791), insurekcja kościuszkowska i jej upadek (1794), ostateczny rozbiór kraju (1795) wyzwoliły wielki nurt przedstawień owych wstrząsających wydarzeń; prace te, tworzone często w szkicowej formie, ale nie mające bynajmniej charakteru spontanicznej tylko notatki, powstają często w kilka lat po wydarzeniach, na podstawie dawnych szkiców. Decydujące znaczenie miał tu dobór tematyki – pierwsza, często przez artystę dokonywana selekcja materiału historycznego, w konfrontacji z którym kształtowało się własne stanowisko twórcy.

Talent Norblina zabłysnął w pełni w przedstawianiu aktualnych, pełnych dramatyzmu wydarzeń, takich jak np. dzień Trzeciego Maja 1791 czy sceny z insurekcji – „Szturm na pałac Załuskich", „Walka na Krakowskim Przedmieściu", „Wieszanie zdrajców", „Rzeź Pragi". Nie były to tylko ilustracje, lecz dzieła zawierające ideową kwalifikację wymienionych zdarzeń: potępiające zdrajców narodu, akcentujące mordercze okrucieństwo wroga, determinację i męstwo powstańców.

Rysunki Norblina – dynamiczne, trafne w charakterystyce szczegółu i całości, wzbogacone operowaniem ostrym światłocieniem, zawsze robiące wrażenie błyskawicznej notatki reporterskiej, są równocześnie wyrazem zdeklarowania się po stronie obozu reform i patriotów.

W tym samym kierunku zmierzały prace Aleksandra Orłowskiego, inspirowane zresztą przez Norblina, który korzystał z notatek swego ucznia (np. w obrazie „Bitwa pod Maciejowicami"). Orłowski nie podjął jednak nigdy tematów dawnej historii.

Tematyka ta powracała; podejmowano też próby popularyzacji tego rodzaju dzieł – mimo nieudanych poczynań Smuglewicza. Program ten, na nowo sformułowany przez ks. Woronicza w 1803 r., stał się podstawą *Śpiewów historycznych* J. U. Niemcewicza. Był to program pochwały sarmackiej przeszłości, właściwej Sarmatom szlachetności, wzniosłości, wierności i gościnności – nie bez przyczyny sformułowany w obliczu nieudanej insurekcji, która przecież poruszyła także masy chłopskie. Właściwie było to rozpisanie dawnego cyklu królewskiego na liczne głosy szlacheckie, gdyż uważano, że w każdym rodzie – a nie tylko wśród monarchów czy antycznych władców – znaleźć można budujące przykłady. W ilustrowaniu wymienionego utworu (1811–1815) wzięły po części udział amatorki, tworząc dzieła naiwne, pełne anachronizmów, ale równocześnie głoszące nowy, bardzo osobisty, emocjonalny stosunek do przeszłości i jej bohaterów. Ilustrowane wydania pieśni Niemcewicza były niezwykle popularne. Popularny charakter miało także dzieło Józefa Peszki, ucznia Smuglewicza – liczące około 70 szkiców – wzbogacające dotychczasowe cykle o szereg nowych motywów, tematycznie doprowadzone do współczesności.

Historyzm ów służył ciągle ideologii szlacheckiej, bezkrytycznie szerząc kult przeszłości i szlachty jako jedynej, także w przyszłości, siły społecznej.

Nurt ilustracyjny rozwijał się w epoce toczących się sporów o romantyzm, które zresztą początkowo nie miały żadnego znaczenia dla malarstwa. W roku 1833 wydano album stalorytów Antoniego Oleszczyńskiego pt. „Rozmaitości polskie", obejmujący portrety sławnych Polaków i 20 epizodów z dziejów Polski. Większość z nich reprezentowała nowe, często marginalne wątki, jak np. „Ucztę u Wierzynka"; czasem miały one przygodowo-romansowy charakter, jak np. dzieje Jakimowskiego i pięknej Katarzyny, oswobodzonej z tureckiego haremu. W roku 1843 powstaje cykl „Obrazów starodawnych" Wincentego Smokowskiego, operującego znaczną wiedzą historyczną, wykazujących wyjątkowe zainteresowanie autora dla ludu wiejskiego. W latach 1850–1853 wydano *Pamiętniki* Paska z ilustracjami Jana Lewickiego, a także drzeworyty przedstawiające sławnych współczesnych bohaterów, także i z ludu – jak Bartosz Głowacki czy Jan Kiliński. Był to niewątpliwie wynik wpływu środowisk demokratycznych, echo Wiosny Ludów.

Prawdziwa romantyczna interpretacja dziejów – porywająca, bohaterska, pełna emocji i patosu, ukazująca nie tylko wzór, ale i konieczną drogę – stanowiła zjawisko wyjątkowe. Malarstwo Piotra Michałowskiego tylko w części mieściło się w tych ramach. Tworząc genialne malarskie wizje bitew, karkołomnych szarż – których najlepszy przykład stanowi szereg ujęć „Somosierry" – wizerunki hetmanów, wodzów, zwłaszcza Napoleona, chciał Michałowski sławić „oręż polski". Ale nie za pomocą uczonej historii, lecz poprzez kreowanie wspaniałego obrazu, doskonale odtwarzającego konia i jeźdźca, pęd kawalerii, zgiełk starcia w krętym wąwozie – obrazu wojennego budzącego zachwyt. Pracując nad „Somosierrą" korzystał Michałowski z rad i szczegółowych opisów uczestników szarży, np. płk. Niegolewskiego, ale przecież nie miało to nic wspólnego z metodą historyczną. Podjął zresztą próbę stworzenia cyklu historycznego, malując „Wjazd Chrobrego do Kijowa", lecz od zamiaru tego odstąpił. Powodem było niewątpliwie zainteresowanie inną stroną malarstwa, typ wyobraźni Michałowskiego, malującego przede wszystkim to, co było w jego bezpośrednim, zmysłami dostępnym zasięgu. Dlatego też nie ma w jego dziełach zasadniczej różnicy między Chodkiewiczem a Napoleonem na koniu. Michałowskiego nie interesowały oderwane szczegóły, tworzył on metodę widzenia całościowego, podczas gdy historyzm wymagałby rekonstrukcyjnej, scjentystycznej składanki.

Tradycyjny nurt gloryfikacji szlacheckiej przeszłości osiąga kulminację około połowy wieku. Powstają wówczas liczne i bardzo różne obrazy, mające charakter historycznej relacji, baśniowej legendy czy też teatralnego przedstawienia. Są to kompozycje dojrzałe, eksponowane na poważnych wystawach, stanowiące przedmiot oceny krytyków, a nie tylko amatorskich odbiorców. Należą tu dzieła Januarego Suchodolskiego, Aleksandra

Lessera, Józefa Simmlera, Leopolda Löfflera, Maksymiliana Antoniego Piotrowskiego, Juliusza Kossaka, Józefa Brandta, Henryka Rodakowskiego, pierwsze próby Jana Matejki. Zmiana następuje w latach sześćdziesiątych, gdy pojawią się dojrzałe dzieła Artura Grottgera i Jana Matejki.

Grottger oddalał się właściwie w miarę swej działalności od nurtu historycznego, tworząc początkowo martyrologiczną koncepcję dziejów Polski (np. cykl „Warszawa", 1861), a później zajmując stanowisko ponadnarodowe (cykl „Wojna", 1866–1867), jako jeden z [495] pierwszych przedstawicieli pacyfizmu.

Jan Matejko rozpoczął swój dojrzały okres krytyką szlacheckiego mitu, a równocześnie oportunizmu współczesnych polityków, o których później (1889) powie, że „każdy boi się czynu". Obrazy jego nie są ilustracją fragmentów dziejów, lecz syntezą, zawierającą osąd i dyrektywę patriotycznego działania. Mówił: „... obraz może przedstawić tylko jedną materialną chwilę jakiejś sprawy, ale powinien tę chwilę tak pojąć i przedstawić, ażeby ona wyrażała całość dziejowego wypadku, ze wszystkimi duchowymi czynnikami i pierwiastkami, jakie się na ten wypadek składają". Całość dziejowego procesu, a nie jedna sytuacja jest treścią historycznych obrazów Jana Matejki.

Wierny zasadom Joachima Lelewela – prowadzi Matejko żmudne studia źródłowe, zwłaszcza w zakresie przekazów ikonograficznych, chcąc zdobyć możliwie pełną i pewną wiedzę o wyglądach tego, co było materialne w historii. Źródła pisane były dlań inspiracją w dwojakim sensie: pobudzały jego wyobraźnię, wywołując w niej całe obrazy, a przede wszystkim były podstawą przygotowywanych przezeń cząstkowych syntez historycznych, które jak tezy naukowej rozprawy stanowiły właściwą treść jego obrazów. Malarz zdawał sobie w pełni sprawę z historiozoficznych podstaw swej sztuki.

Wszystko to jednak niewiele by znaczyło, gdyby nie nadzwyczajna zdolność charakterystyki typów ludzkich i oparta na sile wyobraźni umiejętność tworzenia pełnych dramatyzmu sytuacji.

Pierwsze wielkie dzieła Matejki dojrzewają w atmosferze kolejnej klęski, powstania 1863 r. „Kazanie Skargi" (1864), „Rejtan" [497] (1866) – to ostrzeżenie i wyrok na magnaterię. Reakcja jest natychmiastowa i wyjątkowo ostra. Zarzuca się malarzowi żerowanie na „historycznym skandalu na korzyść popularności" itd. Artysta wycofuje się: „Batory pod [499] Pskowem" (1872), „Grunwald" (1878), [498] „Hołd pruski" (1882), „Sobieski pod Wiedniem" (1883), przesłany papieżowi, „Joanna d'Arc" (1886), przeznaczona dla Francji – to, generalnie rzecz biorąc, powrót do dawnej koncepcji „chwały oręża polskiego" i jej wodzów, zwłaszcza gdy sobie uprzytomnimy, że do „Grunwaldu" pozował artyście kwiat polskiej arystokracji. A znów „Kościuszko pod Racławicami" (1888) – to nie tyle próba potraktowania ludu jako podmiotu historii, ile wynik kolejnego poddania się krytyce, tym razem realisty, Stanisława Witkiewicza.

Można więc dojść do wniosku, że malarstwo historyczne, które powstało jako narzędzie kształtowania świadomości feudalnej, z wielkim oporem dawało się przekształcić w narzędzie krytyki tej klasy. W jego tradycyjnych ramach nie mógł pojawić się program przyszłości. Może dlatego rodzaj ten w końcu stulecia zanikł – m.in. na korzyść malarstwa symbolicznego.

Sztuka ludowa

Wiek XIX przyniósł – m.in. dzięki stopniowemu procesowi uwłaszczania chłopów – znaczne polepszenie bytu tej klasy społecznej, od w. XVI żyjącej w coraz trudniejszych warunkach. Powstały możliwości pełniejszego jej rozwoju, również w zakresie kultury, w tym także w dziedzinie sztuki. Zapewne dlatego wiek XIX – przynosząc wielki rozwój sztuki narodowej, zwłaszcza malarstwa – jest równocześnie okresem największego rozkwitu sztuki ludowej, w szerokim rozumieniu tego słowa.

W systematyce nauki „sztuka ludowa" stanowiła zwykle jeden z działów teorii sztuki – obok „sztuki dziecka" – a nie historii sztuki; do dziś jest przedmiotem badań etnografów, nie zaś historyków sztuki, mimo mnożących się deklaracji, że sztuki ludowej nie należy rozpatrywać wyłącznie z etnograficznego punktu widzenia i że winna być ona badana jako dzieło sztuki. Piśmiennictwo w. XIX, eksponujące dekoracyjną sztukę ludową, miało negatywny stosunek do jej twórczości figuratywnej, której – na gruncie przyjętych kryteriów akademickich – zarzucało nieudolność. Wiek XX „odkrył" artystyczny walor tej sztuki, ale dokonał tego na gruncie kryteriów właściwych tzw. sztuce wielkiej – mającej wówczas zwykle założenia anaturalistyczne, ekspresjonistyczne lub abstrakcyjne. Nie zastanawiano się, w jakim stosunku pozostają wartości sztuki ludowej do starań twórców i oczekiwań odbiorców ludowych w zróżnicowaniu czasoprzestrzennym; nie podejmowano próby historycznej rekonstrukcji założeń twórczości. Nieco inną wersją aktualizacji interpretacyjnej jest stanowisko „psychologistyczne" – upatrywanie w dziele ludowym przede wszystkim emocjonalnego wyrazu, traktowanie formy dzieła jako nośnika treści psychicznych, wyrazowych.

Różne są przyczyny trudności historycznych badań nad sztuką ludową; wykruszony materiał artystyczny, brak metryki dzieł zebranych w muzeach, brak pisanej dokumentacji archiwalnej dla dzieł bliskiego w. XIX. Najważniejsze jednak jest powszechne niemal przekonanie o niezmienności „istoty" sztuki ludowej i o istnieniu niezmiennego stylu ludowego. Zagadnienia te domagają się pełniejszego rozważenia.

Należy w każdym razie przyjąć, że sztuka ludowa jest zjawiskiem, które podlega wszelkim historycznym prawidłowościom, właściwym twórczości humanistycznej – zgodnie z przemianami społeczno-kulturowymi i odpowiadającym im zapleczem materialnym. Uwzględnić wypada zatem wyjątkowo wolne tempo kulturowego rozwoju społeczeństwa rolniczego w Polsce, które dynamizuje się dopiero w XIX w. Podkreślić też trzeba właściwy mu konserwatyzm, w związku z czym w ciągu 100 lat nie stwierdzamy bardziej radykalnych przemian wewnętrznych. Dla środowiska wiejskiego charakterystyczny jest w niektórych dziedzinach brak „linearnej" ciągłości kulturowej. Na przykład szereg kolejnych generacji rzeźbiarzy tworzy swe dzieła w izolacji; punktem genetycznego odniesienia jest często ten sam wzór sztuki kościelnej, co oznacza jak gdyby powrót w każdej generacji do tego samego punktu wyjściowego. Generalny brak dążenia do indywidualizacji produktu, do osiągnięcia nowych wartości wiąże się z faktem, że twórca wiejski dopiero od niedawna stał się aktywnym podmiotem przemian artystycznych.

W zakresie celów ideowo-artystycznych charakteryzuje figuralną sztukę ludową priorytet treści i funkcji religijnych, przekazywanych nie w drodze kształtowania naturalistycznego, ale poprzez schematyczny symbolizm i ekspresję, skupioną głównie na sensie ideowym i emocjonalnym dzieła. Dla budownictwa decydujące znaczenie miała wszechstronnie rozumiana funkcjonalność, trwałość i doskonałość techniczna, prostota; podobny charakter nosiły sprzęty i meble. W dziedzinie rzemiosła artystycznego, zwłaszcza tkaniny, haftu, koronki itp. oraz przedmiotów wyłącznie zdobniczych, istotne znaczenie miała techniczna doskonałość wykonania, bogactwo motywów ornamentalnych, ujętych w nieskomplikowane reguły rytmu i symetrii – wg prostych, klasycznych zasad matematycznych. Częstą zasadą było uzależnianie ornamentu od techniki. Łączenie tych dwóch spraw jest niezwykle ważne przy rozpatrywaniu ludowej tkaniny, budownictwa, stolarstwa, koszykarstwa itp.

Sztuka ludowa wymaga jeszcze wielu badań w celu wyjaśnienia symbolicznych znaczeń motywów pojawiających się w jej dziełach ornamentalnych; owe drzewka, koguciki, lalki, kwiaty – zapełniające np. łowickie wycinanki – a także słoneczka, księżyce, gwiazdy itp., wycinane w okiennicach, jeśli nawet w XIX w. pełniły jedynie funkcje dekoracyjne – to przecież zaczerpnięte zostały z symbolicznego repertuaru „wielkiej sztuki" i zbadanie procesu owej „desemantyzacji" mogłoby wiele wyjaśnić.

Odbiorcą sztuki ludowej był lud – tzn. przede wszystkim rolnicze społeczeństwo wiejskie. Sprawa twórców jest bardziej złożona. Budownictwo było głównie dziełem wyspecjalizowanych cieśli i budowniczych; przy wznoszeniu budowli sakralnych – pomijając problem „ludowości" tych dzieł – obok kościelnych kuratorów znaczenie mieli fachowcy, tak wiejscy jak i małomiasteczkowi. Rzemiosło artystyczne związane z ubiorem – tkaniny, hafty – a także wyposażenie wnętrza spoczywały przede wszystkim w rękach bezpośrednich użytkowników; kądziel i krosna należały do wyposażenia niemal każdego domu; podobnie haft i koronka, choć często spotykamy tu wyspecjalizowane twórczynie, obdarzone większą wiedzą i uzdolnieniami, wykonujące prace dla innych. Przedmioty przynajmniej pozornie czysto zdobnicze, jak np. wycinanka czy pisanki, były najczęściej dziełem amatorów. Należy jednak zwrócić uwagę na wykonywanie wielu dzieł wspólnie, w zespołach, często pod kierunkiem osoby obdarzonej zasłużonym autorytetem. Jest to dość częsta sytuacja w artystycznej twórczości ludowej, której w zasadzie obce jest dążenie do akcentowania osobistego charakteru wytworu, a także cecha towarowej konkurencji. Można raczej mówić o współzawodnictwie, w którym kryterium była biegłość, czyli wartość artystyczna, a nagrodę stanowiło powszechne uznanie.

Grafika i malarstwo były najczęściej dziełem wyspecjalizowanych warsztatów i osób, tzw. obraźników, produkujących obrazy towarowo, przy czym warsztaty te zlokalizowane były w miastach stanowiących centra kultowe – co podyktowane było w części zwyczajem nabywania w tych miejscach obrazów. Powszechnym zjawiskiem był przewóz i import obrazów, np. ze Śląska do dzielnic sąsiednich. Malarze odznaczali się pewnym stopniem zawodowego wykształcenia, przy czym posługiwali się wzorami w postaci tzw. podkładek, czerpanych zwykle ze „sztuki wielkiej". W przypadku rzeźby dostępność

tworzywa i prostota narzędzi sprzyjały uprawianiu jej przez amatorów; jednocześnie długotrwałość pracy nieledwie wykluczała produkcję towarową. Spotykamy się więc zwykle z samoukami, wykonującymi pojedyncze dzieła, zwłaszcza monumentalne, na użytek okolicy. Rzeźbiarz ludowy z reguły tworzył w izolacji, nie kontaktował się z innymi rzeźbiarzami; niemal jedynym wzorem z jakiego korzystał, była rzeźba w najbliższym kościele.

Sztuka ludowa rozwijała się w Polsce w wielu regionach, które stanowiły do pewnego stopnia zamknięte środowiska artystyczne, choć kontaktujące się ze sobą i korzystające z impulsów dalszych środowisk, a także ze wzorów sztuki oficjalnej. Na tej drodze kształtowała się m.in. odrębność regionów; jej omówienie wykracza jednak poza ramy tego opracowania, które tylko w niewielkim stopniu zorientować może w bogactwie polskiej sztuki ludowej.

Wykształcenie się tzw. sztuki ludowej związane jest z natężeniem propagandy religijnej i nasileniem się pobożności szerokich rzesz ludności Rzeczypospolitej w w. XVII. Rozkwit tej sztuki przypada na pierwszą połowę XIX w. Jak kształtowała się ona i rozwijała? Jakie były rządzące nią mechanizmy?

Budownictwo mieszkalne miało tradycje sięgające czasów przedpiastowskich; generalnie rzecz biorąc – była to kontynuacja tradycji w zmieniających się warunkach historycznych i odpowiadającym im poziomie potrzeb, co wyrażało się w rozplanowaniu i wielkości domostw. Architektura sakralna natomiast jest kontynuacją gotyckiego drewnianego budownictwa kościelnego, a jej rozwój wiąże się także z próbami podjęcia barokowych koncepcji przestrzennych, choć jest to zjawisko wyjątkowe.

Równie odległą tradycję ma rzemiosło artystyczne i sztuka dekoracyjna, związana po części z budownictwem, przy czym korzystano w tym zakresie zarówno z osiągnięć obcych środowisk artystycznych, jak i ze wzorów „sztuki stosowanej" wyższych warstw społecznych, głównie szlachty. Dotyczyło to np. dekoracyjnej tkaniny, haftu, koronki i w ogólności stroju. W miejscowych, rozwijających się w różnych regionach ośrodkach produkcji tkanin pasiakowych, np. w okolicach Opoczna, Łowiczą i in., pojawiają się silne wpływy obce. Oddziaływanie tkaniny litewskiej widoczne jest w białostockich sejpakach, bałkańskiej – na terenie Lubelszczyzny, zapewne małoazjatyckiej – w strzyżonych dywanach mazurskich. Biały haft krakowski przywędrował z Czech i Moraw; słynne parzenice podhalańskich portek przejęte zostały z mundurowych spodni węgierskich huzarów; kapelusze i kroje frakowe – ze stroju miejskiego itd.

Natomiast abstrakcyjna dekoracja snycerska, oparta na rytmicznie powtarzanych, prostych formach geometrycznych – punktów, kresek, kółek, promieni, karbików itp. – ma odległą tradycję średniowieczną, silnie związaną z procederem technicznym.

Wpływ obcych środowisk dotyczył także meblarstwa: typowo „ludowe" skrzynie sięgają pierwowzorów średniowiecznych; o ich ludowym charakterze decyduje dekoracja malarska, czasem zresztą o obcej, renesansowo-włoskiej genezie.

Odmiennie kształtowała się sytuacja w dziedzinie sztuki figuratywnej. Przede wszystkim zaznaczył się tu brak odległej tradycji. Produkcja grafiki i malarstwa wiązała się od XVII do XIX w. z propagandą religijną, w pierwszej fazie kontrreformacyjną, kierowaną przez ośrodki kościelne i oddziaływającą na mieszkańców wsi; w późniejszym okresie produkcja ta skupiała się w głównych ośrodkach kultowych, np. w Częstochowie. Początkowo była to zatem sztuka przeznaczona dla ludu, ale nie ludowa, i ta zależność od oficjalnej sztuki kościelnej trwa długo. Z czasem dopiero zyskała ona aprobatę ludu, dostosowała się do jego gustu, poziomu możliwości percepcyjnych i wymagań; wreszcie, zresztą tylko w części, stała się sztuką ludową (por.
509   np. obraz „Adam i Ewa", z r. 1835, z Kołaczyc k. Jasła).

Pojawiła się także w malarstwie ludowym tematyka niereligijna: w środowiskach górskich była to legendarna opowieść o Janosiku – pod silnym wpływem kultury południowych sąsiadów. Dominowała jednak tematyka religijna: obok Matki Boskiej Częstochowskiej występowała np. Matka Boska Turska, zapożyczona z austriackiej Maria Zell, Matka Boska Skępska, św. Barbara, Rozalia i in. Ścisły był związek grafiki z malarstwem: stanowiła ona często wzór dla obrazów malowanych. Czasem łączono drzeworyt z laserunkowym malarstwem na szkle (obraz Ukrzyżowanego z okolic Sanoka).

Rzeźba uchodzi za najbardziej „artystyczną" gałąź sztuki ludowej; pozbawiona funkcji użytkowych, nie wyrastała też z oficjalnych zadań religijnej propagandy. Związana ściśle ze wzorami sztuki kościelnej – gotyckiej i barokowej – stosunkowo szybko doszła do oryginalnych sformułowań plastycznych. Temat „Chrystusa Frasobliwego" – często utożsamiany z „ludowością" – jest naśladowaniem bardzo popularnej rzeźby późnego
508   gotyku (np. figura z Iwonicza). Potocznie nadano mu nowy sens ideowy – Chrystusa

opłakującego dolę ludu – a także nowe funkcje plastyczne, umieszczając go w przydrożnych kapliczkach, na słupach itp. Różnorodność ekspresji tych dzieł, zróżnicowanie wyrazu psychicznego są po części wypadkową dążeń artysty i jego plastycznych umiejętności.

Popularne krucyfiksy, znajdowane niemal w każdej kruchcie kościelnej, określane często jako „barokowo-ludowe", związane były z prowincjonalną rzeźbą gotycką i barokową. Temat ten rozwinął się w Wielkopolsce w monumentalną formę słupów, z krzyżem przetworzonym w wypełnione figurami architektoniczne wnęki, przywodzące na myśl słynne – ale wówczas jeszcze nie znane – kolumny strzeleńskie (np. słup w Kuklinowie   511 k. Krotoszyna, ok. 1800; w Gorzycach Wielkich k. Ostrowa, 1817). Umieszczenie we wnękach patronów członków rodziny fundatora nadało tym dziełom sens pomnikowej fundacji *ex voto*; są to niemal jedyne dzieła sztuki ludowej mające rys osobisty – zwłaszcza gdy były opatrzone datą i podpisem fundatora. Niektóre słupy wieńczyła figura Frasobliwego (np. w Srokach k. Krotoszyna, dzieło F. Nowaka z r. 1852).

Umieszczanie figur innych świętych na słupach, w tym zwłaszcza Floriana, Jana Nepomucena czy Benona, chroniących przed żywiołami i sprawujących opiekę nad dobytkiem, jest oczywistym dostosowaniem do własnych potrzeb form artystycznych „sztuki wielkiej", np. kolumn maryjnych.

Bliższa analiza rzeźby ludowej pozwala sprostować niejeden sąd na temat „prawdziwie ludowego stylu" tej sztuki. Bardzo często wiązane z nim cechy plastyczne, jak np. rytmizacja płaszczyzny, są wynikiem naśladowania sztuki oficjalnej. Tak jest w przypadku tematu Piety (np. „Pietà" z Klewek k. Olsztyna) i Chrystusa Frasobliwego oraz naśladownictw nowożytnej rzeźby ołtarzowej przez liczne figury świętych. Przetwarzano także barokową ornamentykę snycerską lub też bogato ornamentowane srebrne sukienki, poddane pewnemu plastycznemu uproszczeniu, np. w figurach Matki Boskiej Skępskiej.

Podkreślając powiązania sztuki ludowej i sztuki wielkiej, która zwłaszcza w zakresie dzieł figuralnych stanowi dla tej pierwszej ważne źródło – twórczość ludowa kształtuje się w stałym z nią dialogu – nie wątpimy w odrębność charakteru sztuki ludowej, w jej oryginalność i odkrywczość. Nie dotyczy to przecież tylko stroju czy wycinanki, która stanowi samodzielny wytwór polskiej sztuki ludowej, występując w wielu odmianach – choć i tu należy stwierdzić, że pojawiający się w niej motyw drzewa z parami ludzi i parami ptaków nawiązuje do symboliki rajskiej. Oryginalność przejawia się też np. w swoiście naiwnej narracyjności scen malowanych na kaflach (np. wykonanych w warsztacie Oksitowicza w Kłodawie). Także w zakresie malarstwa i rzeźby dość szybko dopracowuje się twórczość ludowa odrębnego stylu, zmiennego zresztą w czasie i przestrzeni, choć o pewnych wspólnych cechach generalnych, wynikających ze wspólnoty stopnia ogólnego rozwoju społeczeństw wiejskich. Styl ten polega z jednej strony na ograniczeniu wymagań podobieństwa do wzorów czy do natury, wystarczającego dla uzyskania duchowej ekspresji; stąd operowanie syntetyczną bryłą w rzeźbie i wyraźnym konturem w malarstwie (por. np. znakomitą postać klęczącą Mikołaja Gomieli czy obraz na szkle „Św. Floriana" z Jeleśni). Polega także na stosowaniu prostych środków dekoracyjnych w celu uzyskania efektu wspaniałości; przejawia się to w częstym stosowaniu złotej folii w obrazach, stereotypowych ornamentów roślinnych, ostrej kolorystyki itp. Jeśli nawet dla poszczególnych motywów, np. dekoracji, możemy, często bez trudu, wskazać wzory gotyckie i nowożytne, to przecież w dziele ludowego twórcy są one inaczej skomponowane, obdarzone innymi funkcjami ideowymi i artystycznymi. Dorobek ten wyraża się także – np. w przypadku wielkopolskich słupów – w stworzeniu oryginalnych całości o spoistym programie ideowym i monumentalnej ekspresji, związanej – chciałoby się powiedzieć – z archetypem pomnikowej formy tego rodzaju dzieł, pokrewnej także krzyżom iryjskim.

Sztuka ludowa jest funkcją materialnego i duchowego życia ludu, zatem także jego odrębności, stopnia ogólnego rozwoju. W aspekcie historycznym nie tworzy jeszcze jednego środowiska artystycznego w sensie geograficznym; przede wszystkim jest sztuką odrębnego, dość zamkniętego środowiska społecznego. W w. XIII rozpoczął się u nas proces włączania ludności miejskiej w pasywny, a później aktywny krąg kultury artystycznej. W przypadku ludności wsi proces ten zaznaczył się dopiero od czasów nowożytnych, a w pełni wystąpił w w. XIX.

Zanik odrębności wsi i kultury wiejskiej oraz związana z tym przemiana wytwórczości artystycznej, a w części i jej zanik – czego jesteśmy świadkami – dowodzi przede wszystkim zmian społecznych, które granicę między środowiskiem miejskim i wiejskim osłabiły czy wręcz zatarły. Doprowadziło to w znacznej mierze do włączenia środowisk wiejskich w krąg kultury miejskiej, która także przecież uległa zmianie, stając się bardziej ogólna.

„Miasto nowoczesne"

W drugiej połowie XIX w. ukształtowało się w Europie, także i w Polsce, nowe miasto – na miarę „epoki maszyny parowej". Przemiany, których było wynikiem i wyrazem, nosiły głównie charakter ekonomiczno-społeczny. Znaczenie decydujące miał rozwój manufaktur, a następnie przemysłu maszynowego, wyodrębnienie się elitarnej klasy kapitalistycznej – właścicieli środków produkcji i dysponentów kapitałem pieniężnym – oraz przeciwstawnej wobec niej klasy robotniczej, wyrosłej z proletariatu, a następnie wielki wzrost tzw. warstwy średniej.

Zwłaszcza z rozwojem tej ostatniej grupy – inteligencji technicznej, pracowników nadzorujących, urzędników, drobnych kupców itp. – wiąże się zjawisko masowości potrzeb natury materialnej, towarzyskiej i rozrywkowej, a z ich zaspokojeniem – powstanie tak charakterystycznych dla miasta XIX w. nowych „przestrzeni" urbanistycznych. O kształcie plastycznym miasta decydował dynamiczny układ funkcjonalny: wzrost zmechanizowanej działalności produkcyjnej, rozwój zróżnicowanych funkcji mieszkalnych i administracyjnych, narastanie potrzeb w dziedzinie komunikacji, rekreacji, rozrywki, bezpieczeństwa.

Przemiany pociągające za sobą powstanie „miasta nowoczesnego" następowały niezwykle szybko jako wynik ludzkich dążeń popartych potężnymi środkami materialnymi i prawnymi; sytuacja ta powodowała niemal z reguły nierównomierność kształtowania się funkcjonalnego układu miejskiego.

Szczyt urbanizacji w Polsce przypada na drugą połowę w. XIX i związany jest m.in. z procesem uwłaszczania chłopów (w zaborze austriackim po r. 1848, pruskim – po 1850, rosyjskim – w l. 1861–1863), przy czym decydujące znaczenie miało ostatnie trzydziestolecie, ze względu na korzystne układy polityczne, koniunkturę gospodarczą, rozwój transportu i przemysłu maszynowego, napływ ludności do miasta. Liczba mieszkańców wzrosła w tym czasie: w Warszawie z 244 do 700 tys., w Poznaniu z ok. 50 do 117 tys., w Krakowie z 50 do 85 tys., we Lwowie z 68 do 150 tys., a w Łodzi z 33 do 314 tys.!

Niekorzystny wpływ miały ograniczenia militarno-obronne; wiele miast zamieniono w tym czasie w twierdze. Utrudniało to prawidłowy rozwój przestrzenny, doprowadzało do niemal stuprocentowej zabudowy działek i do nadmiernego zagęszczenia mieszkańców. Pouczające jest tu zestawienie przemian planu Krakowa, w którym dopiero w r. 1909 usunięto obwód forteczny, ze Lwowem, gdzie dawne obwarowania usunięto po r. 1772.

516

185

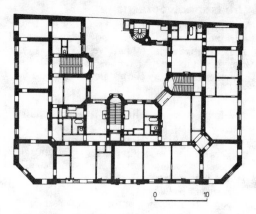

Józef Huss, plan II piętra kamienicy B. Hersego w Warszawie, do 1897

„Nowoczesne miasto" definiowano czasem w sposób idealizujący jako organizm urbanistyczny, który maksymalnie wykorzystuje zdobycze cywilizacji dla stworzenia optymalnych warunków bytu i rozwoju kulturalnego mieszkańców. Wedle realnej diagnozy miasto XIX w. nie było w tym aspekcie całością kompletną. Kształtowało się wśród wielu podstawowych sprzeczności, takich jak np. żywiołowość rozwoju funkcji miasta a konieczność planowania urbanistycznej struktury, jak nierównomierność narastania poszczególnych funkcji, zwłaszcza zaś wyprzedzanie na polu działalności produkcyjnej i nienadążanie w zaspokajaniu podstawowych potrzeb cywilizacyjnych i kulturalnych. Zaznaczała się też postępująca hierarchizacja społeczna i urbanistyczna. Względna harmonijność rozwoju zachowana była tylko w niewielkich, ściśle planowanych osadach przemysłowych, ale nie były to miasta „ziemi obiecanej". W aspekcie socjologicznym najbardziej dynamiczny rozwój przypada na fazę kapitalizmu monopolistycznego, charakteryzującą się m.in. specjalizacją obszarów miasta, wzrostem znaczenia nowych dzielnic, upadkiem dawnych centrów i ich pauperyzacją, wreszcie hierarchizacją struktury przestrzennej miasta.

Zauważalna indywidualność rozwoju miast polskich w XIX w. spowodowana była zwykle dominacją jednego z czynników miastotwórczych, rzutującą na ukształtowanie przestrzenne i zabudowę. O niektórych decydowało narastanie funkcji administracyjnych, czego dobrym przykładem był ówczesny Lwów, przeżywający w drugiej połowie XIX w. wspaniały rozkwit jako stolica Galicji. Wobec braku ograniczeń natury obronnej możliwy był swobodny rozwój przestrzenny wokół historycznego centrum, dotyczący

512–516

czterech rozległych dzielnic, których rozmaitość wynikała ze zróżnicowania topograficznego. Umożliwiło to odejście od zasady zabudowy obrzeżnej i wprowadzenie znacznych obszarów zielonych w obręb miasta (w r. 1879 założono park Stryjski), a także utworzenie szeregu obszernych wnętrz urbanistycznych, jak Wały Hetmańskie czy ul. Akademicka, przy których powstało wiele ważnych instytucji i wspaniałych gmachów, np. Galicyjska Kasa Oszczędności Juliana Oktawiana Zachariewicza, zamykający perspektywę Wałów budynek Nowego Teatru, wzorowany na Operze Paryskiej (1895–1904, Zygmunt Gorgolewski) czy usytuowane w pobliżu Muzeum Przemysłowo-Artystyczne (1890–1904, L. Marconi i L. Żychowicz). Przy bulwarach tych stanęły liczne hotele, kasyna, restauracje, kawiarnie; stały się one centrami towarzyskiego i rozrywkowego życia miasta.

513
515

O charakterze Lwowa decydowały przede wszystkim monumentalne budowle komunalne, takie jak klasycystyczny gmach znakomitej Politechniki Lwowskiej (1873–1877, J. Zachariewicz), gmach Sejmu Krajowego, w otoczeniu ogrodu (1877–1888, Juliusz Hochberger), gmach Namiestnictwa przy Wałach Chrobrego (1877–1880, Feliks Księżarski), Sąd Krajowy (1892, A. Skowron) czy Poczta (1891, F. Satz).

512

Jako stolica Galicji Lwów był równocześnie centrum dyspozycji kapitałem, powstawało więc wiele banków, które z czasem skupiły się przy ul. Kościuszki i ul. Jagiellońskiej, tworząc tu city bankowe. W latach osiemdziesiątych ustaliła się jako generalna zasada tendencja do decentralizacji, zwłaszcza w zakresie budownictwa mieszkalnego, możliwa m.in. dzięki rozwiązaniu problemów komunikacji. Ustawa z r. 1885 korzystnie regulowała problemy zabudowy, sprzyjając luźnym, otwartym założeniom i stosunkowo równomiernemu nasyceniu nimi całego terenu miasta. O dynamice rozwojowej świadczy wzniesienie w dziesięcioleciu 1880–1890 380 nowych budynków mieszkalnych, a w l. 1870–1890 – ok. 20 różnego rodzaju szkół; w latach dziewięćdziesiątych powstał na Łyczakowie znaczny zespół szpitalny. Miasto dość wcześnie otrzymało oświetlenie gazowe, a potem elektryczne, komunikację tramwajową, linie telefoniczne i sieć wodociągową.

O powstaniu we Lwowie dobrych rozwiązań urbanistyczno-architektonicznych decydowali znakomici architekci, wywodzący się głównie ze środowiska miejscowego i wiedeńskiego, przy czym znaczną część projektów wybierano w drodze konkursów.

Dzieje Warszawy w drugiej połowie XIX w. w znacznym stopniu uwarunkowane były jej dawną świetnością – przy czym terytorialny rozwój miasta był ograniczony przez pierścień fortów, wzniesionych w latach siedemdziesiątych, co przy wielkim wzroście liczby mieszkańców prowadziło do niemal absurdalnego zagęszczenia podzielonego na dwie części Wisłą organizmu miejskiego, który z trudem tylko wciskał się między tereny wojskowe. Likwidacja samorządu miejskiego dodatkowo utrudniała działalność komunalną, choć należy podkreślić istnienie dobrej komunikacji tramwajowej, znakomitych urządzeń wodociągowych i kanalizacyjnych, a także budowę spinającego obydwa brzegi rzeki mostu Kierbedzia.

Na kształt architektoniczny Warszawy drugiej połowy XIX w. rzutowała spuścizna architektoniczna dawnych lat: wiele opustoszałych po upadku Rzeczypospolitej pałaców pomieściło hotele, restauracje, warsztaty rzemieślnicze, sklepy, domy handlowe i mieszkania czynszowe. Dopiero w połowie stulecia pojawia się wśród nowej burżuazji warszawskiej – z reguły etnicznie obcej, której fortuny rosły niesłychanie szybko – dążność do osiągnięcia standardu życiowego dawnej arystokracji i współczesnej plutokracji kosmopolitycznej. Charakterystyczną cechą drugiej z wymienionych była materialna zasobność przy równoczesnym braku prestiżu w porównaniu z niedawno jeszcze dominującą w obrazie społecznym miasta arystokracją. Niedostatek ten starano się nadrobić środkami tradycyjnymi: przez zyskanie różnych godności i carskich odznaczeń, przez związki rodzinne z arystokracją rodową oraz naśladowanie jej stylu życia – z polowaniami, stajniami wyścigowymi i z gospodarowaniem na wsi włącznie. Wiązała się z tym budowa pałaców i willi miejskich, a także nabywanie ziemi i wznoszenie rezydencji wiejskich. Nie była to lokata kapitału, a jedynie próba zaspokojenia potrzeb ideowych. W istocie rzeczy – arystokracja rodowa stanowiła ciągle jeszcze godny naśladowania wzorzec.

Z tych to powodów dla burżuazji warszawskiej charakterystyczne jest nie tyle budownictwo przemysłowe, ile rezydencjonalne – wyjątkowo tylko tworzące zespoły, w przeciwieństwie np. do budownictwa łódzkiego. Fortuny warszawskie w znacznej części wspierały się na bankach, przedsiębiorstwach kolejowych i budowlanych, wielkim handlu i luksusowych usługach.

Rezydencjami były wille lub pałace, które wyjątkowo tylko reprezentowały dawny typ: cofnięte od linii ulicy, wyodrębnione od sąsiedztwa, otoczone – choć w części – ogrodem. Takimi były np.: pałac bankiera S. Lessera przy Al. Jerozolimskich 6a, dzieło

Franciszka Marii Lanciego, z lat czterdziestych XIX w., z dziedzińcem i skrzydłami, czy też pałac nobilitowanego bankiera, L. Kronenberga, przy dawnym pl. Ewangelickim (1868–1871, Jerzy Henryk Fryderyk Hitzig), w stylu włoskiego renesansu – wyjątkowo monumentalne założenie, o luksusowym wyposażeniu, z pomieszczeniami biurowymi na parterze, reprezentacyjnymi i mieszkalnymi na pierwszym piętrze i gościnnymi na drugim. Częściej jednak pałace te włączone były w ciąg zabudowy miejskiej, czasem zupełnie nie różniąc się od kamienic czynszowych. Jako przykłady można wymienić: pałac J. G. Blocha na ul. Marszałkowskiej 154, wzniesiony w stylu włoskiego renesansu przez Bolesława Pawła Podczaszyńskiego (1865); pałac Natansonów, jednocześnie siedziba ich banku (róg ul. Traugutta i ul. Czackiego), dzieło A. Goebla (1874); pałac K. J. Schlenkierów, właścicieli garbarni, przy pl. Dąbrowskiego 6, wzniesiony przez Witolda Lanciego (1881–1883), w stylu renesansu rzymskiego, z wykonaną przez Wojciecha Gersona dekoracją malarską i z klasycznym podziałem – na parterze biura, na pierwszym piętrze apartamenty mieszkalne, na drugim piętrze oficjaliści i służba; pałac J. Janasza, przy ul. Zielnej 49, zaprojektowany przez Jana Heuricha St. (1874–1875) w stylu renesansu francuskiego.

Wille warszawskiej burżuazji wznoszone były w drugiej połowie XIX w. głównie przy Al. Ujazdowskich, w sąsiedztwie rezydencji arystokracji rodowej. Tak np. stanęła tam skromna willa S. Lilpopa, założyciela spółki „Lilpop – Rau – Leuwenstein", dzieło Jana Heuricha St.; willa W. E. Raua, wzniesiona przez Leandra Marconiego (do 1868) w stylu renesansu włoskiego, wyjątkowo komfortowo wyposażona; willa A. Nagórnego, dyrektora Banku Polskiego, dzieło Józefa Hussa (do 1876). Powstawały także wille dla córek rodzin wielkiej burżuazji wychodzących za mąż za arystokratów. Wznoszono wreszcie wille podmiejskie.

Około 1900 r. kończy się era budowania zarówno pałaców, jak i willi – wynik osłabienia koniunktury gospodarczej. Jest przy tym znamienne, że wybudowane pałace bywają często sprzedawane – przechodząc m.in. w ręce wybitnych rodzin arystokratycznych, jak np. Braniccy czy Wielopolscy, których nie utracone fortuny ziemskie okazały się pewniejszą lokatą. Na sprzedaż wystawiony został także wspaniały pałac Kronenbergów.

Najkorzystniejszy i najtrwalszy okazał się trzeci rodzaj rezydencji warszawskiej burżuazji, a mianowicie kamienica, w której obok lokali handlowo-biurowych na parterze (wyjątkowo także na piętrze) oraz mieszkania

517

521

517

właściciela, jego służby itd. znalazły się także mieszkania do wynajęcia. Uzyskiwany czynsz przynosił amortyzację włożonego kapitału i pokrywał bieżące koszta utrzymania, a nawet przynosił znaczny dochód.

Kamienice takie powstawały w Warszawie już w w. XVIII – np. słynna kamienica Teppera, wzniesiona w r. 1774 przez Efraima Szregera – oraz w pierwszej połowie XIX w. W drugiej połowie stulecia liczba ich wzrasta. Ważna jest przy tym zmiana lokalizacji: początkowo powstawały one tradycyjnie w sąsiedztwie Starego Miasta – na Długiej, Miodowej, Senatorskiej, na Krakowskim Przedmieściu i na Nowym Świecie – a później na ul. Marszałkowskiej i w Al. Jerozolimskich. Charakterystyczne jest, że ten typ rezydencji powstawał dla zamożnej, ale nie najbogatszej burżuazji, która raczej budowała pałace i wille.

Jako przykłady można wymienić kamienice: przedsiębiorcy budowlanego K. Granzowa (W. Lanci, do 1881); K. Strasburgera, dyrektora Kolei Warszawsko-Wiedeńskiej (J. Huss, 1882–1884) – obydwie położone przy ul. Królewskiej i Ogrodzie Saskim; J. Fuchsa, słynnego fabrykanta czekolady (J. Huss, 1884–1886), i E. Wedla, reprezentującego tę samą branżę (Franciszek Baumann, 1893); B. Hersego, właściciela luksusowego magazynu bieliźniarskiego i domu mody (J. Huss, 1897). Dominował styl renesansu włoskiego i francuskiego – co uwidaczniało się m.in. w zasadzie planowania wokół wewnętrznego dziedzińca. Około r. 1900 powstawały kamienice w stylu secesji, jak np. wspaniała kamienica dla dyrektora i akcjonariusza warszawskiego przedsiębiorstwa tramwajów, M. Spokornego, budowana przez Dawida Landé (do 1904) – wyjątkowo komfortowo wyposażona, z windami, bieżącą ciepłą wodą i z ogrodem urządzonym na dachu!

W zupełnie odmiennych warunkach kształtowało się nowoczesne miasto w Łodzi – zarówno w perspektywie historycznej, jak i aktualnej sytuacji. Prawa miejskie otrzymała Łódź w r. 1423, a w r. 1793, jako miasto zaboru pruskiego, liczyła poniżej tysiąca mieszkańców. Zaczęła się rozwijać dopiero od r. 1823, w ramach polityki gospodarczej Królestwa Kongresowego, jako osada niemieckich kolonistów, sukienników i tkaczy. W roku 1850 liczyła już 15 tys. mieszkańców, w r. 1870 – u progu najwiekszego rozkwitu – 50 tys., w r. 1897 – 314 tys., a ok. 1910 r. – 500 tys. Podstawę ekonomiczną tego zjawiska stanowił niczym nie ograniczony rozwój przemysłu, związany ze zniesieniem granic celnych z Rosją, zasilany przez wielki kapitał i swobodny napływ ludności. Z warunków

naturalnych duże znaczenie miał dostatek wody. W aspekcie urbanistycznym decydował brak ograniczeń, jakie często stwarzał zastany układ urbanistyczny czy też nadanie miastu funkcji obronnych.

Cechą charakterystyczną Łodzi jako społeczności ludzkiej było dochodzenie tu do majątków zupełnie nowych ludzi, dla których dawne, nieliczne mieszczaństwo nie stanowiło żadnego odniesienia. Nie istniała też opozycja: burżuazja – arystokracja; stan urzędniczy nie miał większego znaczenia. Warstwa burżuazyjna, pochodzenia głównie niemieckiego, wyjątkowo żydowskiego, kształtowała się w duchu kosmopolitycznym, stawiając sobie tylko w części za wzór arystokrację, a zapewne w większym stopniu europejską plutokrację – berlińską, paryską, wiedeńską i petersburską. Burżuazja łódzka przyswajała sobie pseudoarystokratyczny styl życia, nie obciążona kompleksami niższości w stosunku do rodowej arystokracji. W Łodzi nikt ani nie nabywał pałaców arystokratycznych, ani też później własnych tejże arystokracji nie odsprzedawał – nie było tu bowiem ani arystokracji rodowej, ani jej pałaców. Ceniono sobie tytuły i odznaczenia państwowe, przede wszystkim jednak dbano o nienaruszalność uzyskanych praw obywatelskich, decydujących o swobodzie działania. W odniesieniu do sztuki i architektury dominowały trzy kategorie estetyczne: funkcjonalność, ekspresja władzy i bogactwo. Dwie pierwsze odnosiły się do założeń przemysłowych, trzecia natomiast – do rezydencji.

Podstawowy plan Łodzi przemysłowej wytyczono po r. 1820. Oś stanowił trakt piotrkowski – późniejsza ul. Piotrkowska – wychodzący ze Starego Miasta; przy nim wytyczono Nowe Miasto dla sukienników (1821–1823), a następnie osadę Łódkę – dla tkaczy bawełny i lnu (1824–1828). Osady te miały układ typowy dla osad przemysłowych owego czasu, oparty na regularnych, geometrycznie zamkniętych planach i reprezentowały rękodzielniczy etap rozwoju miasta. Zakłady mechaniczne należały jeszcze do wyjątków. Wielkie miasto kształtuje się dopiero po połowie stulecia. Wówczas to powstawać zaczynają – na fali koniunktury – wielkie zmechanizowane kompleksy przemysłowe. Od roku 1872 datuje się pożyczkowa działalność Towarzystwa Kredytowego Miejskiego i Banku Handlowego, które decydowały o rozwoju wielu przedsiębiorstw i domów handlowych. W roku 1864 utworzono urząd budowniczego miejskiego – w związku z narastającym lawinowo budownictwem. Na terenie Łodzi, w oparciu o koncepcje angielskie, rozwija się nowy typ zespołów przemysłowych, o charakterze niemal kompletnym, których celem było zapewnienie robotnikom dobrej sytuacji bytowej, opieki zdrowotnej, odpowiednich warunków mieszkaniowych, zaopatrzenia i wykształcenia. Wszystko to prowadziło równocześnie do całkowitego uzależnienia robotników od właścicieli; wymienione zespoły urbanistyczne miały status prywatnych miast.

Pierwszy taki zespół powstał w Polsce z 522 inicjatywy K. Scheiblera w Łodzi, w l. 1865–1869, rozbudowywany do r. 1895. 524 Następne to zespoły: Poznańskiego (1872–1896), Heinzla (1879) i Manufaktury Widzewskiej (1894–1900). Koncepcje owych zespołów decydowały o typie kształtującego się miasta, które składało się jak gdyby z wielu osad przemysłowych, powiązanych ze sobą osiami wielkomiejskimi, przy czym oś główna, ul. Piotrkowska i otwierające się do niej ulice boczne zostały zabudowane pałacami i willami przemysłowców, luksusowymi kamienicami czynszowymi i domami handlowymi. Architektura była w znacznej mierze wyrazem prestiżu właściciela, a konkurencja między poszczególnymi firmami odbywała się na obydwu płaszczyznach – ekonomicznej i „rezydencjonalnej".

Zespół przemysłowy Scheiblera na Księżym Młynie zawiera na obszarze 500 ha wielką fabrykę, rezydencję właściciela, szeregi pię-

Łódź, plan miasta z 1824–1827. Wg W. Ostrowskiego

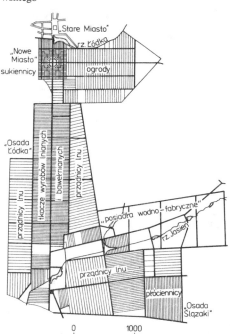

trowych domów robotniczych, otoczonych zielenią, park publiczny, szpital, szkołę, konsum i elektrownię. Było to rozwiązanie nader funkcjonalne, zbliżone do założonego ok. r. 1871 Żyrardowa; także i tu zasada funkcjonalności górowała nad przyzwyczajeniami kompozycji architektonicznej. Żyrardów mieścił wprawdzie dodatkowo inne instytucje: kościoły, resursę, dom ludowy, rzeźnię, pralnię – ale był to w pełni samodzielny organizm miejski. W silniejszym stopniu oddzielono tu funkcje mieszkalne od przemysłowych. Natomiast standard mieszkania robotniczego, ok. 40 m², i gęstość zasiedlenia były podobne. Jedynie mieszkania majstrów odznaczały się wyższym standardem i okazalszym zewnętrznym wystrojem.

Wytworzyła się funkcjonalna, a równocześnie pełna ekspresji architektura przemysłowa, uderzająca surowością, o wyraźnych cechach stylowych. Wzniesiona przez Hilarego Maje- 524 wskiego przędzalnia Poznańskiego, na ul. Ogrodowej (1872–1896), stanowiła wielopiętrowy, zróżnicowany dzięki elementom wieżowym blok o cechach włoskiego renesansu. Przykładami połączenia form neogotyckich i nowoczesnej konstrukcji są: budynek tkalni Poznańskiego – dzieło Majewskiego z r. 1887 – oraz Zakłady Grohmanna przy ul. 519 Targowej, wzniesione przez Franciszka Chełmińskiego (1896–1898).

O wyrazie miasta decydowała na równi z zabudowaniami fabrycznymi architektura rezydencjonalna – wznoszone w różnych stylach pałace, jak np. neorenesansowe H. Majewskiego (ul. Przędzalnicza 72, 1879–1890, i Piotrkowska 74, ok. 1866) czy neobarokowe Adolfa Zeligsona (ul. Ogrodowa 15, pocz. XX 526 w.), a także wille Piotra Brukalskiego w stylu neorenesansu (ul. Worcella 10/12, 1898), czy wspaniałe wille secesyjne, np. wzniesiona dla L. R. Kindermanna przez Gustawa Landau--Gutentegera, w l. 1902–1903 (ul. Wólczańska 31–33).

Podobne znaczenie miały kamienice czynszowe, reprezentujące zróżnicowany standard – od pałacowych, wielopokojowych apartamentów aż po korytarzowe „hotele robotnicze" na bocznych ulicach. Budowane były one w różnych stylach. Jako przykłady mogą posłużyć choćby wzniesione przy ul. Piotrkowskiej: pod nrem 80 – neorenesansowa, dzieło H. Majewskiego (1882); pod nrem 99 – neogotycka (1898) G. Landau-Gutentegera; pod nrem 90 – neobarokowa – Fr. Chełmińskiego (1895) czy pod nrem 43 – secesyjna G. Landau-Gutentegera (1902).

Charakter tej zabudowy znakomicie ilustruje cała niemal dzisiejsza ul. Moniuszki, dawniej ulica prywatna, czyli pasaż Meyera. W całości 527

189

architektura ta, o niezbyt wielkiej skali, uderza niezwykłym zagęszczeniem artykulacji i dekoracji, zwłaszcza rzeźbiarskiej.

Plastyczne bogactwo, przeładowanie, nagromadzenie przedmiotów i szczegółów charakteryzuje zachowane lub znane nam z ikonografii wnętrza pałaców i will. Dominanty widokowe miasta stanowiły wznoszone w tym czasie liczne świątynie – reprezentujące różne style – przeznaczone dla poszczególnych zgromadzeń religijnych.

Przebudowie i modernizacji, często na mniejszą skalę, uległy wówczas także inne miasta w Polsce. Powstawały nowe ulice i dzielnice, wznoszono szeregi kamienic, eleganckie wille w ogrodach (rzadziej pałace), monumentalne gmachy publiczne o bogatej szacie architektonicznej modnych stylów „eklektycznych". Ich form nie studiowano „u źródeł" – w Italii czy we Francji – lecz wykorzystywano liczne podręczniki architektoniczne i zbiory projektów, często o charakterze ofert.

Miasta jaśniały nocą w blasku świateł ulicznych, gazowych i elektrycznych (widok dotychczas zupełnie nie znany), domy otwierały się ku przechodniom okiennymi wystawami wielkich magazynów i sklepów, a w licznych restauracjach, kawiarniach, hotelach, teatrach i teatrzykach do późnej nocy kwitło bujne życie towarzyskie.

Mimo tak zasadniczych przemian wielu miast polskich – dawnych i nowo powstałych – w dobie przemysłowej rewolucji i handlowej prosperity, które doprowadziły do ukształtowania się „miasta nowoczesnego" w pojęciu XIX w., miasto owo nie stało się „zadaniem" dla wyobraźni malarzy, a w małym tylko stopniu dla twórców słowa – Norwida, Prusa, Reymonta. Obraz miasta – ten, który powstał i przekształcał się w mit – znajdował się na marginesie kulturowym, zepchnięty tam przez inne, dominujące tematy, których hierarchia była zgodna z narodowo-szlachecką mentalnością Polaków w XIX w.

Wiek XX w sztuce polskiej rozpoczyna się okresem modernizmu, zapoczątkowanym w ostatnim dziesięcioleciu XIX w. i sięgającym czasów pierwszej wojny światowej. Stanowi on przede wszystkim zamknięcie dawnych epok i otwarcie dla nowej sztuki – obrachunek z przeszłością, dokonywany jednak w języku dawnym i według tradycyjnego scenariusza, choć określenie „modernizm", „Młoda Polska" mówią o dążeniu do odnowienia zadań sztuki, jej języka i miejsca w społeczeństwie. W Polsce, w przeciwieństwie do innych krajów Europy, tendencje te nie przyjęły formy „secesji", tzn. oderwania się od dotychczasowych oficjalnych ram działalności, ani też nie stanowiły reakcji na społeczny pozytywizm, który zresztą w naszej sztuce nie zaznaczył się zbyt wyraźnie.

Modernizm oznaczał m.in. bliskie zetknięcie się z awangardowymi prądami współczesnej sztuki europejskiej, a zwłaszcza z impresjonizmem, symbolizmem, ekspresjonizmem i secesją. Znaczenie tych kontaktów było różne, niemniej był to okres różnorodnych, dynamicznie przekształcających się nurtów artystycznych, także sprzeczności, dotyczących zwłaszcza podstawowych założeń artystycznych, uwikłanych w opozycje elitaryzmu i popularności, kosmopolityzmu wielkich organizmów miejskich i narodowej „ludomanii", formalizmu, „sztuki dla sztuki" i postaw patriotycznych, neoromantyzmu, psychologizmu (a zwłaszcza freudyzmu), teozofii i okultyzmu.

W architekturze, obok trwającej ciągle jeszcze formuły eklektycznego historyzmu, dominującym kierunkiem staje się tzw. secesja – ostatnia już próba przeciwstawienia się dawnym epokom stylowym przez stworzenie nowego, ale również totalnie rozumianego „wielkiego stylu". Styl ten, zaczerpnięty u nas przede wszystkim ze źródeł wiedeńskich i berlińskich, przejawiał się w architekturze poprzez operowanie układami asymetrycznymi, zdeformowanymi w duchu manierycznego biologizmu elementami historycznych porządków, nową formą spłaszczonego łuku podkowiastego, nowym typem dekoracji, opartej na motywach biologicznych, zwłaszcza roślinnych; przyznawał też formom figuralnym nową funkcję w dekoracji. Styl ten rozwinął się niezwykle dynamicznie zwłaszcza w miastach, zarówno w gmachach publicznych (przykładem może być Teatr Stary w Krakowie, dzieło Franciszka Mączyńskiego i Tadeusza Stryjeńskiego, 1905), jak i budowlach mieszkalnych (np. znakomity projekt Mikołaja Tołwińskiego i Henryka Stifelmana domu czynszowego w Warszawie, s. 193 1903). s. 193

Opozycję w stosunku do kosmopolitycznej secesji stanowiły próby łączenia jej z miejscowymi tradycjami historycznymi. Szczególnym, a interesującym przykładem poszukiwań nowych koncepcji „stylowych" był propagowany przez Stanisława Witkiewicza „styl zakopiański", łączący się ze znanymi także w innych krajach próbami przystosowania do budownictwa willowego form architektury ludowej, zwłaszcza terenów górskich, form interpretowanych w duchu secesyjnej malowniczości i dekoracyjności. Nurt ten łączył się silnie ze wzrastającym w tym czasie zainteresowaniem dla rzemiosła artystycznego, czego dowodem było m.in. założenie w r. 1901 Stowarzyszenia Polskiej Sztuki Stosowanej. W jego ramach podjęto próby opanowania przez artystów tej wielkiej dziedziny wytwórczości, służącej estetyce życia codziennego. Dominowała tu tendencja łączenia dekoracyjności secesji z formami biedermeierowskimi i ludowymi. Dopiero powstałe w l. 1912–1913 Warsztaty Krakowskie reprezentowały doktrynę mniej synkretyczną, opartą na zasadach konstruktywizmu – zgodności formy z funkcją i materiałem. Ze źródeł narodowych wyrósł także później „styl dworkowy".

Intensywny liczebnie rozwój architektury, zwłaszcza mieszkalnej, spowodował, że zabudowa secesyjna, oznaczająca równocześnie specyficzny styl mieszkania zasobnej burżuazji, decydowała na równi z dziełami historycznych neostylów o wyglądzie wielu dzielnic naszych miast.

Ważny przełom nastąpił w rzeźbie, dotychczas reprezentującej zwykle konserwatywny akademizm, często zresztą zmierzający ku powierzchownemu realizmowi. Impresjonizm, a zwłaszcza twórczość Rodina, ukazał nowe możliwości operowania materiałem artystycznym, jego fakturą, procederem technicznym, symbolizm zaś i ekspresjonizm ujawniły także nowe możliwości treściowe, przede wszystkim nie znane dotychczas ekspresję, związaną ze swobodnym kształtowaniem, wykraczającym poza konwencję akademicką czy pozytywistyczny realizm. Wreszcie secesja, mająca ogromne znaczenie dla rzeźby, stwarzająca np. w ramach architektury czy rzemiosła artystycznego ogromne na nią zapotrzebowanie, przyniosła nowe możliwości, pomysły i motywy w zakresie dekoracyjnej deformacji. Przykładów dostarcza twórczość Stanisława Kazimierza Ostrowskiego, Anto-

28

niego Kurzawy, Konstantego Laszczki, Wacława Szymanowskiego (np. pomnik F. Chopina, 1909), Edwarda Wittiga. Nurt symboliczny i ekspresyjny w bardziej otwartej postaci reprezentowali zwłaszcza Xawery Dunikowski i Bolesław Biegas. Najmniej zaznaczył się kierunek „ludowy", reprezentowany m.in. przez Jana Szczepkowskiego, odpowiadający nurtowi folklorystycznemu w malarstwie, i oparty zazwyczaj na formule powierzchownego realizmu lub metaforyczności.

Malarstwo przeżywa największy, najbardziej dynamiczny rozkwit, wyrażający się także w różnorodności kierunków. Problemy impresjonizmu, ku któremu najwcześniej zmierzał Aleksander Gierymski, podjęte zostały ok. r. 1890 przez Józefa Pankiewicza i Władysława Podkowińskiego, na krótko przez Józefa Mehoffera, a nawet Stanisława Wyspiańskiego, później – przez Wojciecha Weissa. Fascynacja ta była dość powszechna, lecz krótkotrwała, skończyła się dość nagle, jeszcze przed r. 1900, przy czym charakterystyczna była rozmaitość sposobów i kierunków odchodzenia od tej formuły. Utrzymuje się więc silne zainteresowanie pejzażem i naturą, ale stosunek do nich jest różny. W twórczości Juliana Fałata i Apoloniusza Kędzierskiego pejzaż to teren działania człowieka. U Ferdynanda Ruszczyca obraz ziemi ma przede wszystkim znaczenie symboliczne. Dla dzieł Jana Stanisławskiego i Stanisława Masłowskiego decydujący jest wyraz, jaki ujawnia „czysty" pejzaż czy tylko jego fragment. Formułę impresjonizmu, interpretowaną później w duchu fowizmu, co służyło celowi ekspresji, stosował Leon Wyczółkowski. Najbardziej subtelne jej sformułowanie odnajdujemy w portretowym malarstwie Olgi Boznańskiej.

Ogromne znaczenie miały tendencje symboliczne, przejawiające się w różnych odmianach. W twórczości Jacka Malczewskiego nacisk położony był na zagadnienia narodowe, później ogólnoludzkie, zawsze interpretowane w odniesieniu do osoby malarza. W kilku dziełach Podkowińskiego, o formule niemal naturalistycznej, panuje dość powierzchowny psychologizm. Najbardziej enigmatyczny, ale bez wątpienia symboliczny charakter mają pejzaże i wizerunki prostych ludzi, malowane przez Władysława Ślewińskiego, związanego z Gauguinem i szkołą z Pont-Aven, tworzącego szczególną syntezę człowieka i natury. Symbolizm Wyspiańskiego; przemawiający językiem form linearno-secesyjnych, dekoracyjnych, monumentalnych i ekspresyjnych zarazem, obejmował problemy narodowe, historyczne, ogólnoludzkie i religijne. Odrębny obraz symbo-

liczny stworzył Witold Wojtkiewicz, przenoszący dramat życia ludzkiego w rzeczywistość wymyślonego świata dziecięcego.

Dość znamienny nurt wypływał z zainteresowania dla ziemi i ludu wiejskiego. Wyjątkowo tylko – w twórczości Wyspiańskiego, Ruszczyca, a w mniejszym stopniu Wyczółkowskiego – dzieła tego kierunku miały głębszy, filozoficzny podkład. Zwykle była to ujęta w formułę powierzchownego realizmu folklorystyczna interpretacja „ludu" i jego obyczajów jako przedmiotu swoistej egzotyki, np. w twórczości Teodora Axentowicza, Włodzimierza Tetmajera, Władysława Jarockiego. W twórczości Vlastimila Hofmana ludowość, związana z tematami religijnymi, zyskuje znaczenia symboliczne. U Kazimierza Sichulskiego natomiast jawi się nam pobożny „lud polski" w ujęciu secesyjno-dekoracyjnym.

Naturalizm jest ciągle jeszcze ważnym składnikiem wielu kierunków artystycznych; wyjątkowo tylko występuje samodzielnie, jak np. w twórczości Stanisława Dębickiego. Czasem przybiera postać historyzującą, jak w nawiązującej do malarstwa holenderskiego twórczości Stanisława Lentza; czasem, wzbogacony o doświadczenia koloryzmu, przejawia się w licznych portretach, np. Teodora Axentowicza czy Konrada Krzyżanowskiego, godzącego efekty ekspresyjne i znaczenia symboliczne z gustem salonowym.

Drugi etap sztuki polskiej XX w. to okres międzywojenny – krótkotrwały, lecz wypełniony wielką liczbą organizacyjnych i artystycznych przedsięwzięć, które najogólniej można określić jako proces kształtowania się nowoczesnych postaw artystycznych, głównie w malarstwie, a równocześnie – określania społecznej roli sztuki w nowych warunkach niepodległości i wysunięcia się na czoło problemów społecznych, zwłaszcza wobec rewolucyjnych wydarzeń w Rosji i wpływu wyrosłych tam koncepcji sztuki rewolucyjnej. Załamanie się, a może raczej zamrożenie tych procesów spowodowane zostało przez wybuch drugiej wojny światowej.

W dziedzinie architektury, u progu omawianego okresu notujemy charakterystyczny nawrót do tradycji narodowych; nie tylko do „stylu dworkowego", ale także do monumentalnego klasycyzmu – w budownictwie gmachów publicznych (np. Adolf Szyszko-Bohusz, gmach Powszechnej Kasy Oszczędności w Krakowie, 1925).

Dopiero po r. 1930 na czoło wysuwa się awangardowa koncepcja konstruktywizmu, wspierana przez współczesne tendencje europejskie (Bauhaus, Le Corbusier), a także – choć rozgrywające się na innej płaszczyźnie – działania polskich ugrupowań awangar-

dowych, zwłaszcza Bloku, Praesensu i „a.r.".
Miały one z jednej strony określony program
architektoniczny, akcentujący prostotę, funkcjonalność, konstrukcję, właściwe stosowanie
materiałów itd., z drugiej strony – program
społeczny: mieszkanie miało być swego
rodzaju maszyną, a zespoły mieszkaniowe
miały stanowić czynnik („aparat") określa-
jący „życie kolektywne". Pojawiają się wówczas pierwsze próby operowania modułem i
elementami prefabrykowanymi, daleko posunięta standaryzacja. Powstają interesująco
zaprojektowane osiedla mieszkaniowe, w
praktyce reprezentujące zwykle dość skrom-
532 ny, oszczędny standard, jak np. osiedle Warszawskiej Spółdzielni Mieszkaniowej. Wznosi
się także budowle monumentalne, jak np.
533 gmach Biblioteki Jagiellońskiej w Krakowie
(Wacław Krzyżanowski, do 1939), a nawet
buduje się od podstaw miasto portowe – Gdy-
nię, o bardzo interesującej koncepcji prze-

Mikołaj Tołwiński i Henryk Stifelman, projekt
domu czynszowego przy ul. Służewskiej w Warszawie, 1903

strzennej, wpisanej w naturalne ukształtowanie terenu i wybrzeża morskiego.
Pierwszorzędne znaczenie miała architektura
rządowa – charakterystyczne zjawisko lat
trzydziestych w Europie – której monumentalność, rzeczowość, wyrazista artykulacja
miały określony sens ideologiczny (np. gmach
Kierownictwa Marynarki Wojennej w Warszawie, Rudolf Świerczyński, 1935; Minis-
terstwo Oświaty w Warszawie, Zdzisław 531
Mączeński).
Rzeźba tego czasu rozwijała się w trzech
zasadniczych kierunkach. Dominował nurt
powtórnego neoklasycyzmu, czerpiącego o-
parcie i wzory z rzeźby francuskiej – A. Mail-
lola, a także z malarstwa. Zapoczątkowany w
dobie wojennej, nie pozbawiony znaczeń
symbolicznych lub metaforycznych, zyskał
akceptację ze strony sfer rządowych, m.in.
jako styl pomników dzieł oficjalnych. Dobrze
łączył się zarówno z architekturą neoklasycyzmu, jak i z późniejszą architekturą lat
trzydziestych. Jako przykłady można wymienić „Polską Nike" (1917) i pomnik Lotnika 543
(1932) Edwarda Wittiga oraz „Różowy mar- 538

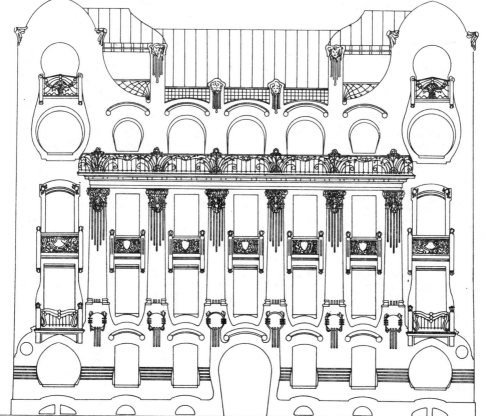

mur" Henryka Kuny (1929). Od poszukiwań formistycznych przeszedł na pozycje pokrewne neoklasycyzmowi August Zamoyski, tworzący syntetyczne, zwarte bryły aktów i głów.

Drugim kierunkiem był „formizm", który łączył w sobie różne składniki, przede wszystkim analityczny kubizm i futuryzm (np. Zbigniew Pronaszko, projekt Ołtarza Misjonarzy w Krakowie, 1912; projekt pomnika Mickiewicza w Wilnie, 1922). Formizm o wyraźnym zabarwieniu ludowym, akcentujący elementy wiejskich tradycji techniki snycerskiej, reprezentował Jan Szczepkowski (Ołtarz Matki Boskiej na Wystawie Sztuki Dekoracyjnej w Paryżu, 1925).

Konstruktywizm w rzeźbie – stanowiący trzeci ze wspomnianych kierunków – był zjawiskiem wyjątkowym, powiązanym z najbardziej nowoczesną koncepcją architektury i malarstwa, przyjmującym z reguły formy konsekwentnie abstrakcyjne; przykładem jest twórczość Katarzyny Kobro-Strzemińskiej.

Malarstwo – do którego jeszcze powrócimy – przedstawia najbardziej skomplikowany obraz. Podstawowymi komponentami wyjściowymi były kierunki epoki modernizmu: impresjonizm, secesja, ekspresjonizm, a także nurt „ludowy". Oddziaływały także nowsze kierunki, rozwijające się na terenie Europy Zachodniej, zwłaszcza kubizm, futuryzm i surrealizm, oraz na Wschodzie – różne wersje konstruktywizmu. Zwrot ku dawniejszej przeszłości przyjmował głównie postać neorealizmu i historyzmu stylowego. Charakterystyczną cechą tego czasu jest znaczna dynamika rozwoju – zarówno poszczególnych malarzy, jak i ugrupowań, czasem zresztą łączących twórców o różnych orientacjach artystycznych.

Nurt ekspresjonistyczny reprezentowany był przez formizm (powst. 1917), ze szczególną skłonnością ku futuryzmowi, przez Bunt (powst. 1918), powiązany ściśle z niemieckim ekspresjonizmem, oraz przez Grupę Krakowską (powst. 1930). Tradycje secesji kontynuował twórczo przede wszystkim Stanisław Ignacy Witkiewicz, działający w ramach formizmu. Konstruktywizm stanowił program Bloku (powst. 1924), Praesensu (powst. 1926) i „a.r." (powst. 1931). Surrealizm najwyraźniej zaznaczył się w grupie Artes (powst. 1929), ujawniającej zresztą wyraźne powiązania kubistyczne, a także w nader indywidualnej sztuce Tadeusza Makowskiego. Koloryzm stanowił główną treść programu Józefa Pankiewicza i jego uczniów, tzw. Komitetu Paryskiego (powst. 1925), a także ugrupowań krakowskich: Jednoróg (powst. 1925) i Zwornik (powst. 1928), jak również warszawskiego

Pryzmatu (powst. 1931). Historyzm i neoklasycyzm reprezentowała przede wszystkim tzw. Szkoła Wileńska, działająca od ok. 1925 r., oraz Szczęsny Kowarski. Nurt neorealizmu natomiast znamionował ugrupowania o diametralnie różnych programach społecznych: Bractwo św. Łukasza (powst. 1925) i Czapka Frygijska (powst. 1936). W ramach ugrupowania Rytm (powst. 1922) działali artyści nawiązujący do folkloru ludowego, jak Zofia Stryjeńska i Władysław Skoczylas.

Kierunki te można usystematyzować także w aspekcie ich programów społecznych. Radykalizm społeczny reprezentowały zarówno ugrupowania awangardowe, jak Blok, Praesens, „a.r.", jak i operujące formułą tradycyjną, jak Czapka Frygijska i Artes (w drugiej fazie działalności). Można także mówić o kierunkach, które nie stawiały sobie sprecyzowanego programu społecznego, natomiast reprezentowały zdecydowany radykalizm w sferze artystycznej; do takich należały grupy: Formiści Polscy, Bunt, Artes (we wczesnej fazie), Grupa Krakowska. Postawa „estetyzująca" – w pełni świadome zamknięcie się wyłącznie w kręgu problemów artystycznych – była charakterystyczna dla ugrupowań związanych z koloryzmem, a więc dla kapistów, Zwornika, Jednoroga, Pryzmatu. Natomiast wyraźnie oportunistycznymi, tradycjonalistycznymi, wręcz konformistycznymi ugrupowaniami, tworzącymi oficjalną sztukę rządową były: Bractwo św. Łukasza, Rytm, Szkoła Wileńska, Szkoła Warszawska.

W okresie dwudziestolecia rozwija się wielkie zainteresowanie dla „rzemiosła artystycznego". Początkowo jest to kontynuacja koncepcji Warsztatów Krakowskich, a w r. 1925 powstaje spółdzielnia Ład, łącząca stylizowaną ludowość z konstruktywistycznymi zasadami funkcjonalności, czystości techniki, wykorzystania właściwości tworzywa i jego faktury do celów określonej dekoracyjności. Działalność ta obejmowała przede wszystkim rękodzielnicze tkaniny, zwłaszcza kilimy, także meblarstwo i ceramikę.

Dzieje sztuki polskiej po drugiej wojnie światowej dzielą się na kilka krótkotrwałych, ale wyraźnie zróżnicowanych odcinków. Pierwszy stanowią lata bezpośrednio po wojnie, lata odbudowy życia artystycznego, „odrodzenia", ujawnienia tego, co przetrwało, powrotu do przerwanej działalności – zarówno awangardowej, jak i tradycyjnej (1944–1949). Drugi okres – to etap realizmu socjalistycznego, charakteryzującego się dominacją działań administracyjnych, zmierzających do unifikacji sztuki, włączonej w ściśle określone przez partię zadania polityczne i społeczne (1949–1955). Wobec załamania się tego systemu polityki kulturalnej w r. 1955 nastąpiło pełne otwarcie ku najnowszym nurtom sztuki europejskiej i światowej, której najbardziej ogólnym hasłem był abstrakcjonizm. Nadszedł okres wiązania przerwanych ciągów, w pewnym sensie nadrabiania zaległości, ale także bezkrytycznego akceptowania wszelkiej „nowoczesności". Jako następny należy wymienić okres sztuki najnowszej, który tylko z wielkim trudem można zamknąć w opozycji sztuki nowej figuracji oraz sztuki konceptualnej i „niemożliwej".

„Modernizm" – sztuka ok. r. 1900

Około r. 1900 malarstwo polskie przechodzi ważne przemiany, warunkujące ukształtowanie się nowoczesnej postawy artystycznej i powstawanie nowoczesnej sztuki. Sytuację tę w różny sposób charakteryzowano – kładąc nacisk na jej powiązania z przeszłością lub też widząc w niej przede wszystkim zaczątek przyszłości (Matejko interpretowany przez Strzemińskiego jako prekursor futuryzmu). Akcentowano cechy narodowej odrębności naszej sztuki lub też szukano jej zgodności z rytmem twórczości europejskiej, głównie francuskiej; interesowano się nią w aspekcie tematów, rozwijanych treści, powiązań i funkcji społecznych lub też nowości formuł plastycznych: kształtowania przestrzeni, płaszczyzny, plamy, linii – zgodnie z przekonaniem, że punkt ciężkości sztuki nowoczesnej mieści się w sferze „pozaliterackiej". Zmiana stanowisk badawczych, formowanie nowych systemów pojęć naukowych pociągały za sobą zmianę klasyfikacji i interpretacji sztuki poszczególnych twórców; tak stało się m.in. ze sztuką Olgi Boznańskiej, w której impresjonistycznych portretach próbowano rozpoznać wyraźne składniki ekspresjonizmu. Problemy te niewątpliwie komplikuje fakt, że wielu wybitnych malarzy tego czasu umiera wcześnie i przedwcześnie: W. Podkowiński – 1895, S. Wyspiański –1907, W. Wojtkiewicz – 1911, J. Stanisławski – 1905. Natomiast inni, których „rewolucyjność" ok. r. 1900 zwraca uwagę, pozostają z biegiem lat wierni ukształtowanej w tym czasie formule plastycznej i z czasem stają się niemal tradycjonalistami (np. oddziaływanie Pankiewicza w okresie dwudziestolecia). Ostateczny przełom wiodący ku nowoczesności dokonany zostanie przez następną generację. Nie umniejsza to znaczenia epoki „modernizmu", której główną zasługą – jak się wydaje – była rozprawa z przeszłością, rozumiana także jako ukazanie nowych perspektyw dla dawnych wartości. Przedstawienia tego zagadnienia w koniecznym skrócie można dokonać śledząc prze-

miany ideowo-artystyczne w relacji do stawianych przed malarstwem głównych zadań – których hierarchia także ulega zmianie – zebranych pod takimi hasłami jak: „przeszłość i przyszłość narodu", „obraz człowieka", „pejzaż i miasto", „lud i folklor". Uogólniając sposoby ich realizacji, da się określić kierunki czy postawy artystyczne uchwytne jako pary pojęć opozycyjnych, takie jak np.: historyzm a aktualizm, obiektywizm a subiektywizm, realizm a naturalizm, impresjonizm a ekspresjonizm, impresjonizm a symbolizm. Wyodrębnić można także ujęcia sekwencyjne, tj. następujące po sobie, takie jak np. realizm – symbolizm, naturalizm – ekspresjonizm, nabierające zróżnicowanych odcieni w zależności od kontekstu i konkretyzacji.

Podstawowym zadaniem sztuki tego czasu wydaje się rozwiązanie problemu stosunku do przeszłości – rozumianej jako dzieje narodu, jako zmitologizowana tradycja i historia określająca stosunek do tej przeszłości. Był to problem nie tylko złożony, ale i trudny. Względy narodowościowe, w tym zwłaszcza groźba wynarodowienia, wykluczały odcięcie się od przeszłości, której jednocześnie w całości nie sposób było akceptować. Formuje się więc „oświecony konserwatyzm" – nie przeciwdziałający postępowi, nie dążący do restytucji przeszłości, ale przeciez utrzymujący ciągłość z epoką utraconego niepodległego bytu, wybierający z przeszłości. Sztuka pośredniczyła między ową wybraną tradycją a historią, mitologizowała, potęgowała jej wartości, formułowała stosunek społeczeństwa do przeszłości.

Odbywało się to różnymi sposobami. Pojawia się więc szersze rozumienie podmiotu dziejów narodu, który w historiografii Matejki ograniczony był praktycznie do szlachty, a teraz obejmuje także „lud prosty". Równocześnie historyczny scjentyzm i dramatyczna narracja zmieniają się w historyzm syntetyczny, podsumowujący dzieje i ukazujący ich bohatera w kontekście dziedzictwa przeszłości. Tak jest w twórczości Malczewskiego, i to zarówno we wczesnej fazie naturalistycznej, np. w obrazie „Wigilia zesłańców", jak i symbolicznej, np. w „Melancholii", malowanej w l. 1890–1894. 547 Również syntetyczny, symboliczny i ekspresjonistyczny zarazem charakter ma historyzm witraży Wyspiańskiego (np. „Polonia", 1894, 545 i inne projekty witraży: do katedr lwowskiej i wawelskiej).

Pojawia się wreszcie szczególny rodzaj uogólnienia: miejsce narodu jako podmiotu zajmuje „ludzkość", „człowiek", przy czym często „prosty lud" staje się synonimem odrodzenia narodu, gdyż stanowi jego niezniszczalną siłę biologiczną. W tych przekonaniach mieści się jedno z ważnych źródeł tzw. chłopomanii.

Po części wiąże się z tymi problemami zagadnienie obrazu człowieka; w miejsce historyzującego portretu Matejki pojawia się metaforyczny portret Malczewskiego, w którym człowiek ukazany jest nie jako gotowy wytwór historii, lecz w jej kontekście, równocześnie związany z aktualną rzeczywistością i z przeszłością, która nie jest tylko tłem czy rekwizytem, gdyż granice obu tych rzeczywistości są zatarte. U Malczewskiego pasywny człowiek znajduje się w opozycji do dynamicznego otoczenia, które go wyprzedza i często przerasta, podporządkowuje so-

548 bie – jak np. w obrazie „Hamlet polski" (1903). Niemal w każdym przypadku nie jest to zobiektywizowany, neutralny wizerunek pojedynczego człowieka, lecz symboliczne określenie jego związku z ponadindywidualną „wspólnotą ducha": czasem – ekspresjonistyczne obnażenie jego psyche. Dzieje się to różnorako. U Wyspiańskiego akcent położony bywa czasem na biologiczną naturę modela, zwłaszcza kobiety i dziecka (por. np. „Macierzyństwo", 1905), w jego zaś portretach własnych komunikowany jest przede wszystkim fakt bycia poetą, wieszczem, geniuszem. Boznańska, operując najbardziej wyrafinowanymi środkami impresjonistycznymi, tworzy nader wyrazistą, ostrą charakterystykę duchowych aspektów osobowości

546 portretowanych „pań" – np. w „Portrecie pani w brązowej sukni" (1900) czy „Portrecie Gabrieli Reval" (1912). Konrad Krzyżanowski w „Portrecie Romana Laskowskiego"

551 czy „Portrecie żony z kotem" (1913) nadaje ekspresyjny charakter wydłużonej, pozornie chaotycznej plamie barwnej. Axentowicz wykorzystuje w tym celu uświęcone środki akademickie, np. w portrecie „Damy w czerni" (1906), definiując przecież precyzyjnie nie tylko warstwę społeczną, ale i związane z przynależnością do niej typowe stany duchowe. W twórczości Lentza skłonność do dosadnej, niemal brutalnej charakterystyki człowieka przyjmuje historyzującą pseudoholen-

549 derską szatę (por. np. zbiorowy portret członków Towarzystwa Naukowego Warszawskiego czy obraz „Wilki morskie", 1903). Ogólnie biorąc, charakterystyczną cechą jest ogromne zróżnicowanie portretowanych – i społeczne, i psychologiczne, przy czym ważne miejsce zajmują twórcy, wieszcze narodu, artyści, aktorzy, muzycy-wirtuozi. Pojawiają się jednak także modele „przypadkowi" czy prezentujący typowe stany ducha, czasem nabierające znaczenia alegorycznego (jak np. „Melancholik" Wojciecha Weissa, 1894);

ekspresjonistyczne są w założeniu – jeśli nawet utrzymane w manierze impresyjnej – portrety Pankiewicza, jak np. „Portret pani Oderfeldowej z córką" (1897). Coraz większego znaczenia nabierają autoportrety, stając się przede wszystkim próbą analizy, a także eksponowania własnej osoby twórcy (np. „Autoportret" J. Mehoffera, 1894).

Znamienna dla romantyzmu opozycja artysta – tłum przyjmuje teraz nową postać: indywidualizuje się przedstawienia osób z „wyższych sfer", których pojęcie ulega zresztą zmianie; do wyjątków należą sceny rodzajowe, będące często portretami grupowymi. Natomiast „lud" przedstawiany jest sumarycznie, jako zbiorowość, różnie zresztą interpretowana, czasem wprost egzotyczna. W 479 twórczości Aleksandra Kotsisa były to głównie ujęcia rodzajowe; u Aleksandra Gierymskiego występuje – zresztą wyjątkowo – głęboka analiza indywidualności pary chłopskiej, w wymiarze tragicznym, w obrazie „Trumna chłopska", 1894. Natomiast ok. r. 552 1900 pojawia się cała fala przedstawień folkloru ludowego, głównie zresztą z południowo-wschodnich krańców byłej Rzeczypospolitej, ale także z Mazowsza, ukazujących „lud" barwny, dynamiczny, raczej w odświętnych i ludycznych sytuacjach. Takie są np. obrazy T. Axentowicza („Święto Jordanu", 1893; „Kołomyjka", 1895) i W. Tetmajera („Święcone", 1897). Rzadziej pojawia się temat pracy (np. w obrazie A. Kędzierskiego „Tkaczka"; czasem uchwycone zostają tragiczne chwile (np. w „Pogrzebach huculskich" W. Jarockiego, 1905, czy Fryderyka Pautscha, 1907), w których jednak barwność tłumu wiejskiego zdecydowanie przeważa nad smutkiem sytuacji. Można przyjąć, że są to dzieła w pewien sposób kontynuujące wizję Chełmońskiego, ale zwykle pozbawione właściwej mu – w pewnym okresie – rzeczowej, czasem nawet krytycznej analizy.

Rosnące zainteresowanie dla „ludu" i jego obyczajów, żywiołowa, biologiczna dynamika przedstawień dowodzi pozytywnego doń – generalnie rzecz biorąc – stosunku, wyraźne jest jednak przypisywanie mu ograniczonej, służebnej roli społecznej – wbrew niektórym myślicielom i poetom, widzącym w ludzie potęgę narodu i jego przyszłość. Jednym z wyrazów tego jest zwrócenie uwagi na swoistą egzotykę „ludu", który staje się w większym stopniu przedmiotem obserwacji niż źródłem choćby tylko biologicznej odnowy, choć świadectwem przykładania wagi do tego ostatniego są akcentowane w malarstwie rodzinne związki z wsią (por. np. Tetmajera „Portret żony artysty z ojcem", ok. 1900, czy Wyspiańskiego „Autoportret z żoną", 1904).

Do pewnego stopnia egzotyka, bez pogłębionej analizy socjologicznej, cechuje obrazy Żydów w twórczości St. Dębickiego („Do chederu", „Mały rabin", po 1890).

Szczególną pozycję zajmują przedstawienia robotników – wyjątkowe zjawisko w naszym malarstwie. Są to obrazy uderzające powagą, ukazujące często sytuacje krytyczne, eksponujące potęgę, determinację, znaczenie najmłodszej klasy społecznej; por. np. Wojtkiewicza sceny z rewolucji 1905 r., czy najbardziej znany „Strajk" Lentza (1910) oraz jego „Wilki morskie", następnie Feliksa Wygrzywalskiego „Wezbraną rzekę – rozruchy" (1907) czy szczególnie interesujący Stanisława Fabijańskiego „Pogrzeb strajkującego" (1907).

Kolejnym wielkim tematem sztuki ok. r. 1900 jest obraz otoczenia człowieka, obraz natury i – wyjątkowo, co bardzo znamienne – miasta.

Pejzaż miał w malarstwie polskim ustaloną tradycję, jednak jego dotychczasowa interpretacja miała najczęściej charakter „obiektywny", tzn. kładziono nacisk na przedmiotową wierność, także wówczas, gdy krajobraz był miejscem różnorodnej działalności człowieka. Obecnie zyskuje szereg nowych znaczeń i funkcji. Charakterystyczne jest rychłe porzucenie czysto „impresjonistycznej" formuły pejzażu, podjętej m.in. przez Pankiewicza („Pejzaż z chatami", 1890) czy Podkowiń- 50 skiego („Sad w Chrzesnem", 1891; „W ogrodzie", 1891–1892; „Pejzaż z koniczyną", 1893) i in. Malarstwo pejzażowe staje się polem dla eksperymentów w zakresie koloru, światła, faktury malarskiej, płaszczyzny, przyczyniając się od uformowania nowoczesnego stosunku do obrazu.

Pierwsza faza „impresjonizmu" kończy się jeszcze w latach dziewięćdziesiątych. Rozwija się natomiast pejzaż w różny sposób znaczący – w połączeniu z widokiem wsi, pastuszków, budowli kościelnych – a więc zgodny z realizmem typu dzieł Chełmońskiego (por. 53 „Babie lato", 1875; „Jesień", 1897; „Bociany", 1900). Pejzaż staje się jeszcze bardziej narodowy – nie tylko przez akcesoria ludzkiej obecności, ale przez swój własny wyraz (por. Podkowińskiego „Mokrą wieś", 1892; Stanisławskiego „Zboże i chmury", po 1900; czy Stanisława Kamockiego „Babie lato", 1904), także wówczas, gdy traktowany jest jako „dziewicza" natura, w którą człowiek dopiero co wtargnął, jak w twórczości Juliana Fałata („Polowanie na łosia", 1894). Zyskuje własne oblicze dzięki ujęciu metaforyczno- 55 -mitologizującemu, jak np. w „Ziemi" Ferdynanda Ruszczyca (1898), lub też ekspresyjno- -psychologizującemu, jak w pejzażach Stani-

sławskiego (np. „Topole", 1900), czy dzięki formule syntetyzującej – gdy fragment natury zawiera niejako w sobie sens całości, a zatem ekspresyjny symbol wyprzedza impresyjnie sformułowany obraz, zwłaszcza w twórczości tegoż Stanisławskiego (por. „Dziewannę", 1895, „Bodiaki pod słońce", przed 1895). 554 Trzeba wreszcie wymienić pejzaż współdziałający z symbolicznym obrazem człowieka, czasem znaczący przez swą naiwną naturalność, spokojny porządek zwykłego świata – czy przyszłego życia rajskiego – przeciwstawiony burzom i daremnym udrękom wielu pokoleń (jak w „Melancholii" Malczewskie- 547 go, 1890–1894). Pojawia się niejako „prefiguracyjny" związek między pejzażem i człowiekiem, szczególna odpowiedniość: pejzaż stanowi kontekst nie tylko w sensie naturalnego otoczenia, ale także semantycznym (znaczeniowym) – jako dopełniający i wyjaśniający rodzaj „pola semantycznego". Czasem oddziałuje dzięki swej nienaturalnej konstrukcyjności (por. np. Malczewskiego „Krajobraz z Tobiaszem", 1904, lub „Pejzaż z jarzębiną", 1909–1910).

Pejzaż przestaje być tylko naturą czy też naturą obdarzoną psychiką i wolą. Światło jest nie tylko głównym środkiem obrazowania, ma symboliczny sens życia duchowego, zdolność uwydatniania w obrazie głównych wartości nie tylko w utworach nokturnowych, ulubionych w naszej sztuce. Można jednak stwierdzić, że nawet rzeczowo ujęta przyroda ewokuje wspomnienia wydarzeń, które się na jej tle rozgrywały, zwłaszcza niedawnych kampanii powstańczych.

Z pejzażem jawnie symbolicznym mamy do czynienia w twórczości Władysława Ślewiń- skiego (por. np. „Morze z rudymi skałami", 557 ok. 1904, „Morze", 1907), z ekspresyj- nym – często u Wyspiańskiego, np. w serii widoków na kopiec Kościuszki, w „Chocho- 558 łach" (1898–1899), a także u Wyczółkowskiego („Orka na Podolu", 1892).

Znamienny dla epoki temat miasta w malarstwie polskim zupełnie nie dorównuje znaczeniem krajobrazowi wiejskiemu. Znika dawny, wedutowy obiektywizm: miasto ukazane bywa niejako od wewnątrz – jak w twórczości A. Gierymskiego, dla którego staje się przede wszystkim terenem obserwacji społeczno- -obyczajowych (por. np. „Powiśle", 1883, 483 „Święto Trąbek", 1884, „Piaskarzy", 1887). 482 Miasto godne uwagi – to głównie Paryż, np. w twórczości Ludwika de Laveaux („Widok na wieżę Eiffla", ok. 1894). Zdaje się, że jedynie szczególne efekty luministyczne stanowią uzasadnienie tematu miejskiego (np. A. Gierymskiego „Wieczór nad Sekwaną", ok. 1893; 560 Ludwika de Laveaux „Plac Opery w Paryżu", 556

197

ok. 1890; Józefa Pankiewicza „Rynek Starego Miasta", 1892, „Dorożka nocą", 1896).

Do wyjątków należą również przedstawienia rodzajowe, ujmujące bardziej wszechstronnie życie miejskie, jak np. Wojciecha Weissa „Kawiarnia paryska" (1899), „Demon" (1904), Witolda Wojtkiewicza „Mi-Carême w Paryżu" (1907). Sporadyczność występowania tematu miasta w malarstwie polskim tego czasu charakteryzuje je na równi z rozkwitem pejzażu i portretu.

Opisane przemiany wiążą się ściśle z przemianami ogólnych postaw twórczych i z występowaniem różnorodnych formuł plastycznych. Opozycja historyzm-aktualność ulega niejako uchyleniu. Traci swą nośność „tematyczne" malarstwo historyczne, natomiast aktualność nasycona jest wiedzą, doświadczeniem, osądem historycznym: przeszłość stale towarzyszy człowiekowi, a aktualnością jest to, co przeszłość ukształtowała. Tak jest w dziełach Malczewskiego, np. w „Melancholii" (1894) czy w „Portrecie Asnyka z Muzą" (1895 –1897).

547

Jest to okres zwycięstwa subiektywizmu nad obiektywizmem, chęci zaprezentowania sądu artysty nad przedstawieniem widzowi obiektywnych danych, z których on sam wyciągnie wnioski.

Rzutuje to na szereg podstawowych problemów, formuł czy kierunków artystycznych. W ostatnim dziesięcioleciu XIX w. malarstwo polskie przeżyło swoją „przygodę impresjonistyczną". Do impresjonizmu przechodziło się z reguły z pozycji naturalistycznej – dobrym przykładem jest twórczość A. Gierymskiego, ale także wykształconej w Monachium O. Boznańskiej. Podręcznikowo zestawiane obrazy: Pankiewicza naturalistyczny „Targ za Żelazną Bramą" (1888) oraz impresjonistyczny, malowany w Paryżu „Targ na kwiaty" (1890), Podkowińskiego – renoirowski obraz „W ogrodzie" (1892) czy „Sad w Chrzesnem", Wyspiańskiego – szkic „Pejzażu nad Sekwaną" (1890), „Barbakan i Brama Floriańska" (1895) oraz szereg innych potwierdzają to zjawisko. Naturalizm jako podstawa impresjonizmu nie określa jednak jeszcze typu impresjonistycznych konsekwencji, a zwłaszcza jego późniejszych faz: neo- i postimpresjonizmu, z pointylizmem i nadwartościowaniem materii malarskiej włącznie.

550

Znamienna dla polskiego impresjonizmu jest jego krótkotrwałość. Najważniejsze jednak są drogi odejścia. Stanisławski pozostaje wierny impresjonistycznemu widzeniu, choć równocześnie – charakteryzując przedmiot – zawsze wykracza poza intencje właściwego mu obiektywizmu, czasem skłaniając się nawet ku ekspresjonizmowi. Boznańska, wyjątkowo

tylko wierna założeniom tego kierunku (por. „Katedrę w Pizie", 1905), z racji uprawianego gatunku (portretu) przy całej monotonii ujęć zewnętrznych, kształtuje przecież pełne ekspresji „opowieści o ludzkiej duszy"; impresjonistycznemu roztopieniu materialnego przedmiotu towarzyszy w jej dziełach zwiększenie konkretności duchowej. Wyczółkowski tworzy z zasady dywizjonizmu środek ekspresjonistycznego wyrazu: operowanie dużą plamą, ostrym kontrastem nie służy formułowaniu obrazu, lecz dobitności treści (por. „Orkę na Ukrainie", 1892, „Grę w krokieta", 1895, „Portret Erazma Barącza", 1908).

546

559

Nie mniej charakterystyczne zjawisko – to radykalne zerwanie z impresjonizmem jego niedawnych entuzjastów. Podkowiński, który w r. 1892 tworzy impresjonistyczny i narodowy zarazem obraz „Mokrej Wsi", przechodzi na pozycje symbolizmu, a krąg właściwych mu tematów dotyczy teraz psychologicznej „głębi duszy" ludzkiej (por. „Szał uniesień", 1893–1895, czy „Marsz żałobny Chopina", 1894), Wyspiański, którego związek z impresjonizmem był znikomy i dla którego najbardziej znaczące były ekspresyjne pierwiastki w sztuce Matejki, rozwinął oryginalną i doskonałą formułę linearnego i kolorystycznego protoekspresjonizmu, spowinowaconego z secesją. Odnosi się to zarówno do jego portretów (por. np. „Portret własny", 1895), jak też – zwłaszcza – do zrealizowanych bądź pozostawionych w projektach witraży, w których nowa koncepcja historyczna złączyła się z ekspresjonistyczną formułą plastyczną, powołując do życia arcydzieła sztuki ówczesnej Europy. Ścisły związek postawy symbolicznej i ekspresyjnej cechuje „Widoki na kopiec Kościuszki" (1905) czy „Chochoły" (1898–1899).

562

545

558

Przejście od naturalizmu do symbolizmu reprezentuje najdobitniej twórczość Jacka Malczewskiego, przy czym znamienne jest dlań operowanie obrazowaniem przedmiotów o wyjątkowo realnej egzystencji, uwikłanych w kontekst symboliczny, formowany m.in. w oparciu o zasadę mieszania wielu rzeczywistości, kontrastowania „figur" alegorycznych, postaci fantastycznych z realnymi.

Odrębną formułę symboliczną odnajdujemy u związanego z Gauguinem Władysława Ślewińskiego, u którego zarówno pejzaż, portret jak i martwa natura mają zawsze sens symboliczny, odnoszący się do niejasnej sfery problemów egzystencji człowieka; nigdy nie wyczerpują się w opisie jednorazowego stanu, zawsze sięgają warstw głębszych.

55

Elementy fantastyki – tak żywe w legendarnej wersji w twórczości Witolda Pruszkowskiego

56

(np. „Rusałki", 1877), a występujące także we wczesnych obrazach Malczewskiego (np. „Boginka w dziewannach" z cyklu „Rusałki", 1888) – pojawiają się teraz w dziełach licznych malarzy (por. J. Mehoffera „Dziwny ogród", 1903; F. Ruszczyca „Bajkę zimową", 1904; Kazimierza Stabrowskiego „Opowieść fal", 1910). W zupełnie wyjątkowej postaci przejawiła się fantastyka w sztuce W. Wojtkiewicza, tworzącego od ok. 1905 r. cykl „Cyrk" – szereg kompozycji „dziecięcych": „Korowód" (1905), „Krucjatę dziecięcą" (1905), „Marionetki" (1907), „Chrystusa i dzieci" (1908), „Rozstanie" (1908), „Swaty" (1908), „Medytacje" (1908), w których poprzez pryzmat pseudodziecięcej stylizacji wypowiada artysta głębsze treści dotyczące egzystencji człowieka, jego bezradności, konfliktów, smutku.

Nie należy przecież sądzić, że wszyscy malarze tego czasu stanowią twórczą awangardę czy może – twórczą ariergardę sztuki XIX w. Istnieje przecież znaczna plejada malarzy, którzy trwają na pozycjach umiarkowanych, operując formułą naturalistyczną: W. Tetmajer, F. Pautsch, A. Kędzierski, W. Jarocki, działający jeszcze J. Chełmoński, posługujący się linearną formułą K. Sichulski. W tych ramach mieszczą się też artyści uprawiający tematykę „ludową", korzystający umiarkowanie ze „zdobyczy" impresjonizmu, jak np. T. Axentowicz czy J. Fałat, a także nadający im znamię ekspresjonistyczne, jak K. Krzyżanowski, bądź operujący historyzującą wersją naturalizmu, jak S. Lentz.

Sztuka ok. r. 1900 stanowi zamknięcie wielkiego rozdziału narodowego malarstwa polskiego – także dlatego, że przerwała kontynuację właściwych mu wątków; w mniejszym stopniu była otwarciem ku przyszłości. Jednym z przykładów tego jest rola Pankiewicza w dziejach polskiego koloryzmu. Przyczyny takiego stanu rzeczy tkwiły w sytuacji ogólnoeuropejskiej; przyszłość nowoczesnego malarstwa łączyła się z wartościami, które w początkach XX w. wniosła m.in. sztuka Picassa, Kandinsky'ego czy Malewicza, które jednak w naszym środowisku twórczym poznane i docenione zostały dopiero w okresie międzywojennego dwudziestolecia.

Pluralizm malarstwa dwudziestolecia międzywojennego

Wybuch wielkiej wojny światowej, rewolucja w Rosji i w krajach niemieckich, a następnie uzyskanie z dawna wyczekiwanej niepodległości Polski oraz związana z tym możliwość pozornie swobodnego kształtowania życia kulturalnego i artystycznego w kraju – wszystko to miało zasadniczy wpływ na kształtowanie się sztuki polskiej. Doceniając znaczenie tych wielkich wydarzeń, należy zauważyć, że podstawowe przemiany artystyczne wyprzedzały wymienioną sytuację polityczną. Twórczość formistów, w tym zwłaszcza Stanisława Ignacego Witkiewicza (Witkacego), Zbigniewa Pronaszki, Tytusa Czyżewskiego, Jacka Mierzejewskiego, a także artystów skupionych wokół poznańskiego „Zdroju" i stanowiących grupę Bunt (głównie Jerzego Hulewicza oraz Małgorzaty i Stanisława Kubickich) – ważne zatem próby podjęcia koncepcji kubistycznej, futurystycznej i ekspresjonistycznej – miała miejsce jeszcze przed zakończeniem wojny.

Powstanie niepodległej Polski było przecież faktem ogromnej wagi. Przekreśliło aktualność wielkiego obszaru ideologii XIX i początków XX w., która przechowywała wartości narodowe, uzasadniała prawo do samodzielnego bytu państwowego, służyła odzyskaniu niepodległości. Osłabiony został sens historycznych czy symbolicznych interpretacji dziejów narodu, jego miejsca w Europie, jego europejskiej roli historycznej; miejsce to należało teraz raczej poprzez realne działanie potwierdzić.

Powstanie niepodległego państwa przyczyniło się także do skupienia w jego granicach wybitnych twórców, przybywających tu zwłaszcza z Rosji (np. Władysław Strzemiński, Zygmunt Waliszewski), mających za sobą często ważne doświadczenia ideowo-artystyczne u boku najwybitniejszych ówczesnych twórców, jak Władimir Tatlin czy Kazimierz Malewicz.

Nowy okres w malarstwie polskim miał dwojakie podstawy: wiązał się z ogólnym przełomem, jaki dokonał się w sztuce europejskiej w początkach w. XX, oraz z nową sytuacją historyczną i ideową kraju. Należy przecież stwierdzić, że sztuka tego czasu pozostaje w innym stosunku do treści pojęcia „naród". Staje się bardziej niż dawniej „kosmopolityczna", wiąże się z różnymi środowiskami i kierunkami obcymi: z francuskim postimpresjonizmem, niemieckim ekspresjonizmem, rosyjskim konstruktywizmem, włoskim futuryzmem, z dadaizmem. Rezygnując często z fabuły literackiej i tematu, kładąc nacisk na tzw. formę – zyskuje w jeszcze większym stopniu cechy uniwersalne.

Z drugiej strony – w wyniku zawodu, jaki sprawiło przywrócenie niepodległości w aspekcie społecznym – bardziej niż dotychczas związała się sztuka polska z programami przemian społecznych; awangarda artystyczna utożsamiała się z postępem społecznym, rozumianym nierzadko w kategoriach klasowej rewolucji. Może nawet najcenniejsze dążenia naszych artystów miały ten podwójny charakter.

O dynamice historycznej owej epoki świadczy tak rozmaitość i liczebność kierunków artystycznych, jak i podejmowanie rozlicznych inicjatyw organizacyjnych. Powstają więc – właściwie po raz pierwszy w naszych dziejach – ugrupowania i związki artystyczne, wydające często własne czasopisma lub też wokół redakcji pism zgromadzone; wymienić tu wypada przede wszystkim: "Zdrój", wydawany w Poznaniu od r. 1917, "Maski" – w Krakowie od r. 1918, "Formistów" – w l. 1919–1921, "Zwrotnicę" – r. 1922; redakcje tych periodyków ogłaszają programy, organizują wystawy, podejmują publiczne dyskusje. Często są to działania krótkotrwałe, zespoły ulegają różnym przetasowaniom, podejmuje się próby redagowania nowych programów; tak np. grupa Blok, założona w r. 1924, już w dwa lata później przekształca się w Praesens, z którego w r. 1931 wyłania się grupa artystów rewolucyjnych – "a.r.".

Pełna swoboda działania prowadziła często do wewnętrznego bezładu, będącego w gruncie rzeczy wyrazem braku stabilizacji, oznaką permanentnych poszukiwań właściwej orientacji ideowo-artystycznej. Sytuację tę pogłębiały niefortunne inicjatywy rządowe Ministerstwa Kultury i Sztuki, zdegradowanego następnie do rangi departamentu, kierowanego początkowo przez Zenona Miriama Przesmyckiego. Zasłużony wydawca "Chimery", wyznawca zasady "sztuki dla sztuki", przekonany o jej elitarnym charakterze, przeciwny wszelkiej popularyzacji i "umasowieniu", nie potrafił stworzyć właściwego ministerialnego programu polityki kulturalnej; znaczenie inicjatyw państwowych osłabiały także znikome fundusze. Zmiany nastąpiły dopiero później, gdy w r. 1931 utworzono w Warszawie Instytut Propagandy Sztuki, którego pozytywny program sprowadził się do "upowszechniania dobrej sztuki", także w szerokich kręgach społeczeństwa, nawet robotniczych, i gdy w l. 1930–1931 z inicjatywy awangardy artystycznej powstała w Łodzi międzynarodowa kolekcja sztuki nowoczesnej, która nadała nowy sens słabej dotychczas – zwłaszcza w zakresie sztuki nowszej – działalności muzealniczej.

Z natury rzeczy dotychczasowe i nowsze uczelnie artystyczne opanowane były przez przedstawicieli pokolenia artystów Młodej Polski. Może głównie dlatego były to ośrodki raczej konserwatywne. Stan ten dotyczył także Akademii Krakowskiej, choć tu dzięki J. Pankiewiczowi, kierującemu od r. 1925 filią

Akademii w Paryżu, skupiło się grono wybitnych malarzy; jednakże reprezentowany przez nich kierunek, zwany koloryzmem, w swych założeniach był zdecydowanie tradycyjny. Radykalne kierunki wiązały się z reguły z niezależnymi ugrupowaniami artystów.

Lata 1917–1929 stanowiły najbardziej dynamiczny okres, w którym zarysowały się główne kierunki i postawy awangardowe, a równocześnie i opozycyjne, czasem we wzajemnej konfrontacji, czasem istniejące niezależnie, na odrębnych niejako poziomach i w różnych zasięgach kulturowych.

Pierwsza wojna światowa i udział w niej po stronie Austrii legionów Piłsudskiego wyzwoliły wielki nurt naturalistyczno-romantycznego rysunku legionowego (Leopold Gottlieb i in.). Wymiar tej sztuki i zakres jej funkcjonowania był oczywiście zupełnie inny niż działanie powstałej jeszcze w r. 1917 grupy formistów, propagującej antynaturalizm, zwrot ku "czysto artystycznym" wartościom formalnym, dalekim od wszelkiej spontaniczności i naiwności tworzenia, opartym na mniej lub bardziej starannie formułowanych, właściwie pierwszych w dziejach naszej sztuki teoriach artystycznych (zwłaszcza Leona Chwistka i Stanisława Ignacego Witkiewicza). Powiązania z ekspresjonizmem, futuryzmem, analitycznym kubizmem, z tradycjami secesji miały dla tych twórców tylko pewne, choć widoczne znaczenie; był to ruch nader oryginalny.

Właściwą opozycję, mieszczącą się na tej samej płaszczyźnie kulturowej, stanowiło w stosunku do formizmu poznańskie ugrupowanie artystów skupionych początkowo wokół czasopisma "Zdrój", a następnie w stowarzyszeniu artystycznym Bunt (powst. 1918). Działali tu przede wszystkim: Jerzy Hulewicz, Małgorzata i Stanisław Kubiccy, Władysław Skotarek, Stefan Szmaj, Jan Jerzy Wroniecki i August Zamoyski – w części półamatorzy. Związani byli ściśle z niemieckim ekspresjonizmem, choć endeckie społeczeństwo poznańskiego "grodu Przemysława" uznawało ich za "agentów bolszewizmu". Domeną twórczości wymienionych artystów była przede wszystkim grafika, w której celował zwłaszcza Kubicki, związany z berlińską Gruppe Progressiver Künstler i ze Sturmem. Charakterystyczne formy i motywy treściowe, przejęte z repertuaru ekspresjonistycznej poezji, określają nie tylko młodopolski i ekspresjonistyczny rodowód tej grupy, ale i ogólną postawę jej członków.

Zupełnie inne tendencje reprezentowało powstałe już po wojnie, w r. 1922, ugrupowanie Rytm, z pozoru tylko nastawione formalistycznie; w gruncie rzeczy opierało się z jednej

56

567
570

571
strony na kanonach estetyki klasycznej, z drugiej – na swoiście stylizowanym i estetyzowanym folklorze. Do grupy tej należeli między innymi: Władysław Skoczylas, Wacław Borowski, Eugeniusz Zak, Tymon Niesiołowski, Zofia Stryjeńska, rzeźbiarz Henryk Kuna oraz Roman Kramsztyk. Ugrupowanie Rytm, związane z obozem Piłsudskiego, tworzyło po części „pozytywny program państwowy". Kierunek klasycyzujący panował także w środowisku wileńskim, w którym obok Szczęsnego Kowarskiego działał Ludomir Ślendziński.

Rok 1924 przyniósł dwa, zapewne najważniejsze wydarzenia artystyczne: uformowanie się grupy późniejszych kolorystów i ich wyjazd do Paryża (kapiści) oraz powstanie diametralnie różnej grupy Bloku Kubistów, Suprematystów i Konstruktywistów. Opozycja: koloryzm–konstruktywizm miała ogromne znaczenie dla dalszych dziejów malarstwa polskiego, także okresu powojennego. Dodać tu należy, że koloryzm stanowił program działania wielu wybitnych artystów poza kapizmem, zwłaszcza w środowisku krakowskim.

W roku 1925 formuje się w Warszawie Bractwo św. Łukasza, uprawiające dość powierzchowny realizm, często o muzealnym czy historycznym zabarwieniu. Do Bractwa należeli przede wszystkim Tadeusz Pruszkowski i jego uczniowie. Program tej grupy był zdecydowanie tradycyjny; uprawiano malarstwo przedmiotowe i tematyczne, oparte na rysunku i dobrym rzemiośle, pełniące w ten sposób pewne funkcje społeczne; wyrażały się one zresztą głównie w malowaniu reprezentacyjnych, oficjalnych portretów. Wśród uczniów Pruszkowskiego wybijali się: Antoni Michalak, Bolesław Cybis i Jan Wydra, do najnowszych czasów uprawiający malarstwo religijne.

Zbliżone tendencje – tradycjonalizm i powierzchowny realizm – reprezentować będzie ukształtowana około r. 1930 tzw. Szkoła Warszawska, do której należał m.in. Michał Bylina, uprawiający także po drugiej wojnie światowej malarstwo batalistyczne. Ten sam typ tradycjonalnego obrazowania, nastawienie „antyformalistyczne" cechował na ogół artystów zrzeszonych w założonym ok. r. 1935 Bloku Zawodowych Artystów Plastyków.

W roku 1929 powstaje we Lwowie stowarzyszenie Artes, do którego należą: Marek Włodarski, Otto Hahn, Ludwik Lille, Tadeusz Wojciechowski i in. Głosili oni hasła awangardowe, początkowo nawiązujące do surrealizmu, sztuki naiwnej, metaforyzmu Giorgio de Chirico. nowego realizmu: zainteresowani

byli także „folklorem" niższych warstw społecznych, jak i freudowską analizą osobowości człowieka. Znamienne, że pod wpływem radzieckiego socrealizmu artyści ci powracają ok. r. 1935 do form realistycznych.

Ostatnie dziesięciolecie międzywojenne przynosi pewne tylko przemiany w ramach istniejących kierunków. Przede wszystkim radykalizuje się program Bloku – po raz pierwszy w r. 1926, w grupie Praesens, a następnie przez powstanie w r. 1931 grupy „a.r.", z Władysławem Strzemińskim i Henrykiem Stażewskim na czele. W tym samym czasie wracają z Paryża kapiści, których wpływ w kraju wzrasta, a równocześnie powstaje w Warszawie grupa Pryzmat, złożona z uczniów Kowarskiego; wśród tych ostatnich znajduje się Karol Larisch i Taranczewski. Grupa ta ma wiele wspólnego z koloryzmem. Dynamizuje się środowisko krakowskie; w r. 1931 powstaje tzw. Grupa Krakowska – do której należą m.in. Jonasz Stern, Maria Jaremianka, Leopold Lewicki, Stanisław Osostowicz i, częściowo, Adam Marczyński – reprezentująca radykalny program plastyczny. W roku 1936 formuje się w Warszawie grupa Czapka Frygijska, w której radykalizm społeczny łączy się z malarstwem tematycznym, ilustracyjnym. Z tego kręgu przede wszystkim startowali artyści powojennego socrealizmu.

Szczupłe ramy tego rozdziału pozwalają na bliższe zajęcie się jedynie wybranymi zjawiskami malarstwa tego okresu. Do najciekawszych zapewne należał formizm, którego nowoczesność wyznaczają także próby teoretycznego sformułowania założeń twórczych. Składa się na nie przede wszystkim odstąpienie od zasad tradycyjnego realizmu, rozumianego jako bezpośrednie obrazowanie, przy czym jednak – niezależnie od zgodnego akcentowania znaczenia formy artystycznej – ważną cechą tej sztuki jest jej wyraz, uzyskiwany przez szczególne manipulowanie formą w stosunku do przedmiotów, którego malarstwo tej grupy się nie wyzbywa. Nie bez powodu też pierwsza wystawa formistów, w r. 1917, odbyła się pod hasłem ekspresjonizmu. Wykorzystano przy tym różne doświadczenia artystyczne – kubizmu analitycznego (T. Czyżewski), syntetycznego (Z. Pronaszko), futuryzmu (L. Chwistek). W tradycji secesji i Młodej Polski tkwił S. I. Witkiewicz, natomiast J. Mierzejewski korzystał przede wszystkim z doświadczeń symbolizmu i kubizmu.

565
577,
578
579
569

Leon Chwistek, którego „Szermierka" (1920) uznawana jest często za programowe dzieło formizmu, reprezentował jego futurystyczne skrzydło; przede wszystkim jednak był głównym teoretykiem grupy. Uznanie realności formy, przeciwstawienie się jej medialnej – w rozumieniu naturalistycznym – funkcji stanowiły podstawę tej bardzo przecież niespójnej koncepcji. Stąd wynikała potrzeba tworzenia teoretycznych systemów formalnych. W rozumieniu Chwistka systemem takim był tzw. strefizm, polegający na podziale obrazu na strefy, w których miały dominować pokrewne formy – kształty lub barwy. Porządek wytworzony przez strefowe komponowanie form zmuszany był niejako do korespondencji z przedmiotową zawartością dzieła. W tych dwóch przekrojach: funkcjonowania wewnątrz systemu i funkcjonowania przedmiotowo-wyrazowego – miała się zamykać struktura tego rodzaju dzieł.

Chwistek propagował programowy synkretyzm w zakresie doświadczeń formalnych; lansowana wizja przeżeń nowa, poszerzona wizja rzeczywistości miała się opierać na doświadczeniach kubizmu, futuryzmu i ekspresjonizmu – unikając równocześnie błędów tych kierunków, m.in. deformacji i rozbicia przedmiotu. Stworzył także Chwistek „historyczną" koncepcję tzw. wielości rzeczywistości w sztuce: rzeczywistości „popularnej" miała w jego rozumieniu odpowiadać faza sztuki prymitywnej, rzeczywistości „naukowej" – sztuka realistyczna, „wrażeniowej" – impresjonizm, „wizjonerskiej" – futuryzm i wykorzystujący jego doświadczenia formizm. Twórczość malarska Chwistka – próba zamknięcia w obrazie ujętego w fazy ruchu wydarzenia – stanowiła właściwie margines jego prac teoretycznych.

Głównym antagonistą Chwistka był Witkacy, którego poglądy stanowiły równocześnie polemikę ze stanowiskiem ojca, Stanisława, wielkiego propagatora realizmu. Przy rozwiniętej działalności teoretycznej oraz *par excellence* literackiej, zwłaszcza w zakresie dramatu, malarstwo Witkacego stanowiło jedną z głównych dziedzin jego twórczości, w epoce formizmu obciążone silnie tradycją secesji. Mówiąc o prymacie formy w sztuce, głosił zasadę „jedności w wielości" – jako głównego kryterium sztuki. Przyjęty przezeń system nie był statyczny, lecz dynamiczny: zasadą kompozycji miał być układ tzw. napięć kierunkowych. Jego obrazy, zwykle opatrzone programowymi tytułami, jak np. „Ogólne zamieszanie", „Walka żywiołów", „Cierpienie" – odnoszącymi się do pojęć ideowych – lub „Edyp i sfinks", „Spotkanie z jednorożcem" – mającymi bardziej konkretne odniesienia – stanowiły przecież zawsze pewien rodzaj zamierzonych komunikatów. Obok treści przedmiotowych dominował w nich nastrój niezwykłości, fantastyki, niesamowitości osiągany zarówno poprzez dynamikę „napięć kierunkowych" formy, jak i charakter kolorytu. Świadomość kształtowania formy wyraziła się dobitnie w opracowanych przez Witkacego schematach kompozycyjnych, które stanowiły próbę plastycznego opisania strukturalnego podłoża, na które dopiero nakłada się w pełni skonkretyzowana, szczegółowa wersja danego dzieła. Znajomość tych schematów formalnych miała ustrzec twórcę przed hegemonią natury, a równocześnie przedmiotowa zawartość dzieła – przed jego wyłącznie ornamentalnym charakterem. Porównanie dynamicznych kompozycji Witkacego z dziełami Hansa Schmithalsa świadczy, że ważnym ich źródłem była monachijska secesja.

Szczególnym zjawiskiem w twórczości Witkacego była jego działalność portretowa w ramach tzw. „firmy portretowej", założonej w r. 1928, którą zresztą autor wyłączył z kręgu twórczości artystycznej, ze względu na jej głównie odtwórczy charakter, ogłaszając równocześnie rezygnację w tym zakresie z prawdziwej twórczości plastycznej, która nie mogła prowadzić do zamierzonych rezultatów. Znamienne jest tu zwłaszcza różnicowanie typów portretu (portret idealizowany, „wylizany", realistyczny bądź ekspresyjny, malowany często w stanie wywołanym użyciem narkotyków), jak również odmawianie prawa do jakiejkolwiek krytyki ze strony „klienta", do roli którego został zdegradowany dawny „fundator".

Zupełnie inny typ problematyki artystycznej i pozaartystycznej reprezentowali artyści skupieni w Bloku Kubistów, Suprematystów i Konstruktywistów (powst. 1924). Główną rolę w tym zespole odgrywali: Władysław Strzemiński, Katarzyna Kobro, Henryk Berlewi, Henryk Stażewski, Mieczysław Szczuka i Maria Nicz-Borowiakowa. Przechodzili oni zresztą dość znaczne przemiany, co uwidoczniło się w późniejszej secesji i utworzeniu grupy Praesens (1926), a następnie, w r. 1931, grupy artystów rewolucyjnych, czyli „a.r.", której przewodzili Strzemiński i Stażewski, a także Karol Hiller i Stefan Wegner. Przemiany te w pewnej mierze spowodowane były różnym rozumieniem społecznej funkcji sztuki i artysty, a w szczególności rozdźwiękiem na tym tle między Strzemińskim i Szczuką.

Wśród wymienionych bezsprzecznie najwybitniejszym twórcą był Strzemiński, zarówno jako malarz, jak i jako teoretyk, a później i dydaktyk, wykształcony w kręgu rosyjskiego konstruktywizmu Tatlina i suprematyzmu Malewicza, przekonany o doniosłości społecznej funkcji sztuki. Cała jego twórczość artystyczna i teoretyczna poświęcona była rozwiązaniu tych dwu głównych problemów:

572

576

579

stworzeniu koncepcji nowoczesnej sztuki i rozwiązaniu zagadnienia stosunków wzajemnych sztuki i człowieka. Konstruktywizm i suprematyzm były tylko punktem wyjścia własnej koncepcji sztuki Strzemińskiego. Jej głównym założeniem było przekonanie, że sztuka nie tylko niczego nie obrazuje, ale także nie jest znakiem niczego, że egzystuje samoistnie – z wyjątkiem oczywiście „sztuki stosowanej”. Stanowi to o systemie sztuki, rodzi jej treść. Nowoczesny system – to unizm, oparty na równorzędności przestrzennej obrazu, jednolitości natężenia formy statycznej, monochromatycznej i płaskiej. Strzemiński wykonał całą serię prób stworzenia „obrazu unistycznego”, który konkretyzowałby możliwie najpełniej te założenia. Nie rozstrzygnięty problem – z czego artysta w pełni zdawał sobie sprawę – łączył się nie tyle z możliwością stworzenia obrazu unistycznego, ile z zagadnieniem otwarcia poprzez tę koncepcję perspektyw twórczych. Faktem pozostaje, że sam Strzemiński wkrótce od prób tych odstąpił, ale wiedza, jaką uzyskał na temat „czystej formy” w okresie unizmu, jest obecna w całej dalszej twórczości artysty.

Tymczasem, wspólnie z Katarzyną Kobro, zajął się zagadnikami rzeźby i architektury jako gatunkami istniejącymi w „nieograniczonej przestrzeni”, a szczególnie stosunkiem wewnętrznej przestrzeni (zawartej w rzeźbie) do przestrzeni zewnętrznej. Architektonizacja rzeźby i jej złączenie z kolorem stanowiło podstawę stworzenia serii rzeźb architektoniczno-rzeźbiarsko-malarskich, układów „równomiernych, bezośrodkowych, przestrzennie ciągłych, statycznych i otwartych na przestrzeń oraz złączonych z przestrzenią”. Przemyślenia te rzutowały oczywiście także na rozwijane przez Strzemińskiego koncepcje architektoniczne i urbanistyczne. Natomiast w powiązaniu ze sztuką użytkową kształtował on tzw. estetykę maksymalnej ekonomii, wiążąc formę z procesem produkcyjnym, występując przeciwko indywidualnemu tworzeniu na rzecz pracy zespołu, działającego w oparciu o ścisłe kanony konstrukcyjno-produkcyjne. Na tym gruncie zrodziła się także koncepcja funkcjonalnego drukarstwa, w której forma druku, układ strony miały być odpowiednikiem wewnętrznej budowy drukowanego dzieła literackiego.

Charakterystyczne, że Strzemiński jako artysta nie wyrzekł się kontaktu z naturą, tworząc abstrakcyjne martwe natury, syntetyzujące krajobrazy, czy – już w dobie socrealizmu – syntetyzujące i symboliczne studia do obrazu „Żeńcy”.

Dla ostatniego etapu jego twórczości znamienne są studia nad procesami i przemianami „widzenia”; powstaje wówczas jego praca *Teoria widzenia* i obrazy „powidoków”; tym samym artysta daleko odchodzi od inżynieryjno-intelektualnych początków swojej sztuki.

Zasadnicze znaczenie dla krajobrazu międzywojennego malarstwa w Polsce miał nurt kolorystyczny, który – generalnie rzecz ujmując – wyrastał niemal wyłącznie z tradycji francuskiego postimpresjonizmu, przy czym główną rolę odegrało tu malarstwo Pierre Bonnarda. Wspólne kolorystom było przekonanie o priorytecie koloru, przeciwstawianego linii i bryle. Było to zawsze malarstwo wychodzące od studium przedmiotu, ale stosunek do świata zewnętrznego był – lub miał być – wyłącznie malarski. Świat ten interesował artystę tylko swą zewnętrznością, jako zjawisko barwne. Jego aspekt przedmiotowy, a tym bardziej społeczny był zupełnie obojętny; twórcy ci nie stawiali sobie żadnych rewolucyjnych zadań, nie zamierzali przebudowywać porządku świata.

Malarstwo kolorystyczne rozgrywało się równocześnie w dwóch płaszczyznach. Jedną z nich stanowił stosunek do przedmiotu, drugą – wzajemne stosunki barw w obrazie. Koloryzm reprezentowali artyści należący formalnie do różnych ugrupowań i wywodzący się z różnych środowisk – choć napewno dominowało środowisko krakowskie. Z krakowskiej grupy Jednoróg wywodzili się Jerzy Fedkowicz i Eugeniusz Eibisch; ze Zwornika (powst. 1928) – Eugeniusz Geppert i Czesław Rzepiński; z Pryzmatu (powst. 1931) – uczniowie Kowarskiego – Karol Larisch i Wacław Taranczewski (malarz o wszechstronnej wizji artystycznej, w pewnej fazie wykorzystujący osiągnięcia postkubistyczne, zasugerowany znakomitą sztuką Juana Miró, autor serii „Martwych natur ze świątkiem” [19 wersji] czy „Martwych natur z wazonem i muszlą”, tworzący „obraz z obrazu”); także Eustachy Wasilkowski, autor martwych natur z kwiatami.

Zorganizowany charakter miała grupa uczniów Józefa Pankiewicza (tzw. Komitet Paryski – stąd nazwa „kapiści” i „kapizm”), którzy w r. 1924 wyjechali na studia do Paryża, skąd powrócili ok. r. 1931. Należeli do niej: Jan Cybis, Hanna Rudzka-Cybisowa, Zygmunt Waliszewski, Stanisław Szczepański, Józef Czapski, Piotr Potworowski, Artur Nacht-Samborski i Józef Jarema; bliska im była twórczość Tytusa Czyżewskiego. Program artystyczny kapistów był w swym zarysie dość prosty, dotyczył tylko zagadnień sztuki, w tym przede wszystkim koloru, i trwały – co nie przeszkodziło zarówno rozwojowi poszczególnych artystów, jak i istnieniu w tym zespole łatwo zauważalnych indywidualności, daleko wykraczających poza przyjęty program.

Program ten zakładał odrzucenie przestrzeni, wszelkich znaczeń symbolicznych, uniezależnienie się nawet od lokalnej barwy przedmiotu. Kolor miał być głównym składnikiem obrazu – obok płaszczyzny i malarskiej faktury – jednakże kolor nie naśladowany, lecz wykoncypowany. Obraz – to kompozycja kolorystyczna, dla której podstawowe znaczenie miała znajomość techniki i faktury malarskiej, formowanie pigmentu na płótnie, i której podporządkowany był przedmiot. Można zatem powiedzieć, że twórczość kolorystów – to wypracowywanie kolejnych systemów kolorystycznych, różnych – w ramach pewnej klasy – współbrzmień barw; to wykorzystywanie i wynajdywanie rozmaitych, często nieznanych odcieni kolorów i tworzenie z nich brzmień niezwykłych. Dążenia te doprowadziły do daleko rozwiniętego wysubtelnienia kolorystycznego – śladem Bonnarda, któremu przypisywano „absolutny słuch" kolorystyczny.

Zastanawia w tym kierunku stałe odniesienie do świata przedmiotowego – teoretycznie deprecjonowanego, zawsze przecież obecnego. Znamienny jest dla koloryzmu rozdźwięk między obiektami a przyjętą dla danego obrazu strukturą kolorystyczną; sytuacja ta stanowi ważny element omawianej postawy artystycznej, choć – zgodnie z głoszonym programem – zawsze tylko negatywny.

Opisany tu w skrócie program koloryzmu najpełniej konkretyzował się w malarstwie Cybisa, Wasilkowskiego, Szczepańskiego. Twórczość Rudzkiej-Cybisowej wykazuje silniejszy związek z naturą i naturalistycznym porządkiem kolorystycznym. Nacht-Samborski natomiast łączył zwykle kolor z konstruktywistycznym określeniem kształtu przedmiotu swych martwych natur – kolor pozornie tylko związany z naturą przez artykulację przedmiotu, osadzenie go w przestrzeni, w gruncie rzeczy bliższy strukturalizującej tradycji Cézanne'a.

Odrębne stanowisko zajmował Waliszewski, łączący niemal zawsze kolor z konturem, tworzący rzeczywistość przedmiotową pełną plastycznej ekspresji sytuacyjnej, odczuwanej jako groteska, ironia. Twórczość jego nie wyczerpywała się w odkrywaniu nowych harmonii barwnych; polegała także na tworzeniu odrębnego świata quasi-renesansowych uczt, wydarzeń mitologicznych, scen z komedii dell'arte, „śniadań na trawie" – czasem będących trawestacją znanych obrazów, a zawsze stanowiących emanację wymyślonego przez artystę świata, jego własnego teatru wyobraźni, w którym rozgrywał się kompensacyjny dramat osobistego życia malarza.

„Sztuka w walce o socjalizm"

Dzieje sztuki pierwszego dziesięciolecia powojennego, do dziś stanowiące raczej obszar kontrowersyjnych, choć „retrospektywnych" dyskusji niż przedmiot krytycznych rozważań historycznych, tworzą obraz skomplikowany, odpowiadający złożoności społeczno-politycznej sytuacji Polski powojennej.

W sztuce, zwłaszcza zaś w jej dziedzinie najbardziej czytelnej – malarstwie, komplikacja ta spowodowana była różnorodnością zarówno artystycznych orientacji, jak i postaw ideowych. Dla pierwszych istotne znaczenie miały początkowo tradycje międzywojennego malarstwa polskiego, a później narastająca stopniowo znajomość współczesnego malarstwa europejskiego. Dla drugich – doświadczenia wojenne, bardzo przecież zróżnicowane, tęsknota za przerwanym przez wojnę życiem „przedwojennym", które w czasie wojny i w wiele lat później funkcjonowało często bezkrytycznie jako symbol normalnego życia, wolnego, niezależnego bytu. Następnym ważnym elementem było narastające parcie ideologii marksistowskiej, często w redakcji uproszczonej, która szybko stała się obowiązującą ideologią, wymaganą i egzekwowaną także przy użyciu środków administracyjnych, z wszystkimi tego mankamentami – zwłaszcza w zakresie nauk humanistycznych. W ten sposób podejmowano wszelkie decyzje, także dotyczące artystycznego kształtu kultury kraju „budującego socjalizm".

Powojenny pejzaż artystyczny Polski cechował się przede wszystkim swoistym „nawrotem do przedwczoraj" – czyli do czasów przedwojennych. Było to niejako naturalne podjęcie normalnych działań artystycznych przez tych, którzy wojnę przetrwali, a równocześnie próba wyzwolenia się z koszmaru przeżyć wojennych i okupacji. Sytuacja ta wyjaśnia znaczenie m.in. malarstwa kapistów, które na nowo i na długo utrwali swą pozycję, znajdując ideowe uzasadnienie swego rozkwitu, doprowadzone dopiero teraz do niezwykłej syntezy wartości przedmiotowo-nastrojowych oraz czysto malarskich: koloru, światła, faktury malarskiej. Wyrażała się w tym na różne sposoby radość malarskiej egzystencji, swoisty jej renesans, który stanowiąc odnowę życia, oznaczał równocześnie przywołanie dawnych wartości. Akcent spoczywał na operowaniu bogactwem znakomicie zharmonizowanych kolorów, nabierających z czasem znaczenia drogocennej materii

590
592
587

591

malarskiej – jak np. w malarstwie Cybisa czy Wasilkowskiego. Czasem zainteresowanie przesuwało się w stronę nie tylko kolorystycznie, ale i niemal geometrycznie uporządkowanego świata martwych natur, których niezmienność niejako gwarantowała przynajmniej zewnętrzną stabilność egzystencji człowieka – jak w malarstwie Artura Nacht-Samborskiego.

O powszechności tej sytuacji świadczy tradycjonalizm twórczości przedwojennej awangardy – H. Stażewskiego, M. Jaremianki, A. Rafałowskiego, M. Włodarskiego, A. Marczyńskiego, J. Sterna, W. Strzemińskiego; morskie pejzaże tego ostatniego, wyzbyte w ogóle motywów ludzkich, stanowiły alegorię tęsknoty za światem pozaludzkich sił natury. Ich przedwojenny, awangardowy radykalizm nie przystosował się do dynamicznej doby referendum, pierwszych wyborów do sejmu, przygotowań do zjednoczenia ruchu robotniczego i młodzieżowego – przemian politycznych, społecznych i ekonomicznych, przebiegających w szczególnych warunkach „demokracji ludowej". Zdaję się jednak, że próby takie nie były nawet podejmowane – i to po obydwu stronach, nie istniał bowiem w l. 1944–1948 dokładniej sprecyzowany plan polityki kulturalnej: siły rządzące skupione były na opanowaniu i utrzymaniu władzy, przeprowadzeniu podstawowych reform społecznych, usuwaniu zniszczeń i odbudowie kraju, aktywizacji i normalizacji życia gospodarczego.

Nie oznacza to, że wojenny koszmar nie znalazł wyrazu w plastyce. Ujawniona została twórczość wojenna np. Strzemińskiego (cykl „Deportacje", 1940) czy B. Urbanowicza (rysunki z oflagu). Pojawiły się także nowe dzieła o tej tematyce, np. T. Kulisiewicza cykl „Warszawa" (1945), H. Stażewskiego „Ucieczka" (1947), A. Lenicy „Powrót z wojny" (1946), J. Sterna „Wysiedlenie z getta" (1946). Symptomatyczna była jednak wątłość tego nurtu, oscylującego między naturalizmem i figuracją postkubistyczną. Nie spełniał on oczekiwań publiczności i krytyków, wywołał też zarzut całkowitego oddalenia się plastyki – w przeciwieństwie do literatury – od wydarzeń wojny, zarzut braku właściwego do nich stosunku. Nie świadczyło to jednak zawsze o niemocy ówczesnej plastyki, raczej o tym, że nurt „odrodzeniowy" przeważał nad „aktualnym".

Szereg ówczesnych polskich dzieł łączy się z tendencjami ogólnoeuropejskimi, w których dominuje konstruktywizm i formalny funkcjonalizm: takie są np. „Dom gołębi" Jerzego Nowosielskiego (1948) czy „Abstrakcja" Andrzeja Wróblewskiego (1948). Ci sami artyści tworzą przecież dzieła przedmiotowe i figuratywne, których zasadniczą cechą jest ekspresja, odnosząca się do różnych sfer życia człowieka: nie zamykają się w obrębie malarskich problemów płaszczyzny obrazu. Świadczą o tym np. „Ryby bez głów" Wróblewskiego (1948) czy „Ptaki" Jerzego Tchórzewskiego (1949). W dziełach tych przedmiot zyskuje znaczenie metaforyczne, człowiek – heroiczne, a dominująca deformacja przybiera często kształt groteski. Po części jest to wynik ścisłych związków z teatrem, ale także z literacką tradycją groteski, purenonsensu, surrealizmu i swoistej narodowej autoironii. Groteska wydaje się najbardziej istotną cechą tej sztuki: właśnie poprzez nią następuje wyrażenie najbardziej zasadniczych treści naszej rzeczywistości społecznej. Warto przypomnieć w tym miejscu groteskowe poematy i utwory teatralne Konstantego Ildefonsa Gałczyńskiego. Bliskie grotesce jest korzystanie z dorobku surrealizmu; przykłady metaforyki tego rodzaju stwierdzamy u wielu artystów, najwyraźniej – w dziełach Kazimierza Mikulskiego. Twórczość powiązaną ideowo – choć nie zawsze tematycznie – z doświadczeniami wojennymi reprezentują dzieła szeregu malarzy, najbardziej może dobitnie A. Wróblewskiego („Zabity mąż", 1949; cykl „Rozstrzelanie"). Niemal równocześnie z tym szerokim nurtem, zazębiającym się często z literaturą i teatrem (teatr Tadeusza Kantora), rozwija się „spór o realizm" i o kształt sztuki socjalistycznej. Rozumienie realizmu poddawane było zmiennym interpretacjom, nieustającym dyskusjom, w których udział brali krytycy, historycy sztuki, ideolodzy, mężowie stanu. Przełom nastąpił w r. 1949; etatyzacja instytucji kulturalnych i szkolnictwa artystycznego, centralizacja wydawnictw stanowiły początek wielkiej ofensywy partii i państwa w dziedzinie plastyki. „Realizm socjalistyczny" zostaje uznany za jedyną naukowo sprawdzalną metodę twórczą. W r. 1950 ówczesny minister kultury i sztuki, Włodzimierz Sokorski, wykłada zasady realizmu socjalistycznego. Był to program dość jasno sformułowany, oparty na ściśle określonych podstawach filozoficznych i ideologicznych. Jego podstawowymi elementami były: materialistyczny pogląd na świat, humanizm, optymizm, socjalistyczny romantyzm. Wymagano przestrzegania ustalonego stosunku do „rzeczywistości" – zasady „prawdy rzeczywistości", typowości i uogólnienia. Regułami klasycznej estetyki realizmu były: prymat treści nad formą, jedność treści i formy, odrzucenie wszelkiej deformacji, odwoływania się do tradycji ludowości na gruncie nauki o dwóch nurtach kultury oraz do tradycji narodowych;

sztuka miała być socjalistyczna w treści i narodowa w formie; określono jej funkcje wychowawcze i partyjne.

Wytyczenie tego programu łączyło się z dynamiczną działalnością Ministerstwa Kultury i Sztuki oraz jego agend: Centralnego Biura Wystaw Artystycznych i na nowo ukształtowanego „Przeglądu Artystycznego". Odbywały się liczne konferencje, dyskusje, narady. Przyłączyli się do tego ruchu czołowi wówczas krytycy i historycy sztuki – zmierzając, głównie poprzez działalność wystawienniczą, do ukazania ludowych i realistycznych tradycji sztuki. Wystawy: „Oświecenie" i „Odrodzenie" w Warszawie oraz „Realizm w malarstwie polskim od XV do XIX w." w Krakowie stanowiły najważniejsze osiągnięcia.

Wyniki tej ofensywy przyniosła już w r. 1950 I Ogólnopolska Wystawa Plastyki, do której dopuszczono tylko dzieła reprezentujące wy-
603 tyczony kierunek. Pojawiła się więc i zaczęła dominować nowa tematyka: praca w fabryce, kopalni, na budowie, w PGR. Ukazywano
605 nowe formy życia społecznego: pochody,
606 manifestacje, zebrania – współczesne i retrospektywne. Pojawili się nowi bohaterowie – „zwykły człowiek", „działacz" itp.

Dzieła tego rodzaju tworzyli nie tylko artyści z dawna uprawiający malarstwo figuratywne, jak należący do najlepszych F. Kowarski
604 („Proletariatczycy") czy W. Weiss („Manifest"), a także M. Bylina („Lenino" i inne liczne obrazy batalistyczne, współczesne i historyczne), bądź jeszcze przed wojną tworzący lewicowe skrzydło Czapki Frygijskiej, jak np. Juliusz Krajewski („Ziemia chłopom"), ale także malarze dotychczas dalecy
606 od tego nurtu, jak choćby A. Wróblewski („Na zebraniu"). Obok dzieł indywidualnych, takich jak „Żniwa w PGR nad Prosną" Włodzimierza Zakrzewskiego, „Lenin w Poroninie" czy „Matka Koreanka" Wojciecha Fangora, monumentalne postacie robotników Stanisława Dawskiego, wyróżniony na wystawie ogólnopolskiej „Portret Gogola" Juliusza Studnickiego – wśród których przysłowiowym obrazem socrealistycznym stało się „Po-
603 daj cegłę" Aleksandra Kobzdeja – powsta-
605 wały także prace zbiorowe, jak np. „Pierwszomajowa manifestacja w r. 1905", dzieło siedmiu malarzy, rezygnujących niejako z własnych indywidualności w imię, pozornego zresztą, zwycięstwa przedmiotu nad podmiotem.

Władze partyjne i państwowe nie były zadowolone z tej sztuki. II Wystawa Ogólnopolska w r. 1951 spotkała się z zarzutami „dogmatyzmu" i „oportunizmu". O ile dla niektórych krytyków możliwość – czy konieczność – tworzenia nowej sztuki, przemawiającej do szerokiego grona odbiorców, zajmującej się przede wszystkim problemami pozamalarskimi, wyzwolonej z wąskich ram ustalonych konwencji kierunków „abstrakcyjnych", miała pewien walor atrakcyjności, to dla wielu artystów to przestawienie się stwarzało zasadnicze problemy – nie tylko warsztatowe, wynikające z braku opanowania techniki figuratywnego, naturalistycznego formowania, choć niewątpliwie dla niektórych była to trudność podstawowa. Aby ją pokonać, należało odnowić tradycje akademickiego kształcenia; tymczasem odwoływano się do tradycji dziewiętnastowiecznej, która pod pewnymi względami okazywała się nieprześcigniona, ale równocześnie nie spełniała wiązanych z nią oczekiwań. Próby stworzenia nowego języka naturalistycznego nie przyniosły pozytywnych, zadowalających rezultatów – być może nie mogły ich w tych warunkach przynieść. Był to konflikt podstawowy i równocześnie trudny do zrozumienia, zwłaszcza w kontekście rozwijającej się sztuki filmowej (np. znakomite dzieła neorealizmu włoskiego, a także dokumentalnej i quasi-dokumentalnej fotografii).

Zasadniczą trudność stanowiło ograniczanie się w zakresie tematyki do przejawów o charakterze społecznym, a nie jednostkowym, typowym, a nie indywidualnym oraz interpretacja dokonywana na gruncie ocen zobiektywizowanych, a nie subiektywnych. Twórca stawał się jedynie elementem transmisji: gotowe oceny, interpretacyjne recepty nanoszone były na przygotowany temat; istniały bowiem listy preferowanych tematów, rozumianych jako problemy i zadania dla malarstwa, formowanych według wszelkich kanonów „krytycznego realizmu" XIX w. Szybko zatem pojawiły się schematy, zarówno interpretacyjne („bohater pozytywny", „wróg klasowy"), jak i ikonograficzne – zwykle zresztą będące odnowieniem tradycyjnych. Ograniczony zarówno w zakresie wizji jak i realizacji, znalazł się ówczesny twórca w sytuacji niejako bez wyjścia. Wyjście to zresztą częściowo znajdował, co wyraziło się w wielkim rozwoju twórczości graficznej. Przebiegała ona w trzech podstawowych kierunkach: rysunkowych reportaży, zwykle zresztą związanych z egzotycznymi podróżami, które stanowiły rodzaj ucieczki od gotowych wzorców, następnie ilustracji książkowej, gdzie formuła figuratywna wydawała się najbardziej uzasadniona, a równocześnie tekst dyktował interpretację, przede wszystkim zaś plakatu, jako niemal jedynego rodzaju sztuki dopuszczającego w świetle teorii realizmu socjalistycznego deformację i „formalny" eksperyment. Korzystano tutaj z techniki kolażu, z surrealistycznych zestawień itp. eksperymentów. Była to jedna z przyczyn tak znakomitego rozkwitu polskiego plakatu także i w tym okresie.

Brak pozytywnej oceny realizmu socjalistycznego tłumaczy się czasem krótkotrwałością występowania tego kierunku (l. 1949 do 1955), jak również brakiem istnienia naturalistycznego „warsztatu" oraz panującym w środowisku twórców przekonaniem o nadrzędnym znaczeniu deformacji jako zasady kształtowania. Wszystko to zgodne jest z prawdą, ale nie stanowi pełnego wyjaśnienia. Kryje się ono zapewne w podstawowym dylemacie towarzyszącym zawsze rewolucjom: czy wyrazem nowej epoki może być sztuka posługująca się tradycyjną strukturą przedstawiającą? Czy zatem leninowska teoria odbicia rzeczywistości w sztuce oznacza obraz „naturalistyczny"? Czy nie należy odróżniać problemu upowszechniania sztuki – i wszelkich innych dóbr kultury – od kierunku tworzenia nowych wartości ideowo-plastycznych? Właściwe perspektywy zdaje się ukazywać rozwój eksperymentu artystycznego oraz szeroka popularyzacja w społeczeństwie polskim tzw. sztuki nieprzedstawiającej.

Teoria realizmu socjalistycznego wywarła ogromny wpływ na ukształtowanie się rzeźby – ze względu na wzrastające zapotrzebowanie na rzeźbę monumentalną, przede wszystkim pomniki, wznoszone w otwartej przestrzeni lub też w zespołach urbanistycznych. Na drugim miejscu znajdowała się rzeźba związana z architekturą – umieszczana na fasadzie, ściśle złączona z kompozycją architektoniczną i często jej podporządkowana, lub też stanowiąca wyposażenie wnętrz budowli publicznych. Trzecią grupę stanowiły stosunkowo często pojawiające się popiersia i głowy o charakterze portretowym.

Cechą charakterystyczną rzeźby tego okresu jest dominacja figury ludzkiej – będącej niemal jedynym tematem – traktowanej zwykle w sposób realistyczny, ze znamienną skłonnością do klasycyzującej syntezy i monumentalizacji. Wyjątkowo tylko rzeźba ówczesna zyskuje bardziej kameralne czy intymne ujęcie; nieliczne są też dzieła formowane bardziej swobodnie w stosunku do natury, z myślą o uzyskaniu większej ekspresji poprzez deformację.

Jedynie w nielicznych pomnikach zyskiwała znaczenie kompozycja architektoniczno-przestrzenna, jak np. w pomniku Powstańców Śląskich na Górze św. Anny, dziele Xawerego Dunikowskiego. Zazwyczaj dominowała pełnoplastyczna figura – czasem zresztą mająca sens alegoryczny, jak w przypadku postaci dziewczyny w pomniku Przy-

jaźni Polsko-Radzieckiej w Gdyni, wykonanym przez Mariana Wnuka – której często towarzyszył narracyjny składnik w formie reliefu, stanowiący np. historyczny komentarz. Wszystko to świadczy o tradycyjnym, dziewiętnastowiecznym rodowodzie tych koncepcji; równie tradycyjnie, w duchu akademickiego naturalizmu, kształtowane były same rzeźby. Wyjątkowo tylko zyskiwały one większą ekspresję, jak np. w reliefach Natana Rappaporta na pomniku Bohaterów Getta w Warszawie. 609

Powstawały głównie dwa rodzaje pomników. W jednym centralne przedstawienie stanowiła konkretna postać (jak np. w pomniku Wyzwoliciela [żołnierza radzieckiego] Stanisława Lisowskiego, pomniku Lenina Mariana Wnuka czy projektowanym przez Franciszka Strynkiewicza pomniku A. Mickiewicza). W drugim rodzaju – poza wspomnianymi wyżej przedstawieniami alegorycznymi – dominowały przedstawienia „typowe", zgodnie z zasadą typowości w realizmie socjalistycznym; jako przykłady można wymienić projektowaną przez Dunikowskiego „Głowę robotnika" czy „Głowę żołnierza radzieckiego" oraz „Walkę" Aliny Szapocznikow.

Sztandarowy przykład rzeźby architektonicznej stanowią reliefowe i pełnoplastyczne wielofigurowe kompozycje w zespole Marszałkowskiej Dzielnicy Mieszkaniowej (1952), przedstawiające np. typowe postacie robotników, o uproszczonych, syntetycznych formach, lub też alegorie sztuk, np. muzyki (dzieło J. Gosławskiego), mające wiele cech rzeźby barokowo-klasycystycznej.

Ważny rodzaj stanowiły kompozycje przeznaczone do wyposażenia wnętrz budowli oficjalnych lub też stanowiące obiekty samodzielne. Wymienić tu można np. „Żniwiarkę" Stanisława Horno-Popławskiego, uderzającą swobodą ruchu oraz idealizacją postaci dziewczęcej, czy „Świniarkę" Antoniego Kenara – obie przypominającą młodopolskie rzeźby Jana Szczepkowskiego – bądź tragiczną „Matkę Belojannisa" Horno-Popławskiego 608 lub „Głowę chłopki" Adama Prockiego.

Na tle tej twórczości wyjątkowe miejsce zajmowała „Pierwsza miłość" Aliny Szapocznikow, stanowiąca syntezę piękna ciała dziewczęcego, uderzająca dominacją dojrzałości fizycznej nad duchową – dzieło o umiarkowanej, ale ekspresyjnej deformacji. 607

Szczególnie rozpowszechniony rodzaj stanowiła rzeźba portretowa, a także przedstawienie anonimowych głów, będące często znakomitymi naturalistycznymi studiami, o głębokim, zindywidualizowanym wyrazie, jak np. „Autoportret" Alfonsa Karnego czy „Portret Isi" Franciszka Strynkiewicza.

W architekturze postulat „narodowej" formy doprowadził do swoistego historyzmu, przede wszystkim do korzystania z dorobku sztuki Odrodzenia jako pierwszej „postępowej", laickiej epoki, która równocześnie przyniosła pierwsze dzieła o odrębnym narodowym charakterze (wedle ówczesnych przekonań, wyrażonych m.in. z okazji wielkiej wystawy „Odrodzenia", a następnie także „Oświecenia").

Przykładem tego była przede wszystkim zabudowa placu Konstytucji w warszawskiej Marszałkowskiej Dzielnicy Mieszkaniowej (do 1952 – Zygmunt Stępień, Stanisław Jankowski, Józef Sigalin, Jan Knothe). Monumentalne wymiary i proporcje, system arkadowych ciągów, pilastrowa i kolumnowa artykulacja, poziome grzebienie attyk – uznane zostały za najbardziej odpowiadające dobie budowy socjalizmu. Wyłożenie ścian drogim piaskowcem, zdobienie rzeźbami, sgraffitem i malarstwem stanowiło o charakterze tych dzieł. Monumentalność założenia urbanistycznego oraz elementów architektonicznych, wznoszonych z ogromnym nakładem finansowym, pozostawała w całkowitej sprzeczności z ubogą architektonicznie, technicznie i funkcjonalnie zawartością tych gmachów – zwłaszcza gdy były to budowle mieszkalne. Zredukowana do minimum przestrzeń mieszkalna i zupełnie przestarzałe rozplanowanie odbijały jak w krzywym zwierciadle potrzeby funkcjonalne i duchowe oraz techniczne możliwości epoki. Styl ten może nieco lepiej godził się z funkcjami oficjalnych gmachów państwowych, natomiast nie miał szansy stworzenia właściwych ram dla szczególnie potrzebnej architektury mieszkalnej. Atakowany przez zwolenników konstruktywizmu – których sprzeciw budziło np. dostawianie do wcześniej wykonanego w żelazobetonie belkowania kolumn czy filarów – raził także poczucie zdrowego rozsądku i wykraczał poza czysto ekonomiczny rachunek. Ale był to przecież okres, w którym kosztem pierwszych potrzeb życiowych łożono ogromne sumy na odbudowę zniszczonych zabytków, a po części rekonstruując od podstaw te, które nie tylko w wyniku działań ostatniej wojny, ale już dawniej zniknęły z powierzchni ziemi.

W tejże atmosferze powstawały również niektóre gmachy oficjalne, jak np. budynek Ministerstwa Rolnictwa (J. Grabowski, S. Jankowski, J. Knothe), o potężnej bryle wspartej na rozbudowanym cokole, z podwójną kolumnadą. Przede wszystkim jednak należy wymienić najpotężniejszą wówczas budowlę w Polsce – warszawski Pałac Kultury i Nauki, zgodnie uznany za skrajny przykład pseudonarodowego eklektyzmu.

Koncepcje realizmu socjalistycznego decydowały także o kształcie nowych miast, zwłaszcza Nowej Huty założonej w r. 1950, o tradycyjnej, scentralizowanej zabudowie, komponowanej osiowo wokół wielobocznego placu (zespół pod kierunkiem T. Ptaszyckiego); o wyrazie całości przesądzała obrzeżna zabudowa o eklektycznych formach. Natomiast równocześnie założone Nowe Tychy (K. Wejchert i H. Adamczewska) zaprojektowano zgodnie z zasadami współczesnej urbanistyki.

Powstające wówczas w całej Polsce budowle mieszkalne, o bardzo skromnym standardzie, skrępowane ścisłymi normatywami, oparte na fałszywej zasadzie tworzenia wnętrz „dzienno-nocnych", nie spełniały swych podstawowych funkcji, a równocześnie wyjątkowo tylko tworzyły bardziej świadomie komponowane zespoły architektoniczne, jak np. osiedle Koło w Warszawie (H. i S. Syrkusowie, od 1948).

Za przełomowe dzieło tego okresu uważa się zgodnie warszawski Stadion Dziesięciolecia (J. Hryniewiecki, M. Leykam, Cz. Rajewski, 1955), odznaczający się przemyślaną celowością i prostotą, pozbawiony całkowicie eklektycznego monumentalizmu minionej epoki.

Nowe perspektywy

Załamanie się administracyjnego systemu kierowania sztuką, proces demokratyzacji i humanizacji stosunków w państwach demokracji ludowej, fiasko zamkniętego systemu kultury, w tym także sztuki realizmu, która nie przyniosła spodziewanych wyników, lecz zawód dla obydwu stron – wszystko to uprzytomniło potrzebę zmian.

Na czoło ponownie wysunęły się inicjatywy artystów. W roku 1955 zorganizowano dwie wystawy o podstawowym w dziejach sztuki polskiej znaczeniu. W Krakowie, w Domu Plastyków urządzono wystawę tzw. Grupy Młodych Plastyków, w której udział wzięli zresztą nie tylko młodzi. Była to próba nie tyle odrodzenia, co ujawnienia nurtu „młodej plastyki", o różnych orientacjach. Dominował kierunek surrealizmu – zwłaszcza w dziełach Kazimierza Mikulskiego i Jerzego Skarżyńskiego. Prace Marii Jaremianki, kształtowane z nakładanych warstwowo półprzepuszczalnych form, oraz Jonasza Sterna skłaniały się ku abstrakcji. Tadeusz Kantor stworzył cykl „obrazów metaforycznych". Malarstwo Tadeusza Brzozowskiego zmierzało od form fantastycznych figur, określanych linią, do starannie opracowanej płaszczyzny malarskiej, stanowiącej konkretyzację języka form, plam

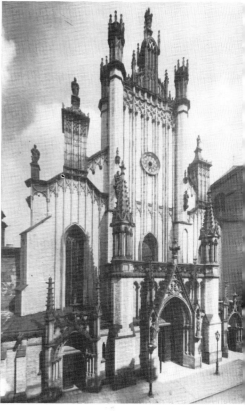

446. Pałac Towarzystwa Przyjaciół Nauk w Warszawie, 1820–1823

447. Pałac Namiestnikowski w Warszawie, przebud. 1818–1819

448. Teatr Wielki w Warszawie, 1825–1834

449. Katedra św. Jana w Warszawie, przebud. 1839–1842

450. Wnętrze pałacu w Starej Wsi, 1859–1862

451. Collegium Novum Uniwersytetu Jagiellońskiego w Krakowie, 1883–1887

452. Dom Pod Głową w Krakowie, 1895

453. Ratusz w Łowiczu, 1826–1828

454. Gmach Towarzystwa Kredytowego Ziemskiego w Warszawie, 1856–1858

455. Teatr Miejski, ob. im. Juliusza Słowackiego w Krakowie, ok. 1903

456. Teodor Rygier, Bachantka, 1887

457. Konstanty Hegel, Portret własny, 1856

458. Nagrobek gen. Jana Skrzyneckiego w kościele Dominikanów w Krakowie, 1865

459. Stanisław R. Lewandowski, Słowianin zrywający pęta, 1887

460. Wiktor Brodzki, Podszepty miłości, 1881

461. Alegoria rzeki Bug w Łazienkach warsz., 1830–1840

„Wizerunek Polaków"

462. Józef Peszka, Portret S. Kublickiego, 1791

463. Kazimierz Wojniakowski, Portret gen. Józefa Kossakowskiego, 1794

464. Antoni Brodowski, Portret brata, 1815

465. Piotr Michałowski, Seńko,
ok. 1846

466. Wojciech K. Stattler, Portret Ludwiki Kosteckiej

467. Antoni Blank, Portret Abrahama Sterna

468. Bonawentura Dąbrowski, Portret Pawła Pelizzaro

469. Henryk Rodakowski, Portret gen. Henryka Dembińskiego, 1852

470. Henryk Rodakowski, Portret matki, 1853

471. Jan Matejko, Portret Piotra Moszyńskiego, 1874

472. Juliusz Kossak, Portret własny na koniu, ok. 1859

473. Józef Simmler, Portret żony artysty, 1863

„Wizerunek Polaków"

474. Andrzej Grabowski, Wójt spod Krakowa, ok. 1870

475. Aleksander Orłowski, Szlachcic z gwiazdą orderową u boku

476. Michał Płoński, Stary żebrak

477. Jan P. Norblin, Uchwalenie Konstytucji 3 maja, 1804–1806

478. Franciszek Kostrzewski, Cyrk na Saskiej Kępie, 1852

479. Aleksander Kotsis, Matula umarli, 1868

480. Józef Chełmoński, Czwórka,
1881

481. Juliusz Kossak, Wyjazd na polowanie, 1876

482. Aleksander Gie-
rymski, Święto Trąbek,
1888

483. Aleksander Gie-
rymski, Powiśle, 1883

484. Sala rotundowa pałacu w Lubostroniu, 1800–1806

485. Sala rotundowa pałacu w Pakosławiu, po 1791

486. Wnętrze pałacu biskupiego w Krakowie, ok. 1816

487. Sala Czerwona pałacu Działyńskich w Poznaniu, 1786–1787

488. Sala portretowa pałacu w Choczu, ok. 1790

489. Sala Jadalna w zamku w Kórniku, do 1858

Sztuka w służbie świadomości narodu

490. Bolesław Chrobry wbija pale graniczne na Sali i Łabie, po 1791

491. Złota Kaplica przy katedrze w Poznaniu, do 1840

492. Piotr Michałowski, Somosierra, ok. 1837

493. Jan P. Norblin, Wieszanie
zdrajców, 1794

494. Jan Lewicki, Bartosz Głowacki, 1850–1853

495. Artur Grottger, Świętokradztwo, cykl „Wojna", 1866–1867

496. Józef Simmler, Śmierć Barbary
Radziwiłłówny, 1860

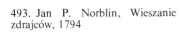

Sztuka w służbie świadomości narodu

497. Jan Matejko, Rejtan, fragm., 1866

498. Jan Matejko, Bitwa pod Grunwaldem, fragm., 1878

499. Jan Matejko, Batory pod Pskowem, fragm., 1872

Sztuka ludowa

500. Madonna z Dzieciątkiem, Brzozowy Kąt k. Ostrołęki

501. Wycinanka z okolic Warszawy

502. Wnętrze izby z podłogą wysypaną piaskiem, Domaniewice k. Rawy Mazowieckiej

Sztuka ludowa

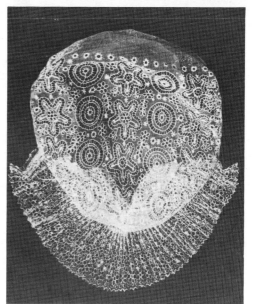

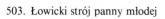

503. Łowicki strój panny młodej

504. Malowana obora, Zalipie

505. Haftowany czepiec wielkopolski

506. Skrzynia skawińska

507. Matka Boska Saletyńska z okolic Tarnowa

508. Chrystus Frasobliwy z Iwonicza

509. Adam i Ewa, obraz z Kołaczyc k. Jasła, 1835

510. Dywan dwuosnowowy z Rudek k. Bielska Podlaskiego

511. Słup z św. Benonem w Kuklinowie k. Krotoszyna, ok. 1800

„Miasto nowoczesne"

512. Dawny Sąd Krajowy we
Lwowie, 1892

513–515. Wały Hetmańskie
we Lwowie: 1840, 1895,
1904

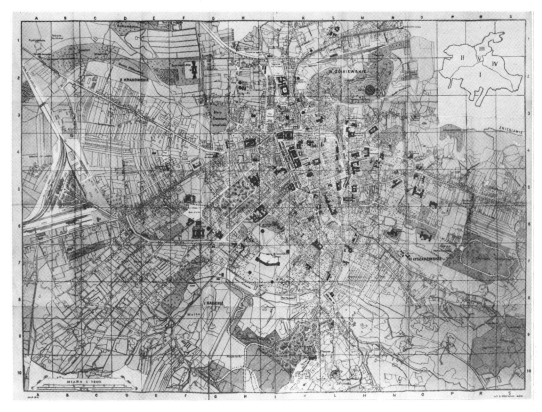

516. Plan Lwowa, 1890–1894

517. Pałac L. Kronenberga w Warszawie, 1868–1871

518. Kamienica M. Spokornego w Warszawie, proj. 1904

„Miasto nowoczesne"

519. Zakłady Grohmanna w Łodzi, 1896–1898

520. Willa przy ul. Worcella 6/8 w Łodzi, 1904

521. Willa W. Wernickiego w Warszawie, 1875–1878

522. Zespół przemysłowy Scheiblerów na Księżym Młynie w Łodzi, 1865–1869 do 1895

523. Kamienica przy ul. Piotrkowskiej 107 w Łodzi, 1895

524. Przędzalnia J.K. Poznańskiego w Łodzi, 1872–1896

525. Wnętrze salonu w pałacu przy ul. Przędzalniczej 72 w Łodzi, ok. 1880

526. Pałac J.K. Poznańskiego przy ul. Ogrodowej 15 w Łodzi, pocz. XX w.

527. Dawny pasaż Meyera, ob. ul. Moniuszki w Łodzi

Wiek XX

528. Teatr Stary w Kra-
kowie, 1905

529. Teatr Polski w War-
szawie, 1912

530. Gmach Towarzys-
twa Przyjaciół Sztuk
Pięknych w Krakowie,
1901

531. Gmach Ministerstwa Oświaty w Warszawie, 1925–1930

532. Domy Warszawskiej Spółdzielni Mieszkaniowej na Żoliborzu w Warszawie,
ok. 1935

533. Gmach Biblioteki Jagiellońskiej
w Krakowie, 1939

534. Gmach PKO w Krakowie, 1925

Wiek XX

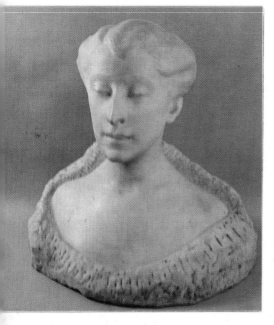

535. Konstanty Laszczka, Popiersie kobiety

536. Wacław Szymanowski, pomnik Fryderyka Chopina w Warszawie

537. Xawery Dunikowski, Głowa Adama Mickiewicza

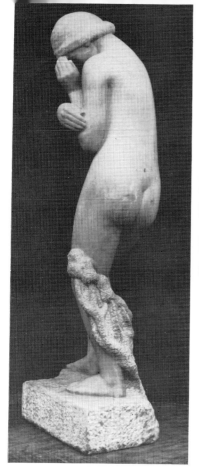

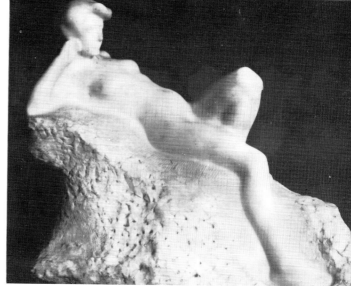

538. Henryk Kuna, Różowy marmur, 1929

539. August Zamoyski, Akt

540. Edward Wittig, Młodość, 1907

541. Jan Szczepkowski, Dziewki wiejskie, 1903

542. Zbigniew Pronaszko, projekt głowy Adama Mickiewicza do pomnika w Wilnie, 1922

543. Edward Wittig, Polska Nike, 1917

544. Jan Szczepkowski, Ołtarz Matki Boskiej na Wystawie w Paryżu, 1925

545. Stanisław Wyspiań-
ski, Polonia, 1894

Modernizm

546. Olga Boznańska, Portret pani
w brązowej sukni, 1900

547. Jacek Malczewski, Melancholia, 1890–1894

548. Jacek Malczewski, Hamlet polski – Portret Aleksandra Wielopolskiego, 1903

549. Stanisław Lentz, Portret członków Warszawskiego Towarzystwa Naukowego

550. Władysław Podkowiński, Sad w Chrzesnem, 1891

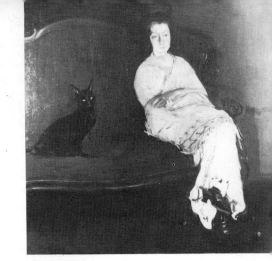

551. Konrad Krzyżanowski,
Portret żony z kotem,
1913

552. Aleksander Gierymski,
Trumna chłopska, 1894

553. Józef Chełmoński, Babie lato, 1875

554. Jan Stanisławski, Bodiaki pod
słońce, przed 1895

555. Ferdynand Ruszczyc, Ziemia,
1898

556. Ludwik de Laveaux, Plac
Opery w Paryżu, ok. 1890

557. Władysław Ślewiński, Morze
z rudymi skałami, ok. 1904

558. Stanisław Wyspiański.
Chochoły, 1898–1899

559. Leon Wyczółkowski.
Orka na Ukrainie, 1892

560. Aleksander Gierymski.
Wieczór nad Sekwaną, ok.
1893

561. Witold Pruszkowski, Rusałki,
1877

562. Władysław Podkowiński, Szał
uniesień, 1893–1895

563. Witold Wojtkiewicz, Rozstanie, 1908

Pluralizm malarstwa dwudziestolecia...

564. Stanisław Kubicki, Wioślarz, 1918

565. Zbigniew Pronaszko, Krajobraz ze Strzyżowa, 1921

566. Szczęsny Kowarski, Uchodźcy, 1942

567. Wacław Borowski, Zbieranie winogron

568. Michał Bylina, Hetman Żółkiewski, ok. 1938

569. Jacek Mierzejewski, Umarlak, 1916

570. Tymon Niesiołowski, Kąpiące się, 1916–1917

571. Władysław Skoczylas, Hulanka

Pluralizm malarstwa dwudziestolecia...

572. Stanisław I. Witkiewicz, Schematy kompozycyjne, 1919

573. Marek Włodarski, Płyną po niebie, 1931

574. Ludwik Lille, Kompozycja z nutami, 1925

575. Tytus Czyżewski, Portret pani z wachlarzem, 1935

576. Stanisław I. Witkiewicz, Portret Zofii Szumanowej, 1929

577. Leon Chwistek, Szermierka, 1920

578. Leon Chwistek, Miasto fabryczne, 1921

579. Stanisław I. Witkiewicz, Kompozycja, 1922

Pluralizm malarstwa dwudziestolecia...

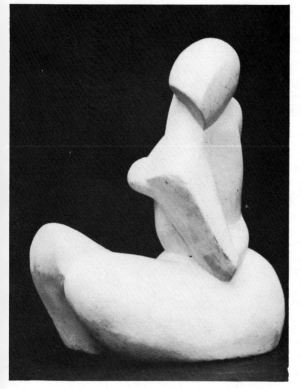

580. Katarzyna Kobro, Akt, ok. 1924

581. Karol Hiller, Promień, 1933

582. Maria Nicz-Borowiakowa, Akt, 1924

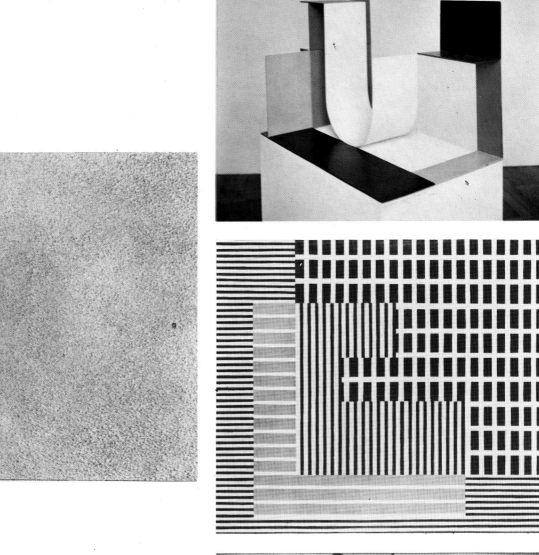

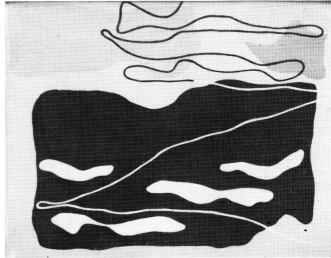

583. Władysław Strzemiński, Kompozycja unistyczna, ok. 1931

584. Katarzyna Kobro, Rzeźba przestrzenna, 1929

585. Henryk Stażewski, Kontrkompozycja, 1930–1932

586. Władysław Strzemiński, Pejzaż morski, 1934

Pluralizm malarstwa dwudziestolecia...

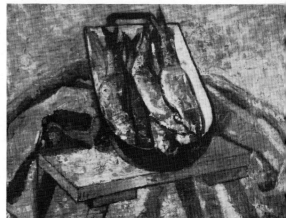

587. Artur Nacht-Samborski, Kwiaty na stołku, liście fikusa, 1955

588. Wacław Taranczewski, Martwa natura z kwiatami na krześle, 1949

589. Stanisław Szczepański, Śledzie, 1948

590. Jan Cybis, Kielich i dzban do kawy, 1951–1952

591. Zygmunt Waliszewski,
Uczta renesansowa, 1933

592. Hanna Rudzka-Cybisowa, Krajobraz z płotem
(Ogród), 1931

593. Eugeniusz Eibisch, Martwa natura z rybą

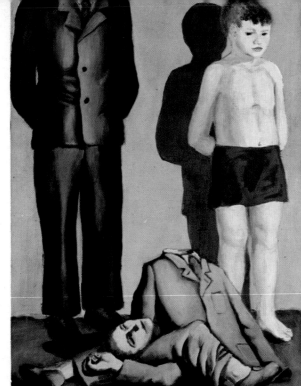

594. Tadeusz Kantor, Praczka, 1946

595. Andrzej Wróblewski, Rozstrzelanie V,
1949

596. Jerzy Tchórzewski, Ptaki, 1949

597. Alfred Lenica, Powrót z wojny, 1946

598. Zbigniew Dłubak, Mauthausen, 1945

599. Kazimierz Mikulski, Drewniany ptak, 1954

600. Henryk Stażewski, Ucieczka, 1947

601. Maria Jaremianka, Wyrazy, 1954

„Sztuka w walce o socjalizm"

602. Marian Wnuk, pomnik Przyjaźni Polsko-Radzieckiej w Gdyni

603. Aleksander Kobzdej, Podaj cegłę, 1950

604. Wojciech Weiss, Manifest, 1950

605. Praca zbiorowa, Pierwszomajowa manifestacja w r. 1905, 1951

606. Andrzej Wróblewski, Na zebraniu, 1954

607. Alina Szapocznikow, Pierwsza miłość, 1954

608. Stanisław Horno-Popławski,
Matka Belojannisa

609. Natan Rappaport, pomnik Bohaterów Getta w Warszawie,
fragm.

610. Marszałkowska Dzielnica Mieszkaniowa w Warszawie,
1949–1952

Nowe perspektywy

611. Tadeusz Kantor, Ramamaganga, 1957

612. Marek Oberländer, Napiętnowani, 1955

613. Marian Bogusz, Symfonia liturgiczna Honeggera, 1955

614. Adam Marczyński, Nad wodą, 1956

Nowe perspektywy

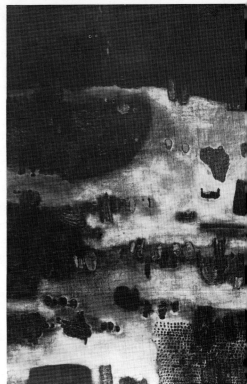

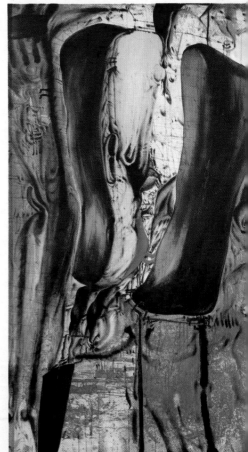

615. Rajmund Ziemski, Krajobraz czerwony

616. Jan Tarasin, Schody Jakuba, 1968

617. Tadeusz Brzozowski, Dyrdy, 1968

618. Jan Lebenstein, Figura, 1957

619. Tadeusz Dominik, Jesień

620. Piotr Potworowski, Port
w Redzie, 1960

621. Władysław Hasior, Ogrodnik

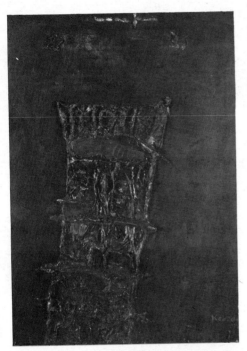

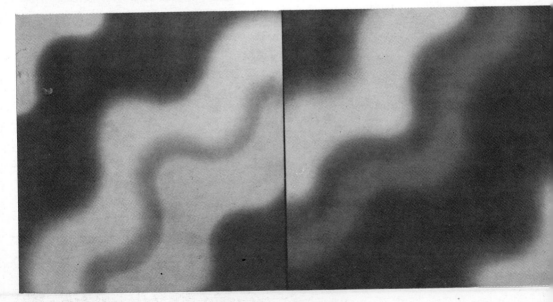

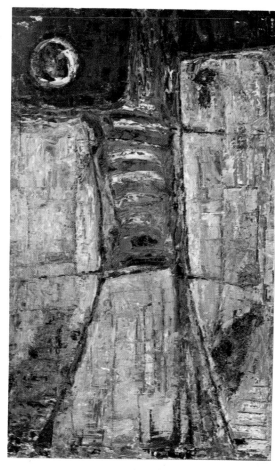

622. Aleksander Kobzdej, Wynurzony, 1958

623. Józef Szajna, Reminiscencje, 1969

624. Wojciech Fangor, SU 22 A, 1971

625. Stefan Gierowski, Obraz CCIV

626. Antoni Fałat, 1969

627. Zbigniew Tymoszewski, Postać z księżycem, 1962

Nowe perspektywy

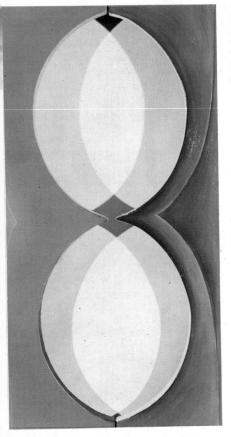

628. Jan Berdyszak, bez tytułu

629. Bronisław W. Linke, Głowa z niebieskimi włosami, 1961

630. Teresa Pągowska, Szósty 67, 1967

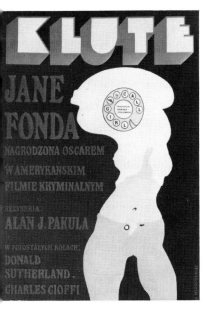

631. Jan Młodożeniec, plakat filmowy: ,,Klute", 1973

632. Jan Świtka, Ślusarska 15 h 15, 1973

633. Jerzy Nowosielski, Abstrakcja, 1970

634. Franciszek Starowieyski, plakat teatralny: W. Gombrowicz, ,,Ślub", 1975

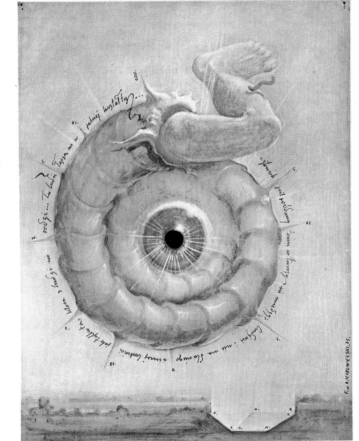

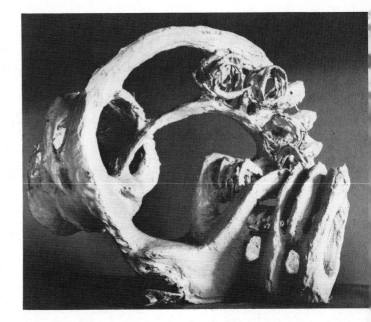

635. Alina Ślesińska, Brazylia, 1974

636. Xawery Dunikowski, Kobiety brzemienne, 1905

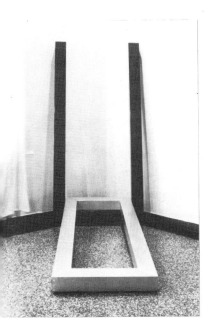

637. Jan Berdyszak, Kondensator wyrazów elementarnych, 1971–1973

638. Jerzy Bereś, Zwid-Wóz, 1965–1968

639. Alina Szapocznikow, Autoportret zwielokrotniony, 1965

640. Karol Broniatowski, Tłum, 1973

641. Hala Sportowa „Spodek" i pomnik Powstańców Śląskich w Katowicach, 1967

642. Instytut Meteorologii i Gospodarki Wodnej w Zakopanem, 1964–1966

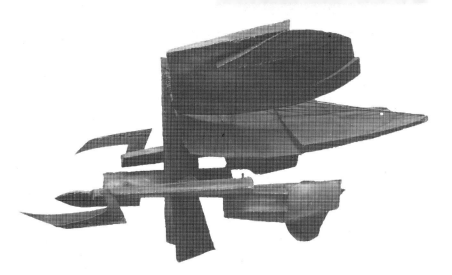

643. Jerzy Jarnuszkiewicz, fragment projektu pomnika I Armii Wojska Polskiego, 1958

644. Pomnik Pamięci Ofiar w Treblince, 1964

645. Adam Myjak, Zapadanie w sen, 1974

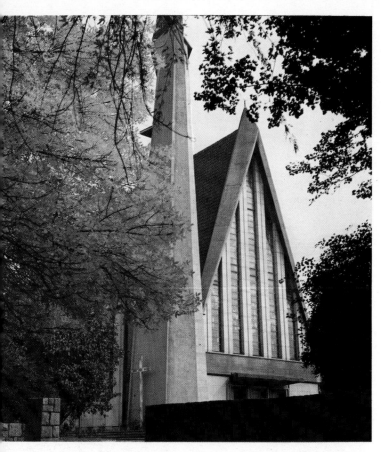

646. Kościół p.w. Matki Boskiej z Fatima, Tarnów,
1957–1960

647. Zajazd „Podbipięta" na
trasie Warszawa–Poznań

Nowe perspektywy

648. Dzielnica Ursynów-Południe w Warszawie, od 1975

649. Pasaż „Ściany Wschodniej" ul. Marszałkowskiej w Warszawie, 1960–1969

Nowe perspektywy

650. Dworzec Centralny w Warszawie, 1971–1975

651. Trasa Łazienkowska
w Warszawie, 1964–1974

barwnych, ich kształtów i faktury, wzajemnych stosunków, związków z formą linearną, tworzącą jak gdyby unerwienie obrazu.

Front ten, zasilony ponownie rozwiniętymi kontaktami ze sztuką Zachodu (m.in. pobyt Kantora w Paryżu w r. 1955), reprezentował podstawowe kierunki malarstwa i rzeźby w Europie. Przede wszystkim występowały różne postacie abstrakcji geometrycznej i organicznej (tzw. abstrakcja „twarda" i „miękka"), neounizmu, strukturalizmu i najbardziej nowoczesnych odmian: taszyzmu i kolażu. Wszystkie te nurty znalazły u nas swych przedstawicieli, przy czym często ten sam malarz skłaniał się ku różnym „stylom" czy kierunkom – nieraz niemal równocześnie, zaskakując nagłymi zmianami odbiorców i krytyków. Ów swoisty warietyzm wydaje się szczególnie charakterystyczną cechą tego czasu.

Odnowa objęła także kierunki figuratywne, których wspólną cechą było ponowne uznanie prawa do deformacji jako podstawowego środka artystycznego wyrazu. Wywodziły się one z kubizmu, postkubizmu, także z surrealizmu i realizmu fantastycznego, a zwłaszcza z ekspresjonizmu, który szczególnie silnie przejawił się w r. 1955 na wystawie w warszawskim Arsenale – drugiej przełomowej ekspozycji tego roku. W zaprezentowanych tam dziełach ujawniła się śmiała deformacja („nie ma sztuki bez deformacji"), dominacja emocjonalnego stosunku do przedmiotu, ekspresja jako podstawowa funkcja dzieła, przewyższająca znaczenie funkcji obrazowania. W wystawie tej, uznanej za „manifest" nowej wiary plastycznej, zaznaczył się zapewne wpływ niedawnej wystawy malarstwa meksykańskiego, ale zastanawiająca była przewaga wojennej, martyrologicznej tematyki, formułowanej często w języku Goi, Ensora czy Noldego, z przewagą monochromatycznej skali barwnej. Jak się wydaje – tematyka ta, dająca się może odczytywać także przenośnie, w ogólniejszej płaszczyźnie odniesień, w znacznej mierze stanowiła pozór, uzasadniając prawo do brutalnej, ekspresyjnej deformacji. Ekspresja zdolna wywołać wstrząs u widza stanowiła wartość samą w sobie; była równocześnie reakcją na ową uporządkowaną socrealistyczną i socromantyczną wizję świata bezkonfliktowego, ale i obojętnego dla wszystkich.

Wystawa w Arsenale stanowiła nowy etap w dziejach sztuki figuratywnej w Polsce, raczej zamykający pewien okres niż otwierający nowe perspektywy, gdyż większość jej uczestników szybko wstąpiła na drogę nowej abstrakcji (por. np. „Figurę" Jana Lebensteina, 1957). Pierwiastek „opisowy" budził zde-

cydowany sprzeciw bardziej radykalnych grup.

Dwie omówione wystawy zapoczątkowały ponownie wielki, zdecentralizowany ruch wystawienniczy, będący funkcją intensyfikacji twórczości, ale równocześnie jej atomizacji – powstania wielu ugrupowań artystycznych, klubów, galerii itp. o różnym składzie, trwałości i znaczeniu.

Jako przykład wymienić można warszawską Grupę 55, działającą pod hasłem „dyscypliny, ascezy, eliminacji" (por. np. „Einsteina" Mariana Bogusza, 1955). Przy znanym Klubie Krzywego Koła powstaje Galeria nazwana po r. 1957 Galerią Sztuki Nowoczesnej, której głównym zadaniem była ekspozycja dzieł awangardowych ugrupowań plastyki polskiej. Między innymi urządzono tu w r. 1955 indywidualną wystawę Henryka Stażewskigo, w r. 1960 natomiast, z okazji kongresu AICA, wystawę „Konfrontacje 1960", na której zaprezentowano m.in. dzieła Mariana Bogusza, Tadeusza Brzozowskiego („Proceder", 1958), Tadeusza Dominika, Stefana Gierowskiego, Bronisława Kierzkowskiego („Kompozycja", 1960), Jerzego Nowosielskiego, Aliny Szapocznikow, Jana Tarasina („Obraz Z.II", 1959), Jerzego Tchórzewskiego, Magdaleny Więcek, Rajmunda Ziemskiego.

Na terenie Łodzi zaznaczył się wpływ tradycji sztuki Władysława Strzemińskiego (por. np. twórczość Lecha Kunki); w r. 1957 zorganizowano tam pośmiertną wystawę dzieł artysty.

W Poznaniu przewodzili wciąż koloryści: Wacław Taranczewski, Stanisław Teisseyre, Stanisław Szczepański, Eustachy Wasilkowski. Obok Grupy 4 F+R (powst. 1947) znaczenie zyskała grupa R-55: Wacław Twarowski, Bartłomiej Kurka, Andrzej Matuszewski, Rajmund Dybczyński, Irena Psarska.

„Nowoczesność" staje się najczęstszym pozytywnym określeniem ówczesnej twórczości, wymierzonym przeciwko „tradycjonalizmowi", przy czym obydwa pojęcia mają szeroki i nieostry zakres. Malarstwo nowoczesne było niezwykle różnorodne, ale w tym czasie oznaczało przede wszystkim rezygnację z opisu, przedmiotu, tematu. Wiązało się z tym także oderwanie od literatury i teatru, skupienie na problemach czysto malarskich, ale równocześnie zerwanie z dawną ekskluzywnością, hermetycznością sztuki, dbałość o jej popularyzację i przenikanie do wszelkich przejawów życia codziennego. Kompozycja kształtów i barw – tworzących język mniej lub bardziej zdefiniowany semantycznie, informujący o wewnętrznych sprawach sztuki, o świecie przeżyć twórcy, o jego emocjonalnym stosunku do otaczającego go świata społecznego – przenikała do wszelkich przedmiotów tworzonych przez człowieka, nadając im szczególnie humanistyczny sens.

Byłoby wielkim uproszczeniem twierdzić, że koncepcje sztuki nowoczesnej napłynęły do Polski po r. 1955 z zewnątrz. Dynamiczna eksploatacja sztuki nowoczesnej wiązała się z generalnymi przemianami społeczno-politycznymi i ekonomicznymi kraju. Miała ona zresztą dawniejsze, jeszcze przedwojenne tradycje; korzystano z osiągnięć innych środowisk artystycznych, tworząc przecież wartości własne, niejednokrotnie wyprzedzające osiągnięcia innych centrów artystycznych. Bez dalszych konsekwencji pozostały np. dwa „antypikturalne" zjawiska w sztuce polskiej: „Kineformy" Andrzeja Pawłowskiego – projekcja form abstrakcyjnych w ruchu (1957) – i „Artony" Włodzimierza Borkowskiego – operujące m.in. pulsującym światłem (1959). Podobne koncepcje pojawiły się na Zachodzie znacznie później.

Jednym z najważniejszych nurtów tego czasu była abstrakcja typu „informel" – od dynamicznego taszyzmu po abstrakcyjne pejzaże. Ważnym współczynnikiem tego kierunku w Polsce była tradycja koloryzmu, dająca znać o

615
619
sobie np. w dziełach Rajmunda Ziemskiego („Krajobraz czerwony") i Tadeusza Dominika (niefiguratywne „ogrody" czy abstrakcyjne „bukiety"). Kierunek „spacjalizmu"*

623,
625
rozwijali m.in. Wojciech Fangor i Stefan Gierowski. Pierwszy operował abstrakcyjnie rozwiązanymi zespołami płócien, tworząc z nich, czy organizując za ich pomocą, ekspresyjne „wnętrza". Drugi tworzył te wnętrza w obrębie obrazu, operując napięciami płaszczyzny, barwy, koloru czy faktury.

Stosunek do przedmiotu zajmował m.in. Jana Tarasina, który poświęcił temu zagadnieniu osobny traktat. Broniąc się przed „terrorem przedmiotów", tworzył obrazy złożone z „przedmiotów bezinteresownych", czysto malarskich (np.„Drobiazgi",1959; por. także

616
„Schody Jakuba", 1968).

Przedmiot może być jednak traktowany symbolicznie i wówczas jego iluzyjność ma sens metafizyczny, jak w twórczości Zbigniewa Makowskiego. Tematem malarstwa może być wreszcie tylko pewna cecha czy właściwość przedmiotu naturalnego, np. jego faktura, bądź podstawowa struktura – organiczna lub nieorganiczna. W pierwszym przypadku łatwo przejść od faktury malarskiej do „cytowanej", budując „obraz" malarski z fragmentów drewna, tkanin, gipsu itp. Drugą możli-

618
wość reprezentował najpełniej Jan Leben-

_____

* Space (ang.) – przestrzeń

stein – w cyklu „figur na osi", nabierających znaczenia magicznych totemów; po r. 1960 ustąpiły one miejsca tworom człeko- i zwierzęcopodobnym, o silnie eksponowanej stronie biologicznej (np. „Sielanka", 1967). Zbliżone tendencje ujawnia sztuka Aleksandra

62
Kobzdeja (np. „Wynurzony", 1958) i Zbigniewa Tymoszewskiego (np. „Postać z księży-

62
cem", 1962), lubującego się w dosłownej mięsistości przedstawień.

W latach 1960–1965 nastąpił kryzys malarstwa abstrakcyjnego, malarstwa materii itp. Powszechne uznanie, występowanie w galeriach, na wystawach i w muzeach, niemal pełna popularyzacja – pozbawiły je całkowicie wartości polemicznych i znaczenia awangardy. Przeciwnie – zyskało ono niemal charakter akademicki, a jego uprawianie stało się wyrazem konformizmu. Odnowa po r. 1965 odbywa się w innym kierunku. Odżywa malarstwo figuratywne – zwłaszcza mające charakter metaforyczny (wystawa „Metafora", 1962) – dla którego tłem był europejski rozwój „realizmu fantastycznego"; tradycje tego typu malarstwa od czasów Malczewskiego i Wojtkiewicza ukazano na wystawie Malczewskiego w r. 1962. Na drogę tę najwcześniej wstępują Jerzy Stajuda („Wieża Babel", 1960; „Pejzaż", 1964) i Władysław Hasior, który uprawia *assemblage*, polega-

52
jący na łączeniu różnych przedmiotów bądź ich fragmentów, uzupełnionych elementami malarstwa i rzeźby, tworzących wspólnie całość. W połączeniu z żywym światłem, włączone w akcję, czasem niszczone, palone – dzieła te zyskują wyraźny sens symboliczny i metaforyczny (np. „Sztandary polskie"), dający się odnieść do treści historycznych, narodowych, martyrologicznych, religijnych.

Niezaprzeczalne znaczenie dla sztuki polskiej miał łańcuch następujących po sobie koncepcji artystycznych w Europie Zachodniej oraz w Stanach Zjednoczonych Ameryki Północnej. Heroizacja pospolitego przedmiotu w pop-arcie stworzyła podstawy dla statycznego *environment*: organizacji przestrzeni zapełnionej rzeczywistymi lub quasi-rzeczywistymi przedmiotami. Jest to – jak się zdaje – wyraz nie zrealizowanych dążeń artystów do osiągnięcia wpływu na kształtowanie rzeczywistego życia społecznego. Teatralizacja tego kierunku doprowadziła do happeningu; w jego realizacjach przełamana została granica między twórcą a widzem. Analogiczne zjawisko stanowi sztuka pojęciowa: eliminacja przedmiotu artystycznego, czyli rezygnacja z konkretyzacji idei artystycznej, prowadzi tu do uznania za zbyteczne posiadanie „umiejętności artystycznych"; idea artystyczna może być dziełem wielu, także tych, którzy nie potrafią jej plastycznie urzeczywistnić.

Wspomniany kryzys dotyczył spraw bardziej zasadniczych, przede wszystkim sensu indywidualnej twórczości w obliczu kultury masowego przekazu audiowizualnego – traktowanego na równi z dziełami sztuki – sensu jej autonomiczności, a następnie, i przede wszystkim, sensu materialnej konkretyzacji sztuki (sztuka „konceptualna", „nieobecna", „niemożliwa", ograniczenie się do samej koncepcji).

Do radykalnych przejawów tego kryzysu należał pop-art, będący dosłownym przeniesieniem na wystawę – czyli w uznany świat „sztuki" – sytuacji człowieka wobec otaczającego go świata codzienności, z całą inwazją popularnych druków, ilustracji, reklam itp. Przejawy tego kierunku w Polsce były nikłe – wobec odrębności naszej codzienności; sprzyjał on natomiast odrodzeniu malarstwa figuratywnego (np. w dziełach Antoniego Fałata z r. 1969).

Większe szanse miały radykalne tendencje „ikonoklastów". Cechowała je przede wszystkim rezygnacja z autonomicznego bytu dzieła sztuki: przedmiot materialny nigdy nie osiąga w nich stadium wykończenia, jest zawsze tylko etapem realizacji, jednym z wielu możliwych rozwiązań. Artysta nie jest też związany z określonym typem formowania – tworzy równocześnie w różnych konwencjach. Z tych to powodów powstające przedmioty artystyczne nie były wykonywane w materiałach trwałych i w technice zapewniającej długi żywot.

Jeszcze dalej posuwa się twórczość konceptualna, w całości eliminująca przedmiot artystyczny i w miejsce tradycyjnego układu: artysta – dzieło sztuki – odbiorca, wprowadzająca układ: artysta – odbiorca. Koncepcja sztuki jest przekazywana odbiorcy w stanie nie zmaterializowanego przedmiotu, w związku z czym artysta coraz częściej posługuje się słowem i piórem. Nie są to już tylko – jak dawniej – programy i manifesty artystyczne, ale teksty, niekiedy o poetyckiej formule, które zastępują samo dzieło plastyczne, a czasem – jak w wypadku happeningu – stanowią jego partyturę czy „Drehbuch"; często bywają też autokomentarzem, polemiką.

Jedną z pierwszych prób „nowej" sztuki była „Wystawa popularna" Tadeusza Kantora (1963), gromadząca pop-artowską rupieciarnię i tandetę. Na organizowanych od r. 1966 pokazach synkretycznych przedmiotem eksperymentu jest postać ludzka, deformowana odbiciem lustrzanym, lub udziwnione przedmioty – szafy, futryny drzwiowe, okna – dzia-

łające poprzez absurdalność zestawień i dzięki temu osiągające określoną ekspresję, tworzące kompozycje przestrzenne – wspólnie z wciągniętymi w obręb ich przestrzeni widzami. W kierunku tym działali Włodzimierz Borowski, Zbigniew Gostomski, Zbigniew Dłubak, Józef Szajna i in.

Z ruchu tego, także z tradycji polskiego strukturalizmu, wyrosła koncepcja kompozycji przestrzennych Mariana Bogusza, stawiającego sobie za zadanie plastyczną kompozycję rzeczywistej przestrzeni – urbanistycznej, produkcyjnej, przemysłowej (I Elbląskie Biennale Form Przestrzennych, 1965; zespołowa koncepcja Przestrzeń i Wyraz, Zielona Góra 1967) – gdzie obok środków obrazowych pojawia się światło, dźwięk, ruch.

Obok tego rodzaju działań „pozytywnych" mnożą się przeciwne, np. tzw. ruch Clochardów czy Marzycieli, Galeria Nieistniejąca, Galeria Tak i Nie, pseudodziałalność artystyczna i wystawiennicza (1971, zjazd Marzycieli w Elblągu), które należą do przejawów sztuki konceptualnej, często mających wiele wspólnego z happeningiem.

W omawianym czasie dokonuje się zatem w polskim malarstwie przełom w rozumieniu najbardziej podstawowych zasad sztuki. Moment ten niektórzy określają jako „punkt zerowy", oznaczający dojście do pełnej negacji i odrzucenia tego wszystkiego, co dawniej stanowiło istotę obrazu malarskiego. Ten swoisty proces redukcji pojęcia i zadań malarstwa był niemal totalny. Objął on w pierwszej kolejności obraz jako przedmiot materialny, negując konieczność jego zwartości, określoności granic, podstawowych i niezbędnych do niedawna geometrycznych parametrów obrazu: dwuwymiarowości, ciągłości, płaszczyzny. Negacja ta, jeśli nawet nie pozbawiła całkowicie obrazu materialnej egzystencji, to w każdym razie przesunęła punkt ciężkości z dzieła jako produktu na sam proces tworzenia.

Obraz zaczyna istnieć na innych podstawach. Wobec upowszechnienia się wśród artystów postawy quasi-naukowej, staje się on przede wszystkim tworem intelektu, przemyślenia, analizy; nie wymaga natchnienia czy przeżycia twórczego, tym bardziej nie jest spontanicznym wybuchem twórczym, lecz „polem zbiorów", wynikiem zastosowania ustanowionych i wyuczonych reguł gry. Po części w związku z tym osiąga byt autonomiczny: nie jest wyrazem subiektywnej osobowości twórcy, lecz raczej wynikiem jego zobiektywizowanego rozumowania, oddalonym odeń i neutralnym.

Autonomiczność obrazu, jego obiektywizm eliminują w konsekwencji jednorazowość, oryginalność. Dzieło może być powtarzane, powielane, stale przetwarzane – tak jak każdy inny przedmiot tego świata; nigdy nie jest „skończone".

Ów nowy typ obrazu funkcjonuje inaczej w sferze odbioru: przestaje być przedmiotem estetycznego zachwytu, nie jest iluzją tego, co przedmiotowe lub nieprzedmiotowe, wyzbywa się znaczeń metaforycznych i surrealistycznych. Jeśli o czymś mówi, to raczej o odbytym procesie intelektualnym; może też służyć eksperymentowi optycznemu itp. Przede wszystkim jest wyrazem przeprowadzenia analizy samego dzieła, prób rozłożenia obrazu na elementy podstawowe i dokonania ich zapisu przy użyciu systemów pozaobrazowych, np. cyfrowych; twórczość prowadzi do odkrywania systemu systemów zapisu relacji, staje się próbą łączenia języka plastyki ze słowem, czasem analizą relacji na osi obraz – przedmiot, zgodnie ze swoimi naukowymi ambicjami.

Zmiana przedmiotu oznacza zmianę podmiotu twórczego – prowadzi do ukształtowania się innego typu artysty, którego charakteryzuje przede wszystkim zdolność twórczego myślenia, szczególna dyspozycja psychiczna, etyczna, społeczna, a na końcu dopiero umiejętność formułowania. Występuje lekceważący stosunek do wykonania, do znajomości rzemiosła, do mistrzostwa. Artysta nie jest przywiązany do jednej dziedziny sztuk plastycznych, pracuje w wielu, łączy wiele, przekracza uświęcone granice. Jego główne problemy są natury intelektualnej: dominuje refleksja nad zadaniami sztuki, nad jej statusem ontologicznym, miejscem w świecie, nad jej możliwościami wyrazowymi.

Wobec tej sztuki zmienia się też nauka o niej: uzasadnione jest większe zainteresowanie determinantami negatywnymi niż pozytywnymi, określającymi genezę dzieła sztuki – wobec różnorodności i permanentnej zmienności formuł plastycznych. Może to wynik braku historycznego dystansu, ale wydaje się, że mniej przydatne jest tu spojrzenie diachroniczne, bardziej zaś synchroniczne, wychodzenie raczej z założeń typologicznych niż historycznych, że traci sens porządek liniowy – z awangardą na czele – ponieważ całe pole widzenia wydaje się nasycone awangardą.

Autonomiczną pozycję w rodzinie sztuki dwuwymiarowej zajmuje plakat – wyodrębniony spośród malarstwa i grafiki, podlegający własnym prawom i własnej prawidłowości rozwoju, mający zawsze doraźny cel. Plakat polski już przed wojną, a bardziej jeszcze w dobie powojennej był terenem szczególnie interesujących eksperymentów.

Skupiły się one przede wszystkim na jego funkcjach komunikacyjnych, na operowaniu obrazem i słowem, opisem, formą stylizowaną i skrótem, kształtem i kolorem.

Usytuowany zawsze na pograniczu sztuki użytkowej i służący celom praktycznym – reklamie kupieckiej, wszelkiego rodzaju informacji publicznej, propagandzie politycznej – od początku związany był w Polsce z najwybitniejszymi twórcami: jedne z pierwszych plakatów polskich były dziełem Stanisława Wyspiańskiego (1899) i Karola Frycza (1904). Łączył się z odrodzeniem sztuki drukarskiej w dobie modernizmu, stanowiąc zespolenie obrazu i słowa. Także w międzywojennym dwudziestoleciu, mimo daleko posuniętej komercjalizacji plakatu, dzięki sztuce awangardy powstają najbardziej nowoczesne rozwiązania, jak np. Henryka Berlewiego plakat Wystawy Prac Mechanofakturowych w Salonie Automobilowym Austro-Daimlera (1924) czy reklamowy plakat Tadeusza Gronowskiego „Radion sam pierze" (1924).

W okresie powojennym na czoło wysunęli się początkowo: Tadeusz Trepkowski, operujący lapidarną, monumentalną formą plastyczną, zestawem szeregu elementów wyzwalających grę skojarzeń, przy niemal zupełnym wyeliminowaniu słowa, np. „V Międzynarodowy Konkurs Chopinowski" (1954); Henryk Tomaszewski, którego dzieła były wyjątkowo różnorodnie formowane, oparte na swobodnym, niemal futurystycznym nagromadzeniu znaczących elementów i słów, np. plakat filmowy „Baryłeczka" (1947); Eryk Lipiński – np. plakat filmowy „Ulica Graniczna" (1948).

Programowy realizm lat pięćdziesiątych na krótko tylko zahamował swobodny rozwój plakatu, a okres późniejszy przyniósł jego niebywały rozkwit, oparty m.in. na swobodnym korzystaniu z doświadczeń surrealizmu, abstrakcjonizmu – zwłaszcza jego odmiany *informel* – i in. Podkreślić należy wyjątkowe warunki bytowania polskiego plakatu, dla którego decydujące znaczenie miała płaszczyzna artystyczna, a nie komercjalna, o którego zatem powodzeniu nie decydowały wyniki analizy handlowej, lecz werdykt krytyków artystycznych i publiczności. Plakat stał się domeną działalności nie tylko grafików i malarzy, ale także architektów i fotografików. Jego rozwojowi sprzyjało m.in. powstanie Wydawnictw Artystyczno-Graficznych i czasopisma „Projekt".

Od lat z górą dwudziestu trwa dynamiczny, wszechstronny rozwój plakatu; jest on funkcją potrzeb informacyjnych i podstawowych założeń tej dziedziny sztuki, która ma działać bezpośrednio skondensowaną ekspresją zawartości plastycznej dzieła albo też wymagać od widza zdolności refleksji, rekonstruowania łańcucha skojarzeń, poddawania się powadze lub humorowi.

Jest plakat funkcją rozwoju języka plastycznego sztuki i poziomu kultury plastycznej, na który ma wpływ ogromny jako najbardziej masowa gałąź twórczości artystycznej. Plakat posługuje się językiem, który jest jeszcze i już zrozumiały; frapując nowością, stwarza nowe możliwości informacyjne, dysponuje siłą przekonywania i poruszenia widza. Korzysta z wszelkich środków: obok form obrazowych (z fotografią włącznie) pojawiają się przedstawienia stylizowane – w zakresie historycznych realiów lub stylów i poetyki – świadome prymitywizowanie, surrealistyczne zestawienia, abstrakcyjne syntezy.

W czasach najnowszych plakat, związany z informacją polityczną, kulturalną, społeczno-zawodową, handlową – zwłaszcza eksportową – i przemysłową podlega autonomizacji; staje się przedmiotem zainteresowania jak każde inne dzieło sztuki, kolekcjonowany i „użytkowany" w warunkach prywatnych, kameralnych. Na tym tle zrozumiałe stają się liczne konkursy – oceniające już „nieaktualne" plakaty, nie mające zatem charakteru giełdy projektów – oraz retrospektywne wystawy plakatów (w r. 1966 I Międzynarodowe Biennale Plakatu), a także powstanie Muzeum Plakatu w Wilanowie, specjalne i liczne wydawnictwa.

W omawianym okresie wykorzystywano przede wszystkim wielkie bogactwo doświadczeń malarstwa. Po epoce taszyzmu nastąpił nawrót do myśli konstruktywistycznej, ukształtowały się zasady nowej figuracji, neorealizmu, pop-artu i in. Próby systematyzacji tej niezwykle bogatej twórczości prowadzą czasami do wyodrębnienia dwóch kierunków. Pierwszy, określany jako emocjonalny, wykorzystuje wszelkie doświadczenia sprzyjające tworzeniu obrazu działającego poprzez podstawowe środki malarskie, takie jak kolor, faktura, bezpośrednia obserwacja przedmiotu itd. Drugi, tzw. intelektualny, korzysta z doświadczeń malarstwa wizualnego – wiedzy o środkach komunikacji optycznej – dążąc do utworzenia niejako nowego nadjęzyka informacji. Stąd liczne eksperymenty, np. z pismem – od napisów na płotach do deformacji czcionki drukarskiej – ekspresyjnie przetwarzanym w duchu napisów komiksowych, korzystanie z kiczu jarmarcznego i odpustowego jako wypróbowanych, elementarnych środków masowego przekazu. Pojawiły się także próby neutralizacji informacji plakatowej, wyzbycia się zbyt hałaśliwej widowisko-

wości plakatu – wobec zalania naszych miast nadmiarem wzrokowej informacji - i zarazem usiłowania harmonijnego włączenia go w nowoczesne formy naszych miast. Ważny środek sztuki plakatowej stanowi fotografia, traktowana zwykle jako materiał podlegający graficznej transpozycji.

Niewyczerpana wprost pomysłowość, zmysł satyryczny i humorystyczny, celne powiązania z literaturą, bogactwo inwencji plastycznej, bazującej na swobodnym czerpaniu z niczym nieograniczonego uniwersum środków artystycznych całego świata i z historii doświadczeń wszelkich rodzajów sztuk, a także wszelkich zmysłowo egzystujących przejawów życia, w tym zwłaszcza ostatnio z mody i obyczaju młodzieżowego oraz innych subkultur, ponadto ścisłe kontakty ze współczesną sztuką europejską – wszystko to zdecydowało o pierwszorzędnej pozycji plakatu polskiego w sztuce europejskiej, a także – mimo wytworzenia się daleko posuniętej wspólnoty stylistycznej – o jego odrębności.

Rzeźba doby najnowszej rozwija się w Polsce niezwykle intensywnie i choć nie jest terenem tak śmiałych eksperymentów i tak skrajnych koncepcji jak malarstwo, to przecież uderza wyjątkowym bogactwem i nasileniem twórczych koncepcji.

Wyjściową i niemal trwałą cechą współczesnej rzeźby polskiej jest jej związek z tradycją figuralną oraz dominacja formy monumentalnej. Wśród przyczyn wymienić należy wpływ potężnej indywidualności Xawerego Dunikowskiego, działającego przez kilka pokoleń, oraz brak tradycji rzeźby niefiguralnej w okresie dwudziestolecia; pojawia się ona wyjątkowo w nurcie społecznego i artystycznego radykalizmu (Katarzyna Kobro-Strzemińska, Teresa Żarnowerówna), ale także po wojnie nie zyskuje aprobaty ze strony młodych rzeźbiarzy – ze względu na jej antykubiczność i architektoniczną abstrakcyjność. Reprezentujący społeczny radykalizm Henryk Wiciński trwał przy rzeźbie figuratywnej. Tradycja figuratywności podtrzymywana była w okresie realizmu socjalistycznego. Trzeci czynnik miał charakter zewnętrzny: oddziałał mianowicie na rzeźbę polską ogromny autorytet twórczości Henry Moore'a – jego sztuka na długo wypełniła horyzont polskiej wyobraźni artystycznej w zakresie rzeźby, wyznaczając granice deformacji – czerpiącej z tradycji antycznej, a także innych kręgów kulturowych, np. Ameryki prekolumbijskiej. Dzieło Moore'a stało się przykładem możliwości ekspresji, kubicznej monumentalności, dopuszczalnego rozbicia i perforacji bryły.

Pierwszy nurt w rzeźbie powojennej łączy się z tradycją Dunikowskiego; ekspresja jego po-

584

636 staci (np. z cyklu „Macierzyństwo" – „Kobiety brzemienne"), powaga atawistycznych treści, pomnikowy symbolizm, skłonność do pionu, wyrazistość twardej formy, wyodrębniającej się z otoczenia – miały znaczenie decydujące.

Nurt ten reprezentowało wielu twórców starszej generacji (jak np. Adam Procki); najistotniejsza jest w ich dziełach zwartość bryły, formowanej zawsze z zachowaniem kubicznego rdzenia, którego kształt jest definiowany płynną, paranaturalistyczną linią. Zasada owa występowała także w pracach twórców, dla których naturalistyczne podobieństwo miało większe znaczenie, współdziałając zwykle z wartościami ekspresji (np. w dziełach Alfonsa Karnego).

635 Z tych to źródeł wyrastała sztuka Aliny Śle-
639 sińskiej, a przede wszystkim Aliny Szapocznikow, której zdolność przetwarzania formy biologicznej, a czasem jej rozbijania, drążenia, łączyła się z umiejętnością osiągania dobitnie artykułowanej ekspresyjnej wypowiedzi.

W nurcie tym pojawiły się próby dotarcia do istoty formy biologicznej (Tadeusz Łodziana) czy też niemal całkowitego oddalenia się od niej, ale równocześnie jak gdyby nadania życia biologicznego formom niepodobnym do żadnych organizmów (Magdalena Więcek).

Formy biologiczne utrzymują się także w twórczości Barbary Strynkiewicz – zdają się organicznie wyrastać z właściwości artystycznego tworzywa i nabierać pełni życia przez włączenie ich w naturalny kontekst ogrodowej przestrzeni.

Nurt „narodowo-ludowy" wywodzi się z tzw. szkoły Kenara w Zakopanem, związanej genetycznie z folklorem, ale dalekiej od wszelkiej pseudoludowości. Mamy tu do czynienia nie z naturalizmem, lecz z tworzeniem „form o ludziach", zakładającym rzetelny stosunek do tworzywa, jego proste rozumienie i stosowanie. Do tego dołączają się znaczenia ekspresyjne czy surrealistyczno-dadaistyczne. Dzieje się tak m.in. z monstrualnymi „zabaw-
638 kami" Jerzego Beresia, wywodzącymi się z formowania ludowego; jednakże tak w rozwiązaniach, jak i w treści są one od tego punktu wyjścia dalekie, zanurzone w nowej sferze znaczeń i problemów. Dalsze konsekwencje doprowadziły w twórczości Władysława Hasiora do rozpadu zwartej formy, do zestawiania różnego rodzaju przedmiotów i ich fragmentów, nobilitowanych w kompozycji, ale i niszczonych, zyskujących nowe znaczenie zwykle poprzez pryzmat czy „zmatowiałą szybę" znaczeń dawnych. Najważniejsze stało się jednak włączenie tych tworów w akcje o charakterze rytuału, ceremoniału, które nawiązują do ideologii narodowej, kul-

towej i mistycznej, oraz do ludowych obyczajów, zjednoczonych i przetworzonych w świecie wszechogarniającej wyobraźni twórcy.

Dopiero w latach sześćdziesiątych, wyjątkowo późno, rozwija się szerzej nurt nazywany przez niektórych „inżynieryjno-technicznym", zgodny ze współczesną techniką, z formującą się wówczas strukturą technicznego myślenia – także w dziedzinie architektury, urbanistyki, rozwiązań przemysłowych i komunikacyjnych. Są to rzeźby, których tworzywo nie wywodzi się z form natury, ale z takich samych elementów jak urządzenia techniczne – prętów, „T"-owników, giętych i spawanych arkuszy blach. Pozostają one w pełnej zgodzie z miejscem ich przeznaczenia, gdy pojawiają się na placach miejskich, dziedzińcach, w hallach, stanowiąc ich uzupełnienie, uderzając znacznym pokrewieństwem materii. Jest to rzeźba w pewnym sensie „architektoniczna", oparta na głębokim, także zewnętrznym pokrewieństwie z architekturą, jej tworzywem i zasadami kompozycji – nawet jeśli funkcjonuje poza architekturą. Nurt ten ujawnił się silnie w r. 1965 na Biennale Form Przestrzennych w Elblągu i jeszcze przed r. 1970 stał się najbardziej dynamiczną tendencją w rzeźbie polskiej; była to jednak dominacja krótkotrwała.

Tendencje tego rodzaju rysują się wyraźnie w nowszych dziełach Magdaleny Więcek i w niektórych utworach Tadeusza Siekluckiego, operującego wyciętymi z metalu formami przestrzennymi o czysto abstrakcyjnych kształtach i purystycznie geometrycznej kompozycji. Apogeum osiąga ten kierunek w twórczości Jerzego Jarnuszkiewicza, tworzą- 6
cego abstrakcyjne, złożone, symultanicznie rozwijające się układy przestrzenne, uporządkowane według statycznych i matematycznych praw, ale pozbawione znamion „technicyzmu" – jak gdyby wprowadzające do mechanicznego świata współczesnej techniki element humanistyczny.

Lapidarna monumentalność cechuje dzieła Macieja Szańkowskiego, a także Jana Berdy- 6
szaka, tworzącego na pograniczu environment, w którym decydujące znaczenie ma czysty, ażurowy kształt – „obramienie" przestrzeni; autor nadaje jej różne znaczenie, czasem tylko instrumentalne – jak w przypadku „obszarów koncentrujących".

Kierunek ten zyskuje nowe aspekty w twórczości Henryka Morela; jego wcinające się w przestrzeń, poszarpane kompozycje z blach mają sens dramatyczny; raczej przeciwstawiają się otoczeniu niż z nim harmonizują; stanowią wynik łączenia postawy artystycznej z etyczną. Natomiast Grzegorz Kowalski, tworzący monumentalne kompozycje z czystych form abstrakcyjnych, rozwinął kompozycje przestrzenne w kierunku obrazów „ikonosferycznych", wypełnionych zwielokrotnionymi rzeźbami – np. naturalistycznymi odlewami masek ludzkich; powstają dzięki temu kompozycje przestrzenne, ekspresyjne, udramatycznione.

Dalsze konsekwencje nurtu „ekspresji przestrzennej" znajdujemy w pracach Wandy Czałkowskiej – łączących ekspresyjny, powtarzalny element figuralny z przestrzennym otoczeniem, sprzyjającym powstaniu metaforycznej całości – a także w dziełach Karola Broniatowskiego, w których powtarzalna figura ludzka, będąca jak gdyby zewnętrzną powłoką człowieka, tworzy przestrzennie zaaranżowaną scenografię, dającą się odnieść do dramatycznej akcji – nie bez wyraźnych reminiscencji młodopolskich.

W rzeźbach Olgierda Truszyńskiego pojedyncza, fragmentaryczna, surrealistycznie uformowana figura ludzka zostaje włączona w naturalną przestrzeń, zdefiniowaną przez bezpośrednie sąsiedztwo współdziałających w kompozycji przedmiotów natury; prowadzi to ku znanej z malarstwa surrealistycznej ekspresji.

Wyrazista forma, genetycznie niejako wywodząca się z figury ludzkiej staje się coraz częstszym środkiem wyrazu najmłodszego pokolenia rzeźbiarzy, zainteresowanych problemami duchowymi, zwłaszcza emocjonalnymi i moralnymi otaczającego ich świata. Mamy tu do czynienia z próbą podjęcia dawnych zadań – po okresie autoanalizy i autorefleksji, dokonywanych zresztą przede wszystkim na terenie malarstwa. W twórczości Jacka Waltosia odnajdujemy problemy podstawowe: narodziny, przemijanie, śmierć, dla wyrażenia których rzeźbiarz posługuje się wydrążonymi, w części zredukowanymi postaciami ludzkimi. Prace Adama Myjaka to potężne postacie, którym przywrócono dawną zwartość kubiczną; są one deformowane niejako od wewnątrz, siłą napięcia własnego tragizmu.

Współczesna rzeźba, przekraczając granice gatunku, przyniosła także istotne przemiany w płaszczyźnie typów rzeźbiarskich, zacierając dawne podziały czy też całkowicie je porzucając; wyjątek stanowi rzeźba religijna i pomnikowa. Nowoczesna rzeźba religijna należy do zjawisk wyjątkowych; można do niej zaliczyć niektóre bardziej tradycyjne dzieła „szkoły Kenara" (np. „Chrystusa" Antoniego Rząsy), nawiązujące do tradycji ludowej, ale przede wszystkim rzeźby Elżbiety Szczodrowskiej („Pietà", „Rzeźba nagrobna", „Zakonnik – Chrystus"), uderzające silną ekspresją, oparte na daleko posuniętej deformacji naturalistycznej w założeniu postaci ludzkiej, a równocześnie nawiązujące do dawnych tradycji, m.in. mistycznej rzeźby gotyckiej.

W rzeźbie pomnikowej dopiero w ostatnich latach pojawiły się koncepcje nowoczesne, choć w dalszym ciągu trwa tradycyjny nurt figuratywny, czego przykładem choćby pomnik Bohaterów Warszawy, dzieło Mariana Koniecznego. Składnik figuratywny trwa zresztą także w pracach nowoczesnych, jak np. w pomniku Juliana Marchlewskiego, dziele Zofii Wolskiej (1968), w którym monumentalna, naturalistyczna głowa włączona jest w potężny, decydujący o wyrazie całości poziomy blok korpusu pomnika. Ekspresyjnie przetworzony motyw figuralny – nie bez reminiscencji rzeźb H. Moore'a – stanowi główną treść pomnika Kazimierza Gustawa Zemły (Niobe Warszawska II, 1968); ten sam rodzaj dynamicznej stylizacji cechuje też jego katowicki pomnik Powstańców Śląskich (1967), o którego wyrazie w znacznym stopniu decyduje kontekst urbanistyczny.

Do najlepszych rozwiązań zaliczyć należy pomnik Pamięci Ofiar w Treblince (1964), dzieło Franciszka Duszenki, Adama Haupta i Franciszka Strynkiewicza; o ekspresji decyduje tu zarzucenie pola pomnika niezliczoną ilością surowych, nieobrobionych kamieni o ostrych krawędziach. Ich kształt, liczba, zajmowany obszar, zamierzona przypadkowość rozrzucenia i wreszcie trwałość wyrażają tragizm śmierci wielu istnień ludzkich – i pamięć. Podobny, ale chyba o mniejszej ekspresji, jest pomnik w Oświęcimiu-Brzezince. Natomiast pomnik Ofiar Majdanka przytłacza raczej swą monumentalnością, nie łączącą się wyraźniej z właściwą treścią dzieła. Głęboka ekspresja cechuje też szereg innych pomników martyrologicznych.

Charakter pomnikowy mają także liczne dzieła Władysława Hasiora, łączące monumentalne, trwałe formy z działaniem dynamicznego, zmiennego składnika, jakim jest ogień; dodatkowy element stanowią w jego tworach również efekty akustyczne.

Wszystko to pozwala stwierdzić wręcz imponujący dorobek najnowszej rzeźby polskiej.

Architektura po r. 1955 przeżywa równie intensywny rozwój; silniej sprzęgnięta z funkcjami użytkowymi – mieszkalnymi, szkolnymi, kulturalnymi, oficjalno-reprezentacyjnymi, rekreacyjnymi, gospodarczymi, komunikacyjnymi – wiąże się z ogólnym rytmem przemian społeczno-gospodarczych. Do roku 1960 podejmowano przede wszystkim próby nawiązania do kierunków i trendów współczesnej architektury światowej. W następnej pięciolatce dominują koncepcje urbanistyczne; w związku z ograniczeniami spowodowanymi przez wszechwładne normatywy architektura sprowadzana jest do najprostszych rozwiązań. Stan ten utrzymuje się w następnym pięcioleciu, przynosząc jeszcze silniejszy rozdźwięk między stypizowanym budownictwem wielkopłytowym a wysiłkami projektantów, starających się – niekiedy tylko z powodzeniem – osiągnąć poziom światowej awangardy. Przełom następuje w latach siedemdziesiątych, gdy wysiłek skupia się początkowo głównie na budownictwie mieszkaniowym i na modernizacji miast.

Środowisko mieszkaniowe staje się głównym zadaniem architekta mającego ambicje humanistyczne. Kształtuje się teraz szerokie, wielowarstwowe rozumienie środowiska osiedlowego, skupiającego mieszkania, szkoły, handel i usługi, urządzenia służące kulturze i rekreacji, a nawet „ciche" zakłady pracy. Osiedle przestaje być tylko sypialnią, staje się samoistnym, polifunkcjonalnym organizmem. Jako przykłady wymienić można w Warszawie Sady Żoliborskie (1960–1963, Halina Skibniewska), Ursynów-Południe (od 1975, Andrzej Fabierkiewicz i zespół), w Lublinie osiedle Juliusza Słowackiego, gdzie Oskar Hansen i Zofia Hansen zastosowali system strefowy: mieszkania – usługi itp. – rekreacja, zapewniając odrębność ruchu pieszego i kołowego. Tego rodzaju rozwiązań było wiele.

Budownictwo mieszkaniowe reprezentuje w tym czasie znaczną różnorodność. Obok dominujących układów typowych powstają także rozwiązania oryginalne. W większym stopniu dotyczy to budownictwa jednorodzinnego – zarówno w zakresie rozplanowania, ukształtowania bryły, jak i umieszczenia w otoczeniu (np. dom na Woli Justowskiej, W. Pietrzyk, 1965–1974). W budownictwie wielomieszkaniowym inwencja architekta dotyczy przede wszystkim opracowania artykulacji fasady i urozmaicenia monotonnych brył, np. przez zewnętrzne prowadzenie cięgów komunikacyjnych, rozkład i kształt balkonów i loggii, linie galerii itd. W przypadku budynków o wielkiej skali, np. jedenastopiętrowych „falowców" w Gdańsku, o długości sięgającej 700 m, istotne znaczenie ma kompozycja w kontekście otoczenia. Rozwiązanie wnętrz napotyka trudności przede wszystkim ze względu na ograniczenia powierzchni mieszkań. Podstawowy przy tym problem – a dotyczy to także innych rodzajów budownictwa – stanowi jakość materiałów i wykonania, która tylko w wyjątkowych przypadkach sięga średniej europejskiej.

Architektura stanowi podstawowy środek przekształcania istniejących już ośrodków miejskich poprzez sanację śródmieścia, modernizację jego funkcji, tworząc z tych „wnętrz urbanistycznych", dostosowanych do skali człowieka pieszego, faktyczne centra życia miejskiego, zdolne zaspokajać większość jego potrzeb. Do tych celów wykorzystano przede wszystkim liczne zabytkowe śródmieścia, których wartość w tej perspektywie ogromnie wzrosła – w Warszawie, Poznaniu, Gdańsku i w wielu mniejszych miastach. Odbudowa, oznaczająca restaurację, renowację i często rekonstrukcję, stanowiła pierwszy etap; drugi – to rewaloryzacja tych zespołów poprzez włączanie ich w rytm współczesnego życia; często oznaczało to zmianę użytkowania obiektów i przetworzenia ich wnętrz.

Interesujący wynik przyniosły także próby tworzenia takich centrów od podstaw. Przykładem może być zabudowa wschodniej strony ul. Marszałkowskiej w Warszawie, gdzie w zespole mieszkaniowych punktowców i poziomej zabudowie handlowo-usługowej powstał wyodrębniony ciąg pieszy, od Rotundy PKO do ul. Sienkiewicza. Można oczywiście krytykować niewielki obszar tego założenia i jego ciasnotę, ale stwierdzić wypada, że na tak małym terenie zgromadzono w atrakcyjnej kompozycji wiele rozmaitych funkcji, którym niejednokrotnie odpowiadają właściwe rozwiązania architektoniczne. Nowym elementem miejskim stała się architektura podziemna, np. pod rondem w Katowicach, przy Dworcu Centralnym w Warszawie, przy moście Caponiera w Poznaniu. Rozwiązania całościowe należą jednak ciągle jeszcze do zjawisk wyjątkowych; strefy przeznaczone wyłącznie dla ruchu pieszego są zwykle małe; w nieznacznym tylko stopniu równowagę stanowią dla nich nowe zespoły gastronomiczno-rozrywkowo-usługowe, jak np. „Wenecja" w Warszawie czy „Alga" w Sopocie. Coraz większe znaczenie zyskuje natomiast przystosowanie do tych celów wnętrz, a zwłaszcza piwnic zabytkowych.

Architektura rozwijała się w działach określonych jej funkcjami. Służąca szkolnictwu podstawowemu przyniosła wiele prostych opracowań typowych, rzadziej indywidualnych. Do takich zaliczyć można szkołę na Bielanach w Warszawie (Jan Zdanowicz i Jerzy Baumiller, 1958–1961), o prostej, „bauhausowskiej" bryle, komponowanej z jasnych partii muru i ciemnych otworów okiennych, czy szkołę w Krakowie przy ul. Rydla (Józef Gołąb, 1958–1960) o charakterystycznej elewacji, ujętej w poziome ciągi podziałów kondygnacyjnych. Ważne miejsce zajmują nowo wznoszone zespoły szkół wyższych – np. w Lublinie, Warszawie, Krakowie. W Toruniu stworzono po raz pierwszy jednolity projekt osiedla studenckiego: powstało tu całościowe rozwiązanie miasteczka uniwersyteckiego, na obrzeżu miasta i w bezpośrednim sąsiedztwie terenów leśnych, łączące element administracyjny, dydaktyczno-naukowy i mieszkalno-rekreacyjny; podobne osiedla powstały w Łodzi i w Gdańsku. Na szczególną uwagę zasługuje piękna i klarowna bryła Biblioteki Akademii Górniczo-Hutniczej w Krakowie (Zbigniew Olszakowski, 1962–1966), a za jedno z najciekawszych rozwiązań architektonicznych służących nauce uznać należy budynek Instytutu Meteorologii i Gospodarki Wodnej w Zakopanem (Jerzy Dajewski, 1964–1966), znakomicie włączony w pejzaż górski, operujący poziomymi podziałami lekko spiętrzonej stożkowo bryły.

642

W służbie kultury i sztuki pozostają przede wszystkim odbudowane i adaptowane dzieła architektury dawnej, ale także i nowe, jak np. Teatr Wielki w Łodzi (1949–1966), gmach Filharmonii Bydgoskiej – o tradycyjnej architekturze, ale znakomicie pod względem akustyki rozwiązanym wnętrzu – czy otwarte założenie Opery Leśnej w Sopocie (Stefan Listowski, 1960–1962). Mniejszych i większych teatrów i kinoteatrów powstało wiele; brak natomiast zespołów architektonicznych o przeznaczeniu kulturalnym.

Poważne osiągnięcia przyniosła architektura służąca sportowi – przykład Stadionu Dziesięciolecia miał tu istotne znaczenie. Za jedno z najlepszych dzieł uważa się sportową halę w Katowicach – tzw. Spodek (Maciej Gintowt, Maciej Krasiński, Andrzej Żurawski) – ze względu na jej rozmiar, śmiałość technicznych rozwiązań, interesującą prezentację formy zarówno w dzień, jak i w oświetleniu nocnym.

641

Wymienić też wypada kompleks terenów sportowych „Warszawianki" w Warszawie (Zbigniew Ihnatowicz, Jerzy Sołtan, Lech Tomaszewski, Witold Gessler, 1960–1970), których kompozycja oparta została na wykorzystaniu nieznacznych różnic poziomów terenu.

Budownictwo hotelowe nie przyniosło oryginalnych rozwiązań – poza dobrze złączonym z otoczeniem o zróżnicowanej zabudowie hotelem Victoria w Warszawie (Zbigniew Pawelski, Leszek Sołonowicz). Nową na terenie kraju koncepcję hotelową reprezentują „Nowotele", o dobrym rozwiązaniu otoczenia, wnętrz publicznych i wyposażenia pokoi – dzięki niskiej zabudowie i poziomej artykulacji stwarzające wrażenie zacisza i spokoju; są to przecież dzieła importu. Kontrowersyjny pomysł stanowi grupa gościńców na terenie województwa poznańskiego i przyległych (Jerzy Buszkiewicz, 1972–1974); wzniesione z kamienia i drewna oraz kryte słomą, są one zwykle dobrze włączone w naturalne otoczenie; historyczno-ludowe reminiscencje tworzą tu nastrój antyurbanistyczny, dworkowo-zajazdowy.

647

W kontakcie z naturalnym otoczeniem powstają także budowle o charakterze rekreacyjno-wypoczynkowym. Niektóre z nich są przykładem znakomitego zespolenia z pejzażem, jak np. Dom ZNP w Jaszowcu (Henryk Buszko i Aleksander Franta, 1962–1964). Przeciwną koncepcję prezentuje dom wypoczynkowy „Harnaś" w Bukowinie Tatrzańskiej, o ekspresyjnej bryle i światłocieniowej elewacji, formą swą silnie kontrastujący z krajobrazem, ale ujawniający pokrewny mu wyraz. Kompromisowe rozwiązanie stanowi luksusowy hotel „Kasprowy" na zboczu górskim w Zakopanem, mimo „górskiej" sylwety mniej łączący się z otoczeniem.

W dziedzinie nowoczesnych rozwiązań komunikacyjnych pojawiły się przede wszystkim nowe trasy, wiadukty, mosty, skrzyżowania – do niedawna jeszcze w tej skali nie znane w Polsce (np. Trasa Łazienkowska w Warszawie, 1964–1974). Architektura tego rodzaju łączy się przede wszystkim z komunikacją kolejową. Modernizacji ulega szereg dawnych dworców (np. w Poznaniu), czasem ze szkodą dla dawnej architektury (np. przebudowa neogotyckiego dworca w Lesznie). Powstają też nowe dworce, jak np. imponujące, zwłaszcza od zewnątrz, założenie w Katowicach czy szczególnie udany, zwłaszcza w aspekcie funkcji, Dworzec Centralny w Warszawie (Arseniusz Romanowicz z zespołem, 1971–1975). Także nowy Międzynarodowy Dworzec Lotniczy w Warszawie (Krystyna Król-Dobrowolska i Jan Dobrowolski, 1960–1967) uderza racjonalnym rozwiązaniem wewnętrznych przestrzeni i funkcjonalnym podziałem na trzy strefy, utrzymane na tym samym poziomie.

651

650

Symbolem architektury „lat siedemdziesiątych" może być wznoszący się naprzeciwko Dworca Centralnego w Warszawie budynek biurowy Centrali Handlu Zagranicznego (Jerzy Skrzypczak, Halina Świergocka, Jan Zdanowicz, Wojciech Grzybowicz), o niezwykle smukłej, wertykalnej i prostej bryle, wyznaczonej monolitycznymi niemal taflami szyb, ujętymi w narożne ramy, uderzający jasnością rozwiązania, ekspresją nieograniczonych możliwości technicznych i rzeczowym do nich stosunkiem.

Bibliografia

Przyjęte skróty

BHS –   „Biuletyn Historii Sztuki"
KAU –   „Kwartalnik Architektury i Urbanistyki"
FHA –   „Folia Historiae Artium"
Mat. do St. i Dysk. –   „Materiały do Studiów i Dyskusji"
Pr. i Mat. SHS Wilno –   „Prace i Materiały Stow. Historyków Sztuki w Wilnie"
Pr. z Hist. Szt. UJ –   „Prace z Historii Sztuki Uniwersytetu Jagiellońskiego"
Pr. KHS War. TN –   „Prace Komisji Historii Sztuki Warszawskiego Towarzystwa
                         Naukowego"
Pr. KHS PAU –   „Prace Komisji Historii Sztuki Polskiej Akademii
                         Umiejętności"
PSL –   „Polska Sztuka Ludowa"
RHS PAN –   „Rocznik Historii Sztuki Polskiej Akademii Nauk"
R. Krak. –   „Rocznik Krakowski"
Spr. TN Lwów –   „Sprawozdania Towarzystwa Naukowego we Lwowie"
Spr. KHS PAU –   „Sprawozdania z posiedzeń Komisji Historii Sztuki Polskiej
                         Akademii Umiejętności"
St. do Dz.W. –   Studia do Dziejów Wawelu
St. z Hist. Szt. –   Studia z Historii Sztuki
St. Muz. –   Studia Muzealne
St. Ren –   Studia Renesansowe
Teka KHS TN Toruń –   Teka Komisji Historii Sztuki Towarzystwa Naukowego w
                         Toruniu

Wstęp

A. Ryszkiewicz, J. Wiercińska, *Bibliografia historii sztuki polskiej*, za lata 1945–1960,
1961–1963, 1963–1968, w: RHS PAN IV, 1964; V, 1965; VI, 1966; VII, 1969; IX, 1973; X,
1974
Katolog zabytków sztuki w Polsce, wyd. od r. 1953 pod red. Jerzego Łozińskiego, Barbary
Wolff-Łozińskiej, Jerzego Szablowskiego
Historia sztuki polskiej, wyd. 2., t. I–III, pr. zb. pod red. T. Dobrowolskiego, Kraków
1965
A. Bochnak, K. Buczkowski, *Rzemiosło artystyczne w Polsce*, Warszawa 1971
T. Dobrowolski, *Nowoczesne malarstwo polskie. 1764–1964*, t. I–III, Wrocław–Warszawa–
Kraków 1957–1968
T. Dobrowolski, *Sztuka Krakowa*, wyd. 4., Kraków 1971
T. Dobrowolski, *Sztuka polska od czasów najdawniejszych do ostatnich*, Kraków 1974
Dzieje sztuki polskiej, t. I: *Sztuka polska przedromańska i romańska, do schyłku XIII
wieku*, pr. zb. pod red. M. Walickiego, Warszawa 1971
Dzieje Wielkopolski, pr. zb., t. I – do r. 1793, pod red. J. Topolskiego; t. II – 1793–1918, pod
red. W. Jakóbczyka, Poznań 1969 i 1973 (rozdziały poświęcone historii sztuki)
B. Gerquin, *Zamki w Polsce*, Warszawa 1974

S. Kozakiewicz, *Malarstwo polskie. Oświecenie-klasycyzm-romantyzm*, Warszawa 1976
A. Miłobędzki, *Zarys dziejów architektury w Polsce*, wyd. 2., Warszawa 1968
A. Miłobędzki, *Architektura polska XVII wieku*, Warszawa 1980
M. Walicki, *Malarstwo polskie. Gotyk – renesans – wczesny manieryzm*, Warszawa 1971
M. Walicki, W. Tomkiewicz, A. Ryszkiewicz, *Malarstwo polskie.*
Manieryzm-barok, Warszawa 1971

Sztuka pradziejowa. Symbol i ornament

A. Abramowicz, *Studia nad genezą polskiej kultury artystycznej*, Łódź–Warszawa 1962
W. Antoniewicz, *Historia sztuki najdawniejszych społeczeństw pierwotnych*, cz. 1., Warszawa 1957
J. Gąssowski, *Sztuka pradziejowa w Polsce*, Warszawa 1975
W. Hensel, *Polska starożytna*, Wrocław–Warszawa–Kraków-Gdańsk 1973

Wiek X–XII. Sztuka przedromańska i romańska

Dzieje sztuki polskiej, t. I: *Sztuka polska przedromańska i romańska, do schyłku XIII wieku*, pr. zb. pod red. M. Walickiego, Warszawa 1971
L. Kalinowski, *Treści ideowe sztuki przedromańskiej i romańskiej w Polsce*, „Studia Źródłoznawcze", t. X, 1965
T. Mroczko, *Sztuka polska przedromańska i romańska*, Warszawa 1978

Sztuka około roku 1000

Dzieje sztuki polskiej, t. I: *Sztuka polska przedromańska i romańska, do schyłku XIII wieku*, pr. zb. pod red. M. Walickiego, Warszawa 1971
K. Józefowicz, *Sztuka w okresie wczesnoromańskim* [w Wielkopolsce], w: *Dzieje Wielkopolski*, pr. zb., t. I, pod red. J. Topolskiego, Poznań 1969
K. Józefowicz, *Z badań nad architekturą przedromańską i romańską w Poznaniu*, „Polskie badania archeologiczne", 9, Wrocław–Warszawa–Kraków 1963
P. Skubiszewski, *Problemy i perspektywy badań nad złotnictwem w Polsce X–XII w.*, w: *O rzemiośle artystycznym w Polsce*, Warszawa 1976
Z. Świechowski, *Ottońska konfesja katedry gnieźnieńskiej*, „Studia Źródłoznawcze", XIV, 1969
J. Zachwatowicz, *Polska architektura monumentalna w X i XI wieku*, KAU, VI, 1961
K. Żurowska, *Rotunda wawelska. Studium nad centralną architekturą epoki wczesnopiastowskiej*, St. do Dz.W., III, 1968

Katedry, kolegiaty, klasztory. Architektura romańska po odnowieniu państwa polskiego

A. Grygorowicz, *Kościół św. Andrzeja w Krakowie we wczesnym średniowieczu*, R. Krak., XXXIX, 1968
T. Mroczko, *Czerwińsk romański*, Warszawa 1972
Z. Nawrocki, *Kościół i klasztor pobenedyktyński w Mogilnie. Próba rekonstrukcji bryły romańskiej*, BHS, XXXI, 1969
Odkrycia w Wiślicy, pr. zb., t. I, Warszawa 1963
Strzelno romańskie, pr. zb., Strzelno 1972

Z. Świechowski, *Budownictwo romańskie w Polsce, katalog zabytków*, Wrocław–Warszawa–Kraków 1963

Z. Świechowski, *Znaczenie Włoch dla polskiej architektury i rzeźby romańskiej*, RHS PAN, V, 1965

Sztuka pobożnych fundatorów

K. Askanas, *Brązowe drzwi płockie w Nowogrodzie Wielkim*, Płock 1971

Drzwi gnieźnieńskie, pr. zb. pod red. M. Walickiego, t. I–III, Wrocław 1956–1959

L. Kalinowski, *Romańska posadzka figuralna w krypcie kolegiaty wiślickiej*, w: *Odkrycia w Wiślicy*, t. I, Warszawa 1963

K. Mączewska-Pilch, *Tympanon fundacyjny z Ołbina na tle przedstawień o charakterze donacyjnym*, Wrocław 1973

T. Mroczko, *Czerwiński uczeń Wiligelma*, BHS, XXXXIII, 1971

P. Skubiszewski, *Patena kaliska*, RHS PAN, III, 1963

Z. Świechowski, *Studia nad rzeźbą w Strzelnie*, RHS PAN, VIII, 1963

Wiek XIII–XV. Gotyk

T. Dobrowolski, *Sztuka polska od czasów najdawniejszych do ostatnich*, Kraków 1974

J. Kębłowski, *Polska sztuka gotycka*, Warszawa 1976

A. Miłobędzki, *Zarys dziejów architektury w Polsce*, wyd. 2., Warszawa 1968

Sztuka i ideologia XIII wieku, pr. zb. pod red. P. Skubiszewskiego, Warszawa 1974

Sztuka i ideologia XIV wieku, pr. zb. pod red. P. Skubiszewskiego, Warszawa 1975

Sztuka i ideologia XV wieku, pr. zb. pod red. P. Skubiszewskiego, Warszawa 1978

M. Walicki, *Malarstwo polskie. Gotyk – renesans – wczesny manieryzm*, Warszawa 1961

M. Zlat, *Sztuki śląskiej drogi do gotyku*, w: *Późny gotyk*, Warszawa 1965

Budownictwo cystersów

K. Białoskórska, *Kierunki ewolucji architektury cysterskiej w XIII wieku*, w: *Sztuka i ideologia XIII wieku*, pr. zb. pod red. P. Skubiszewskiego, Warszawa 1974

K. Białoskórska, *Problem relacji polsko-włoskich w XIII wieku – zagadnienie mecenatu biskupa Iwona Odrowąża i małopolskich opactw cysterskich*, Spr. z Posiedzeń KHS PAN w Krakowie, 1963

M. Kutzner, *Cysterska architektura na Śląsku w latach 1200–1330*, Toruń 1969

Z. Świechowski, *Budownictwo romańskie w Polsce, katalog zabytków*, Wrocław–Warszawa–Kraków 1963

Sztuka w służbie zjednoczenia królestwa

K. Estreicher, *Grobowiec Władysława Jagiełły*, RK, XXXIII, 1953–1956

J. Gadomski, *Sale gotyckie w domu przy Rynku Głównym 17 w Krakowie i ich dekoracja rzeźbiarska*, w: *Sztuka i ideologia XIV wieku*, pr. zb. pod red. P. Skubiszewskiego, Warszawa 1975

Katedra gnieźnieńska, pr. zb. pod red. A. Świechowskiej, t. I, Poznań 1968, t. II, Poznań 1970

J. Kębłowski, *Pomniki Piastów śląskich w okresie średniowiecza*, Wrocław 1971

J. Pietrusiński, *Katedra wawelska – biskupia czy królewska? Dzieje fundacji*, w: *Sztuka i ideologia XIV wieku*, pr. zb. pod red. P. Skubiszewskiego, Warszawa 1975

S. Skibiński, *Program ideowy i funkcje kościoła Franciszkańskiego w Krakowie*, w: *Sztuka i ideologia XIII wieku*, pr. zb. pod red. P. Skubiszewskiego, Warszawa 1974

P. Skubiszewski, *Rzeźba nagrobna Wita Stwosza*, Warszawa 1957

Miasto gotyckie

T. Dobrowolski, *Sztuka Krakowa*, wyd. 4., Kraków 1971

Gdańsk, jego dzieje i kultura, pr. zb., Warszawa 1969

J. Jamroz, *Układ przestrzenny miasta Krakowa przed i po lokacji 1257*, KAU, XII, 1967

K. Maleczyński, M. Morelowski, A. Ptaszycka, *Wrocław. Rozwój urbanistyczny*, Warszawa 1956

Początki i rozwój Starego Miasta w Poznaniu do XV wieku..., Poznań 1973

Sztuka Wrocławia, pr. zb. pod red. T. Broniewskiego i M. Zlata, Wrocław–Warszawa–Kraków 1967

Katedry gotyckie

M. Bukowski, *Katedra wrocławska. Architektura – rozwój – zniszczenie – odbudowa*, Wrocław 1962

Katedra gnieźnieńska, pr. zb. pod red. A. Świechowskiej, t. I, Poznań 1968, t. II, Poznań 1970

M. Kutzner, *Architektura* [gotycka], w: *Dzieje Wielkopolski*, pr. zb., t. I pod red. J. Topolskiego, Poznań 1969

M. Kutzner, *Architektura* [gotycka], w: *Sztuka Wrocławia*, pr. zb. pod red. T. Broniewskiego i M. Zlata, Wrocław–Warszawa–Kraków 1967

J. Pietrusiński, *Katedra krakowska – biskupia czy królewska? Dzieje fundacji*, w: *Sztuka i ideologia XIV wieku*, pr. zb. pod red. P. Skubiszewskiego, Warszawa 1975

Problemy „mecenatu"

A. Karłowska-Kamzowa, *Fundacje artystyczne księcia Ludwika I brzeskiego*, Opole–Wrocław 1970

A. Różycka-Bryzek, *Realizacja bizantyjskiego programu ikonograficznego w polskich kościołach gotyckich na przykładzie kaplicy lubelskiej, 1418 r.*, w: *Sztuka i ideologia XV wieku*, pr. zb. pod red. P. Skubiszewskiego, Warszawa 1978

J. Smoleńska, *Działalność budowlana Jana Długosza*, KAU, XIV, 1969

Sztuka w służbie mistyki

M. Boberska, *Gotycki Chrystus Boleściwy w farze poznańskiej*, BHS, XVII, 1955

T. Dobrzeniecki, *Średniowieczne źródła „Piety"*, w: *Treści dzieła sztuki*, Warszawa 1969

L. Kalinowski, *Geneza Piety średniowiecznej*, Pr. KHS PAU, X, 1952

Z. Krygierowa, *Ze studiów nad kręgiem Madonn na lwach. Motyw i system*, w: *Z dziejów sztuki śląskiej*, pr. zb. pod red. Z. Świechowskiego, Warszawa 1978

Z. Krzymuska-Fafiusowa, *Pierwotna forma krucyfiksu z Kamienia Pomorskiego*, w: *Sztuka Pomorza Zachodniego*, pr. zb. pod red. Z. Świechowskiego, Warszawa 1973

A. Olszewski, *Małopolskie krucyfiksy gotyckie*, BHS, XXIX, 1967

E. Śnieżyńska-Stolot, *Krucyfiks królowej Jadwigi w katedrze na Wawelu*, BHS, XXVIII, 1966

Sztuka około roku 1400

B. Dąb-Kalinowska, *Malowidła niepołomickie a problem italianizmu w malarstwie Europy środkowej w 2. połowie XIV wieku*, w: *Gotyckie malowidła ścienne w Europie środkowo-wschodniej*, Poznań 1977

L. Kalinowski, *Płyta nagrobna Jana z Czerniny w Rydzynie*, Pr. z Hist. Szt. UJ, I, 1962

A. Karłowska-Kamzowa, *Brzeskie malowidła ścienne z 1. połowy XV wieku. Zagadnienie związków śląsko-burgundzkich u schyłku średniowiecza*, „Opolski Rocznik Muzealny", VI, 1975

J. Kębłowski, *Z problematyki rzeźby parlerowskiej. Motyw antyczny*, w: *Sztuka i ideologia XIV wieku*, pr. zb. pod red. P. Skubiszewskiego, Warszawa 1975

J. Kruszelnicka, *Dawny ołtarz Pięknej Madonny toruńskiej*, Teka KHS TN Toruń, IV, 1968

A. Miłobędzki, *Późnogotyckie typy sakralne w architekturze ziem polskich*, w: *Późny gotyk*, Warszawa 1965

A. Olszewski, *Niektóre zagadnienia stylu międzynarodowego*, w: *Sztuka i ideologia XV wieku*, pr. zb. pod red. P. Skubiszewskiego, Warszawa 1978

Zagadnienie powiązań artystycznych polskiej sztuki gotyckiej, „Spr. Wydziału Nauk o Sztuce PTPN", nr 95, 1977, Poznań 1978

„Modus humilis" w malarstwie szkoły krakowsko-sądeckiej

J. Gadomski, *Gotyckie malarstwo tablicowe Małopolski. 1420–1470*, Warszawa 1981

J. Gadomski, *Wstęp do badań nad małopolskim malarstwem tablicowym XV wieku. 1420–1470*, FHA, XI, 1975

M. Otto-Michałowska, *Modus humilis. Niektóre problemy malarstwa okresu przejściowego*, w: *Zagadnienie powiązań artystycznych polskiej sztuki gotyckiej*, Spr. Wydziału Nauk o Sztuce PTPN, nr 95, 1977, Poznań 1978

M. Otto-Michałowska, M. L. Pezzi-Ascani, *Motywy włoskie w malarstwie małopolskim XV wieku*, BHS, XXXVII, 1975

E. Polak-Trajdos, *Twórczość Mistrza Maciejowickiego na tle malarstwa rejonu sądeckiego XV wieku*, RHS PAN, IX, 1973

Z. Strzałkowski, *Problemy malarstwa polskiego szkoły krakowsko-sądeckiej w latach 1440–1460*, „Rocznik Humanistyczny", XVIII, 3, 1970

M. Walicki, *Malarstwo polskie. Gotyk – renesans – wczesny manieryzm*, Warszawa 1961

Realizm, symbol i ekspresja w sztuce schyłku średniowiecza

S. Dettloff, *Wit Stosz*, Wrocław 1961

T. Dobrowolski, *Istotne cechy późnogotyckiego malarstwa polskiego*, FHA, XIV, 1978

T. Dobrowolski, *Rodowód stylistyczny krakowskiego ołtarza Dominikanów*, FHA, XIII, 1977

F. Frąckowiak, *Krakowski ołtarz Dominikanów, jego treść i wygląd*, FHA, XIII, 1977

J. Kębłowski, *„Natura" i „styl" w sztuce późnego gotyku. Opozycja formuły naturalizm – nienaturalizm*, w: *Sztuka i ideologia XV wieku*, pr. zb. pod red. P. Skubiszewskiego Warszawa 1978

222

Z. Kępiński, *Wit Stwosz w starciu ideologii religijnych Odrodzenia. Ołtarz Salvatora*, Wrocław–Warszawa–Kraków 1969

A. S. Labuda, *Malarstwo tablicowe w Gdańsku w 2. połowie XV wieku*, Warszawa 1979

M. Otto, *Zagadnienia wrocławskiego poliptyku św. Barbary*, BHS, XVIII, 1955

M. Otto-Michałowska, *Gotyckie malarstwo tablicowe w Polsce*, Warszawa 1982

Z. Rozanow, E. Smulikowska, *Problem autorstwa krucyfiksu jasnogórskiego na tle monumentalnych krucyfiksów Wita Stosza*, BHS, XXXVI, 1974

P. Skubiszewski, *Wit Stwosz*, Warszawa 1985

Wiek XVI. Późny gotyk – renesans – manieryzm

J. Białostocki, *Pojęcie manieryzmu i problem odrębności sztuki polskiej w końcu XVI i początku XVII wieku*. Mat. do St. i Dysk., IV, 1953, 2(14)

M. Gębarowicz, *Studia nad dziejami kultury artystycznej późnego renesansu w Polsce*, Toruń 1962

J. Kębłowski, *Renesansowa rzeźba na Śląsku*. 1500–1560, Poznań 1967

H. Kozakiewiczowa, *Renesans i manieryzm w Polsce*, Warszawa 1978

H. i S. Kozakiewiczowie, *Renesans w Polsce*, Warszawa 1976

Krakowskie Odrodzenie, Kraków 1954

A. Miłobędzki, *Architektura i budownictwo*, w: *Polska w epoce Odrodzenia. Państwo, społeczeństo, kultura*, Warszawa 1970

Renesans – sztuka i ideologia, pr. zb., Warszawa 1976

Studia nad renesansem w Wielkopolsce, pr. zb. Poznań 1970

M. Walicki, *Malarstwo polskie. Gotyk – renesans – wczesny manieryzm*, Warszawa 1961

Ze studiów nad sztuką XVI wieku na Śląsku i w krajach sąsiednich, pr. zb., Wrocław 1968

Renesans włoski na dworze Jagiellonów

J. Białostocki, *Nereidy w Kaplicy Zygmuntowskiej*, w: *Treści dzieła sztuki*, pr. zb., Warszawa 1969

T. Dobrowolski, *Zamek na Wawelu. Dzieło architektury polskiej*, St. Ren., I, 1956

L. Kalinowski, *Model funkcjonalny przekazu wizualnego na przykładzie renesansowego dzieła sztuki*, w: *Renesans – sztuka i ideologia*, pr. zb., Warszawa 1976

L. Kalinowski, *Treści artystyczne i ideowe Kaplicy Zygmuntowskiej*, St. do Dz.W., II, 1960

H. Kozakiewicz, *Mecenat Jana Łaskiego*. BHS, XXIII, 1961

H. Kozakiewicz, *Z badań nad Bartłomiejem Berreccim*, BHS, XXIII, 1961

H. i S. Kozakiewiczowie, *Polskie nagrobki renesansowe*, cz. I. i II, BHS, XIV, 1952; XV, 1953

S. Lorentz, *Nagrobek Zygmunta I a mauzoleum wawelskie*, BHS, XV, 1953

A. Misiąg-Bocheńska, *O głowach wawelskich i przypuszczalnych ich twórcach*, St. do Dz. W., I, 1955

S. Mossakowski, *Tematyka mitologiczna dekoracji Kaplicy Zygmuntowskiej*, BHS, XL, 1978

S. Mossakowski, *Treści dekoracji renesansowej pałacu na Wawelu*, w: *Renesans – sztuka i ideologia*, jw.

M. Zlat, *Typy osobowości w polskiej sztuce XVI w.*, w: *Renesans – sztuka i ideologia*, jw.

„Renesans północny" w Polsce. Tradycja i kontynuacja

T. Dobrzeniecki, *Tryptyk z Pławna*, Warszawa 1954

Z. Dolczewski, *Geneza i rozwój renesansowego nagrobka z figurą stojącą w Wielkopolce*, w: *Studia nad renesanem w Wielkopolsce*, Poznań 1970

K. Estreicher, *Miniatury Kodeksu Behema oraz ich treść obyczajowa*, R. Krak., XXIV, 1933

W. Juszczak, *Tryptyk Bodzentyński*, St. Ren., III, 1963

K. Secomska, *Ołtarz św. Jana Jałmużnika*, St. Ren. IV, 1964

E. Trajdos, *Treści ideowe nagrobka Barbary z Rożnowa w katedrze tarnowskiej*, „Archiwa, Biblioteki i Muzea Kościelne", 9, 1964

B. Wolff-Łozińska, *Malowidła stropów polskich 1. połowy XVI wieku*, Warszawa 1971

Dwór – kaplica – nagrobek. Trzy tematy artystyczne „złotego wieku"

A. Fischinger, *Ze studiów nad twórczością Bartłomieja Berrecciego i jego warsztatu. Nagrobki Szydłowieckich i Tarnowskich*, FHA, X, 1974

T. Jakimowicz, *Dwór murowany w Polsce w wieku XVI*, Warszawa–Poznań 1979

J. Łoziński, *Grobowe kaplice kopułowe w Polsce. 1520–1620*, Warszawa 1973

H. Kozakiewicz, *Nagrobki Kryskich w Drobiniu koło Płocka*, BHS, XVIII, 1956

W. Tatarkiewicz, *Nagrobki z figurami klęczącymi*, St. Ren., I, 1956

M. Zlat, *Leżące figury zmarłych w polskich nagrobkach XVI wieku*, w: *Treści dzieła sztuki*, Warszawa 1969

Wizerunek Sarmaty

T. Dobrowolski, *Cztery style w malarstwie portretowym polskim XVI–XVIII wieku*, Pr. z Hist. Szt. UJ, I, 1961

T. Dobrowolski, *Polskie malarstwo portretowe. Ze studiów nad sztuką epoki sarmatyzmu*, Kraków 1948

M. Gębarowicz, *Portret XVI–XVIII wieku we Lwowie*, Wrocław–Warszawa–Kraków 1969

Z. Kępiński, A. Sławska, *Zagadnienie mecenatu na przykładzie portretu polskiego od XVI do XVIII wieku*, St. Muz., I, 1953

K. Piwocki, *Zagadnienie rodzimości sztuki polskiej późnego renesansu*, w: *Renesans – sztuka i ideologia*, pr. zb., Warszawa 1976

Architektura miast

T. Dobrowolski, *Sztuka Krakowa*, wyd. 4., Kraków 1971

Gdańsk, jego dzieje i kultura, pr. zb., Warszawa 1969

S. Herbst, *Polska kultura mieszczańska przełomu XVI na XVII wiek*, St. Ren., I, 1956

S. Herbst, *Zamość*, Warszawa 1954

J. Kowalczyk, *Fasada ratusza poznańskiego, recepcja form – traktat Serlia i antyczny program*, RHS PAN, VIII, 1970

J. Kowalczyk, *Kolegiata w Zamościu*, „Studia i Materiały do Teorii i Historii Architektury", VI, Warszawa 1968

A. Miłobędzki, *Ze studiów nad urbanistyką Zamościa*, BHS, XV, 1953

M. Karpowicz, *Sztuka oświeconego sarmatyzmu*, Warszawa 1970

M. Karpowicz, *Sztuka polska XVII wieku*, Warszawa 1975

T. Mańkowski, *Genealogia sarmatyzmu*, Warszawa 1946

A. Miłobędzki, *Architektura polska XVII wieku*, Warszawa 1980

Sarmatia artistica. Księga pamiątkowa ku czci prof. W. Tomkiewicza, Warszawa 1968

W. Tomkiewicz, *Czynniki kształtujące sztukę polską XVII wieku*, RHS PAN, XI, 1976

W. Tomkiewicz, *Kultura artystyczna*, w: *Polska XVII wieku. Państwo, społeczeństwo, kultura*, Warszawa 1969

W. Tomkiewicz, *Z dziejów polskiego mecenatu artystycznego w wieku XVII*. „Źródła do dziejów sztuki polskiej", IV, Wrocław 1952

M. Walicki, W. Tomkiewicz, A. Ryszkiewicz, *Malarstwo polskie. Manieryzm – barok*, Warszawa 1971

„Typ lubelski i kaliski" w architekturze polskiej XVII wieku. Problem rodzimości sztuki polskiej w epoce manieryzmu i wczesnego baroku

J. Białostocki, *Pojęcie manieryzmu i problem odrębności sztuki polskiej w końcu XVI i początku XVII wieku*, Mat. do St. i Dysk., IV, 1953, 3(14)

J. Kowalczyk, *Kościół Pobernardyński w Lublinie i jego stanowisko w renesansowej architekturze Lubelszczyzny*, KAU, II, 1957

A. Miłobędzki, *Architektura polska XVII wieku*, Warszawa 1980

J. Szablowski, *Architektura Kalwarii Zebrzydowskiej. 1600–1602*, R. Krak., XXIV, 1933

W. Tatarkiewicz, *Typ lubelski i typ kaliski w architekturze kościelnej XVII wieku*, Pr. KHS PAU, VII, 1937/1938

Sztuka w dobie kontrreformacji

M. Brykowska, *Pustelnia Złotego Lasu*, w: *Sztuka około roku 1600*, pr. zb., Warszawa 1974

A. Małkiewicz, *Zespół architektoniczny na Bielanach pod Krakowem*, Pr. z Hist. Szt. UJ, I, 1962

A. Miłobędzki, *Architektura polska XVII wieku*, Warszawa 1980

B. Naganowska-Dolczewska, *Ołtarze z końca XVI i początku XVII wieku w Wielkopolsce*, w: *Studia nad renesansem w Wielkopolsce*, pr. zb., Poznań 1970

F. Stolot, *Główne typy kompozycyjne drewnianych ołtarzy w Małopolsce po roku 1600*, w: *Sztuka około roku 1600*, jw.

W. Tatarkiewicz, *Czarny marmur w Krakowie*, Pr. KHS PAU, X, 1952

M. Walicki, W. Tomkiewicz, A. Ryszkiewicz, *Malarstwo polskie. Manieryzm – barok*, Warszawa 1971

Rezydencje możnowładców w dobie manieryzmu i baroku

W. Fijałkowski, *Rezydencja Jana III w Wilanowie w świetle materiałów z czasów saskich*, BHS, XXIX, 1967

A. Fischinger, *Santi Gucci. Architekt i rzeźbiarz królewski XVI wieku*, „Biblioteka Wawelska" 3, Kraków 1969

J. Frazik, *Zamek w Krasiczynie*, Kraków 1968

M. Karpowicz, *Sztuka oświeconego sarmatyzmu*, Warszawa 1970
A. Miłobędzki, *Architektura polska XVII wieku*, Warszawa 1980
S. Mossakowski, *Pałac Krasińskich w Warszawie. 1667–1699*, FHA, II, 1965
S. Mossakowski, *Tylman z Gameren*, Wrocław–Warszawa–Kraków–Gdańsk 1973
M. Zlat, *Zamek w Krasiczynie*, St. Ren., III, 1963

Portret polski w dobie baroku

T. Dobrowolski, *Cztery style w malarstwie portretowym polskim XVI–XVIII wieku*, Pr. z Hist. Szt. UJ, I, 1961
T. Dobrowolski, *Polskie malarstwo portretowe. Ze studiów nad sztuką epoki sarmatyzmu*, Kraków 1948
S. Kozakiewicz, *Malarstwo polskie. Oświecenie – klasycyzm – romantyzm*, Warszawa 1976
M. Walicki, W. Tomkiewicz, A. Ryszkiewicz, *Malarstwo polskie. Manieryzm – barok*, Warszawa 1971

Wiek XVIII. Barok – rokoko – Oświecenie

W. Hentschel, *Die sächsische Baukunst des 18. Jahrhunderts in Polen*, t. I–II, Berlin 1967
M. Karpowicz, *Polska sztuka XVIII wieku*, Warszawa...
S. Kozakiewicz, *Malarstwo polskie. Oświecenie – klasycyzm – romantyzm*, Warszawa 1976
E. Kręglewska-Foksowicz, E. Linette, J. Powidzki, *Sztuka baroku w Wielkopolsce*, BHS, XX, 1958
S. Lorentz, *Architektura wieku Oświecenia w świetle przemian w życiu gospodarczym i umysłowym. Próba analizy wybranych przykładów*, BHS, XIII, 1951
Rokoko – studia nad sztuką 1. połowy XVIII wieku, Warszawa 1970
A. Ryszkiewicz, *Polski portret zbiorowy*, Wrocław–Warszawa–Kraków 1961
W. Tatarkiewicz, *Dwa klasycyzmy, wileński i warszawski*, Warszawa 1921
M. Walicki, W. Tomkiewicz, A. Ryszkiewicz, *Malarstwo polskie. Manieryzm – barok*. Warszawa 1971

Rokoko w architekturze kresów dawnej Rzeczypospolitej Polskiej

Z. Hornung, *Bernard Merettini i jego główne dzieła – kościół pomisjonarski w Horodeńce, ratusz w Buczaczu i katedra św. Jura we Lwowie*, Pr. KHS PAU, V, 1933–1934
Z. Hornung, *Jan de Witte, próba charakterystyki*, Spr. TN Lwów, XIII, 1933
Z. Hornung, *Problem rokoka w architekturze sakralnej XVIII wieku*, Wrocław 1972
S. Lorentz, *Jan Krzysztof Glaubitz, architekt wileński XVIII wieku*, Pr. KHS War. TN, 3, 1937
M. Morelowski, *Problemy wileńskiej architektury barokowej XVII i XVIII wieku*, Pr. i Mat. SHS Wilno, II, 1935
M. Morelowski, *Znaczenie baroku wileńskiego XVIII stulecia*, Wilno 1940
W. Tatarkiewicz, *Dwa baroki, krakowski i wileński*, Pr. KHS PAU, VIII, 1939–1946

Sztuka w kręgu mecenatu króla Stanisława Augusta

A. Chyczewska, *Marcello Bacciarelli. 1731–1818*, Wrocław 1973

T. Dobrowolski, *Nowoczesne malarstwo polskie*, t. I, Wrocław–Warszawa–Kraków 1957

T. Jaroszewski, *Architektura doby Oświecenia w Polsce*, St. z Hist. Szt., XIII, Warszawa 1971

S. Kozakiewicz, *Malarstwo polskie. Oświecenie – klasycyzm – romantyzm*, Warszawa 1976

M. Kwiatkowski, *Ze studiów nad Łazienkami warszawskimi*, BHS, XXVIII, 1966

M. Kwiatkowski, *Z rozważań nad architekturą Stanisława Augusta*, BHS, XXXVIII, 1976

S. Lorentz, *Początki sztuki Oświecenia w Polsce*, w: *Klasycyzm*, St. z Hist. Szt., XI, Warszawa 1968

T. Mańkowski, *Mecenat Stanisława Augusta*, „Życie Sztuki", II, 1934

W. Tatarkiewicz, *Sztuka Stanisława Augusta a klasycyzm, w: Klasycyzm*, jw.

M. Wallis, *Canaletto – malarz. Warszawy*, wyd. 5, Warszawa 1961

Powstanie nowego modelu siedziby wiejskiej

G. Ciołek, *Ogrody polskie*, Warszawa 1978

M. Kwiatkowski, *Zapowiedź romantyzmu w architekturze polskiej drugiej połowy XVIII wieku*, w: *Romantyzm*, pr. zb., Warszawa 1967

Z. Ostrowska-Kębłowska, *Architektura pałacowa drugiej połowy XVIII wieku w Wielkopolsce*, Poznań 1969

Z. Ostrowska-Kębłowska, *Pałace Wielkopolski w okresie klasycyzmu*, Poznań 1970

Wiek XIX

T. Dobrowolski, *Rzeźba neoklasyczna i romantyczna w Polsce*, Wrocław–Warszawa–Kraków–Gdańsk 1974

S. Kozakiewicz, *Malarstwo polskie. Oświecenie – klasycyzm – romantyzm*, Warszawa 1976

M. Porębski, *Interregnum. Studia z historii sztuki polskiej XIX i XX wieku*, Warszawa 1975

M. Porębski, *Z problematyki metodologicznych badań nad ikonografią polskiego romantyzmu*, w: *Romantyzm*, pr. zb., Warszawa 1967

Romantyzm, pr. zb., Warszawa 1967

J. Starzyński, *Polska droga do samodzielności w sztuce*, Warszawa 1973

Sztuka XIX wieku w Polsce. Naród – miasto, pr. zb., Warszawa 1979

Sztuka 2. połowy XIX wieku, pr. zb., Warszawa 1973

Sztuka około 1900, pr. zb., Warszawa 1969

„Wizerunek Polaków"

Aleksander Orłowski. Katalog wystawy, Muz. Nar. w Warszawie i Krakowie, 1957

Z. Batowski, *Norblin*, Lwów 1911

H. Cękalska-Zborowska, *Aleksander Orłowski*, Warszawa 1962

T. Dobrowolski, *Nowoczesne malarstwo polskie*, t. I i II, Wrocław–Warszawa–Kraków 1957 i 1960

Polaków portret własny, pr. zb., Kraków 1979

A. Ryszkiewicz, *Polski portret zbiorowy*, Wrocław–Warszawa–Kraków 1969

A. Ryszkiewicz, *Uwagi o sztuce portretowej Rodakowskiego*, St. Muz., III, 1957

Sztuka w służbie świadomości narodu

J. Kazimierczak, *Realizacje architektoniczno-plastyczne w obrębie porozbiorowej rezydencji ziemiańskiej w Polsce i ich wymowa ideowa*, BHS, XL, 1978

Z. Ostrowska-Kębłowska, *Architektura pałacowa drugiej połowy XVIII wieku w Wielkopolsce*, Poznań 1969

Z. Ostrowska-Kębłowska, *Siedziba-Muzeum. Ze studiów nad architekturą XIX wieku w Wielkopolsce*, w: *Sztuka XIX wieku w Polsce. Naród–miasto*, Warszawa 1979

Z. Ostrowska-Kębłowska, *Złota Kaplica – pomnik narodu*, w: *Funkcja dzieła sztuki*, pr. zb., Warszawa 1972

M. Porębski, *Malowane dzieje*, Warszawa 1961

M. Warkoczewska, *„Siedziba wodza Legionów". Funkcje ideowe dekoracji wnętrz pałacu w Winnogórze*, St. Muz., XII, 1977

J. Zanoziński, *Piotr Michałowski. Życie i twórczość. 1800–1855*, Wrocław–Warszawa–Kraków 1965

Z. Żygulski, *Nurt romantyczny w muzealnictwie polskim*, w: *Romantyzm*, pr. zb., Warszawa 1967

Sztuka ludowa

S. Błaszczyk, *Ludowa plastyka kultowa w Wielkopolsce*, Poznań 1975

J. Grabowski, *Ludowe obrazy drzeworytnicze*, Warszawa 1970

J. Grabowski, *Sztuka ludowa. Formy i regiony w Polsce*, Warszawa 1967

A. Jackowski, *Zakres pojęcia sztuki ludowej*, PSL, XXI, 1967

A. Jackowski, J. Jarnuszkiewiczowa, *Sztuka ludu polskiego*, Warszawa 1967

K. Piwocki, *Niektóre zagadnienia teorii sztuki ludowej*, „Studia Estetyczne", 3, 1966

K. Piwocki, *Sztuka ludowa w nauce o sztuce*, „Lud", 51, cz. II, Wrocław 1968

R. Reinfuss, *Malarstwo ludowe*, Kraków 1962

T. Seweryn, *Sztuka ludowa w Polsce. Malarstwo, rzeźba, grafika, Kat. wystawy,* 1948

„Miasto nowoczesne"

J. Białas, *Zarys socjologicznego ujęcia miasta*, w: *Sztuka XIX wieku w Polsce. Naród – miasto*, Warszawa 1979

T. S. Jaroszewski, *Architektura rezydencjonalna wielkiej burżuazji warszawskiej, w latach 1864–1914*, w: *Sztuka XIX wieku w Polsce*, jw.

K. Pawłowski, *Narodziny miasta nowoczesnego*, w: *Sztuka 2. połowy XIX wieku*, pr. zb., Warszawa 1973

K. Pawłowski, *Początki polskiej nowoczesnej myśli urbanistycznej*, w: *Sztuka około 1900*, pr. zb., Warszawa 1969

I. Popławska, *Architektura Łodzi około 1900 roku*, w: *Sztuka około 1900*, jw.

A. Szram, A. Wach, *Architektura Łodzi przemysłowej*, Łódź (b.r.w.)

T. Szyburska, J. Kubiak, *Koncepcja urbanistyczna Żyrardowa*, BHS, XL, 1978

Z. Baranowicz, *Polska awangarda artystyczna. 1918–1939*, Warszawa 1975

S. Bojko, *Polska sztuka plakatu. Początki i rozwój do 1939 roku*, Warszawa 1971

T. Dobrowolski, *Nowoczesne malarstwo polskie*, t. III, Wrocław–Warszawa–Kraków 1964

T. Dobrowolski, *Sztuka Młodej Polski*, Warszawa 1963

W. Juszczak, M. Liczbińska, *Malarstwo polskie. Modernizm*, Warszawa 1977

A. Olszewski, *Nowe formy w architekturze polskiej. 1900–1925*, Warszawa 1967

A. Olszewski, *Przegląd koncepcji stylu narodowego w teorii architektury polskiej przełomu XIX i XX wieku*, „Sztuka i Krytyka", VII, 1956, 3/4 (27–28)

J. Starzyński, *Polska droga do samodzielności w sztuce*, Warszawa 1973

J. Wisłocka, *Awangardowa architektura polska. 1918–1939*, Wrocław–Warszawa–Kraków 1966

„Modernizm" – sztuka około roku 1900

H. Blumówna, *Stanisław Wyspiański*, Warszawa 1970

T. Dobrowolski, *Sztuka Młodej Polski*, Warszawa 1963

A. Jakimowicz, *Jacek Malczewski i jego epoka*, Warszawa 1970

W. Juszczak, *Wojtkiewicz i nowa sztuka*, Warszawa 1965

W. Juszczak, M. Liczbińska, *Malarstwo polskie. Modernizm*, Warszawa 1977

Z. Kępiński, *Impresjonizm polski*, Warszawa 1961

P. Krakowski, *O symbolizmie w pejzażach Ruszczyca*, w: *Ferdynand Ruszczyc. Pamiętniki wystawy*, Warszawa 1966

A. Ławniczakowa, *Jacek Malczewski*, Warszawa 1976

Z. Ostrowska-Kębłowska, *Studia nad portretami Olgi Boznańskiej*, St. Muz., III, 1957

Polskie życie artystyczne w latach 1890–1914, pr. zb. pod red. A. Wojciechowskiego, Wrocław–Warszawa–Kraków 1967

Pluralizm malarstwa dwudziestolecia międzywojennego

H. Anders, *Rytm. W poszukiwaniu stylu narodowego*, Warszawa 1972

Z. Baranowicz, *Polska awangarda artystyczna. 1918–1939*, Warszawa 1975

T. Dobrowolski, *Nowoczesne malarstwo polskie*, t. III, Wrocław–Warszawa–Kraków 1964

Grupa „a.r.". 40-lecie Międzynarodowej Kolekcji Sztuki Nowoczesnej w Łodzi, pr. zb. pod red. R. Stanisławskiego, Łódź 1971

I. Jakimowicz, *Witkacy, Chwistek, Strzemiński – myśli i obrazy*, Warszawa 1978

L. Lameński, „*Szczep rogate serce*", BHS, XXXVI, 1974

P. Łukaszewicz, *Zrzeszenie artystów plastyków Artes*, Wrocław–Warszawa–Kraków–Gdańsk 1975

J. Pollakówna, *Tytus Czyżewski – formista*, Warszawa 1971

P. Rudziński, *Awangardowa twórczość Henryka Berlewiego w latach 1922–1925*, cz. I i II, BHS, 1977

A. Stern, *Mieczysław Szczuka na tle swoich czasów*, w: *Ze studiów nad genezą plastyki nowoczesnej w Polsce*, St. z Hist. Szt., X, Warszawa 1968

W. Strzemiński, *Pisma*, Wrocław 1974

J. Szczepińska, *Historia i program grupy „Formiści polscy" w latach 1917–1922*, Mat. do St. i Dysk. V, 1954, 3–4 (19–20)

Sztuka XX wieku, pr. zb., Warszawa 1971

A. Turowski, *Konstruktywizm polski. Próba rekonstrukcji nurtu (1921–1934)*, Wrocław–Warszawa–Kraków–Gdańsk–Łódź 1981

M. Wallis, *Sztuka polska dwudziestolecia*, Warszawa 1959

J. Wolff, *Zygmunt Waliszewski*, Warszawa 1969

„Sztuka w walce o socjalizm"

Budownictwo i architektura w Polsce. 1945–1966, pr. zb. pod red. J. Zachwatowicza, Warszawa 1968

A. Jakimowicz, *Polska rzeźba współczesna*, Warszawsa 1956

35 lat malarstwa w Polsce Ludowej. Katalog wystawy, Poznań 1979

W. Sokorski, *Sztuka w walce o socjalizm*, Warszawa 1950

Nowe perspektywy

35 lat malarstwa w Polsce Ludowej. Katalog wystawy, Poznań 1979

A. Kępińska, *Nowa sztuka. Sztuka polska w latach 1945–1978*, Warszawa 1981

A. Osęka, W. Skrodzki, *Współczesna rzeźba polska*, Warszawa 1977

Plakat polski. 1970–1978, Warszawa 1979

Polski plakat współczesny, Warszawa 1972

T. P. Szafer, *Nowa architektura polska. Diariusz lat 1971–1975*, Warszawa 1979

A. Wojciechowski, *Młode malarstwo polskie. 1944–1974*, Wrocław–Warszawa–Kraków–Gdańsk 1975

Spis ilustracji

Świętego Krzyża we Wrocławiu, ok. 1300 i 1310–1320. Muzeum Narodowe, Wrocław

107–109. Posągi na wieży ratusza w Jaworze, 1370–1380
110. Zwornik heraldyczny w kościele św. św. Piotra i Pawła w Stopnicy
111. Kielich mszalny, 1363. Kościół parafialny, Kalisz
112. Grobowiec księcia Henryka VI w kościele Urszulanek we Wrocławiu, ok. 1350
113. Grobowiec króla Kazimierza Wielkiego w katedrze na Wawelu, 1370–1380
114. Grobowiec króla Władysława Jagiełły w katedrze na Wawelu, 2. ćw. XV w.
115. Grobowiec księcia Bolka II w kościele Cystersów w Krzeszowie, po 1380
116. Scena fundacyjna, malowidło ścienne w oratorium klasztoru cystersów w Lądzie, 1360–1370
117. Wit Stosz, Grobowiec króla Kazimierza Jagiellończyka w katedrze na Wawelu, ok. 1492
118. Kraków ze średniowieczną zabudową, panorama miasta wg Fredericka de Wit
119. Wrocław, wg *Liber cronicarum* H. Schedla, 1493
120. Wrocław, plan B. Weynera, 1562
121. Poznań, wg J. Brauna i F. Hogenberga, 1618
122. Kraków, wg *Liber cronicarum* H. Schedla
123. Kraków, Rynek Główny
124. Ratusz Głównego Miasta w Gdańsku, ok. 1379–1492, przebudowa 1556
125. Ratusz w Toruniu, 1391–1399, przebudowa 1602–1603
126. Ratusz we Wrocławiu, ok. 1328, ok. 1428 i ok. 1470–1504
127. Mury obronne w Paczkowie, ok. 1350–XVI w.
128. Barbakan i Brama Floriańska w Krakowie, kon. XIII w. i 1498–1499
129. Wnętrze katedry wrocławskiej, 2. ćw. XIV w.
130. Figura proroka na sklepieniu kaplicy P. Marii w katedrze wrocławskiej, 1354–1361
131. Chór katedry wrocławskiej
132. Katedra na Wawelu, 1320–1364
133. Grobowiec biskupa Przecława z Pogorzeli, zm. 1376. Katedra, Wrocław
134. Wnętrze katedry na Wawelu
135. Rzeźba figuralna na żebrach sklepienia w katedrze gnieźnieńskiej
136. Wnętrze katedry gnieźnieńskiej, poł. XIV–kon. XVI w.
137. Katedra w Poznaniu, 1346–1410
138. Wnętrze kościoła Mariackiego w Krakowie, kon. XIII–pocz. XV w.
139. Wnętrze kolegiaty w Wiślicy, ok. 1350
140. Figura króla Kazimierza Wielkiego z kolegiaty w Wiślicy, 1370–1380. Muzeum Uniwersytetu Jagiellońskiego, Kraków

141. Św. Jadwiga, miniatura w *Żywocie św. Jadwigi*, 1353. Kolekcja P. Ludwiga, Akwizgran
142. Dom Mansjonarzy w Sandomierzu, 1476
143. Portal kaplicy zamkowej w Lubiniu, 1349
144. Figura św. Jadwigi na elewacji kaplicy zamkowej w Brzegu, 4. ćw. XIV w.
145. Wnętrze Dworu Artusa w Gdańsku, wg sztychu Schultza z 1848
146. Oblężenie Malborka z Dworu Artusa w Gdańsku, 1481–1488. Obraz zaginiony
147. Fragment elewacji ratusza wrocławskiego z fryzem figuralnym, ok. 1485
148. Wit Stosz, „Zaśnięcie Marii" z Ołtarza Mariackiego, 1477–1489. Kościół Mariacki, Kraków
149. Ołtarz św. Rodziny z Konina Żagańskiego, 1514. Muzeum Narodowe, Wrocław
150. Tryptyk Jerozolimski z kościoła P. Marii w Gdańsku, część środkowa, 1495–1500. Muzeum Narodowe, Warszawa
151. Pokłon Trzech Króli, kościół parafialny w Krzyżowicach k. Brzegu, 1418–1428
152. Św. Męczennice, fragment malowideł w kościele parafialnym w Niepołomicach, ok. 1370–1375
153. Malowidła w kaplicy zamkowej w Lublinie, ok. 1418
154. Krucyfiks z katedry w Kamieniu Pomorskim, XIII/XIV w. Muzeum Narodowe, Szczecin
155. Krucyfiks z kościoła Bożego Ciała we Wrocławiu, ok. 1350. Muzeum Narodowe, Warszawa
156. Pietà z Lubiąża, ok. 1360. Muzeum Narodowe, Warszawa
157. Chrystus jako Mąż Boleści w farze poznańskiej, 1435–1440
158. Pietà z kościoła św. Marii Magdaleny we Wrocławiu, kon. XIV w. Zaginiona
159. Pietà z kościoła św. Barbary w Krakowie, kon. XIV w.
160–161. Madonna szafkowa z Klonówki, 4. ćw. XIV w. Muzeum Diecezjalne, Pelplin
162. Madonna na lwach ze Skarbimierza, ok. 1360. Muzeum Narodowe, Wrocław
163. Św. Paweł z kościoła św. Marii Magdaleny we Wrocławiu, ok. 1360. Muzeum Narodowe, Warszawa
164. Madonna na lwie z kościoła św. Marcina we Wrocławiu, ok. 1370. Muzeum Archidiecezjalne, Wrocław
165. Frontale z Dębna, 2. poł. XIII w., rekonstrukcja wg J. Dutkiewicza
166. Ołtarz z Pełcznicy, część środkowa, 1370–1380. Muzeum Narodowe, Wrocław
167. Frontale z Dębna, 2. poł. XIII w., zachowany fragment malowideł
168. Nagrobek księcia Henryka II Pobożnego z kościoła Franciszkanów we Wrocławiu, 1380–1385. Muzeum Narodowe, Wrocław
169. Wsporniki z popiersiami Wacława IV i Zofii w kolegiacie w Głogówku, 1. ćw. XV w.

170. Piękna Madonna z Wrocławia, 1390–1400. Muzeum Narodowe, Warszawa
171. Tablica fundacyjna Dobiesława Oleśnickiego z Sienna, 1432
172. Figura św. Piotra z kościoła w Legnicy, ok. 1400
173. Chrystus przed Piłatem, fragment malowideł w kościele parafialnym w Kałkowie, kon. XIV w.
174. Piękna Madonna z Torunia, ok. 1390. Zaginiona
175. Henryk z Braniewa, wnętrze chóru kościoła św. Jakuba w Szczecinie, 1375–1387
176. Ukrzyżowanie z kaplicy Dumlosych w kościele św. Elżbiety we Wrocławiu, ok. 1410. Muzeum Narodowe, Warszawa
177. Henryk z Braniewa, dekoracja lizen w kościele P. Marii w Stargardzie Szczec., pocz. XV w.
178. Nawrócenie św. Pawła, tympanon zach. portalu w kościele w Strzegomiu, 4. ćw. XIV w.
179. Madonna z Krużlowej, 1420–1430. Muzeum Narodowe, Kraków
180. „Pawilon gotycki" na zamku wawelskim, kon. XIV w.
181. Pałac Wielkiego Mistrza w Malborku, 1383–1399
182. Refektarz Letni w Pałacu Wielkiego Mistrza w Malborku
183–184. Skrzydła Ołtarza z Trzebuni, 1420–1430. Muzeum Narodowe, Kraków
185. Śmierć Marii z Ołtarza z Ptaszkowej, ok. 1440. Muzeum Diecezjalne, Tarnów
186. Duże Ukrzyżowanie z Korzennej, 1440–1450. Muzeum Narodowe, Kraków
187. Misericordia Domini ze Zbylitowskiej Góry, ok. 1450. Muzeum Diecezjalne, Tarnów
188. Postać łotra z obrazu „Zdjęcie z krzyża" z Chomranic
189. Zdjęcie z krzyża z Chomranic, ok. 1440. Muzeum Diecezjalne, Tarnów
190. Matka Boska Bolesna z Nowego Sącza, 1440–1450. Muzeum Diecezjalne, Tarnów
191. Chrystus Bolesciwy z Nowego Sącza, 1440–1450. Muzeum Diecezjalne, Tarnów
192. Uczta u Szymona z Ołtarza z Gosprzydowej, ok. 1505. Muzeum Diecezjalne, Tarnów
193. Madonna z fundatorami. 1450–1460. Kościół parafialny, Drzeczkowo
194. Św. Sekundus przeprawiający się przez Pad, fragment Tryptyku Świętej Trójcy, 1467. Katedra na Wawelu, Kraków
195. Zwiastowanie Marii z Ołtarza Matki Boskiej Bolesnej, ok. 1475. Katedra na Wawelu, Kraków
196. Rzeź Niewiniątek z Poliptyku Olkuskiego, ok. 1485. Kościół farny św. Andrzeja, Olkusz
197. Figury łotrów na Golgotę z Drogi na Golgotę z kościoła Marii Magdaleny we Wrocławiu, ok. 1500. Muzeum Archidiecezjalne, Wrocław
198. Ołtarz św. Barbary z Wrocławia, 1447. Muzeum Narodowe, Warszawa

199. Wit Stosz, Św. Anna Samotrzecia z Tarnowa. ok. 1490. Zaginiona
200. Epitafium Jana Sakrana w klasztorze oo. Misjonarzy na Stradomiu w Krakowie, ok. 1527
201. Złożenie do Grobu z Ołtarza Dominikańskiego, ok. 1460. Muzeum Narodowe, Kraków
202. Mistrz Wniebowzięcia z Warty, Sacra Conversazione, 1. ćw. XVI w. Muzeum Narodowe, Warszawa
203. „Zdjęcie z krzyża" z Torunia, 1495. Muzeum Narodowe, Warszawa
204. Wjazd do Jerozolimy, skrzydło Tryptyku Jerozolimskiego z kościoła P. Marii w Gdańsku, 1497–1500. Muzeum Narodowe, Warszawa
205. Matka Boska Anielska ze św. św. Piotrem i Pawłem z Poliptyku z Szańca, kon. XV w.
206. Wit Stosz, Krucyfiks w kościele Mariackim w Krakowie, fragment, po 1490
207. Wit Stosz, Ołtarz Mariacki zamknięty, 1477–1489. Kościół Mariacki, Kraków
208. Wit Stosz, Spotkanie Joachima i Anny przed Złotą Bramą, fragment Ołtarza Mariackiego
209. Figura proroka z Ołtarza Mariackiego
210. Ołtarz Mariacki otwarty
211. Głowa św. Piotra z Ołtarza Mariackiego
212. Hans Brandt, figura św. Wojciecha z grobowca w katedrze gnieźnieńskiej, 1479–1499
213. Wit Stosz, głowa Kazimierza Jagiellończyka, fragment grobowca króla, ok. 1492. Katedra na Wawelu, Kraków
214. Wit Stosz, pomnik Kallimacha w kościele Dominikanów w Krakowie, ok. 1500
215. Dziedziniec Collegium Maius w Krakowie, ok. 1519
216. Jan Baptysta z Wenecji, wnętrze kolegiaty w Pułtusku, ok. 1560
217. Bernardino Zanobi de Gianotis, nagrobek książąt mazowieckich, 1526–1528. Katedra, Warszawa
218. Jan Cini i Jan Maria Padovano, ołtarz główny katedry wawelskiej, 1545–1548. Obecnie w Bodzentynie
219. Kościół parafialny w Brochowie, przebudowany przez Jana Baptystę z Wenecji, ok. 1560
220. Bartłomiej Berrecci (?), nagrobek biskupa Piotra Tomickiego, 1532–1535. Katedra na Wawelu, Kraków
221. „Lament opatowski", fragment nagrobka Krzysztofa Szydłowieckiego, 1533–1541. Kolegiata, Opatów
222. Bernardino Zanobi de Gianotis i Jan Cini, nagrobek Krzysztofa Szydłowieckiego, 1533–1541. Kolegiata, Opatów
223. Bóżnica w Lubomlu, XVII w.
224. Jan Michałowicz z Urzędowa, nagrobek Urszuli Leżeńskiej, 3. ćw. XVI w. Kościół parafialny, Brzeziny
225. Hieronim Canavesi, nagrobek rodziny Górków, ok. 1576. Katedra, Poznań

226. Franciszek Florentczyk, nisza grobowa króla Jana Olbrachta, 1502–1505. Katedra na Wawelu, Kraków
227. Dziedziniec Zamku Królewskiego na Wawelu
228. Antoni z Wrocławia i Hans Dürer, Tabula Cebetis, fragment, 1532 (?). Zamek Królewski na Wawelu, Kraków
229. Benedykt Sandomierzanin, portal w Zamku Królewskim na Wawelu, 1524–1529
230. Sebastian Tauerbach, Mistrz Hanusz (Jan Janda?) i inni, głowy na stropie Sali Poselskiej, 1531–1532. Zamek Królewski na Wawelu, Kraków
231. Głowa żołnierza w hełmie ze stropu Sali Poselskiej
232. Bartłomiej Berrecci, kaplica Zygmuntowska, fragment, 1517–1533. Katedra na Wawelu, Kraków
233. Kaplica Zygmuntowska przy katedrze na Wawelu, widok zewnętrzny
234. Wnętrze kaplicy Zygmuntowskiej
235. Igraszki nereid, fragment dekoracji kaplicy Zygmuntowskiej
236. Bartłomiej Berrecci (?), medalion z popiersiem Zygmunta I jako Salomona, 1529–1531. Kaplica Zygmuntowska
237. Bartłomiej Berrecci, posąg nagrobny Zygmunta I, po 1529. Kaplica Zygmuntowska
238. Fragment dekoracji kaplicy Zygmuntowskiej
239. Nagrobek Barbary z Rożnowa Tarnowskiej, zm. 1518. Katedra, Tarnów
240. Nagrobek Mikołaja Tomickiego 1524. Kościół parafialny, Tomice k. Poznania
241. Warsztat Piotra Vischera, nagrobek Andrzeja Szamotulskiego (zm. 1511). Kościół farny, Szamotuły
242. Peter Flötner i Melchior Baier, Nawiedzenie św. Elżbiety, fragment srebrnego Ołtarza z kaplicy Zygmuntowskiej, 1531–1538
243. Kupno wsi, fragment Ołtarza św. Stanisława, 1518. Kościół parafialny, Kobylin
244. Stanisław Samostrzelnik, Św. Stanisław, miniatura z Żywotów arcybiskupów gnieźnieńskich, ok. 1530. Biblioteka Narodowa, Warszawa
245. Tryptyk z Pławna, 1515–1520. Muzeum Narodowe, Warszawa
246. Ukrzyżowanie, miniatura z Pontyfikału Erazma Ciołka, ok. 1515. Muzeum Narodowe, Kraków
247. Tańcząca Salome, fragment Ołtarza św. Jana Chrzciciela w Krakowie, 1518. Zaginiony
248. Malarze, miniatura w Kodeksie Baltazara Behema, 1505. Biblioteka Jagiellońska, Kraków
249. Bitwa pod Orszą, fragment, ok. 1518. Muzeum Narodowe, Warszawa
250. Muzyk dworski, fragment malowideł stropu, 1520–1531. Kościół parafialny, Grębień k. Wielunia
251. Benedykt Sandomierzanin, zamek królewski w Piotrkowie, 1512–1519. Rysunek inwentaryzacyjny z 1828 r.
252. Dwór w Jeżowie, ok. 1544
253, 254. Zamek króla Zygmunta Augusta w Niepołomicach, 1550–1571
255. Dwór Gładyszów w Szymbarku, po 1530 i ok. 1580
256. Wawrzyniec Lorek, dwór kapituły biskupiej w Pabianicach, 1565–1571
257. Dwór w Poddębicach, 1610–1617
258. Jan Wolff, dekoracja kopuły kaplicy w Uchaniach, ok. 1625
259. Jan Pfister, dekoracja kopuły kaplicy Boimów we Lwowie, 1609–1611
260. Kaplica biskupa Noskowskiego przy kolegiacie w Pułtusku, 1553–1554
261. Kaplica Boimów we Lwowie, 1609–1611
262. Kaplica Kampianów we Lwowie, ok. 1600 i 1619–1629
263. Kaplica Opalińskich w Radlinie, 1590–1605
264. Kaplica Firlejów w Bejscach, 1593–1600
265. Nagrobek Kryskich w Drobiniu, 1572–1576
266. Nagrobki Montelupich, pocz. XVII w. Kościół Mariacki, Kraków
267. Nagrobek biskupa Jana Konarskiego, ok. 1521. Katedra na Wawelu, Kraków
268. Nagrobek Galeazzo Guicciardiniego (zm. 1557). Krużganek klasztoru dominikanów, Kraków
269. Nagrobek Kościeleckich w Kościelcu k. Inowrocławia, ok. 1559
270. Posąg z nagrobka Barbary z Tęczyńskich Tarnowskiej, ok. 1530. Katedra, Tarnów
271. Jan Michałowicz z Urzędowa, nagrobek biskupa Andrzeja Zebrzydowskiego, 1560–1563. Katedra na Wawelu, Kraków
272. Nagrobek prymasa Wojciecha Baranowskiego, zm. 1615. Katedra, Gniezno
273. Santi Gucci, nagrobek króla Stefana Batorego, ok. 1595. Katedra na Wawelu, Kraków
274. Portret Zygmunta I z Głogowa, oryginał 1510–1515, zachowana kopia z 2.poł.XVII w. Muzeum Narodowe, Poznań
275. Portret biskupa Piotra Tomickiego, ok. 1535. Krużganek klasztoru franciszkanów, Kraków
276. Portret Benedykta z Koźmina, ok. 1559. Muzeum Uniwersytetu Jagiellońskiego, Kraków
277. Portret Łukasza Opalińskiego, ok. 1635. Muzeum Narodowe, Kraków
278. Portret Grzegorza i Katarzyny Przybyłów, ok. 1534. Muzeum Narodowe, Warszawa
279. Portret Stanisława Tęczyńskiego, 1634. Państwowe Zbiory Sztuki na Wawelu, Kraków
280. Marcin Kober, Portret króla Stefana Batorego, 1583. Klasztor oo. misjonarzy, Kraków
281. Giovanni Battista Quadro, ratusz w Poznaniu, do 1555
282. Ratusz w Tarnowie, ok. 1560

344. Ołtarz główny w kościele parafialnym w Koźminie, ok. 1600
345. Herman Han, Koronacja Marii, przed 1623. Katedra, Oliwa
346. Andrea Castello (?), kaplica Zbaraskich przy kościele Dominikanów w Krakowie, 1629–1633
347. Constantino Tencalla, kaplica św. Kazimierza przy katedrze wileńskiej, 1624–1636
348. Tomasz Dolabella, Śmierć św. Władysława, 1633–1635. Kościół Kamedułów na Bielanach pod Krakowem
349. Koło śmierci z kościoła św. Katarzyny w Krakowie, ok. 1650
350. Krzysztof Boguszewski, Św. Marcin z Tours, 1628. Katedra, Poznań
351. Santi Gucci, rezydencja Mirów w Książu Wielkim, 1585–1595
352. Pawilon przy pałacu w Książu Wielkim
353. Santi Gucci (?), dziedziniec zamku Leszczyńskich w Baranowie, 1591–1606
354. Santi Gucci (?), zamek Leszczyńskich w Baranowie, 1591–1606
355. Giovanni Trevano, skrzydło zach. Zamku Królewskiego w Warszawie, 1598–1619
356, 357. Galeazzo Appiani (?), zamek w Krasiczynie, 1590–1621
358. Giovanni Trevano i Tommaso Poncino, pałac biskupi w Kielcach, 1637–1641
359. Andrea dell'Acqua (?), pałac Stanisława Koniecpolskiego w Podhorcach, 1635–1640
360, 361. Wawrzyniec Senes, zamek Krzysztofa Ossolińskiego Krzyżtopór w Ujeździe, 1627–1644
362. Augustyn Locci, pałac królewski w Wilanowie, fasada ogrodowa, 1677 – 1. poł. XVIII w.
363. Sypialnia królowej w pałacu wilanowskim
364. Pałac królewski w Wilanowie, widok ogólny
365. Tylman van Gameren, pałac Krasińskich w Warszawie, 1677–1682
366. Tympanon pałacu Krasińskich
367. Augustyn Locci, pałac królewski w Wilanowie, widok od frontu, 1677–1692
368. Peter Danckers de Rij, Portret gdańskiego patrycjusza, ok. 1640. Muzeum Narodowe, Poznań
369. Bartłomiej Strobel, Portret Wilhelma Orsettiego, ok. 1650. Muzeum Narodowe, Warszawa
370. Portret królewicza Władysława Wazy, po 1621. Muzeum Narodowe, Warszawa
371. Daniel Schultz mł., Portret króla Jana Kazimierza, ok. 1650. Zbiory zamku Gripsholm, Szwecja
372. Bartłomiej Strobel, Portret szlachcica, ok.1635. Muzeum Narodowe, Warszawa
373. Daniel Schultz mł., Portret króla Michała Korybuta Wiśniowieckiego, ok. 1669. Państwowe Zbiory Sztuki na Wawelu, Kraków

374. Daniel Schultz mł., Portret króla Jana Kazimierza, przed 1669. Muzeum Narodowe, Warszawa
375. Jan Tricius, Portret króla Jana III Sobieskiego, 1676. Muzeum Narodowe, Warszawa
376. Warsztat Hermana Hana, Portret Jerzego i Anny Konopackich, ok. 1625. Muzeum Narodowe, Poznań
377. Jerzy Eleuter Szymonowicz–Siemiginowski (?), Portret Marii Kazimiery z dziećmi, ok. 1683. Muzeum Narodowe, Warszawa
378. Mistyczne zaślubiny św. Katarzyny, ok. 1659. Muzeum Narodowe, Warszawa
379. Michał Anioł Palloni, Portret Jana Dobrogosta Krasińskiego, ok. 1700. Wł. prywatna
380. Daniel Schultz mł., Sprzedawczyni dziczyzny, ok. 1666. Nationalmuseum, Sztokholm
381. Jakub Wessel, Portret Hieronima Radziwiłła, ok. 1750. Muzeum Narodowe, Warszawa
382. Portret Boreyki, ok. 1730. Muzeum Okręgowe, Tarnów
383. Augustyn Mirys, Portret Ignacego Cetnera, 1740. Muzeum – Zamek, Łańcut
384. Józef Szymon Bellotti (ok. 1694), Pompeo Ferrari (ok. 1700), Karol Marcin Frantz (po 1740), Ignacy Graff (2. poł. XVIII w.), zamek w Rydzynie
385. Pompeo Ferrari, wnętrze kościoła pocysterskiego w Lądzie, 1728–1733
386. Kacper Bażanka, kościół Misjonarzy w Krakowie, 1719–1728
387. Pałac Pod Blachą w Warszawie, 1720
388. Pałac w Białymstoku, ok. 1730
389. Jakub Fontana, pałac w Radzyniu, ok. 1750
390. Franciszek Placidi, kościół Trynitarzy (ob. Bonifratrów) w Krakowie, 1752–1758
391. August Moszyński, kościół w Tarnopolu, 1773–1778
392. Bogumił Zug, zbór ewangelicko-augsburski w Warszawie, 1777–1779
393. Antoni Hoene, pałac Działyńskich w Poznaniu, 1780–1790
394. Ferdynand Nax (?), pałac Wodzickich (Potockich) w Krakowie, 1777–1783
395. Wawrzyniec Gucewicz, katedra w Wilnie, przebudowa 1783
396. Efraim Szreger, kościół w Skierniewicach, 1780
397. Antoni Frąckiewicz, anioł z ołtarza katedry w Kielcach, 1728–1730
398. Jan Obrocki, nagrobek M. A. Mniszchowej w kościele parafialnym w Dukli, 1773
399. Jan Jerzy Plersch (?), Św. Onufry w kościele ormiańskim w Stanisławowie, 1750–1760
400. Antoni Osiński, Matka Boska Bolesna w kościele w Hodowicy, ok. 1760
401. Jakub Monaldi, Chronos z Zamku Królewskiego w Warszawie, 1786
402. Andrzej Radwański, malowidła iluzjonistyczne w kościele pocysterskim w Jędrzejowie, 1734–1739

403. Maciej Polejowski, Św. Piotr z Alkantary w kościele Bernardynów w Opatowie, 1770–1775
404. Jan Piotr Norblin, Kąpiel w parku, 1794. Muzeum Narodowe, Warszawa
405. Konstanty Aleksandrowicz, Portret Karola Radziwiłła „Panie Kochanku", ok. 1785. Muzeum Narodowe, Kraków
406. Józef Faworski, Portret Jana Piędzickiego, 1790. Muzeum Narodowe, Poznań
407. Bernard Merderer, ratusz w Buczaczu, ok. 1750
408. Gotfryd Hoffmann, kościół Bazylianów w Poczajowie na Wołyniu, 1771–1779
409, 410. Jan de Witte, kościół Dominikanów we Lwowie, 1745–1764
411. Paweł Antoni Fontana, kościół Pijarów w Chełmie Lubelskim, 1753–1763
412. Bernard Merderer, katedra św. Jerzego we Lwowie, 1744–1763
413. Kościół Misjonarzy w Wilnie, 1751–1753
414. Jakub Fontana (?), Karol Bay (?), kościół Wizytek w Warszawie, 1727–1763
415. Jan Krzysztof Glaubitz, kościół Jezuitów p.w. św. Jana w Wilnie, 1756–1757
416. Jan Krzysztof Glaubitz, kościół Bazylianów w Berezweczu, 1756–1763
417. Jakub Fontana, projekt przebudowy Zamku Królewskiego w Warszawie, 1772. Gabinet Rycin Biblioteki Uniwersytetu Warszawskiego, Warszawa
418. Efraim Szreger, projekt przebudowy Zamku Królewskiego w Warszawie, 1777. Gabinet Rycin Biblioteki Uniwersytetu Warszawskiego, Warszawa
419. Dominik Merlini, projekt przebudowy Zamku Królewskiego w Warszawie, 1788. Gabinet Rycin Biblioteki Uniwersytetu Warszawskiego, Warszawa
420. Dominik Merlini i Marceli Bacciarelli, Sala Audiencyjna w Zamku Królewskim w Warszawie, 1774–1777
421. Dominik Merlini i Jan Chrystian Kamsetzer, Sala Rycerska w Zamku Królewskim w Warszawie, 1777–1786
422. Dominik Merlini i Jan Chrystian Kamsetzer, Sala Balowa w Zamku Królewskim w Warszawie, 1779–1786
423. Victor Louis, projekt Buduaru dla Zamku Królewskiego w Warszawie, 1766. Gabinet Rycin Biblioteki Uniwersytetu Warszawskiego
424. Dominik Merlini, Rotunda w pałacu Na Wodzie w Łazienkach warszawskich, 1788–1795
425. Marceli Bacciarelli, Król Jan III Sobieski oswabadza Wiedeń. Muzeum Narodowe, Warszawa
426. Łazienki warszawskie, widok ogólny
427. Jan Chrystian Kamsetzer, Sala Balowa w pałacu Na Wodzie w Łazienkach, do 1793

428. Dominik Merlini, pałac Myślewicki w Łazienkach, 1775–1783
429. Dominik Merlini, pałac Na Wodzie w Łazienkach, elewacja połudn., do 1793
430. Jan Chrystian Kamsetzer, scena Amfiteatru w Łazienkach, 1786–1791
431. Andrzej Le Brun i Franciszek Pinck, pomnik króla Jana III Sobieskiego w Łazienkach, 1788
432. Jan Chrzciciel Lampi, Portret Szczęsnego Potockiego, ok. 1790. Muzeum Narodowe, Warszawa
433. Marceli Bacciarelli, Portret koronacyjny Stanisława Augusta, ok. 1777. Muzeum Narodowe, Poznań
434. Józef Grassi, Portret księcia Józefa Poniatowskiego, ok. 1790. Muzeum Narodowe, Kraków
435. Canaletto, Krakowskie Przedmieście od strony Nowego Światu, fragment. Muzeum Narodowe, Warszawa
436. Canaletto, Krakowskie Przedmieście od strony placu Zamkowego. Muzeum Narodowe, Warszawa
437. Johann Friedrich Knöbel, pałac w Rogalinie, 1768–1773, przebudowa do 1784
438. Karol Gotthard Langhans, pałac w Pawłowicach, projekt 1777–1778, budowa 1779–1787
439. Jan Chrystian Kamsetzer, Sala Balowa pałacu w Pawłowicach, 1788–1792
440. Chrystian Piotr Aigner, Domek Gotycki w parku w Puławach, po 1800–1809
441. Jan Chrystian Kamsetzer, pałac w Siernikach, 1786–1789
442. Stanisław Zawadzki, pałac w Śmiełowie, 1795–1800
443. Stanisław Zawadzki, pałac w Lubostroniu, 1795–1800
444. Stanisław Zawadzki, pałac w Dobrzycy, ok. 1795–1800. Wg rysunku K. Raczyńskiej
445. Jakub Kubicki, pałac Belwederski w Warszawie, 1819–1822
446. Antoni Corazzi, pałac Towarzystwa Przyjaciół Nauk w Warszawie, 1820–1823
447. Piotr Aigner, Pałac Namiestnikowski w Warszawie, przebudowa 1818–1819
448. Antoni Corazzi, Teatr Wielki w Warszawie, 1825–1842
449. Adam Idźkowski, katedra św. Jana w Warszawie, przebudowa 1839–1842
450. Bolesław Podczaszyński, wnętrze pałacu w Starej Wsi, 1859–1862
451. Feliks Księżarski, Collegium Novum Uniwersytetu Jagiellońskiego w Krakowie, 1883–1887
452. Teodor Talowski, dom Pod Głową przy ul. Retoryka w Krakowie, 1895
453. Bonifacy Witkowski, ratusz w Łowiczu, 1826–1828
454. Henryk Marconi i Józef Górecki, gmach

Towarzystwa Kredytowego Ziemskiego w Warszawie, 1856–1858
455. Jan Zawiejski, Teatr Miejski, ob. im. Juliusza Słowackiego w Krakowie, ok. 1903
456. Teodor Rygier, Bachantka, 1887. Muzeum Narodowe, Kraków
457. Konstanty Hegel, Portret własny, 1856. Muzeum Narodowe, Kraków
458. Władysław Oleszczyński, nagrobek generała Jana Skrzyneckiego, 1865. Kościół Dominikanów, Kraków
459. Stanisław Roman Lewandowski, Słowianin zrywający pęta, 1887. Muzeum Narodowe, Kraków
460. Wiktor Brodzki, Podszepty miłości, 1881. Muzeum Narodowe, Kraków
461. Ludwik Kaufmann, Alegoria rzeki Bug w Łazienkach warszawskich, 1830–1840
462. Józef Peszka, Portret S. Kublickiego, 1791. Muzeum Narodowe, Warszawa
463. Kazimierz Wojniakowski, Portret generała Józefa Kossakowskiego, 1794. Muzeum Narodowe, Kraków
464. Antoni Brodowski, Portret brata, 1815. Muzeum Narodowe, Warszawa
465. Piotr Michałowski, Seńko, ok. 1846. Muzeum Narodowe, Kraków
466. Wojciech Korneli Stattler, Portret Ludwiki Kosteckiej. Muzeum Narodowe, Kraków
467. Antoni Blank, Portret Abrahama Sterna. Muzeum Narodowe, Poznań
468. Bonawentura Dąbrowski, Portret kupca Pawła Pelizzaro, 1840. Muzeum Narodowe, Warszawa
469. Henryk Rodakowski, Portret generała Henryka Dembińskiego, 1852. Muzeum Narodowe, Kraków
470. Henryk Rodakowski, Portret matki, 1853. Muzeum Sztuki, Łódź
471. Jan Matejko, Portret Piotra Moszyńskiego, 1874. Muzeum Narodowe, Kraków
472. Juliusz Kossak, Portret własny na koniu, ok. 1859. Muzeum Narodowe, Poznań
473. Józef Simmler, Portret żony artysty, 1863. Zaginiony
474. Andrzej Grabowski, Wójt spod Krakowa, ok. 1870. Muzeum Narodowe, Wrocław
475. Aleksander Orłowski, Szlachcic z gwiazdą orderową u boku. Muzeum Narodowe, Warszawa
476. Michał Płoński, Stary żebrak. Muzeum Narodowe, Warszawa
477. Jan Piotr Norblin, Uchwalenie Konstytucji 3 maja, 1804–1806. Biblioteka PAN, Kórnik
478. Franciszek Kostrzewski, Cyrk na Saskiej Kępie, 1852. Muzeum Narodowe, Warszawa
479. Aleksander Kotsis, Matula umarli, 1868. Muzeum Narodowe, Warszawa
480. Józef Chełmoński, Czwórka, 1881. Muzeum Narodowe, Kraków
481. Juliusz Kossak, Wyjazd na polowanie, 1876. Muzeum Narodowe, Poznań
482. Aleksander Gierymski, Święto Trąbek, 1888. Muzeum Narodowe, Warszawa
483. Aleksander Gierymski, Powiśle, 1883. Muzeum Narodowe, Kraków
484. Sala rotundowa pałacu w Lubostroniu, 1800–1806
485. Sala rotundowa pałacu w Pakosławiu, po 1791
486. Wnętrze pałacu biskupiego w Krakowie, ok. 1816. Archiwum Główne Akt Dawnych miasta Krakowa
487. Sala Czerwona pałacu Działyńskich w Poznaniu, 1786–1787
488. Sala portretowa pałacu w Choczu, ok. 1790
489. Sala Jadalna w zamku w Kórniku, do 1858
490. Bolesław Chrobry wbija pale graniczne na Sali i Łabie, płaskorzeźba w rotundzie pałacu w Pakosławiu, wykonana wg ryciny Franciszka Smuglewicza, po 1791
491. Franciszek Maria Lanci, Złota Kaplica przy katedrze w Poznaniu, do 1840
492. Piotr Michałowski, Somosierra, ok. 1837. Muzeum Narodowe, Kraków
493. Jan Piotr Norblin, Wieszanie zdrajców, 1794. Biblioteka PAN, Kórnik
494. Jan Lewicki, Bartosz Głowacki, wg *Słów prawdy dla ludu polskiego*, 1848
495. Artur Grottger, Świętokradztwo, cykl „Wojna", 1866–1867. Muzeum Narodowe, Wrocław
496. Józef Simmler, Śmierć Barbary Radziwiłłówny, 1860. Muzeum Narodowe, Warszawa
497. Jan Matejko, Rejtan, fragment, 1866. Muzeum Narodowe, Warszawa
498. Jan Matejko, Bitwa pod Grunwaldem, fragment, 1878. Muzeum Narodowe, Warszawa
499. Jan Matejko, Batory pod Pskowem, fragment, 1872. Muzeum Narodowe, Warszawa
500. Madonna z Dzieciątkiem z Brzozowego Kąta k. Ostrołęki
501. Wycinanka z okolic Warszawy
502. Wnętrze izby z podłogą wysypaną piaskiem, Domaniewice k. Rawy Mazowieckiej
503. Łowicki strój panny młodej
504. Malowana obora w Zalipiu
505. Haftowany czepiec wielkopolski
506. Skrzynia skawińska
507. Matka Boska Saletyńska z okolic Tarnowa
508. Chrystus Frasobliwy z Iwonicza
509. Adam i Ewa, obraz z Kołaczyc k. Jasła, 1835. Muzeum, Sanok
510. Dywan dwuosnowowy z Rudek k. Bielska Podlaskiego
511. Słup ze św. Benonem, ok. 1800. Kuklinów k. Krotoszyna
512. A. Skowron, dawny Sąd Krajowy we Lwowie, 1892
513–515. Wały Hetmańskie we Lwowie, fazy

rozwojowe: 1840, 1895, 1904. Zestawienie za K.K. Pawłowskim, wg *Albumu pamiątkowego Lwowa*...

516. Plan Lwowa, 1890–1894, wg *Przewodnika po Lwowie*, Lwów 1894. W prawym górnym rogu schematyczny układ dzielnic: I – Halickie, II – Krakowskie, III – Żółkiewskie, IV – Łyczakowskie, V – Śródmieście. Wg Drexlera opracował K.K. Pawłowski

517. Jerzy Henryk Fryderyk Hitzig, pałac L. Kronenberga przy ob. pl. Małachowskiego w Warszawie, 1868–1871. Nieistniejący

518. Dawid Landé, kamienica M. Spokornego przy Al. Ujazdowskich w Warszawie, 1904. Nieistniejąca

519. Franciszek Chełmiński, Zakłady Grohmanna w Łodzi, 1896–1898

520. I. Stebelski, willa przy ul. Worcella 6/8 w Łodzi, 1904

521. Leander Marconi, willa W. Wernickiego przy Al. Ujazdowskich w Warszawie, 1875–1877. Nieistniejąca

522. Hilary Majewski, zespół przemysłowy Scheiblerów na Księżym Młynie w Łodzi, 1865–1869 do 1895

523. Piotr Brukalski, kamienica przy ul. Piotrkowskiej 107 w Łodzi, 1895

524. Hilary Majewski, przędzalnia I.K. Poznańskiego w Łodzi, 1872–1896

525. Hilary Majewski, wnętrze salonu w pałacu przy ul. Przędzalniczej 72 w Łodzi, ok. 1880

526. Adolf Zeligson, pałac Poznańskiego przy ul. Ogrodowej 15 w Łodzi, pocz. XX w.

527. Dawny pasaż Meyera, obecnie ul. Moniuszki w Łodzi

528. Franciszek Mączyński i Tadeusz Stryjeński, Teatr Stary w Krakowie, 1905

529. Czesław Przybylski, Teatr Polski w Warszawie, 1912

530. Franciszek Mączyński, gmach Towarzystwa Przyjaciół Sztuk Pięknych w Krakowie, 1901

531. Zdzisław Mączeński, gmach Ministerstwa Oświaty w Warszawie, 1925–1930

532. Barbara i Stanisław Brukalscy, domy Warszawskiej Spółdzielni Mieszkaniowej na Żoliborzu w Warszawie, ok. 1935

533. Wacław Krzyżanowski, gmach Biblioteki Jagiellońskiej w Krakowie, 1939

534. Adolf Szyszko-Bohusz, gmach Powszechnej Kasy Oszczędności w Krakowie, 1925

535. Konstanty Laszczka, Popiersie kobiety. Muzeum Narodowe, Poznań

536. Wacław Szymanowski, pomnik Fryderyka Chopina w parku Łazienkowskim w Warszawie, 1909

537. Xawery Dunikowski, Głowa Adama Mickiewicza, 1908. Muzeum Narodowe, Kraków

538. Henryk Kuna, Różowy marmur, 1929. Muzeum Narodowe, Warszawa

539. August Zamoyski, Akt. Muzeum Narodowe, Warszawa

540. Edward Wittig, Młodość, 1907. Muzeum Narodowe, Kraków

541. Jan Szczepkowski, Dziewki wiejskie, 1903. Muzeum Narodowe, Kraków

542. Zbigniew Pronaszko, projekt głowy Adama Mickiewicza do pomnika w Wilnie, 1922

543. Edward Wittig, Polska Nike, 1917. Muzeum Narodowe, Warszawa

544. Jan Szczepkowski, Ołtarz Matki Boskiej na Wystawie Sztuki Dekoracyjnej w Paryżu, 1925

545. Stanisław Wyspiański, Polonia, 1894. Muzeum Narodowe, Kraków

546. Olga Boznańska, Portret pani w brązowej sukni, 1900. Muzeum Narodowe, Warszawa

547. Jacek Malczewski, Melancholia, 1890–1894. Muzeum Narodowe, Poznań

548. Jacek Malczewski, Hamlet polski – Portret Aleksandra Wielopolskiego, 1903. Muzeum Narodowe, Warszawa

549. Stanisław Lentz, Portret członków Towarzystwa Naukowego Warszawskiego. Muzeum Narodowe, Warszawa

550. Władysław Podkowiński, Sad w Chrzesnem, 1891. Muzeum Narodowe, Poznań

551. Konrad Krzyżanowski, Portret żony z kotem, 1913. Muzeum Śląska Opolskiego, Opole

552. Aleksander Gierymski, Trumna chłopska, 1894. Muzeum Narodowe, Warszawa

553. Józef Chemoński, Babie lato, 1875. Muzeum Narodowe, Warszawa

554. Jan Stanisławski, Bodiaki pod słońce, przed 1895. Muzeum Narodowe, Warszawa

555. Ferdynand Ruszczyc, Ziemia, 1898. Muzeum Narodowe, Warszawa

556. Ludwik de Laveaux, Plac Opery w Paryżu, ok. 1890. Muzeum Narodowe, Warszawa

557. Władysław Ślewiński, Morze z rudymi skałami, ok. 1904. Muzeum Narodowe, Warszawa

558. Stanisław Wyspiański, Chochoły, 1898–1899. Muzeum Narodowe, Warszawa

559. Leon Wyczółkowski, Orka na Ukrainie, 1892. Muzeum Narodowe, Kraków

560. Aleksander Gierymski, Wieczór nad Sekwaną, ok. 1893. Muzeum Narodowe, Warszawa

561. Witold Pruszkowski, Rusałki, 1877. Muzeum Narodowe, Kraków

562. Władysław Podkowiński, Szał uniesień, 1893–1895. Muzeum Narodowe, Kraków

563. Witold Wojtkiewicz, Rozstanie, 1908. Muzeum Narodowe, Poznań

564. Stanisław Kubicki, Wioślarz, 1912. Wg „Zdroju", III, 1918, nr 1

565. Zbigniew Pronaszko, Krajobraz ze Strzyżowa, 1921. Muzeum Narodowe, Poznań

566. Szczęsny Kowarski, Uchodźcy, 1942. Muzeum Narodowe, Poznań

567. Wacław Borowski, Zbieranie winogron. Muzeum Narodowe, Warszawa
568. Michał Bylina, Hetman Żółkiewski, ok. 1938. Muzeum Narodowe, Warszawa
569. Jacek Mierzejewski, Umarlak, 1916. Muzeum Narodowe, Warszawa
570. Tymon Niesiołowski, Kąpiące się, 1916–1917. Muzeum Narodowe, Poznań
571. Władysław Skoczylas, Hulanka
572. Stanisław Ignacy Witkiewicz, Schematy kompozycyjne, 1919
573. Marek Włodarski, Płyną po niebie, 1931. Muzeum Narodowe, Warszawa
574. Ludwik Lille, Kompozycja z nutami, 1925
575. Tytus Czyżewski, Portret pani z wachlarzem, 1935. Muzeum Narodowe, Poznań
576. Stanisław Ignacy Witkiewicz, Portret Zofii Szumanowej, 1929. Muzeum Narodowe, Poznań
577. Leon Chwistek, Szermierka, 1920. Muzeum Narodowe, Kraków
578. Leon Chwistek, Miasto fabryczne, 1921. Muzeum Narodowe, Warszawa
579. Stanisław Ignacy Witkiewicz, Kompozycja, 1922. Muzeum Narodowe, Kraków
580. Katarzyna Kobro, Akt, ok. 1924. Muzeum Sztuki, Łódź
581. Karol Hiller, Promień, 1933. Muzeum Sztuki, Łódź
582. Maria Nicz-Borowiakowa, Akt, 1924. Muzeum Narodowe, Poznań
583. Władysław Strzemiński, Kompozycja unistyczna, ok. 1931. Muzeum Narodowe, Poznań
584. Katarzyna Kobro, Rzeźba przestrzenna, 1929. Muzeum Sztuki, Łódź
585. Henryk Stażewski, Kontrkompozycja, 1930–1932. Muzeum Sztuki, Łódź
586. Władysław Strzemiński, Pejzaż morski, 1934. Muzeum Sztuki, Łódź
587. Artur Nacht-Samborski, Kwiaty na stołku, liście fikusa, 1955. Muzeum Narodowe, Poznań
588. Wacław Taranczewski, Martwa natura z kwiatami na krześle, 1949. Muzeum Narodowe, Poznań
589. Stanisław Szczepański, Śledzie, 1948. Muzeum Narodowe, Poznań
590. Jan Cybis, Kielich i dzban do kawy, 1951–1952. Muzeum Narodowe, Poznań
591. Zygmunt Waliszewski, Uczta renesansowa, 1933. Muzeum Narodowe, Warszawa
592. Hanna Rudzka-Cybisowa. Krajobraz z płotem (Ogród),1931. Muzeum Narodowe, Poznań
593. Eugeniusz Eibisch, Martwa natura z rybą. Muzeum Narodowe, Poznań
594. Tadeusz Kantor, Praczka, 1946
595. Andrzej Wróblewski, Rozstrzelanie V, 1949. Muzeum Narodowe, Poznań
596. Jerzy Tchórzewski, Ptaki, 1949

597. Alfred Lenica, Powrót z wojny, 1946
598. Zbigniew Dłubak, Mauthausen, 1945
599. Kazimierz Mikulski, Drewniany ptak, 1954. Muzeum Narodowe, Warszawa
600. Henryk Stażewski, Ucieczka, 1947
601. Maria Jaremianka, Wyrazy, 1954. Muzeum Narodowe, Warszawa
602. Marian Wnuk, pomnik Przyjaźni Polsko--Radzieckiej w Gdyni
603. Aleksander Kobzdej, Podaj cegłę, 1950. Muzeum Narodowe, Wrocław
604. Wojciech Weiss, Manifest, 1950. Muzeum Narodowe, Kraków
605. Praca zbiorowa, Pierwszomajowa manifestacja w r. 1905, 1951. Muzeum Narodowe, Warszawa
606. Andrzej Wróblewski, Na zebraniu, 1954
607. Alina Szapocznikow, Pierwsza miłość, 1954
608. Stanisław Horno-Popławski, Matka Belojannisa
609. Natan Rappaport, pomnik Bohaterów Getta w Warszawie, fragment
610. Stanisław Jankowski, Jan Knothe, Józef Sigalin, Zygmunt Stępień, MDM w Warszawie, 1949–1952
611. Tadeusz Kantor, Ramamaganga, 1957. Muzeum Narodowe, Poznań
612. Marek Oberländer, Napiętnowani, 1955. Muzeum Okręgowe Ziemi Lubuskiej, Zielona Góra
613. Marian Bogusz, Symfonia liturgiczna Honeggera, 1955. Muzeum Okręgowe, Bydgoszcz
614. Adam Marczyński, Nad wodą, 1956. Muzeum Narodowe, Poznań
615. Rajmund Ziemski, Krajobraz czerwony. Muzeum Narodowe, Poznań
616. Jan Tarasin, Schody Jakuba, 1968. Muzeum Narodowe, Poznań
617. Tadeusz Brzozowski, Dyrdy, 1968. Muzeum Narodowe, Poznań
618. Jan Lebenstein, Figura, 1957. Muzeum Narodowe, Poznań
619. Tadeusz Dominik, Jesień. Muzeum Narodowe, Poznań
620. Piotr Potworowski, Port w Redzie, 1960. Muzeum Narodowe, Poznań
621. Władysław Hasior, Ogrodnik, Muzeum Narodowe, Poznań
622. Aleksander Kobzdej, Wynurzony, 1958. Muzeum Narodowe, Poznań
623. Wojciech Fangor, SU 22 A, 1971. Muzeum Narodowe, Poznań
624. Józef Szajna, Reminiscencje, fragment *environment*, 1969. Muzeum, Recklinghausen
525. Stefan Gierowski, Obraz CC IV
626. Antoni Fałat, 1969. Muzeum Narodowe, Poznań
627. Zbigniew Tymoszewski, Postać z księżycem, 1962. Muzeum Narodowe, Poznań
628. Jan Berdyszak, bez tytułu. Muzeum Narodowe, Poznań

629. Bronisław Wojciech Linke, Głowa z niebieskimi włosami, 1961. Wł. Anny Linke
630. Teresa Pągowska, Szósty 67, 1967. Muzeum Narodowe, Poznań
631. Jan Młodożeniec, plakat filmowy: „Klute", 1973
632. Jan Świtka, Ślusarska 15 h 15, 1973. Muzeum Narodowe, Poznań
633. Jerzy Nowosielski, Abstrakcja, 1970. Muzeum Narodowe, Warszawa
634. Franciszek Starowieyski, plakat teatralny: W. Gombrowicz „Ślub", 1975
635. Alina Ślesińska, Brazylia, 1974. Wł. prywatna
636. Xawery Dunikowski, Kobiety brzemienne, 1906. Muzeum im. Xawerego Dunikowskiego, Warszawa
637. Jan Berdyszak, Kondensator wyrazów elementarnych, 1971–1973. Wł. prywatna
638. Jerzy Bereś, Zwid-Wóz, 1965–1968. Wł. prywatna
639. Alina Szapocznikow, Autoportret zwielokrotniony, 1965. Wł. prywatna
640. Karol Broniatowski, Tłum, 1973. Aranżacja przestrzenna na wystawie w Mannheim
641. Hala Sportowa „Spodek" i pomnik Powstańców Śląskich w Katowicach, 1967. Arch. arch.: Maciej Gintowt, Maciej Krasiński, Andrzej Żurawski, Wojciech Zabłocki i rzeźbiarz Gustaw Zemła
642. Jerzy Dajewski, Instytut Meteorologii i Gospodarki Wodnej w Zakopanem, 1964–1966
643. Jerzy Jarnuszkiewicz, fragment projektu pomnika I Armii Wojska Polskiego, 1958. Muzeum Narodowe, Kraków
644. Franciszek Duszenko, Adam Haupt, Franciszek Strynkiewicz, pomnik Pamięci Ofiar w Treblince, 1964
645. Adam Myjak, Zapadanie w sen, 1974. Muzeum Narodowe, Warszawa
646. J. Kozłowski, K. Seifert, Z. Wolak, kościół p.w. Matki Boskiej z Fatima, Tarnów, 1957–1960
647. Jerzy Buszkiewicz, zajazd „Podbipięta" na trasie Warszawa–Poznań
648. Andrzej Fabierkiewicz i zespół, dzielnica Ursynów-Południe w Warszawie, od 1975
649. Pasaż „Ściany Wschodniej" ul. Marszałkowskiej w Warszawie, 1960–1969. Wg generalnego projektu Zbigniewa Karpińskiego i Jana Klewina
650. Arseniusz Romanowicz i zespół, Dworzec Centralny w Warszawie, 1971–1975
651. Trasa Łazienkowska w Warszawie, 1964–1974. Główny projektant Józef Sigalin oraz Andrzej Buchner, Leszek Gruszczyński, Jan Knothe, Stanisław Maszyński i Stanisław Niewiadomski

Rysunki w tekście

s. 22 – Gniezno, plan rozwoju przestrzennego, X–XII w.
1 – gród z kościołem św. Jerzego, 2 – podgrodzie z katedrą Wniebowzięcia P. Marii, 3–4 – podgrodzia, 5 – osada targowa z kościołem św. Wawrzyńca, 6 – kościół św. Jana Chrzciciela, 7 – osada z kościołem św.św. Piotra i Pawła, 8 – osada z kościołem Świętego Krzyża, 9 – osada z kościołem św. Michała. Wg K. Żurawskiego
s. 23 – Poznań, plan I katedry, przed 968. Wg K. Józefowicz
s. 24 – Gniezno, hipotetyczny rzut najstarszych faz budowy katedry. Kreskowanie – tetrakonchos, X w.; linia pogrubiona – I katedra, 1000; linia przerywana – II katedra, 2. poł. XI w. Wg K. Józefowicz
s. 26 – Rotundy i palatia: 1 – na Ostrowie Lednickim, 2 – na grodzie w Gieczu, 3 – na grodzie w Przemyślu
s. 27 – Płock, plan rotundy. Wg W. Szafrańskiego
s. 27 – Trzemeszno, kościół Benedyktynów, relikty I kościoła p.w. P. Marii, kon. X w. Wg K. Józefowicz
s. 28 – Kraków–Wawel, I katedra p.w. św. Wacława, plan części wschodniej
s. 29 – Gniezno, plan katedry p.w. Wniebowzięcia P. Marii i św. Wojciecha
s. 30 – Płock, plan katedry p.w. Wniebowzięcia P. Marii
s. 31 – Tyniec, plan klasztoru benedyktynów p.w. św.św. Piotra i Pawła
s. 32 – Kraków–Wawel, zabudowa wzgórza w X–XII w. Plan wg A. Żakiego. 1 – rotunda P. Marii z aneksem (palatium? Wg A. Szyszki-Bohusza i A. Żakiego), 2 – nowo odkryta druga rotunda (wg A. Żakiego), 3 – budowla czworoboczna (wg A. Żakiego), 4 – zabudowania grodu z tzw. stołpem (wg A. Szyszki-Bohusza i A. Żakiego), 5 – tzw. sala na 24 słupach (wg A. Szyszki-Bohusza), 6 – I katedra p.w. św. Wacława (wg A. Szyszki-Bohusza i K. Żurowskiej), 7 – II katedra p.w. św. Wacława (wg J. Pietrusińskiego), 8 – kolegiata p.w. św. Michała (wg A. Żakiego), 9 – wał obronny (odcinki stwierdzone), 10 – prawdopodobne usytuowanie bram, 11 – pagórek sądowy. Rekonstrukcja rzeźby terenu w końcu XII w. (wg A. Żakiego)
s. 47 – Jędrzejów, plan opactwa cystersów p.w. P. Marii i św. Wojciecha
s. 48 – Koprzywnica, plan opactwa cystersów p.w. P. Marii i św. Floriana
s. 48 – Wąchock, plan opactwa cystersów p.w. P. Marii i św. Floriana
s. 49 – Mogiła, plan opactwa cystersów p.w. P. Marii i św. Wacława
s. 50 – Trzebnica, plan kościoła Cysterek p.w. P. Marii i św. Bartłomieja, II faza
s. 50 – Legnica, palatium, plan II kondygnacji
s. 51 – Legnica, plan kaplicy św. Wawrzyńca. Wg J. Rozpędowskiego
s. 54 – Kraków, kościół Franciszkanów p.w. św. Franciszka, rekonstrukcja bryły i plan
s. 62 – Plany katedr gotyckich: 1 – we Wrocławiu, 1244–1361; 2 – w Krakowie na Wawelu, 1320–1364; 3 – w Gnieźnie, 1342 – pocz. XV w.; 4 – w Poznaniu, 1346–1410

Indeks miejscowości i obiektów zabytkowych

Indeks nazwisk

(pominięto nazwiska wymienione w bibliografii; cyfry po średnikach odnoszą się do ilustracji; cyfry złożone kursywą oznaczają numery ilustracji)

Zdjęcia wykonali lub dostarczyli:

T. Ambroż – 612; S. Arczyński – 102, 112, 115, 127, 129, 130, 133, 144, 164, 168; T. Biniewski – 4, 8, 9, 11, 12, 15, 33, 35, 40, 47; J. Bułhak – 413; E. Buczek – 21, 22, 57; T. Chrzanowski – 77, 252, 287, 341, 528; B. Cynalewski – 116, 136, 137, 212, 308, 311, 384, 393, 441, 489; Z. Czarnecki – 143; J. Dajewski – 642; S. Dąbrowiecki (CAF) – 647; M. Dąbski – 3; S. Deptuszewski – 544, 608; E. Frankowski – 505; W. Godycki – 74; W. Górski – 78, 89, 90, 259, 310, 313, 320, 346; J. Grabowski – 508; W. Gumuła – 253; T. Hermańczyk – 303, 365, 430, 454, 529, 531, 536; M. Holzman – 638; S. Jabłońska – 41, 128, 132, 297, 355, 358, 367, 414, 650; K. Jabłoński – 48, 56, 66, 68, 126, 182, 232, 284, 300, 353, 354, 360, 388, 429, 453, 504, 649; M. Jasiecki – 175; A. Kaczkowski – 644; Z. Kamykowski – 60, 72, 92, 95, 96, 111, 117, 139, 140, 167, 176, 179, 189, 195, 204, 210, 213, 218, 220, 221, 222, 225, 226, 228, 236, 237, 238, 244, 245, 248, 250, 255, 266, 267, 270, 271, 273, 275, 276, 277, 280, 324, 350, 394, 405, 423, 424, 497, 498, 499, 547, 552; Z. Kapuścik – 573, 581; M. Karpowicz – 318; B. Kasperski – 285; J. Kębłowski – 169, 172; A. Kędracki – 18, 19, 20, 52, 54, 55, 62, 88, 93, 106, 157, 162, 170, 178, 185, 186, 190, 191, 193, 197, 198, 201, 203, 215, 249, 272, 372, 374, 377, 382, 406, 432, 433, 435, 463, 465, 471, 472, 478, 482, 491, 492, 503, 535, 546, 550, 553, 554, 557, 558, 559, 560, 562, 563, 565, 566, 570, 575, 576, 582, 583, 587, 588, 590, 591, 592, 593, 595, 599, 601, 614, 615, 616, 617, 618, 619, 620, 621, 622, 623, 626, 627, 628, 630, 633, 634, 646; A. Klejna – 16; S. Kolowca – 134, 180, 211, 229, 231, 235, 247, 309, 343, 386, 537; E. Kozłowska-Tomczyk – 578, 605; P. Krassowski – 286; E. Kupiecki – 44, 45, 81, 83, 138, 216, 219, 227, 230, 233, 234, 256, 257, 258, 281, 282, 283, 289, 291, 292, 298, 299, 301, 304, 307, 312, 331, 332, 333, 335, 351, 352, 356, 357, 364, 387, 392, 427, 428, 437, 443, 445, 446, 447, 448, 455, 530, 532, 533, 609; S. Laskowski – 442; K. Lelewicz – 145; Z. Malinowski – 456, 540; Z. Małek – 23, 70, 94, 97; M. Maśliński – 506; W. Mądroszkiewicz – 586; E. Meksiak – 181; B. Miedza (CAF) – 610; J. Mierzecka – 440; J. Morek (Interpress) – 648; M. Murman – 294; J. Myszkowski – 316, 325, 370, 379; K. Pawłowski – 512, 513, 514, 515, 516; W. Plewiński – 624; H. Poddębski – 80, 261; J. Podlecki – 200, 317, 402, 434, 451, 452, 466, 469, 470, 480, 483; A. Podlewski – 381; K.K. Pollesch – 577, 579; E. Rachwał – 279, 373; P. Radzikowski – 160, 161; H. Romanowski – 84, 378, 401, 539; J. Sabara – 635; J. Samotus – 1, 7; Ł. Schuster – 561; K. Seko – 641; L. Sempoliński – 305, 458, 460, 538; E. Sęczykowska – 461; M. Sielewicz – 545; 631; Z. Siemiaszko – 337, 338; B. Sowilski – 27; Z. Sowiński – 572, 585; S. Stępniewski – 417, 418; T. Suminski – 76; J. Szandomirski – 217; Z. Świechowski – 61, 65, 67, 100, 103, 131, 147, 155, 163; J. Świderski – 500; Z. Tomaszewska – 114, 202, 206, 214, 224, 265, 507, 509; R.S. Ulatowski – 53, 330, 439; A. Wach – 519, 520, 522, 523, 524, 525, 526, 527; E. Witecki – 166, 603; W. Wolny – 574, 584, 636; K. Zakrzewska – 580; D. Zawadzki – 290, 390, 534; E. Zdanowski – 124; F. Zwierzchowski – 643; T. Żółtowska – 464; Biblioteka Narodowa w Warszawie – 119; Biblioteka Uniwersytecka we Wrocławiu (R. Świtacz) – 120; Instytut Historii Kultury Materialnej PAN w Warszawie – 7, 13; Instytut Sztuki PAN w Warszawie – 49, 91, 110, 148, 174, 207, 223, 251, 262, 269, 326, 329, 340, 389, 408, 416, 419, 420, 421, 431; A. Bochnak (IS PAN) – 288, 306, 391, 398, 412; G. Ciołek (IS PAN) – 79; S. Deptuszewski (IS PAN) – 239, 606; Dziekański (IS PAN) – 171; W. Gumuła (IS PAN) – 268, 342; K. Jaworski (IS PAN) – 328, 409, 410, 449; M. Karpowicz (IS PAN) – 322; T. Kaźmierski (IS PAN) – 25, 29, 37, 38, 39, 42, 64, 69, 99, 208, 209, 242; S. Kolowca (IS PAN) – 199; M. Kopydłowski (IS PAN) – 75; E. Kozłowska-Tomczyk (IS PAN) – 24, 31, 58, 243, 321, 397; J. Langda (IS PAN) – 14, 17, 30, 43, 71, 98, 101, 188, 192, 246, 293, 295, 345, 411, 450; W. Mądroszkiewicz (IS PAN) – 598; J. Mierzecka (IS PAN) – 600; M. Moraczewska (IS PAN) – 205, 422, 484; Cz. Olszewski (IS PAN) – 488; H. Poddębski (IS PAN) – 336, 359, 362, 366, 517; T. Przypkowski (IS PAN) – 142, 349; H. Romanowski (IS PAN) – 594; S. Stępniewski (IS PAN) – 105, 107, 108, 109, 363; J. Świderski (IS PAN) – 501, 502, 510; W. Wolny (IS PAN) – 260, 263, 264, 302, 314, 315, 319, 323, 327, 334, 339, 344, 347 (repr.), 403, 511; K. Zakrzewska (IS PAN) – 596; Miejski Konserwator Zabytków w Poznaniu – 487; Muzeum Archeologiczne w Poznaniu – 10, 36; Muzeum Archeologiczne we Wrocławiu – 5; Muzeum Historyczne m. Krakowa – 118, 122; Muzeum Historyczne w Warszawie – 493; Muzeum Narodowe w Poznaniu – 274, 368, 376, 467, 477, 481, 589, 611, 632; B. Drzewiecka (MNP) – 637; Muzeum Narodowe w Szczecinie – 26; Muzeum Narodowe w Warszawie – 278, 348, 369, 375, 404, 436, 462, 468, 473, 475, 476, 479, 496, 543, 548, 549, 556, 567, 568, 571, 604; Muzeum Narodowe we Wrocławiu – 149, 495; Muzeum Śląska Opolskiego w Opolu – 551; Muzeum w Łańcucie – 383; Nationalmuseum, Sztokholm – 380; Svenska Porträttarkivet, Gripsholm – 371; Wojewódzki Konserwator Zabytków w Poznaniu – 63, 87, 135, 240, 241, 385, 438, 485, 490; archiwum Wydawnictwa Arkady – 141, 146, 150, 151, 153, 156, 158, 159, 165, 177; archiwum Wydawnictw Artystycznych i Filmowych – 152, 154, 173.

Rysunki na stronach 133, 137, 193
wykonał Robert Kunkel

Redaktor: Aleksandra Czeszunist-Cicha
Redaktorzy techniczni: Zbigniew Weiss, Magdalena Kosewska
Korekta: zespół

Wydawnictwo Arkady ● Warszawa 1987. Wydanie I
Nakład 40 300 egz. Format 162×235 mm
Druk: Zakłady Offsetowe RSW „P-K-R"
Skład, reprodukcja i oprawa: Drukarnia im. Rew. Październikowej
Zam. 4314/11/83. Symb. 1017/RS. K-20   Cena zł 2300,—